Het einde van de antibiotica

FSC
www.fsc.org

Rinke van den Brink

Het einde van de antibiotica

Hoe bacteriën winnen van een wondermiddel

DE GEUS

De auteur ontving voor het schrijven van dit boek een werkbeurs van het Fonds Bijzondere Journalistieke Projecten www.fondsbjp.nl

FONDS Bijzondere
JOURNALISTIEKE PROJECTEN

en van het Fonds Pascal Decroos voor Bijzondere Journalistiek
www.fondspascaldecroos.org

Omslagontwerp Thierry Wijnberg/*total italic*
Omslagillustratie © www.thinkstockphotos.com
ISBN 978 90 445 2348 5
NUR 870

Inhoud

1. De bacteriën winnen van de antibiotica

De oudere vrouw op de afdeling gastro-enterologie van het UMC Utrecht was terminaal ziek, de dokters konden niet veel meer voor haar doen. Ze wilden haar overplaatsen naar een verpleeghuis. Maar er was geen verpleeghuis te vinden dat haar wilde opnemen. De patiënte had pech. Dat ze nu net zo ziek moest zijn ten tijde van de grote uitbraak van VRE in het Utrechtse academisch ziekenhuis. Vancomycine resistente enterokokken (VRE) behoren tot de meest vervelende resistente bacteriën die een ziekenhuis kan hebben. De vrouw was besmet met die VRE. Dat is lang niet de meest virulente resistente bacterie, maar wel een heel besmettelijke, die je niet makkelijk meer je ziekenhuis uit krijgt als ze eenmaal binnen is. Daarom wilden de verpleeghuizen de vrouw niet opnemen. Het UMC Utrecht handelde precies volgens het protocol. De vrouw lag maanden eenzaam en alleen in een kamertje apart. Uiteindelijk is ze zwaar psychotisch geworden en in het ziekenhuis gestorven. Het drama speelde zich af in 2000. 'Dan vraag ik me af, wat is er nu erger: de ziekte of de behandeling', zegt professor Marc Bonten, hoofd van de afdeling medische microbiologie in het ziekenhuis. 'Wij moeten ons heel goed blijven realiseren wat we met die mensen doen, wat de impact is van maatregelen voor infectiepreventie en -bestrijding op patiënten. Afdelingen sluiten, dat wordt volgens mij vaak te makkelijk gedaan. Het betekent al snel een beperking van zorg. Als je een intensive care sluit kun je niet opereren en daardoor moeten ernstig zieke mensen dan worden overgebracht naar een ander ziekenhuis, dat is geen kattepis.' Het individuele belang van de patiënt botste hier met het collectieve belang van de volksgezondheid. Het is een van de kernpunten in de discussie over de wereldwijd snel toenemende resistentie van allerlei bacteriën voor antibiotica. 'Elke arts', zegt Jan Kluytmans, hoogleraar aan het VUmc en hoofd van de afdeling medische microbiologie van het Amphia Ziekenhuis in Breda, 'wil het maximale doen voor zijn patiënt. Die wil hij beter maken. Het is lastig om daarbij ook het collectieve belang in het oog te houden. Je kunt je afvragen wat de behandeling die je aan een individuele patiënt geeft, betekent voor de volksgezondheid. Bij de meeste geneesmiddelen speelt die afweging geen enkele of hooguit een ondergeschikte rol, maar bij het gebruik van antibiotica is die nadrukkelijk wel aan de orde. De opleiding van artsen voorziet hier ook niet in. Aan het eind zweer je of beloof je de eed van Hippocrates en die heeft het juist over die ene patiënt.'

In hoofdstuk 2, 'In den beginne was er antibioticaresistentie', ga ik uitgebreid op die tegenstelling in.

De strakke regels en strenge protocollen die de Utrechtse patiënte met VRE aan het begin van de eeuw parten speelden, zijn niet voor niets opgesteld. Een multiresistente bacterie in huis is een angstdroom voor elke dokter, verpleegkundige of bestuurder. En dat geldt voor elke zorginstelling. Patiënten die niet of alleen nog heel moeilijk te behandelen zijn. Het omslachtige isoleren van die patiënten. Artsen en verpleegkundigen die zich aan extra strenge hygiënevoorschriften moeten houden. Afdelingen die tijdelijk gesloten en grondig gereinigd moeten worden. Hoofdstuk 3 gaat over die menselijke en economische kosten van de antibioticaresistentie.

Als een ziekenhuis, of een andere zorginstelling, zich niet goed houdt aan de richtlijnen en niet doet wat het moet doen, is er een grote kans dat zich een horrorscenario ontwikkelt zoals in 2010 en 2011 in het Maasstad Ziekenhuis in Rotterdam. Dat ziekenhuis werd een jaar of twee geteisterd door een uitbraak van een multiresistente *Klebsiella*-bacterie. Het ziekenhuis verzuimde te doen wat moest en zag de uitbraak groter en groter worden. Uiteindelijk stierven drie mensen door de bacterie, bij tien sterfgevallen speelde die mogelijk een rol. Nog eens veertien patiënten overleden nadat ze eerder besmet geraakt waren met de bacterie. Patiënten gingen het Maasstad Ziekenhuis massaal mijden. Als ooit het eminente belang van goed infectiepreventiebeleid duidelijk is geworden, dan wel in het Maasstad Ziekenhuis. Microbiologen en deskundigen infectiepreventie – zo heten ziekenhuishygiënisten tegenwoordig – moeten dat samen doen. Waar dat niet gebeurt wil het nog weleens misgaan. In het Maasstad Ziekenhuis was geen sprake van samenwerking tussen beide groepen specialisten.[1] In hoofdstuk 4, 'Het Maasstad, de moeder aller uitbraken', beschrijf ik het allemaal uitgebreid.

Rol medische microbiologie

De uitbraak in het Rotterdamse ziekenhuis was in zijn omvang en ernst uitzonderlijk. Dat was het gevolg van de falende aanpak ervan, want dat er een vervelende bacterie in het ziekenhuis binnenkomt is niets anders dan pech. Het gebeurt veel vaker en is onvermijdelijk, zoals hoofdstuk 5, 'Een dun laagje poep, op alles wat je vastpakt', laat zien. Sinds ik op 31 mei 2011 de falende aanpak van de *Klebsiella*-uitbraak in het Maasstad Ziekenhuis aan het licht bracht, hebben zich alweer tientallen uitbraken van multiresistente bacteriën voorgedaan.* Wat deze gegevens betekenen is niet echt duidelijk. Er is geen meldingsplicht voor bacteriële uitbraken. Niemand weet of dit alle uitbraken van resistente bacteriën in de betreffende periode zijn of maar de helft van het totale aantal. Feit

---

* Tot november 2012 turfde ik ruim zestig uitbraken van uiteenlopende multiresistente bacteriën. In sommige steden hadden verschillende zorginstellingen te maken met een uitbraak. Er waren ook ziekenhuizen of verpleeghuizen die in de onderzochte periode te kampen hadden met meer dan één uitbraak. Het ging om ziekenhuizen en verpleeghuizen in Nijmegen, Utrecht, Nieuwegein, Hoorn, Doetinchem, Rotterdam, Hoensbroek, Drachten, Den Bosch, Amsterdam, Leiden, Haarlem, Assen, Tilburg, Bathmen, Dordrecht, Amstelveen, Groningen, Zwolle, Arnhem, Emmen, Enschede, Weert, Lelystad, Harderwijk, Ermelo, Apeldoorn, Winterswijk, Beekbergen, Haren, Veenendaal, Veghel, Den Haag, Leidschendam, Heerenveen en Roermond.

is wel dat er al enkele jaren steeds meer resistente bacteriën aangetroffen worden bij bewoners van zorginstellingen én onder de gewone bevolking.

Bij meer dan de helft van de uitbraken die ik telde ging het om MRSA (meticilline resistente *Staphylococcus aureus*), de traditionele ziekenhuisbacterie. Behalve de ziekenhuisvariant zijn er nog twee andere MRSA-typen in omloop: een veeteeltvariant die vooral bij varkens veel voorkomt en nog een derde die mensen oplopen zonder dat ze in het ziekenhuis of in contact met dieren zijn geweest. Het *search and destroy* MRSA-beleid in Nederlandse ziekenhuizen is heel streng en succesvol. En het brengt volgens Utrechts onderzoek uit 2011 meer op dan het kost.[2] Uitbraken worden doorgaans vroegtijdig opgemerkt.

Minister Schippers meldde in oktober 2011 in antwoord op Kamervragen dat er in Nederland naar schatting 7 mensen per jaar overlijden aan een door MRSA veroorzaakte infectie.[3] Ter vergelijking: in de Verenigde Staten overleden in 2005 bijna 19.000 patiënten aan de gevolgen van een infectie veroorzaakt door MRSA.[4] In Engeland daalde het aantal doden als gevolg van bloedvergiftiging door MRSA van een piek van 1.652 in 2006 naar 364 in 2011.[5]

België kent ook een systeem van systematische screening van risicopatiënten op MRSA, maar minder strikt dan in Nederland.[6] MRSA komt er een keer of twintig vaker voor dan in Nederland.[7] Jaarlijks zouden er ongeveer vijftig mensen in België overlijden aan een bloedvergiftiging veroorzaakt door MRSA.[8]

In de Duitse deelstaat Noordrijn-Westfalen, met 17 miljoen inwoners en veel intensieve veeteelt goed vergelijkbaar met Nederland, komt MRSA 32 keer vaker voor dan in Nederland. Invoering van het Nederlandse MRSA-beleid in Noordrijn-Westfalen zou naar schatting 150 doden per jaar schelen.[9] Maar dat zal niet makkelijk gaan. Door bezuinigingen heeft nog maar 10 procent van de Duitse ziekenhuizen microbiologen in dienst. In de overige ziekenhuizen zijn die de afgelopen tien jaar verdwenen net als de eigen microbiologische labs voor zover die er waren. Grote commerciële laboratoria doen het werk nu voor de circa 2.100 Duitse ziekenhuizen. Het laboratoriumonderzoek gebeurt doorgaans prima, alleen ontbreekt in de ziekenhuizen die de tests aanvragen vaak de kennis om de juiste tests aan te vragen en adequaat te reageren op de testresultaten die binnenkomen. De Bondsdag, het Duitse parlement, heeft dat probleem intussen onderkend. In de zomer van 2011 werden de vierhonderd grootste ziekenhuizen – met meer dan vierhonderd bedden – wettelijk verplicht weer microbiologen voor infectiepreventie in dienst te nemen. Alle andere ziekenhuizen moeten in het kader van de infectiepreventie op afstand samenwerken met een microbioloog.[10]

In Duitsland is er lang van uitgegaan dat er jaarlijks tussen de 400.000 en 600.000 Duitsers in het ziekenhuis een infectie oplopen. Volgens het Robert Koch Institut overlijden elk jaar tussen de 7.500 en 15.000 mensen aan die infecties. In 2008 verhoogden onderzoekers van het NRZ (Nationaal referentiecentrum voor de surveillance van ziekenhuisinfecties) de schatting van het aantal slachtoffers tot tussen de 10.000 en 15.000.[11] In 2011 presenteerden enkele artsenorganisaties nieuwe cijfers bij een hoorzitting van de commissie Volksgezondheid van de Bondsdag over de aanpassing van de Infectieziektenwet. Zij wezen erop dat het aantal ziekenhuisopnames intussen met bijna 20 procent is gestegen en dat ook patiënten die thuis of in een verpleeghuis verblijven met een in het ziekenhuis opgelopen infectie, meegeteld moeten worden. Jaarlijks zouden in Duitse ziekenhuizen minstens 700.000 mensen een ziekenhuisinfectie oplopen. En zo'n 30.000 van hen overleven die niet[12]. Intussen heeft het Robert Koch Institut nieuw representatief onderzoek gepubliceerd in het kader van een door het ECDC (European Center for Disease Prevention and Control) opgezet project over het vóórkomen van ziekenhuisinfecties in Europese landen. Daaruit blijkt dat het aantal ziekenhuisinfecties in Duitsland zo'n

3,33 procent is. Dat zijn nagenoeg 600.000 patiënten van de bijna 18 miljoen die jaarlijks opgenomen worden.[13]
In Nederland is het aantal ziekenhuisinfecties 74.000 op een totaal van bijna 2 miljoen ziekenhuisopnames in 2010. (3,7 procent).[14] In Nederland sterven naar schatting jaarlijks ongeveer 1.000 mensen aan de gevolgen van een ziekenhuisinfectie.[15] In Duitsland, afhankelijk van het gehanteerde getal – de ondergrens van de schattingen of de bovengrens – tot wel dertig keer zo veel. In België, dat met een bevolking van 11 miljoen ruim eenderde minder inwoners heeft dan Nederland, doen zich jaarlijks 125.000 ziekenhuisinfecties voor bij een kleine 2 miljoen ziekenhuisopnames.[16] Van de patiënten sterven er ruim 2.600 door de infectie.[17]

Hoofdstuk 8 handelt grotendeels over de rol en de plek die de medische microbiologie verdient.

In grote delen van de wereld is antibioticaresistentie een veel groter probleem dan het in Nederland, Duitsland of België is. Het tijdschrift *Clinical Infection Diseases* bracht in december 2011 de zoveelste onheilstijding over antibioticaresistentie.[18] Een groep Indiase onderzoekers heeft een variant van de tuberculosebacterie aangetroffen die volledig resistent is voor alle bestaande antibiotica die ingezet worden tegen tuberculose. In het Hinduja Hospital in Mumbai deden zich blijkens het artikel al twaalf gevallen voor van deze vorm van tuberculose. Nederlandse tbc-deskundigen waarschuwden in oktober 2012 in een uitzending van het wetenschapsprogramma *Labyrint* dat het een kwestie van tijd is dat er ook in Nederland patiënten zullen opduiken met onbehandelbare tuberculose.[19] Patiënten die dan uit het oogpunt van de bescherming van de volksgezondheid eigenlijk levenslang geïsoleerd zouden moeten worden.

Eind 2011 publiceerde de Hoge Gezondheidsraad in België een advies over de aanpak van het sterk gestegen aantal bacteriën dat resistent is voor de carbapenems, de klasse van antibiotica die als laatste toevluchtmiddel gelden.[20] Artsen kunnen dan alleen nog grijpen naar een experimentele behandeling. Ze geven een meer dan zestig jaar oud antibioticum dat vanwege bijwerkingen – met name nierschade – eigenlijk bij voorkeur niet meer gebruikt werd. Of een nieuwer middel met weinig bijwerkingen dat niet erg effectief is tegen het soort infecties dat veroorzaakt wordt door voor carbapenems resistente bacteriën.

De *Klebsiella*-bacterie die voor de grote uitbraak zorgde in het Maasstad Ziekenhuis in Rotterdam is zo'n bacterie die resistent is voor carbapenem-antibiotica. In Nederland kwamen ze tot de uitbraak in het Maasstad Ziekenhuis zelden voor, maar in de ziekenhuizen in Griekenland, Italië en Cyprus is dat wel anders. Griekenland, Cyprus, Italië en België hebben met elkaar gemeen dat er heel veel antibiotica worden gebruikt.[21] Zowel in ziekenhuizen en andere zorginstellingen als daarbuiten. In 2009 werden er in Griekenland buiten de zorginstellingen drieënhalf keer zo veel antibiotica geslikt als in Nederland. De Cyprioten slikken drie keer zo vaak, de Italianen, de Fransen en de Belgen tweeënhalf keer zo vaak antibiotica als de Nederlanders.[22] In 2010 kwam daar geen noemenswaardige verandering in.[23] Hoofdstuk 7, 'Het einde in zicht?', gaat over resistentie tegen carbapenems.

Dieren vol resistente bacteriën

Hoe anders is het beeld in de veterinaire sector. Nederlandse veeartsen zijn bijzonder kwistig met antibiotica. Let wel: veelal dezelfde antibiotica als die in de humane gezondheidszorg gebruikt worden. Dierenartsen zijn tegelijk apotheker. Ze verkopen veehouders de antibiotica – en ook alle andere medicijnen – die ze zelf voorschrijven. Ongeveer 5 procent van de dierenartsen zet 85 procent van alle antibiotica af. Daar verdienen ze veel geld mee. Nederland is in de veterinaire sector al jaren een grootgebruiker. Tot 2011 stond Nederland steevast in de top van de ranglijst van de antibioticagebruikers.

Alleen Griekenland en de Verenigde Staten gebruikten nog meer. Het hoge Nederlandse antibioticagebruik komt onder meer door preventief toedienen van antibiotica, die door het voer gemengd worden, en door koppelbehandeling. Als een paar dieren in een stal ziek zijn krijgen alle dieren antibiotica. Pas in 2010 en vooral 2011 is er een begin gemaakt met de aanpak van het veterinaire antibioticagebruik. Antibioticagebruik in de dierhouderij is het hoofdonderwerp van hoofdstuk 9, 'Achter de cijfers kijken'.

Het grootverbruik van antibiotica in de intensieve veehouderij is niet zonder gevolgen gebleven voor de mens. De afgelopen paar jaar is er een reeks studies gepubliceerd die de verstrekkende gevolgen ervan in kaart brengen. Zo bevat bijna alle kippenvlees dat in Nederland te koop is ESBL-producerende bacteriën. Hetzelfde geldt in mindere mate voor andere soorten vlees.[24] In België zal het niet veel anders zijn, zeggen kenners, alleen zijn er nog geen vergelijkbare studies gedaan.

ESBL's (Extended Spectrum Bèta-Lactamase) zijn een groep enzymen die de belangrijke antibiotica van de typen penicillines en cefalosporinen onwerkzaam maken. Dat zijn de antibiotica die patiënten in het ziekenhuis per infuus krijgen als de huisarts een infectie er niet onder krijgt met orale antibiotica. Vooral veel voorkomende darmbacteriën als de *E. coli** en de *Klebsiella pneumoniae* vormen ESBL's. En die resistente bacteriën zitten ook in de grond[25], in het water[26] en op sommige groenten[27].

Uit onderzoek op de intensive care en de afdelingen urologie van veertien Nederlandse ziekenhuizen blijkt dat tussen 1998 en 2009 het aantal ESBL-producerende *Klebsiella's* met een factor vier is gestegen van 2 naar 8 procent[28]. In België neemt in de ziekenhuizen het aantal infecties door ESBL-positieve *E. coli* en *Klebsiella*

---

* *Escherichia coli* of kortheidshalve *E. coli*, genoemd naar de ontdekker Theodor Escherich.

pneumoniae ook toe blijkens de gegevens van het Wetenschappelijk Instituut Volksgezondheid (WIV)[29].

Minister Schippers zei op 11 oktober 2011 in antwoord op Kamervragen dat jaarlijks in Nederland 37 patiënten sterven aan een infectie veroorzaakt door een ESBL-producerende bacterie[30].

Volgens het European Center for Disease Prevention and Control (ECDC) sterven er in Europa jaarlijks naar schatting 25.000 mensen als gevolg van infecties veroorzaakt door multiresistente bacteriën[31]. De Pakistaanse professor Zulfiqar A. Bhutta presenteerde in 2010 op een congres in Uppsala een studie waaruit bleek dat in vijf landen in Zuidoost-Azië samen ieder jaar honderdduizend kinderen sterven aan een infectie veroorzaakt door multiresistente bacteriën[32].

De kosten van antibioticaresistentie belopen in de EU volgens het ECDC zo'n 1,5 miljard euro per jaar. In de Verenigde Staten zou het volgens een studie uit 2009 om minstens 35 miljard dollar per jaar gaan[33]. ESBL's en ook de botsing tussen economische en volksgezondheidsbelangen staan centraal in hoofdstuk 6, 'Het voorportaal van het einde'.

Reizen als bron

Tot een paar jaar geleden liepen patiënten multiresistente bacteriën eigenlijk alleen in ziekenhuizen op. Sinds enkele jaren brengen ze ook resistente bacteriën mee naar het ziekenhuis. Behalve de voedselketen speelt ook het reisgedrag van mensen een enorme rol bij het verspreiden van antibioticaresistentie. De eerste Nederlandse patiënt met een OXA-48* producerende *Klebsiella* werd in het Sint Lucas Andreas Ziekenhuis in Amsterdam opgenomen na een longoperatie in New Delhi. Ook de eerste Belgische patiënt bracht de bacterie mee uit het buitenland.

---

* OXA-48 is een enzym dat bacteriën resistent maakt tegen de krachtige antibiotica van de klasse der carbapenems.

Microbiologen van de universiteit van Linköping in Zweden documenteerden in 2010 het verband tussen reizen en antibioticaresistentie[34]. De onderzoekers testten mensen die zich kwamen laten vaccineren voor een verre reis, op dragerschap van bacteriën met ESBL's.

Vóór vertrek had 4 procent van de onderzoeksgroep ESBL's bij zich. Na terugkeer 32 procent.

De Totally Drug Resistant-tb (TDR-tb) die eind 2011 opdook in India – en die voor het eerst aangetroffen werd in Iran in 2009 – gaat ook reizen. Met backpackers of met de talrijke medisch toeristen die in India operaties ondergaan. Vanuit Pakistan, het Midden-Oosten, de Verenigde Staten en vooral het Verenigd Koninkrijk gaat er jaar in jaar uit een grote stroom patiënten voor operaties naar India. Heel wat van die patiënten keren met multiresistente bacteriën terug naar huis en introduceren die dan soms in zorginstellingen daar. Zo zijn de NDM* vormende bacteriën ook naar Europa gekomen. In het Verenigd Koninkrijk is het medisch toerisme van de omvangrijke Pakistaanse en Indiase gemeenschappen een bron van grote zorg.

Nieuwe antibiotica

Antibiotica worden in ziekenhuizen niet alleen gegeven om infecties te bestrijden, maar ook om die te voorkomen. Bijvoorbeeld bij grote chirurgische ingrepen zoals heupvervangingen en open hartoperaties. Of bij patiënten die zware chemokuren moeten ondergaan. Zonder werkzame antibiotica zijn dergelijke behandelingen nauwelijks meer mogelijk. Ook te vroeg geboren baby'tjes krijgen ze toegediend.

Professor Alexander Mellmann werkt als medisch microbioloog in het academisch ziekenhuis in Münster. Het is een van de laat-

* Het enzym dat de bacteriën resistent maakt is genoemd naar de eerste vindplaats: New Delhi-metallo-bèta-lactamase.

ste bastions van de medische microbiologie en infectiepreventie in Duitsland, sinds die in het eerste decennium van deze eeuw in de meeste Duitse ziekenhuizen geoutsourcet is. 'Er komen nauwelijks nieuwe antibiotica bij en we zien steeds meer patiënten bij wie geen enkel middel meer werkt. Antibiotica zijn een zeer machtig en scherp wapen, maar door verkeerd of te veelvuldig gebruik kan dat wapen wel heel snel stomp worden.' 'Antibioticaresistentie is onvermijdelijk', zegt professor Christina Vandenbroucke-Grauls, hoofd van de afdeling medische microbiologie aan het VUmc in Amsterdam. 'Het resistentieprobleem wordt alleen maar groter en het komt overal vandaan. Er zitten resistente bacteriën en resistentiegenen in de grond, in de grote rivieren, in dieren, op groenten en in mensen. Het is al lang niet meer uitsluitend een probleem van ziekenhuizen. En met ons reisgedrag verspreiden we het door de hele wereld. Het enige dat we kunnen doen is de toename van de problemen vertragen door goede infectiepreventie en juist gebruik van antibiotica. Maar wat we echt nodig hebben zijn nieuwe antibiotica.' En daar wringt hem de schoen: er zijn nauwelijks nieuwe antibiotica in ontwikkeling. 'Er komen op niet al te lange termijn een paar interessante middelen aan', zegt professor Christian Giske, arts-microbioloog aan het befaamde Karolinska Institutet en het gelijknamige academisch ziekenhuis in Stockholm. 'Maar dat zijn eigenlijk meer varianten op bestaande middelen. Daarmee kopen we weer wat tijd. Al onze inspanningen moeten erop gericht zijn het probleem in te dammen, want na die paar middelen komt er niets meer. De *pipeline* is leeg.'

Veel grote farmaceuten zijn min of meer gestopt met de ontwikkeling van nieuwe antibiotica. Dat komt door de bijzondere aard van het geneesmiddel. Antibiotica moeten bacteriën doden zonder dat ze mensen schaden. Net als medicijnen tegen kanker. Als een bedrijf een nieuw, goed antibioticum ontwikkelt en op de markt brengt, zullen de gezondheidsautoriteiten alle artsen in de wereld oproepen dat nieuwe middel alleen in het uiterste geval te gebruiken om het ontstaan van resistentie zo lang mogelijk uit te stellen. En als het wel wordt voorgeschreven dan is dat bijna altijd voor een korte periode van één of hooguit twee weken. Dat leidt tot een weinig interessant businessmodel voor de farmaceutische industrie. Economisch is het immers veel interessanter om een geneesmiddel tegen een chronische ziekte te ontwikkelen dat patiënten vele jaren moeten slikken. Maar als er geen nieuwe antibiotica op de markt komen, dreigt volgens veel artsen en wetenschappers een terugkeer naar de tijd van voor de uitvinding van de penicilline. Het laatste hoofdstuk, 'Dweilen met de kraan open en andere oplossingen', gaat over het gebrek aan nieuwe antibiotica en aan andere oplossingen om de resistentieproblematiek de kop in te drukken.

'Natuurlijk hebben we nieuwe antibiotica nodig,' zegt Mats Ulfendahl, algemeen secretaris van de afdeling gezondheid en farmacie van de Zweedse Wetenschapsraad, 'want er ontstaat steeds weer resistentie. Maar daarmee zijn we er niet. In India hebben 600 miljoen mensen geen wc. Dat zorgt voor verspreiding van bacteriën, resistente en andere, en van infectieziekten. In andere arme landen geldt hetzelfde. Ook dat moet opgelost worden.' 'We hebben een nieuwe Alexander Fleming nodig', zegt professor Patrice Nordmann, arts-microbioloog in het Hôpital Bicêtre in de Parijse voorstad Le Kremlin-Bicêtre. 'Door de migratie vanuit Azië en Afrika naar Europa, maar ook door ons eigen reisgedrag, verspreiden resistente bacteriën zich steeds sneller door de wereld. De *Klebsiella* die voor de uitbraak in het Maasstad Ziekenhuis in Rotterdam heeft gezorgd is identiek aan een *Klebsiella*-stam waarmee ik in mijn ziekenhuis te maken heb gehad. En die stam is afkomstig uit Marokko.' Edwin Boel is voorzitter van de Nederlandse Vereniging voor Medische Microbiologie (NVMM). Hij is verbonden aan het UMC Utrecht. 'Er is reden voor grote zorg', zegt hij. 'De verspreiding van resistentie gaat zo snel. Een paar jaar terug ging het om ESBL's, die kon je nog bestrijden met carbapenems. Maar nu duikt ook daartegen al steeds vaker resistentie op. Die ontwikkelingen zijn nauwelijks bij te houden. De Inspectie voor de Gezondheidszorg ziet wat er gebeurt. Die bemoeit zich er ook mee. Van het ministerie van VWS heb ik nog geen signalen opgevangen dat ze zich echt bewust zijn van wat er gaande is.' Professor Herman Goossens, hoofd van de afdeling medische microbiologie van het Universitair Ziekenhuis Antwerpen in Wilrijk, ziet bij alle somberheid ook een lichtpuntje. 'We zijn ons er stilaan bewust van aan het worden dat er een gigantisch probleem op ons afkomt. We hebben te maken met een van de grootste bedreigingen voor de volksgezondheid. Dat bewustzijn is heel belangrijk. Het is een absolute voorwaarde voor de aanpak van de problemen. Je moet ze eerst onder ogen zien.' Professor Roel Coutinho, directeur van het Centrum Infectieziektebestrijding van het RIVM* onderschrijft die mening. 'In Griekse ziekenhuizen is er al ruime verspreiding van *Klebsiella pneumoniae*-bacteriën die resistent zijn tegen carbapenems, de laatste werkende antibiotica waarover we beschikken. Dat geldt ook voor India en andere landen in het Verre Oosten. Wij kunnen onze grenzen niet sluiten voor bacteriën. Die komen hiernaartoe. En dat gaat in hoog tempo. Het gaat hier om een groot volksgezondheidsbelang.'

'Antibiotica delven het onderspit in de strijd tegen dodelijke bacteriën', kopte de *Independent on Sunday* op 18 september 2011.[35] Een schrikbeeld dat de mening van talrijke deskundigen aardig samenvat. Maar vooralsnog boezemt het te weinig angst in om tot een radicale breuk te komen met het misbruik van antibiotica. Misbruik in de humane geneeskunde, maar ook in de intensieve veeteelt. Met verstrekkende gevolgen voor de volksgezondheid, voor de voedselveiligheid en ook voor de economie. Daar gaat dit boek over.

---

* Rijksinstituut voor Volksgezondheid en Milieu.

2. In den beginne was er antibioticaresistentie

De meeste problemen hebben een min of meer duidelijk begin. Antibioticaresistentie niet. Het klinkt als een modern begrip. Als iets wat stamt uit de tijd van na de ontdekking van de penicilline en de daaropvolgende ontwikkeling van andere antibiotica. Niets is minder waar. Resistentie voor antibiotica is ouder dan de mensheid. Veel ouder zelfs. Miljoenen jaren geleden ontstond in de huidige Amerikaanse staat New Mexico een uitgebreid grottencomplex. Die Lechuguilla-grot ligt nu in het Carlsbad Caverns National Park in het uiterste zuiden van New Mexico, op de grens met Texas. De grot staat op de Werelderfgoedlijst van de Unesco en is meer dan 200 kilometer lang en ruim 500 meter diep. De diepste delen ervan zijn tussen de 7 en 4 miljoen jaar geleden geïsoleerd geraakt van de buitenwereld. Ze bevatten een oeroud ecosysteem dat niet verstoord is door invloeden van buiten. De Lechuguilla-grot vormt daardoor een unieke plek voor onderzoek naar de aanwezigheid van resistentie voor antibiotica in het natuurlijke milieu. De bacteriën in de grot zijn niet in aanraking gekomen met door mensen gebruikte antibiotica. Onderzoekers van de McMaster universiteit in het Canadese Hamilton en de universiteit van Akron in Ohio zijn in de Lechuguilla-grot afgedaald om daar op drie verschillende plekken monsters te nemen. Die drie, precieze plekken werden gekozen omdat er nagenoeg nooit mensen zijn geweest. Er zijn geen voetafdrukken of andere sporen van menselijke aanwezigheid gevonden. Uit de archieven van het Carlsbad Caverns National Park blijkt dat er hoogstens een handvol wetenschappers ooit in de buurt van de plekken is geweest waar de onderzoekers hun monsters hebben genomen. Die lagen op enige afstand van het officiële pad dat onderzoekers moeten gebruiken die sporadisch met toestemming de grot in mogen. Op de plekken waar de monsters werden genomen kwam ook geen water, noch direct noch via condensering.

De onderzoekers slaagden erin bijna honderd verschillende bacteriestammen naar boven te halen uit de Lechuguilla-grot. De Canadese en Amerikaanse wetenschappers hebben de bacteriënstammen getest op resistentie voor zesentwintig verschillende antibiotica. Een deel van die middelen komt ook in de natuur voor, de rest bevat deels natuurlijke bestanddelen of is helemaal in het laboratorium ontwikkeld. Ongeveer tweederde van alle gevonden bacteriënstammen was resistent voor drie of vier verschillende klassen antibiotica. Drie stammen waren zelfs ongevoelig voor veertien verschillende antibiotica. Het resistentiepatroon van de bacteriën uit de Lechuguilla-grot week in zijn algemeenheid niet wezenlijk af van dat van bacteriën in onze leefomgeving. Het ecosysteem in de Lechuguilla-grot is zoals gezegd miljoenen jaren geleden afgesloten geraakt van de buitenwereld, lang voor de tijd van overmatig antibioticagebruik bij de mens en in de intensieve veeteelt. Toch blijkt er op grote schaal multiresistentie voor antibiotica aangetroffen te worden. De onderzoekers vonden zelfs twee resistentiemechanismen die nog niet bekend waren. Resistentie is dus een natuurlijk fenomeen, concluderen ze.[36] Die conclusie was al eerder getrokken. In september 2011 publiceerden andere onderzoekers van dezelfde McMaster-universiteit in Hamilton Ontario in *Nature* ook al eens een studie waaruit dat bleek. Zij hadden bodemmonsters uit permafrostgebieden in het noordwesten van Canada onderzocht op de aanwezigheid van resistentiegenen voor moderne bèta-lactam-antibiotica* en vancomycine.** In monsters die minstens

---

* Bèta-lactam-antibiotica doden bacteriën door de opbouw van hun celwand te verstoren waardoor de bacterie oplost. Tot de groep bèta-lactam-antibiotica horen penicillines, cefalosporinen, carbapenems en monobactams. Ze worden veel gebruikt vanwege hun geringe toxiciteit en uitstekende werking tegen bacteriën die er gevoelig voor zijn. Resistentie tegen bèta-lactams gaat vaak gepaard met resistentie tegen andere soorten antibiotica. Er blijven dan nog maar een paar werkzame middelen over, maar die worden bij voorkeur niet gebruikt, omdat ze of toxischer zijn, of minder effectief, of beide.

** Vancomycine is een natuurlijk antibioticum uit de klasse der glycopeptiden waarvan de werking berust op het destabiliseren van de celwand van bacteriën.

dertigduizend jaar oud zijn vonden ze resistentiegenen voor onder meer deze hedendaagse antibiotica.[37] 'Antibioticaresistentie is zo oud als de wereld', zegt Christina Vandenbroucke-Grauls, hoogleraar medische microbiologie aan het VUmc in Amsterdam, naar aanleiding van de bovengenoemde *Nature*-publicatie, die ze uitvoerig aanhaalde in een presentatie op de Boerhaave Leergangen in november 2011. Voor zover die stelling nog bewezen moest worden lijkt dat gebeurd door het onderzoek over de bacteriestammen uit de Lechuguilla-grot.

Genetische snelkookpan

De patiënt die met bijvoorbeeld een blaasontsteking bij de dokter komt krijgt een antibioticum voorgeschreven. Dat doodt de bacterie die de infectie veroorzaakt, maar en passant ook allerlei andere bacteriën die de patiënt juist nodig heeft. Na afloop van de kuur herstelt het bacterie-evenwicht zich weer. Maar als onder de bacteriën in de urinewegen toevallig bacteriën zijn met het resistentiegen dat ze ongevoelig maakt voor het gebruikte antibioticum, dan overleven die de behandeling. Zijn het die resistente bacteriën die de infectie veroorzaken, dan dooft die niet uit. Na de behandeling kunnen de resistente bacteriën, zonder de concurrentie van al die andere bacteriën, zich vrijelijk vermenigvuldigen. Dat gaat in een duizelingwekkend tempo. 'Bacteriën hebben een veel snellere evolutie dan dieren of mensen', legt professor Alexander Friedrich uit. Hij is hoogleraar medische microbiologie en hoofd van de afdeling medische microbiologie en infectiepreventie van het UMC Groningen. 'Als mensen krijgen wij ongeveer elke vijfentwintig jaar een nieuwe generatie. Als je teruggaat tot de tijd van de neanderthalers, pakweg dertigduizend jaar geleden, dan hebben we ongeveer twaalfhonderd generaties gehad. Bacteriën hebben een generatietijd

---

Vancomycine wordt gegeven tegen infecties door meticilline resistente *Staphylococcus aureus* (MRSA), door meticilline resistente *Staphylococcus epidermidis* (MRSE) en door *Clostridium difficile*.

van twintig minuten. Dat betekent dat die tweeënzeventig generaties per dag hebben. Voor de dertigduizend jaar van onze evolutie sinds de neanderthalers hebben bacteriën nog geen zeventien dagen nodig. Elke generatie kan zich aanpassen aan de omgeving. En antibiotica versnellen die evolutie van de bacteriën.' Mensen en dieren kunnen genetische informatie maar op één manier doorgeven: aan hun nageslacht. Bacteriën kunnen dat op twee manieren. Friedrich: 'Bacteriën kunnen genetische informatie doorgeven aan hun nageslacht, maar ook aan leden van dezelfde generatie. Dat is alsof iemand met blonde haren die op reis gaat naar Afrika door samen te wonen met mensen met zwarte haren, omdat de zon daar sterker is, ter bescherming ook zwarte haren zou krijgen. Bacteriën krijgen eigenschappen op die manier overgedragen. Dat heet horizontale genentransfer. Doorgeven aan het nageslacht noem je verticale genentransfer. Op die beide manieren geven ze resistentiegenen en ook virulentiegenen* aan elkaar door. Dat maakt ze nog sneller in de evolutie.' Bij horizontale genentransfer is het niet noodzakelijk dat bacteriën van dezelfde soort zijn. De genetische informatie die bacteriën resistent maakt ligt vaak op plasmiden, cirkelvormige strengen DNA, die heel gemakkelijk overspringen van de ene bacterie op de andere. Dat kan dus ook van een *E. coli* of een *Klebsiella* op een *Campylobacter*** zijn, of op de bacteriën die

---

* Virulentiegenen bepalen het ziekmakende karakter van een bacterie.

** *Campylobacter* is een bacteriefamilie die behoort tot de veroorzakers van de meest voorkomende zoönosen. Dat zijn ziekten die van dieren op mensen over kunnen springen. De bacterie is voor veel dieren – (pluim)vee, vogels, katten, jonge honden, knaagdieren – een normale darmbacterie. Ook vliegen verspreiden de bacterie die verder voorkomt in grondwater en oppervlaktewater. Zowel in België als in Nederland lopen jaarlijks vele tienduizenden mensen een voedselinfectie op door het eten van met *Campylobacter* verontreinigd voedsel of door contact met dieren of uitwerpselen van besmette mensen. De infectie kan zich uiten in acute, waterige en soms bloederige diarree met heftige buikkrampen en soms koorts. Heel jonge kinderen, ouderen, hiv-geïnfecteerden en patiënten met een gestoord afweersysteem lopen het meest risico op ernstige complicaties. Het RIVM telt jaarlijks zo'n zesduizend in het laboratorium bevestigde infecties door *Campylobacter*. http://

cholera of tyfus veroorzaken, maar het gaat makkelijker tussen bacteriën van dezelfde familie zoals *E. coli* en *Klebsiella* die allebei tot de *Enterobacteriaceae* horen. 'Bacteriën zijn meesters in aanpassing. Resistent worden is hun antwoord op het gebruik van antibiotica in hun omgeving. Ze willen overleven en daarom gebruiken ze de resistentiegenen die er zijn.'

Hoe meer antibiotica er gebruikt worden, hoe sneller dit proces verloopt. En dat geldt niet alleen voor het gebruik van antibiotica in de humane geneeskunde, maar ook voor dat in de intensieve veeteelt. 'Als dieren antibiotica krijgen,' zegt Friedrich, 'vind je dat via hun mest weer terug in de natuur, op en in planten, in het water. Weliswaar zit het daar in heel lage, niet therapeutische concentraties in, maar dat geeft wel selectiedruk en bevordert het veranderingsproces van de bacteriën.' Uit een studie van onderzoekers van de universiteiten van Newcastle en Wageningen die in januari 2010 verscheen in *Environmental Science & Technology* blijkt dat de afgelopen zeventig jaar de hoeveelheid resistentiegenen in de Nederlandse bodem sterk is toegenomen.[38] De onderzoekers bestudeerden bodemmonsters die tussen 1940 en 2008 op gezette tijden op een aantal verschillende locaties in Nederland waren genomen. Ze constateerden dat er sprake is van een exponentiële toename van resistentiegenen in die bodemmonsters. Twee genen die bacteriën ongevoelig maken voor bèta-lactam-antibiotica kwamen in 2008 meer dan vijftien keer zo vaak voor als in 1940. In de grote Nederlandse rivieren is het beeld niet anders. Ook daar komen bacteriën voor waarvan een groot deel resistent is voor een of meer

---

www.rivm.nl/Bibliotheek/Professioneel_Praktisch/Richtlijnen/Infectieziekten/LCI_richtlijnen/LCI_richtlijn_Campylobacter_infecties. Elk jaar belanden zo'n zeshonderd mensen in het ziekenhuis van wie er circa dertig overlijden. Het totaal aantal besmettingen wordt op 80.000 geschat. In België zou het aantal bevestigde gevallen van infecties door *Campylobacter* in absolute zin met 6.000 op hetzelfde niveau liggen als in Nederland. Maar gezien het kleinere inwonertal is dat verhoudingsgewijs ongeveer de helft meer. http://www.favv.be/tips/kippenvlees.asp.

antibiotica. Die kunnen in de rivieren belanden via dierlijke mest die in het water terechtkomt of door het lozen van ongezuiverd of maar gedeeltelijk gezuiverd afvalwater, bijvoorbeeld afvalwater van ziekenhuizen waar veel mensen met antibiotica behandeld worden. Als mensen aan dergelijk verontreinigd oppervlaktewater blootgesteld worden, kunnen zij die resistente bacteriën binnen krijgen. Dat kan gebeuren door te zwemmen in dat water of doordat gewassen ermee besproeid worden. Het RIVM heeft eind 2011 een studie gepubliceerd over het vóórkomen van antibioticaresistente bacteriën in Maas, Rijn en Nieuwe Maas.[39] Gemiddeld was eenderde tot de helft van de gevonden *E. coli*, enterokokken uit de darm, *Campylobacter*, *Salmonella* en *Staphylococcus aureus* resistent voor een of meer antibiotica. *Staphylococcus aureus* komt vooral voor op de huid en in de neus en keel van mensen. De andere bacteriën zijn darmbacteriën.

Alexander Flemings waarschuwing

Resistentie voor antibiotica is dus van alle tijden en komt overal voor. Het lijkt een paradox, maar er was resistentie voor er antibiotica geproduceerd werden door de mens. Dat komt omdat veel antibiotica in de natuur voorkomen of gebaseerd zijn op natuurlijke stoffen. Penicilline, het eerst bekende antibioticum, is bij toeval ontdekt door de Britse microbioloog Alexander Fleming. Hij constateerde dat op een deel van een van zijn kweekplaten geen bacteriën wilden groeien. Daar was een schimmel terechtgekomen die kennelijk de groei van de bacteriën verhinderde. Fleming onderzocht de schimmel en vond dat die een dodelijke werking had op veel bacteriën. De schimmel maakte een stof om zich te beschermen tegen bacteriën. Op dezelfde manier beschermen bacteriën zich tegen andere bacteriën. *Pseudomonas* bijvoorbeeld produceert stoffen die de *Staphylococcus aureus* doodt. Fleming publiceerde in 1929 over zijn ontdekking, die hij penicilline noemde. Het zou daarna nog tot 1940 duren voor twee andere onderzoekers, Ernest Boris Chain en

Howard Walter Florey, een goede methode vonden om penicilline te isoleren uit de schimmel en zo bruikbaar te maken als geneesmiddel. In 1945 deelden Fleming, Chain en Florey de Nobelprijs voor de Geneeskunde voor hun gezamenlijke ontdekking. Alexander Fleming waarschuwde al in zijn dankrede bij de aanvaarding van de Nobelprijs voor het ontstaan van resistentie tegen zijn wondermiddel. 'Het is niet moeilijk', zei hij in zijn Nobel-lezing op 11 december 1945, 'om bacteriën in het laboratorium resistent te maken tegen penicilline door ze bloot te stellen aan doseringen die onvoldoende zijn om ze te doden. Er komt misschien een tijd dat iedereen penicilline kan kopen in de winkel. Dan bestaat het gevaar dat de onwetende mens zichzelf gemakkelijk een te lage dosering zal geven en zijn bacteriën resistent zal maken door ze bloot te stellen aan doseringen die niet dodelijk zijn.' In een groot deel van de wereld zijn antibiotica inderdaad zo gemakkelijk toegankelijk geworden als Fleming voorzag. Het zijn goedkope geneesmiddelen. Volgens veel artsen, wetenschappers en mensen uit de farmaceutische industrie zijn ze zelfs veel te goedkoop. De prijs staat in geen verhouding tot de waarde van antibiotica. Een geneesmiddel dat ziekte geneest en levens redt, en daarvoor hoef je het ook nog maar eens heel kort te slikken. Die lage prijs zorgt ervoor dat zeker in de westerse wereld – maar tot op zekere hoogte bijvoorbeeld ook in India – gemakkelijk naar antibiotica wordt gegrepen. Er is geen financiële rem. Door dat onnodige gebruik van antibiotica ontstaat er als gevolg van selectie van bacteriën met resistentiegenen weer eerder resistentie. Dat is Darwin. Bacteriën verdedigen zich tegen bedreigingen.

Eva Ombaka heeft heel andere problemen met antibiotica dan die door veel westerse specialisten genoemde te lage prijs. Ik ontmoette haar begin september 2010 in Uppsala, op de conferentie The Global Need for Effective Antibiotics – Moving towards Concerted Action. Zij is apotheker van beroep en drijvende kracht achter campagnes voor verstandig gebruik van antibiotica in Tanzania.

Die campagnes zijn hard nodig. Niet omdat er zo kwistig wordt omgesprongen met antibiotica in haar land. Integendeel. In Tanzania en veel andere Afrikaanse landen zijn antibiotica voor grote delen van de bevolking niet eens beschikbaar. Omdat ze voor de meeste mensen te duur zijn. Die te lage prijs waar het in Uppsala zo vaak over ging, is dus een heel relatief begrip.

'In principe', zegt Ombaka, 'kan in Tanzania alleen een dokter antibiotica voorschrijven, die de patiënt dan bij een apotheek moet gaan halen. Dokter en apotheker zouden de tijd moeten nemen om de patiënt uit te leggen hoe antibiotica werken. Dat een kuur afgemaakt moet worden, omdat anders door onderdosering bacteriën hulp krijgen bij het ontwikkelen van resistentie.' De praktijk is anders. Als er al een dokter is om antibiotica voor te schrijven – en dat is lang niet overal in Tanzania of elders in Afrika het geval – dan schiet die uitleg aan de patiënt er vaak bij in. Met als gevolg dat patiënten die zich na een paar pillen beter beginnen te voelen, de rest van de antibioticakuur vaak bewaren voor als ze zich weer eens ziek voelen. 'Want voor de meeste patiënten in Tanzania en de rest van Afrika zijn antibiotica duur. Maar heel weinig mensen kunnen zich permitteren om een hele kuur te kopen. De meeste antibiotica in Tanzania worden zonder recept verstrekt. Op die manier zijn antibiotica veel te makkelijk beschikbaar: in drogisterijachtige winkeltjes, gewoon op straat of op de markt. Arme mensen kopen dan één pil. Doe maar zo'n roze. Of twee als ze zich dat kunnen permitteren. Een te lage dosering antibiotica helpt niet tegen een infectie, maar stimuleert wel het ontstaan van resistentie. Antibiotica helpen ook niet tegen griep of andere virusziekten. Als iemand dan toch antibiotica neemt, zorgt dat alleen maar voor het ontstaan van resistentie.' Maar vertel dat allemaal eens aan een Tanzaniaanse moeder met een ziek kind, zegt Eva Ombaka. Leg die eens uit dat het niet goed is om een halve antibioticakuur te slikken. Of maar één pil. Antibiotica moeten dus betaalbaar zijn, concludeert ze. Zodat arme mensen ook toegang krijgen tot die levensreddende geneesmiddelen. En ja, lacht ze, als antibiotica goedkoper worden, dan dreigen ook in Afrika mensen weer te gemakkelijk antibiotica te gaan gebruiken. Met alle gevolgen van dien. Voor Ombaka draait alles om kennis. Die moet overgedragen worden. Mensen moeten leren hoe het zit met antibiotica. En dat gaat tijd kosten, veel tijd. Volgens Ombaka is er een grote bewustwordingscampagne nodig. 'Desnoods moeten we van dorp tot dorp trekken om uit te leggen hoe je antibiotica moet gebruiken. Je moet mensen ervan doordringen dat antibiotica medicijnen zijn die levens redden, maar dat ze alleen hun waarde behouden bij zorgvuldig gebruik.' Ze is ervan overtuigd dat het kan lukken. 'Mensen met hiv weten nu ook hoe ze hun medicijnen moeten gebruiken. Dat heeft hun leven veranderd. Met antibiotica kan dat ook.' Maar intussen moeten arme mensen in Afrika en de rest van de wereld wel toegang krijgen tot antibiotica. Dat is ook in het belang van de rijke landen, zegt Ombaka. Anders hebben die straks geen werkzame antibiotica meer. Want antibioticaresistentie reist.

De voorbeelden van patiënten die in India, Griekenland of op de Balkan een infectie oplopen die veroorzaakt is door een (bijna) volledig resistente bacterie, zijn legio. De vierenzestigjarige Jos Jonker was begin 2010 op vakantie in India. 'Na aankomst in New Delhi eind februari voelde hij zich eigenlijk meteen al niet lekker', vertelde zijn dochter Liz me eind maart van dat jaar. 'Hij kreeg geen lucht meer, dat bleek door een klaplong te komen.' Het was maandag. Haar vader kwam in een goed ziekenhuis terecht. 'Zijn operatie verliep prima, maar zaterdag deden zich complicaties voor. Hij bleek longfibrose te hebben en moest opnieuw geopereerd worden.' Jos Jonker zou uiteindelijk meer dan twee weken in twee verschillende Indiase ziekenhuizen liggen. Twee opeenvolgende herseninfarcten verlamden hem. Jonker kreeg veel antibiotica in de Indiase ziekenhuizen. 'Dat is het eerste wat ze hier gestopt hebben', zegt zijn dochter terwijl we in het Sint Lucas Andreas Ziekenhuis op de gang bij de kamer van haar vader praten. Hij ligt in strikte isolatie in een kamer met een luchtsluis. Haar vader had op dat moment hooguit een kwart van zijn longcapaciteit over. Liz Jakobs was eigenlijk ook wel bang om zelf besmet te raken met de resistente bacterie die haar vader bij zich droeg. 'Ik heb een dochtertje van vijf jaar,' zei ze, 'ik maak me weleens zorgen, ja. Loop je zelf niets op?' Voor hij naar India vertrok was haar vader een vitale man. 'Hij woonde op een bovenhuis en hij had nooit moeite met trap lopen. Nu kan hij niets meer. Het wordt niks meer met hem.' Niet lang nadat ik Liz Jakobs had gesproken, overleed Jos Jonker. Uiteindelijk aan de gevolgen van een longontsteking veroorzaakt door een OXA-48 producerende *Klebsiella* die ook ESBL-positief was. Jonker is de eerste Nederlandse patiënt van wie bekend is dat hij een infectie heeft opgelopen door de bacterie die bekend is geworden door de uitbraak in het Maasstad Ziekenhuis.[40]

Amerikaanse leger

De introductie van penicilline als geneesmiddel door Chain en Florey kreeg een enorme impuls toen het Amerikaanse leger zich ging bemoeien met de industriële productie ervan. Dat gebeurde vanaf het begin van de Tweede Wereldoorlog, maar de Amerikanen raakten pas echt betrokken toen ze zelf verwikkeld raakten in de Tweede Wereldoorlog. De Engelsen en Amerikanen gingen intensief samenwerken in het Anglo-American Penicillin Project. Vooraanstaande Britse en Amerikaanse geleerden, overheidsinstellingen en grote farmaceutische bedrijven als Merck, Pfizer en Abbott werkten schouder aan schouder. De Amerikaanse geleerde Mary Hunt slaagde er in 1940 al in een sterk verbeterde penicilline te isoleren. Het Pentagon investeerde op grote schaal in de productie van penicilline. Vanaf 1943 werd die in negenentwintig fabrieken op grote schaal geproduceerd zodat er voor elke soldaat die op D-Day de Normandische stranden op stormde voldoende penicilline beschikbaar was. Toen de invasie begon lagen er 3 miljoen penicillinekuren klaar. Tussen D-day op 6 juni 1944 en het einde van de Tweede

Wereldoorlog op 8 mei 1945 stierven er nauwelijks nog soldaten door wondinfecties. In de Eerste Wereldoorlog stierf 15 procent van de soldaten met een infectie. Het Amerikaanse leger verspreidde in de Tweede Wereldoorlog een fraai propaganda-affiche waarop een hospik te zien is die een gewonde soldaat verzorgt. *Thanks to Penicillin ... He will come home!* heet het in de tekst op de poster. Dat is een verwijzing naar de Eerste Wereldoorlog. Overigens stierven veel Amerikaanse – en andere – soldaten toen ook aan de gevolgen van de geslachtsziekten gonorroe* en syfilis.[41] Jan Kluytmans, microbioloog van het Amphia Ziekenhuis in Breda en hoogleraar aan de VU, grijpt elke kans aan om het affiche te laten zien bij de presentaties die hij overal ter wereld geeft. De volgende dia's die hij doorgaans laat zien gaan over de sterftecijfers aan infectieziekten in de Verenigde Staten. Rond 1900 stierven in de VS bijna achthonderd mensen per honderdduizend inwoners aan infectieziekten. Dat was al naar ongeveer tweehonderdvijftig per honderdduizend gedaald toen de penicilline ontdekt werd. Na de introductie van de penicilline zette die daling door naar minder dan vijftig per honderdduizend inwoners. Eenzelfde sterke daling van de sterfte aan infectieziekten doet zich overal voor waar het gebruik van penicilline en andere antibiotica zijn intrede doet. 'Ik wil met die dia's laten zien dat de daling van de sterfte door infecties al decennia vóór de komst van de penicilline was ingezet', zegt Kluytmans. 'Maar er

---

* In juni 2012 waarschuwde de Wereldgezondheidsorganisatie (WHO) dat het moeilijker wordt om gonorroe te bestrijden omdat de bacterie die de ziekte veroorzaakt steeds resistenter wordt tegen antibiotica. Onder meer Australië, Japan, Frankrijk, Noorwegen, Zweden en het Verenigd Koninkrijk hebben al gevallen gemeld van gonorroe die resistent was tegen cefalosporinen, de laatst beschikbare antibiotica om de geslachtsziekte te lijf te gaan http://www.who.int/mediacentre/news/notes/2012/gonorrhoea_20120606/en/. Het European Centre for Disease Prevention and Control (ECDC) kwam in diezelfde maand met een actieplan http://www.ecdc.europa.eu/en/press/news/Lists/News/ECDC_DispForm.aspx?List=32e43ee8-e230-4424-a783-85742124029a&ID=648&RootFolder=%2Fen%2Fpress%2Fnews%2FLists%2FNews.

is wel een duidelijk effect zichtbaar van penicilline op de sterfte van de algemene bevolking en dat heeft geen enkel ander geneesmiddel ooit nog bereikt.'

Waterleiding en riool

Infectieziekten waren op het moment van de introductie van de penicilline in de westerse wereld dus al niet meer de superkiller die ze aan het begin van de twintigste eeuw nog wel waren. De komst van penicilline was de derde grote stap in de strijd tegen infectieziekten. De introductie van drinkwaterleidingen en later van riolen had de sterfte aan infectieziekten al flink verminderd. In Nederland gebeurde dat vanaf 1853 toen bij de Haarlemmerpoort in Amsterdam een eerste tappunt werd geopend van drinkwater dat per leiding uit de duinen aangevoerd werd. Een jaar of twintig later hadden ook Rotterdam en Den Haag leidingwater. Rond de eeuwwisseling was ongeveer 40 procent van alle Nederlanders aangesloten op de waterleiding.[42] België kende al heel vroeg de eerste waterleidingnetwerken. Al in 1675 werd er in Oudenaarde een netwerk van houten leidingen aangelegd om bronwater te vervoeren. In Luik startte in 1687 al de aanleg van een netwerk van loden leidingen om drinkwater naar openbare en particuliere fonteinen te brengen. Het is de voorloper van het huidige leidingnetwerk. De stad Ieper ten slotte construeerde al in de dertiende eeuw spaarbekkens waarin water uit de beken werd opgevangen. Dat water werd via loden leidingen naar de stad gebracht. In 1877 is dat netwerk gemoderniseerd en het is nu nog in gebruik. Na 1860 kwam er vaart in de ontwikkeling. In rap tempo ontstonden waterleidingbedrijven. Aan het begin van de vorige eeuw telde België vijfhonderd waterbedrijven. De meeste opereerden in het rijke, geïndustrialiseerde Wallonië waar het dankzij de talrijke bronnen veel gemakkelijker was om drinkwater te winnen en te leveren dan in Vlaanderen.[43] Het provinciale drinkwaterbedrijf Pidpa in de provincie Antwerpen ontstond in 1913, maar de meeste waterleidingen in de provincie dateren pas van na de

Tweede Wereldoorlog en vooral uit de jaren zestig en zeventig.

De aanleg van rioleringsstelsels betekende een tweede grote stap in het terugdringen van de infectieziekten. Londen was in 1859 de eerste grote stad waar een uitgebreid rioleringsstelsel werd neergelegd. In de Nederlandse en ook Belgische steden gebeurde dat pas tientallen jaren later. In Amsterdam werd in 1910 begonnen met de aanleg van het rioleringsstelsel zoals we dat nu kennen. In de tweede helft van de negentiende eeuw was her en der al wel een begin gemaakt met de aanleg van gesloten rioolkanalen, maar daarbij kwamen de dichtbevolkte arme stadsbuurten nog niet aan de beurt. Hetzelfde gold voor kleinere steden en dorpen. Amsterdam was in 1870 begonnen met de aanleg van een pneumatisch rioleringsstelsel waarop de zogeheten privaten – of eigenlijk de beerputten waar die mee verbonden waren – werden aangesloten. Rond 1900 was dat systeem in delen van de stad – zo'n tienduizend huizen waren aangesloten – in gebruik. De fecaliën van ongeveer honderdzeventigduizend mensen, circa eenderde van de toenmalige Amsterdamse bevolking, werden enkele malen per week uit de beerputten gepompt en via gesloten buizenstelsels in een verzamelbekken bijeengebracht en vervolgens verwerkt tot mest. Daarvoor was essentieel dat er geen water bij de fecaliën kwam. Anders werden die te dun voor verwerking tot mest. De komst van de wc, het watercloset, betekende het einde van het eerste rioleringsstelsel. Niet alleen kwam er veel te veel water bij de feces, mensen gooiden ook veel te veel ander afval in de wc, waardoor verstoppingen ontstonden. Behalve via dit eerste rioleringsstelsel raakte Amsterdam zijn afvalwater kwijt via de grachten. Rond 1910 werd begonnen met de aanleg van het vrijvervalstelsel. Kort gezegd werden de privaten en wc's aangesloten op een grote buis waarin ook het regenwater belandde. Die buis loosde rechtstreeks op de toenmalige Zuiderzee. Amsterdam was niet alleen koploper met dit gemengde riool. In de jaren dertig van de vorige eeuw liep de stad ook voorop met de aanleg van de eerste rioolwaterzuiveringsinstallaties. Voordat die er kwamen greep men naar opportunistische oplossingen, zoals Kees van Lohuizen uitgebreid beschrijft in zijn in 2006 verschenen *Afvalwaterzuivering in Nederland. Van beerput tot oxidatiesloot.*[44] Hij laat daarin zien hoe aan het begin van de twintigste eeuw eigenlijk alleen als het niet anders kon maatregelen werden genomen om afvalwater te zuiveren. Steden die aan een rivier lagen loosden op die rivier. Zo raakten ze hun afvalwater kwijt en zadelden hun buren ermee op. In steden die op de eigen grachten loosden – en dat waren er natuurlijk heel wat – gingen de sluizen geregeld open om de grachten door te spoelen en daarmee het afvalwater te lozen op open water. Op alle plekken waar geen rivier of gracht was om op te lozen was de neiging om iets aan het probleem te doen natuurlijk veel groter. In steden als Tilburg, Hilversum en Ede werden al vrij vroeg voorzieningen getroffen om het afvalwater van vooral de bedrijven te zuiveren. 'De gemeenten', schrijft Van Lohuizen, 'vonden via (aan te leggen) slootjes e.d. nog wel vaak een uitweg, maar de instellingen kregen geen toestemming of lagen te ver afgelegen om zelf zulke vluchtroutes te kunnen aanleggen. Zo hadden vier bedrijven en instellingen in Ede tussen 1906 en 1933 reeds eigen voorzieningen getroffen alvorens de gemeente zelf riolering en vloeivelden aanlegde.' Voor de Tweede Wereldoorlog gebeurde de waterzuivering met name op zogeheten vloeivelden. Stukken land werden bevloeid met afvalwater dat in de bodem zakte en door bacteriën gereinigd werd. In ideale omstandigheden – veel vlak land met goed doorlaatbare bodem – werkte dat goed. Veel vloeivelden zijn in de periode van de werkverschaffing in de crisistijd van de jaren twintig en vooral dertig van de vorige eeuw aangelegd. In diezelfde periode werd vanaf 1920 ook gewerkt met een septic tank om het water voor te reinigen. In de periode na de Tweede Wereldoorlog werd er een doorbraak bereikt op het gebied van afvalwaterzuivering door ingenieur Aale Pasveer van TNO. Hij ontwikkelde begin jaren vijftig de oxidatiesloot of Pasveersloot, een gesloten bassin waarin zuurstofminnende bacteriën – actief slib – afvalwater reinigen dat over een bed van stenen wordt geleid. Het gezuiverde water werd via een sloot of vaart afgevoerd. Het vervuilde slib werd gescheiden opgeslagen en gestort. Sinds de Wet Verontreiniging Oppervlaktewateren in 1970 van kracht werd spelen de Waterschappen een cruciale rol bij de waterzuivering in Nederland. Die waterzuivering en de aanleg van riolen en waterleidingnet zijn heel belangrijk voor de preventie van infectieziekten. Het ontbreken ervan is een katalysator voor de verspreiding van (resistente) bacteriën en infectieziekten.

Open riolen

Tot ver in de jaren dertig – en in sommige gebieden nog veel langer – waren algemeen poepemmers of tonnen in gebruik die door de gemeente met beerwagens werden opgehaald. In de gemeente Zutphen, schrijft Van Lohuizen, 'stonden in 1949 nog 1620 tonnen uit en de gemeente gaf *f* 200,- vergoeding voor plaatsing van een watercloset. In 1959 waren er nog 232 tonnen en in 1963 nog 122 waarvan 12 buiten een woning. (...) De laatste ton verdween in Goes pas in 1978.' In Amsterdam werd de beerwagen de wagen van Boldoot genoemd, naar een ooit beroemd merk eau de cologne. In sommige steden en dorpen heeft het tot ver na de Tweede Wereldoorlog geduurd voor alle huizen riolering hadden. Nu is bijna 100 procent van de Nederlandse bevolking aangesloten op de riolering, maar op het platteland moeten nog altijd zo'n twintigduizend huizen het vanwege hun afgelegen ligging stellen zonder riool.[45] De poepemmer is intussen vervangen door een moderne beerput die op gezette tijden leeggezogen wordt. In Vlaanderen is de aanleg van rioleringen wat later op stoom gekomen. 'Dat is na de Tweede Wereldoorlog pas groots aangepakt', zegt Frans Diels van Aquafin Waterzuivering. Er waren wel steden waar al veel eerder rioleringsstelsels werden aangelegd. 'Soms vinden we rioleringen van honderd jaar oud. En in de Middeleeuwen werden in bijvoorbeeld Brugge en Antwerpen de grachten die als open riool werden gebruikt overkapt om de stankoverlast tegen te gaan.' Die Antwerpse ruien zijn in 2009 geheel gerenoveerd door Aquafin en aangesloten op het waterzuiveringssysteem.[46] Daarmee zijn weer honderdduizend Antwerpenaren aangesloten op de waterzuivering.

Lange tijd loosden de riolen op de waterwegen. Daarover klaagden vooral de kustgemeenten – van Cadzand tot de Panne. Het zwemwater werd er negatief door beïnvloed en daar hadden de badplaatsen last van. Het is dan ook niet verwonderlijk dat de gemeente Knokke-Heist al in 1935 een rioolwaterzuiveringsinstallatie aanlegde. Het bleef echter dweilen met de kraan open. Het lobbyen van de badplaatsen én de grotere bewustwording over het leefmilieu zorgden ervoor dat de Vlaamse overheid besloot de waterzuivering ter hand te nemen. In 1990 stichtte het Vlaamse Gewest Aquafin teneinde de waterzuivering in Vlaanderen een impuls te geven. 'Toen wij begonnen was maar 30 procent van de Vlamingen op de rioolwaterzuivering aangesloten', vertelt Diels. 'Nu is dat toegenomen tot 80 procent. We zijn bezig met een geweldige inhaalslag.' In Wallonië is een vergelijkbaar proces gaande. In 1999 werd daar nog maar 38 procent van het afvalwater gezuiverd. Het Europese gemiddelde lag toen al op 70 procent. Vijf jaar later zuiverde Wallonië 60 procent van het afvalwater dat volgens Europese regelgeving gezuiverd moest worden. Verder waren er installaties in aanbouw om nog eens 23 procent van het afvalwater te zuiveren. Begin deze eeuw moest er in Wallonië ongeveer 20.000 kilometer riolering aangelegd worden om waterzuivering mogelijk te maken. Maar ook daarna bleef nog een op de zeven Waalse huishoudens verstoken van riolering.[47] In 2009 spande de Europese Commissie een juridische procedure aan tegen de Waalse overheid omdat tweederde van de Waalse gemeenten met meer dan tienduizend inwoners en 90 procent van de kleinere gemeenten niet voldeden aan hun verplichtingen op het gebied van de afvalwaterzuivering.[48] Ter vergelijking: in 1990 was in Nederland 96 procent van alle inwoners via de riolering aangesloten op afvalwaterzuiveringsinstallatie, in 2012 is dat opgelopen tot nagenoeg 100 procent.[49]

Belangrijkste medische mijlpaal

De impact van de aanleg van rioleringen en een waterleidingstelsel op het terugdringen van de sterfte aan infectieziekten kan moeilijk overschat worden. Die is kolossaal. Tussen 1870 en 1970 daalde de gestandaardiseerde sterfte* in Nederland met bijna 75 procent.[50] In België zien we een vergelijkbare ontwikkeling. Tussen 1880 en 1940 neemt de levensverwachting er elk decennium met twee à drie jaar toe.[51] In zowel Nederland als België was een groot deel van die daling van het sterftecijfer toe te schrijven aan het veel minder voorkomen van allerlei infectieziekten. Precies om deze redenen kozen de lezers van het eerbiedwaardige *British Medical Journal* er in januari 2007 voor om de aanleg van riolering en waterleiding te verkiezen tot de belangrijkste medische mijlpaal sinds 1840. Nog vóór de uitvinding van antibiotica, anesthesie en vaccinatie.[52] In het BMJ van 4 januari 2007 hield professor Johan Mackenbach een pleidooi voor die keuze. In zijn artikel 'Sanitation: pragmatism works'[53] stelt hij dat de wetenschappelijke bewijsvoering voor het effect van de aanleg van waterleiding en riolering op het sterftecijfer beperkt is. 'Paradoxaal genoeg', schrijft hij, 'ontbeert wat waarschijnlijk een van de belangrijkste doorbraken is op het gebied van de volksgezondheid de empirische onderbouwing die wij tegenwoordig onmisbaar achten voor evidence based gezondheidsbeleid.' Mackenbach stelt dat de beste aanwijzingen voor de effecten van schoon water en toegang tot sanitaire voorzieningen uit arme landen komen, ondanks de methodologische tekortkomingen van veel onderzoek daar. Volgens de *Global burden of disease and risk factors*-studie uit 2006 stierven in 2001 in de landen met lage en middeninkomens[54] 1,8 miljoen mensen aan diarree. Vuil water, gebrek aan sanitaire voorzieningen en gebrekkige hygiëne waren verantwoordelijk voor 88 procent van die doden.[55] Volgens gegevens die de Wereldgezondheidsorganisatie

---

* Sterftecijfer dat gecorrigeerd is voor de invloed van verschillen in samenstelling van de bevolking naar leeftijd en geslacht.

WHO in april 2012 publiceerde hebben 1,1 miljard mensen wereldwijd geen toegang tot schoon drinkwater. En naar schatting 2,4 miljard mensen hebben geen toilet ter beschikking. In 2011 stierven volgens de WHO minstens 2 miljoen mensen aan ziekten die gerelateerd zijn aan water, sanitaire voorzieningen en hygiëne, terwijl 4 miljard mensen er op een of andere manier in meer of mindere mate ziek door werden.[56] De open riolen in de sloppenwijken van de miljoenensteden in de ontwikkelingslanden zijn de grote boosdoener. Die zorgen ervoor dat afvalwater vol urine en feces vermengd raakt met drinkwater en zijn moordende werk doet. Heel de wereld weet hoe die open riolen in de sloppenwijken van Mumbai eruitzien sinds de wereldwijde, met acht Oscars bekroonde bioscoophit *Slumdog Millionaire*. In India hebben 600 miljoen mensen geen toilet ter beschikking. Op het Indiase platteland heeft één op de drie mensen een toilet, in de steden beschikt intussen ruim 80 procent van de mensen over een wc.[57] Maar de aanwezigheid van meer wc's lost niet alle problemen op. Het rioleringssysteem is lang niet compleet en er zijn veel lekkende rioolbuizen. Daardoor raken meren en rivieren besmet en komt cholera veelvuldig voor in India. Ongeveer 100 miljoen Indiërs hebben geen toegang tot schoon drinkwater.

De gevolgen van dergelijke besmettingen werden eind 2010 nog eens heel duidelijk in de Vlaamse plaatsjes Hemiksem en Schelle vlak bij Antwerpen. Daar werd op 9 december 2010 een sterke verontreiniging van het drinkwater geconstateerd met fecale bacteriën. Onderzoek wees uit dat bij de bestrijding van een grote brand op 6 december een tankauto van de brandweer gelijktijdig aangesloten was geweest op het drinkwaternet en op de rivier de Vliet. Daardoor was een grote hoeveelheid rivierwater via de brandweerauto in het drinkwaternet terechtgekomen. De Vliet wordt gebruikt als overloop voor de riolering van Hemiksem en Schelle. Van de totaal 18.000 inwoners van beide dorpen kregen er een groot aantal maagdarmklachten van wisselende ernst. Afhankelijk van de gehanteerde definities werden er 3.351 tot 6.144 mensen ziek.[58]

Behalve het gebrek aan riolen en waterleidingen en dus hygiëne is er nog een enorme driver voor het ontstaan van antibioticaresistentie. Het gebruik van antibiotica zelf en dan vooral het verkeerde en onoordeelkundige gebruik ervan. Professor Herman Goossens, hoofd van de afdeling medische microbiologie van het Universitair Ziekenhuis Antwerpen, zag daar tijdens een reis die hij in oktober 2011 door India maakte veel voorbeelden van. 'De 1,2 miljard Indiërs hebben niet alleen een ontstellend gebrek aan sanitaire voorzieningen en dus aan basale hygiëne, er is op heel veel plaatsen in dat reusachtige land bovendien helemaal niets aan zorg. Je kunt er alleen pillen kopen, gewoon over de toonbank, zonder tussenkomst van een dokter. Ook antibiotica.' De omvangrijke farmaceutische industrie in het land speelt gretig in op de mogelijkheden die de ongeorganiseerde en niet-gereguleerde markt biedt. 'Met alle problemen van dien', zegt Goossens. 'In India zijn tientallen verschillende meropenems op de markt. Meropenem is een belangrijk antibioticum uit de klasse van de carbapenems. Heel veel van die Indiase middelen bevatten te weinig of helemaal geen werkzame stof. Middelen met te weinig actieve stof zorgen voor nog meer resistentie. En die pillen zijn overal zo te koop.' Alexander Friedrich vult aan: 'Als je patiënten antibiotica geeft bij een bacteriële infectie, dan moet je dat vaak korte tijd doen en in een hoge dosering. Dan maak je de ziekteverwekkers kapot en is de selectiedruk die verantwoordelijk is voor het ontstaan van resistentie zo klein mogelijk. Geef je te weinig en te lang, dan dood je én de pathogenen niet én je draagt wel bij aan het ontstaan van resistentie door de selectiedruk.'

Bactericide en bacteriostatische middelen

Onder de indruk van het succes van de penicilline stortte de farmaceutische industrie zich in de jaren vijftig op de ontwikkeling van uiteenlopende antibiotica. In de tweede helft van de twintigste eeuw kwamen er telkens nieuwe middelen op de markt. Die zijn te verdelen in twee hoofdgroepen. Antibiotica die bacteriën doden, de bactericide middelen, en antibiotica die de groei van bacteriën remmen, de bacteriostatische middelen.* Al die nieuwe antibiotica waren hard nodig, want Alexander Fleming bleek overschot van gelijk te hebben met zijn waarschuwing tegen het ontstaan van penicillineresistentie. In Engeland was dat al in de eerste naoorlogse jaren duidelijk merkbaar, vooral bij stafylokokken, bacteriën die bijvoorbeeld steenpuisten veroorzaken. De *Staphylococcus aureus* is een heel bekend lid van deze familie. Een meerderheid van de mensen draagt de bacterie mee in de neus en geeft haar via de handen gemakkelijk door aan anderen. Mensen met verminderde weerstand of met wondjes kunnen dan gemakkelijk een infectie oplopen. Vooral in ziekenhuizen gebeurt dat vaak. In een paar jaar tijd verviervoudigde het percentage resistente stammen van de *Staphylococcus aureus* dat in Britse ziekenhuizen werd aangetroffen tot bijna 60 procent. In de Verenigde Staten gebeurde in de overeenkomstige periode kort na de oorlog precies hetzelfde. In sommige Amerikaanse ziekenhuizen waren toen al drie van de vier bacteriestammen resistent tegen penicilline. In onze tijd zijn bijna alle stafylokokken resistent voor penicilline. In de Verenigde Staten was een terugkeer naar de tijd van voor de ontdekking van de penicilline in de jaren vijftig dichtbij. Maar de farmaceutische industrie bracht net op tijd meticilline op de markt. Dat bood geruime tijd soelaas. Weliswaar werd het eerste geval van resistentie van stafylokokken tegen het nieuwe middel al na een jaar gemeld, maar het duurde tien tot vijftien jaar voor meticillineresistentie een omvangrijk probleem werd. Toen deden er zich vooral in ziekenhuizen in Europese landen steeds vaker uitbraken voor van meticilline resistente *Staphylococcus aureus*, de gevreesde MRSA. In de tweede helft van de jaren zeventig veroorzaakte

---

* Bèta-lactam-antibiotica, aminoglycosiden, (fluor)chinolonen, vancomycine, rifampicine, nitro-imidazoolderivaten en sulfonamiden/trimethoprim zijn bactericide middelen. Tetracyclines, macroliden, chlooramfenicol en thiamfenicol hebben een bacteriostatische werking.

MRSA in Europa nog maar weinig problemen, maar des te meer in de Verenigde Staten. In de jaren tachtig was het weer de beurt aan Europa om problemen te krijgen met MRSA. Telkens werden nieuwe antibiotica ingezet, bijvoorbeeld ciprofloxacine, een antibioticum uit de klasse der fluorchinolonen, en elke keer ontstond er na verloop van tijd weer resistentie tegen het nieuwe middel. Op 17 november 2011, de Europese Antibioticadag, presenteerde het European Centre for Disease Prevention and Control (ECDC) wat gegevens over het vóórkomen van MRSA in de landen van de Europese Unie. MRSA blijft de belangrijkste veroorzaker van infecties in ziekenhuizen en andere zorginstellingen. Infecties veroorzaakt door MRSA verlengen de opnameduur van patiënten en veroorzaken extra sterfte. Het gaat in de EU ietsjes beter met de bestrijding van MRSA, zei ECDC-directeur Marc Sprenger op een persbijeenkomst in Brussel. In een aantal Europese landen – onder meer Oostenrijk, Frankrijk, Griekenland en het Verenigd Koninkrijk – daalde het aantal door MRSA veroorzaakte infecties. Maar daar stond een sterke stijging tegenover in Italië, Hongarije, Duitsland en Slovenië. In meer dan een kwart van alle EU-landen ligt het MRSA-percentage tussen de vijfentwintig en vijftig. Die landen zijn diep rood gekleurd op de kaart van Europa. In het nog donkerder rode Portugal is het percentage MRSA zelfs gestegen tot meer dan de helft van alle infecties veroorzaakt door *Staphylococcus aureus*. Op de Europese Antibioticadag 2012 bleek dat beeld nauwelijks veranderd. In de meeste landen stabiliseerde het percentage MRSA. In Spanje, Slovenië en de Baltische staten daalde het en in Slowakije en Roemenië nam het toe. Behalve in Portugal wordt nu ook in Roemenië meer dan de helft van alle *Staphylococcus aureus*-infecties veroorzaakt door de voor meticilline resistente variant daarvan.[59]

Nieuwe bedreigingen

Maar het gaat allang niet meer alleen over MRSA als we het over antibioticaresistentie hebben. MRSA is de meest bekende en de meest wijd verbreide in de wereld, zeker, 'maar we weten er veel van en hebben het tot op zekere hoogte ook onder controle', zegt Herman Goossens. Hij geldt niet alleen in België, maar in heel Europa als een van de voortrekkers in de strijd tegen antibioticaresistentie. 'De MRSA-bacterie kennen we al zo lang, daar hebben we mee leren leven. We maken ons daar niet zo heel veel zorgen over omdat we in heel wat landen in Europa een afname zien, al blijft MRSA natuurlijk nog altijd zeer aanwezig. En we kunnen MRSA-infecties nog altijd behandelen. Er zijn nog middelen die werken.' De echte zorgen gaan niet over MRSA, een grampositieve bacterie, maar over de gramnegatieve bacteriën.*

Bacteriën hebben een membraan om de eigenlijke cel heen en daaromheen een celwand. Gramnegatieve bacteriën onderscheiden zich van grampositieve door een veel dunnere celwand. Maar om die celwand hebben ze wel een extra membraan zitten. Dat onderscheid is van betekenis voor de bestrijding van infecties. Veel antibiotica vallen bacteriën juist op hun celwand aan, omdat menselijke en dierlijke cellen die niet hebben. Zo kunnen antibiotica de ziekmakende bacteriën doden zonder menselijke en dierlijke cellen schade toe te brengen.

'We zien nu een gigantische toename van infecties door gramnegatieve bacteriën, vooral in Azië. Dat continent is niet alleen de grote economische macht in wording, het is tegelijk een immens reservoir van antibioticaresistentie en een reusachtige bedreiging voor de volksgezondheid in de wereld. Er wordt dus met heel veel belang-

* De Deense microbioloog Hans Christian Gram (1853-1938) ontwikkelde de Gram-kleuring, een techniek om bacteriënsoorten van elkaar te onderscheiden door kleuring met kristalviolet jodiumcomplex, ontkleuring met alcohol en nakleuring met waterige fuchsine. Gramnegatieve bacteriën kleuren dan rood en grampositieve blauwpaars.

stelling naar China en India gekeken, de twee grote economische wereldmachten van de toekomst, maar dat zijn nu net ook de landen die wat betreft de antibioticaresistentie de grootste bedreiging vormen.' Een van die zeer vervelende gramnegatieve bacteriën, de *Klebsiella pneumoniae*, is sinds de uitbraak waarmee het Maasstad Ziekenhuis van 2009 tot en met 2011 kampte, nogal bekend geworden. Die *Klebsiella* – vernoemd naar zijn ontdekker Theodor Klebs – is tamelijk ziekmakend. De bacterie hoort tot de belangrijkste veroorzakers van urineweginfecties en longontstekingen. Omdat de *Klebsiella* een darmbacterie is verspreidt hij zich eenvoudig via de handen van ziekenhuispersoneel van de ene patiënt naar de andere. Tot nu toe komt de multiresistente *Klebsiella* eigenlijk alleen nog in het ziekenhuis voor. Maar daar verblijven nu net de verzwakte en zieke mensen die het gemakkelijkst infecties oplopen. En omdat de gemiddelde opnameduur steeds korter wordt, zijn de patiënten die in het ziekenhuis liggen gemiddeld steeds zieker. ECDC-chef Marc Sprenger draaide er niet omheen op de Europese Antibioticadag 2011. 'Sinds 2009 zien we in de Europese Unie een dramatische toename van resistentie voor antibiotica van de klasse van de carbapenems. In 2009 werd die alleen in Griekenland gevonden, hoewel ook in Italië en Cyprus *Klebsiella*-stammen zijn aangetroffen die resistent zijn voor carbapenems. In 2010 hebben we in Oostenrijk, Cyprus, Hongarije en Italië een stijgende trend vastgesteld. Dat is des te verontrustender omdat carbapenems het laatste toevluchtmiddel zijn voor de behandeling van infecties die veroorzaakt worden door multiresistente gramnegatieve bacteriën. 'Bij ESBL's kun je nog antibiotica van de klasse van de carbapenems geven. Maar de mogelijkheden om patiënten te behandelen die lijden aan een infectie door een bacterie die resistent is voor carbapenems zijn uiterst beperkt.' Een jaar later presenteerde Sprenger op de Europese Antibioticadag 2012 de cijfers over 2011. In Oostenrijk was het percentage *Klebsiella's* dat resistent is voor carbapenems weer onder de 5 procent gedaald en in Portugal zakte het onder de 1 procent. Maar dat was dan ook meteen alle goede nieuws. In Italië waren meer dan een kwart van alle *Klebsiella*-infecties het werk van *Klebsiella's* die resistent zijn voor carbapenems. In Griekenland gold dat zelfs voor meer dan de helft van de *Klebsiella*-infecties.[60]

In geval van carbapenemresistentie blijven er nog twee middelen over: tigecycline en colistine. Tigecycline staat erom bekend dat het net iets vaker niet werkzaam is dan andere antibiotica en het wordt geassocieerd met een iets hogere sterfte dan in geval van behandeling met andere middelen.[61] Op de editie 2012 van het jaarlijkse symposium van de Stichting Werkgroep Antibioticabeleid (SWAB) presenteerde Jacobien Veenemans, arts-microbioloog in opleiding in het Amphia Ziekenhuis in Breda, daar gegevens over. Zij concludeerde dat het beter is tigecycline te mijden als er nog een ander middel beschikbaar is, zeker bij ernstig zieke patiënten. Sommige gramnegatieve bacteriën worden gemakkelijk resistent tegen het middel. Ongeveer de helft van alle *Enterobacters** die infecties veroorzaken zijn resistent tegen tigecycline. *E. coli's* zijn er vaak wel gevoelig voor. Het andere middel, colistine, is berucht om zijn bijwerkingen, vooral schadelijke effecten voor de nieren. Colistine is een oud middel, het bestaat al ruim vijftig jaar en wordt sinds er veiliger middelen zijn ontwikkeld eigenlijk niet veel meer gebruikt in de humane geneeskunde. In sommige landen als bijvoorbeeld Brazilië krijgen kuikens het als groeibevorderaar. De laatste tijd komen overigens veel artsen en microbiologen enigszins terug op die angst voor de bijwerkingen van colistine. In de eerste plaats is er soms geen andere optie. 'Medicijnen die we vroeger maar liever niet gebruikten omdat ze te giftig waren, zijn nu misschien toch niet zo erg als het alternatief de dood is', zegt de Australische hoogleraar Lindsay Grayson, hoofd van de afdeling microbiologie en infectie-

---

* *Enterobacteriaceae* of *Enterobacters* zijn een familie van gramnegatieve bacteriën waarvan de *E. coli* en de *Klebsiella spp.* de meest voorkomende zijn. Spp. staat voor 'species' (soorten).

preventie van het Austinziekenhuis in Melbourne en hoofdredacteur van het handboek *Kucer's The use of antibiotics*.[62] Maar ook de bijwerkingen van het middel blijken toch mee te vallen. 'Dat heeft te maken met de oude formulering van colistine', legt James Cohen Stuart uit. Hij is arts-microbioloog in het UMC Utrecht. 'De manier waarop het vroeger gemaakt werd zorgde inderdaad bij sommige patiënten voor niervergiftiging. Het wordt intussen op een andere manier geproduceerd en nu doet dat probleem zich minder voor. Ik zie niet veel nierproblemen als ik patiënten colistine geef. Want als ik geen andere opties heb dan schrijf ik het mijn patiënten wel voor.' Het oude antibioticum chlooramfenicol werkt soms ook nog tegen gramnegatieve bacteriën. 'Dat penetreert overal,' zegt Cohen Stuart, 'het is eigenlijk een breedspectrumbroertje van tigecycline. Maar het is ook een doodeng middel om te gebruiken omdat het soms kan leiden tot een heel ernstige beenmergsuppressie, dat is vermindering van de werking van het beenmerg. Dan maakt je beenmerg geen bloedplaatjes en witte bloedcellen meer aan. En dat is in zo'n geval onomkeerbaar. In het Westen is chlooramfenicol daardoor in onbruik geraakt, maar in India en Afrika gebruikt iedereen het.' Hetzelfde geldt voor colistine, zegt eerder genoemde Lindsay Grayson. 'Het is geen verrassing dat colistine in India de winkel uit vliegt. Dat komt door hun multiresistente NDM-1-bacterie.' Het enzym NDM-1 maakt bacteriën resistent voor alle carbapenem-antibiotica. Intraveneuze toediening van colistine is dan een van de weinige resterende behandelmogelijkheden.

India's zere been

NDM staat voor New Delhi-metallo-bèta-lactamase. Het enzym is voor het eerst aangetroffen in een *Klebsiella pneumoniae*-bacterie in een Zweedse patiënt van Indiase origine.[63] De man reisde in 2008 naar India en liep daar een urineweginfectie op. De *Klebsiella* die de infectie veroorzaakt had bleek een tot dan toe onbekend resistentiegen bij zich te dragen. Professor Timothy Walsh, hoofd van de afdeling medische microbiologie van de Cardiff University School of Medicine, ontdekte het nieuwe enzym. En noemde het, zoals te doen gebruikelijk, naar de plek waar het voor eerst aangetroffen werd, New Delhi. Dat was tegen het zere been van de Indiase autoriteiten. Na publicatie van een tweede studie in *The Lancet*[64], waarin hij beschreef hoe hij met collega's op een reeks plaatsen in India, Pakistan en het Verenigd Koninkrijk bacteriën met dat enzym NDM-1 had aangetroffen, kreeg Walsh de nodige hatemail uit India. Hij werd er min of meer persona non grata. Maar Walsh trok zich daar niets van aan. 'Ik had de Indiase regering graag willen helpen met het aanpakken van dit probleem, maar ze wilden niet eens met me praten', vertelt hij me op een bijeenkomst over antibioticaresistentie die het Deense EU-voorzitterschap in maart 2012 organiseerde. 'Door niet samen te werken overtreedt India de regels van de Wereldgezondheidsorganisatie WHO waaraan ze gehouden is. Ik zou heel graag samen met de Indiërs een onderzoekscentrum opzetten. In plaats van boos te worden over de naam New Delhi-metallo-bèta-lactamase zouden ze er beter aan doen een antibioticabeleid te ontwikkelen en een netwerk aan te leggen van openbare toiletten om de hygiëne te verbeteren. De sanitaire voorzieningen in India zijn een nachtmerrie. Ik ben erg blij dat de WHO die link tussen sanitaire voorzieningen en schoon drinkwater aan de ene kant en antibioticaresistentie en infectieziekten aan de andere kant zo nadrukkelijk maakt. Maar er had natuurlijk al veel eerder actie ondernomen moeten worden op dit punt.' De Britse hoogleraar benadrukt het belang van een internationale aanpak van de problemen. 'In Europa zijn we ook nog veel te veel bezig met een nationale aanpak van de problemen. Dat zouden we Europees en eigenlijk globaal moeten doen. De globalisering zorgt ervoor de antibioticaresistentie de hele wereld doortrekt. Dat kun je dus alleen maar op dezelfde schaal bestrijden. We moeten globaal denken.'

In zijn presentatie op de conferentie in Kopenhagen verwees Walsh naar een busongeluk waarbij die dag in Zwitserland tweeentwintig Belgische en Nederlandse kinderen en zes volwassenen omkwamen. 'Dat is natuurlijk een afschuwelijke tragedie, maar in het kwartier dat mijn presentatie hier duurt sterven in India honderdtwintig kinderen aan een vermijdbare infectieziekte.' Walsh' Vlaamse collega Herman Goossens gaf in oktober 2011 in een week tijd in zes verschillende steden in India negen lezingen. Hij sprak er met tientallen Indiase artsen. 'Eigenlijk maken ze zich in India vooral zorgen over de impact van het NDM-1-verhaal op het medisch toerisme naar India', zegt hij. 'Heel wat particuliere ziekenhuizen hebben zwaar geïnvesteerd in het aantrekken van patiënten van buiten India. Veel ziekenhuizen in India draaien net break-even en die proberen wat winst te halen door dat medisch toerisme. Economisch is dat dus heel belangrijk. Er komen veel mensen uit Pakistan en andere buurlanden, maar ook uit het Midden-Oosten, de Verenigde Staten en natuurlijk vanuit het Verenigd Koninkrijk met zijn grote Indische gemeenschap. Het gaat hun om puur economische overwegingen. Op het gebied van volksgezondheid maken ze zich niet zo veel zorgen. Ach, zeggen ze, als er op een bevolking van 1,2 miljard mensen een paar honderd of zelfs een paar duizend mensen doodgaan aan onbehandelbare infecties, wat maakt dat uit. Ook al omdat het vooral om arme mensen gaat, die verzorgd worden in de staatsziekenhuizen. Om de centen maken ze zich dus wel zorgen, maar om de volksgezondheidsaspecten van de NDM veel minder. Heel wat artsen hebben me daar gevraagd waarom het Westen zich zo druk maakt over die NDM-1-bacterie. Want uiteindelijk sterven kinderen aan infecties die men kan voorkomen door vaccinatie, aan malaria, aan tuberculose. Die NDM-1 veroorzaakt veel minder overlijdens. Maar ze bevestigen allemaal dat er patiënten sterven aan onbehandelbare infecties. Ze publiceren er alleen geen cijfers over. Als je die dan hoort van degenen die ze wel hebben, dan sla je steil achterover. Tussen de 60 en 80 procent van de *E. coli-* en *Klebsiella*-bacteriën produceert ESBL's. En heel wat van die bacteriën, tussen de 20 en 30 procent, zijn ook al resistent tegen carbapenems. Dan heb je dus alleen nog tigecycline en colistine over. Tigecycline geven ze niet, omdat het een slecht product zou zijn, blijft over colistine. Daarvan zijn ook een aantal generieke versies op de markt in India. Colistine geven ze tamelijk veel en daar zien ze dus ook al de resistentie tegen ontstaan. Nog even en dan zal dat product ook opgebrand zijn en dan hebben we eigenlijk niets meer.'

Combinatie met colistine

Cohen Stuart zegt het Goossens en veel van zijn andere collega's na: 'We staan met onze rug tegen de muur, er zijn nauwelijks behandelopties over. Maar van de mogelijkheden om bestaande middelen te combineren, weten we eigenlijk nog niets. Dat staat nog in de kinderschoenen. Het is ook pas sinds kort nodig om daar onderzoek naar te doen, want tot nu toe hadden we altijd nog werkzame middelen achter de hand.' Op de editie 2012 van de ECCMID, het jaarlijkse Europese microbiologencongres, werd een workshop gewijd aan het gebruik van colistine. Zowel een Franse[65] als een Israëlische[66] studie die daar gepresenteerd werden, constateerde dat colistine steeds vaker gebruikt wordt als laatste toevluchtmiddel voor patiënten met een infectie door bacteriën die resistent zijn voor carbapenems.* Beide studies signaleren een gunstig effect bij het geven van colistine in combinatie met andere middelen. Volgens de Israëlische onderzoekers is de sterfte bij behandeling met colistine lager dan wanneer geen effectieve behandeling wordt gegeven of onjuiste antibiotica worden voorgeschreven. Bij zeer ernstig zieke patiënten met carbapenem resistente bacteriën zorgde colistine voor hogere sterfte. De Israëlische studie komt tot de slotsom dat colis-

* Met als onvermijdelijk gevolg het ontstaan van resistentie tegen colistine. In de tweede helft van 2011 werden in een algemeen ziekenhuis in Palermo 58 *Klebsiella pneumoniae* gekweekt die resistent waren voor colistine. De bacteriën waren afkomstig van achtentwintig patiënten http://www.eurosurveillance.org/ViewArticle.aspx?ArticleId=20248.

tine niet voor significant meer gevallen van niervergiftiging zorgt dan andere antibiotica. Doet zo'n vergiftiging zich toch voor, dan is die meestal omkeerbaar. Bij gebruik van hoge doseringen ontstond in enkele gevallen resistentie tegen colistine. In dezelfde workshop presenteerde professor Yehuda Carmeli van het Tel Aviv Medical Center en het Israëlische Nationaal Centrum voor Antibioticaresistentie data die ook suggereren dat colistine een bruikbaar middel is. Vooral de combinatie van colistine en carbapenem-antibiotica kan uitkomst bieden tegen bacteriën die resistent zijn voor carbapenems. Zo'n combinatiebehandeling lijkt veel effectiever dan het uitsluitend voorschrijven van colistine. James Cohen Stuart komt met het voorbeeld van vancomycine. Dat is een antibioticum dat bij gramnegatieve bacteriën als de *Klebsiella* of de *Acinetobacter* niet werkt, omdat het niet door het buitenste celmembraan van de bacterie heen kan dringen. 'Maar als je het combineert met colistine, dan doet zich een mooi synergetisch effect voor. De colistine maakt gaatjes in de buitenste celwand zodat de vancomycine erdoorheen kan en zijn werk kan doen. Als er geen nieuwe middelen bij komen, en daar ziet het op het moment naar uit, dan is dit echt de weg die we moeten inslaan. Daar ben ik van overtuigd.' Cohen Stuart doet onderzoek naar nieuwe mogelijkheden om de bestaande antibiotica toch nog te gebruiken. Tot nu toe heeft dat onderzoek zich nog alleen in het laboratorium afgespeeld, vertelt hij. 'Met hoopgevende resultaten'. Die waren voor hem de reden om in de vroege zomer van 2012 een kleine trial op te zetten met proefpersonen. Het wachten is nu op de resultaten daarvan.

3. De menselijke en de economische kosten

Hoogleraar Paolo is vijfenvijftig jaar als hij in augustus 2010 in zijn motorboot stapt en koers zet naar Ponza, een klein eilandje voor de Italiaanse kust bij Rome. Bij aankomst heeft hij een branderig gevoel bij het plassen, alsof hij een urineweginfectie heeft. Paolo schenkt er niet te veel aandacht aan. Het is heet, hij denkt dat hij misschien te weinig gedronken heeft. Maar drinken geeft geen verlichting. Zijn klachten worden erger. Hij rilt van de koorts. Paolo raadpleegt zijn zwager. Die is arts en brengt zijn vakantie door op Ponza. Zijn zwager houdt het op een urineweginfectie en zegt dat hij het best ciprofloxacine kan nemen, een van de meest gebruikte antibiotica om die te bestrijden. Dat bestaat in tabletvorm. Na drie dagen helpt de ciprofloxacine nog steeds niet, maar Paolo blijft het middel slikken omdat hij aan het eind van de week terug naar Rome moet. Daar, neemt hij zich voor, gaat hij naar het ziekenhuis. Op Ponza is geen laboratorium om zijn urine te onderzoeken. Paolo knapt niet op. Zijn zwager vaart hem naar het vasteland en brengt hem naar het ziekenhuis. Paolo blijkt een gecompliceerde urineweginfectie te hebben, mogelijk veroorzaakt door een vergrote en ontstoken prostaat. De infectie is veroorzaakt door een ESBL-producerende *E. coli*. Door het enzym ESBL is de bacterie resistent voor de meeste antibiotica. Bovendien is ze ook ongevoelig voor ciprofloxacine. Paolo krijgt een kuur van vier weken van amoxicilline en clavulaanzuur.* Daarvan knapt hij op, maar vier dagen na het eind van zijn kuur keren de symptomen van de urineweginfectie

* Volgens Jan Kluytmans, hoofd van de afdeling medische microbiologie van het Amphia Ziekenhuis in Breda en hoogleraar aan het VUmc, is amoxicilline 'op zijn best gezegd een discutabele keuze' bij het bestrijden van een infectie veroorzaakt door een ESBL-producerende bacterie.

terug en krijgt hij ook weer koorts. Paolo besluit een vriend in te schakelen, een specialist infectieziekten. Die schrijft hem drie weken lang fosfomycine voor. Daarmee krijgt hij zijn infectie eronder. Paolo heeft zijn multiresistente *E. coli* niet in het ziekenhuis opgelopen. Het gaat om een zogeheten *community acquired* infectie.

Het verhaal van Paolo is een van de casussen die het European Centre for Disease Prevention and Control (ECDC) in 2011 op de Europese Antibioticadag presenteerde om inzichtelijk te maken waar antibioticaresistentie over gaat.[67] Paolo had geluk. Hij had flink last van zijn urineweginfectie maar hij heeft hem eronder gekregen vóór de infectie in zijn bloedbaan terecht kon komen. Dat gebeurde wel bij de vrouw die te boek is komen te staan als de eerste dode in Nederland aan de gevolgen van een infectie veroorzaakt door een bacterie met het enzym ESBL. Of deze vrouw ook daadwerkelijk het eerste geval was of alleen maar het eerste beschreven geval, leidde tot stevig debat onder microbiologen. Feit is dat de casus de ESBL-problematiek op de kaart zette. Maurine Leverstein-van Hall, destijds verbonden aan het UMC Utrecht, maar nu aan het Bronovo Ziekenhuis in Den Haag, presenteerde de feiten op de Boerhaave Leergangen van september 2010 in het Leids Universitair Medisch Centrum. De patiënt is een vijfentachtigjarige vrouw die in een verzorgingshuis woont. Ze krijgt een blaasontsteking en gaat daarvoor naar haar huisarts, die haar een antibioticum voorschrijft. De klachten houden aan, de vrouw gaat terug naar haar huisarts en krijgt een ander antibioticum mee. Net als de eerste keer, zonder dat er een kweek gemaakt is. Ook dit geneesmiddel lost de klachten niet op. Die worden alleen maar erger. De vrouw wordt verwezen naar het ziekenhuis. Als ze daar uiteindelijk komt op 30 januari 2010, is het eigenlijk al te laat. De ceftriaxon* die de vrouw krijgt helpt niet. De infectie is in haar bloedbaan gekomen

---

* Een cefalosporine antibioticum.

en voordat duidelijk is welke bacterie de infectie veroorzaakt, overlijdt de patiënt aan het eind van de volgende dag. De afgelopen jaren is ze niet in een ziekenhuis opgenomen en ze heeft onlangs ook geen antibioticakuur voorgeschreven gekregen. Het gaat – net als bij Paolo – om een *E. coli* met ESBL. Naar alle waarschijnlijkheid had de vrouw hem opgelopen door het eten van kip. De ESBL die bij haar werd aangetroffen was genetisch nauw verwant met de ESBL die op vrijwel alle kippenvlees in Nederland wordt aangetroffen. Of de patiënt met diabetes die in juni 2010 wordt opgenomen in een Brussels ziekenhuis zijn multiresistente *E. coli* ook via zijn voeding heeft binnengekregen, of dat het hier om een ziekenhuisinfectie gaat, is niet duidelijk. Maar het is wel glashelder dat de man doodziek is. Hij wordt opgenomen op een Brusselse IC na een verblijf in een ziekenhuis in Pakistan. De man blijkt behalve een MRSA een *E. coli* met NDM-1 bij zich te hebben. Het enzym New Delhi-metallo-bèta-lactamase (NDM-1) maakt bacteriën resistent voor alle antibiotica behalve colistine en tigecycline. De bacterie heeft een wond aan de voet van de man geïnfecteerd. De patiënt blijkt allergisch voor colistine, terwijl de tigecycline geen merkbaar effect op zijn toestand heeft. Ook amputatie van de aangetaste voet blijkt geen oplossing. De infectie komt in zijn bloedbaan terecht en hij overlijdt korte tijd daarna aan deze sepsis: bloedvergiftiging, met een huis-tuin-en-keukenwoord.[68]

Kims pasgeboren zoontje

Veel van de aandacht die nu uitgaat naar gramnegatieve bacteriën richt zich op de *Klebsiella pneumoniae*, omdat die een virulent karakter heeft en zich in tamelijk hoog tempo verspreidt. Maar ook de minder virulente *E. coli* kan, zoals uit de hierboven geciteerde voorbeelden blijkt, veel onheil aanrichten. Daar kunnen ook de ouders van een baby'tje van meepraten dat eind 2006 in een ziekenhuis in het westen van het land ter wereld kwam. Hij werd spontaan te vroeg geboren. Weeënremmers waren niet meer mogelijk, de bevalling was niet te stoppen en moest daarom in het dichtstbijzijnde ziekenhuis plaatsvinden. Dat ziekenhuis had een eenvoudige intensive care waar hem misschien niet alle zorg geboden kon worden die hij nodig zou kunnen hebben. Het jongetje moest overgeplaatst worden naar een tweede, academisch ziekenhuis omdat academische ziekenhuizen als enige een IC-neonatologie mogen hebben. De baby bleek bij onderzoek in het academische ziekenhuis gezond, maar kreeg daar wel standaardantibiotica voorgeschreven vanwege de onverklaarde vroeggeboorte, die zou kunnen wijzen op een infectie. Hij moest na zijn geboorte bijgeblazen* worden en later na intubatie beademd. Bijblazen kan leiden tot een te geforceerde ontplooiing van de longen waardoor longblaasjes kapot kunnen gaan. Daardoor kan pneumothorax ontstaan, een opeenhoping van lucht tussen de borstwand en het longvlies. Onderzoek van het baby'tje op verdenking van pneumothorax leverde echter verschillende keren niets op. Het kindje werd overgeplaatst naar een ander ziekenhuis in de woonplaats van de ouders. Een dag later moest het na een longbloeding weer terug naar het academische ziekenhuis. 'Ons zoontje moest dus vervoerd worden, met alle extra risico's van dien', zegt Kim, zijn moeder. 'Terwijl in het ziekenhuis waar hij lag alle mogelijke apparatuur en kennis wel aanwezig was. Ik ben benieuwd of de perinatale sterfte door de maatregel dat alleen academische ziekenhuizen IC's neonatologie mogen hebben niet juist is toegenomen in plaats van afgenomen, zoals de bedoeling was.' Vanaf dat moment ging het bergafwaarts. Op de derde dag van de heropname in het academisch ziekenhuis wordt een multiresistente *E. coli* aangetoond in een bloedkweek. Weer drie dagen later blijkt die *E. coli* ook ESBL-positief. De volgende dag overlijdt de baby aan een bloedvergiftiging en/of een hersenvliesontsteking veroorzaakt door een ESBL-producerende multiresistente *E. coli*. In een van die drie ziekenhuizen of

* Via een zuurstofmasker kan door in een ballon te knijpen zuurstof toegediend worden. Dit heet bijblazen.

ergens onderweg tijdens het vervoer liep de baby een besmetting op met een multiresistente *E. coli.* Negen dagen na zijn geboorte, nog voor zijn leven goed en wel begonnen was, overleed hij. Over de feitelijke zorg voor haar zoon heeft Kim geen klachten. Hoewel, op een van de foto's die hun resteren van zijn korte leven is een arts te zien die kort na zijn geboorte bij hem was: in hardloopshirt. Dat is ongetwijfeld te verklaren doordat het om een spoedgeval ging. Maar erger is dat hij geen handschoenen aan had en zijn horloge nog droeg. En het was geen arts-assistent die het vak nog moest leren. Toen ze die foto later terugzag, zette dat haar toch wel aan het denken. 'Mijn zoontje was veel te vroeg geboren. Hij was te zwak om ook nog een infectie met een resistente bacterie te doorstaan', zegt ze.

Het belang van surveillance

Het overlijden van Kims pasgeboren zoontje is een voorbeeld op microniveau van de prijs die mensen soms betalen voor antibioticaresistentie. Meer op macroniveau nu. In India sterven jaar in jaar uit één miljoen baby's binnen vier weken na hun geboorte. Honderdnegentigduizend van hen overlijden aan de gevolgen van sepsis. Van die honderdnegentigduizend sepsisgevallen zijn er bijna zestigduizend – ruim 30 procent – het gevolg van een infectie door een multiresistente bacterie.[69] De Pakistaanse hoogleraar Zulfiqar A. Bhutta van de Aga Khan Universiteit in Karachi hoorde ik op 6 september 2010 in Uppsala op de conferentie The Global Threat of Antibiotic Resistance vergelijkbare onderzoeksresultaten presenteren. 'Infecties die rond de geboorte ontstaan, longontstekingen en diarree zijn wereldwijd verantwoordelijk voor bijna 40 procent van alle kindersterfte', zei Bhutta daar. Volgens Bhutta overlijden er in Afghanistan, Bangladesh, India, Nepal en Pakistan jaarlijks naar schatting 368.000 pasgeborenen aan sepsis. Daarbij gaat het in ruim een kwart van de gevallen om een sepsis veroorzaakt door een multiresistente bacterie.[70] Maar infecties door multiresistente bacteriën maken niet alleen in arme landen en opkomende economieën slachtoffers. In 2009 publiceerde het ECDC een studie[71] waaruit blijkt dat in de landen van de Europese Unie, IJsland en Noorwegen jaarlijks ten minste vijfentwintigduizend mensen sterven aan de belangrijkste infecties veroorzaakt door multiresistente bacteriën. Het ging om MRSA, VRSA (vancomycine resistente *Staphylococcus aureus*), VRE (vancomycine resistente enterokokken), penicilline resistente *Streptococcus pneumoniae* (PRSP), bacteriën met ESBL's en twee typen carbapenem resistente bacteriën. Die bacteriën hebben gemeen dat ze allemaal veelvuldig sepsis veroorzaken en een resistentiemechanisme hebben dat ze multiresistent maakt. Infecties veroorzaakt door genoemde multiresistente bacteriën zorgen voor 2,5 miljoen extra opnamedagen in het ziekenhuis. Maar ook voor aanzienlijke extra kosten in de gezondheidszorg en door productiviteitsverlies. Die worden door het ECDC op minstens 1,5 miljard euro per jaar geschat. 'Wij kunnen getallen laten zien', zegt Marc Sprenger. Hij is directeur van het ECDC, dat in een voormalig instituut voor blinden en slechtzienden in Solna gevestigd is, net buiten Stockholm. Sprenger stapte in mei 2010 over van het RIVM, waar hij directeur-generaal was, naar het ECDC. 'We hopen dat de cijfers die wij publiceren, de ranking van landen, de ranglijsten van het antibioticagebruik en het vóórkomen van antibioticaresistentie, de overheden van de Europese landen bewust maken dat ze echt iets moeten doen aan antibioticaresistentie.' Het is zeer ingewikkeld om de kosten van antibioticaresistentie te berekenen. Infecties – of ze nu veroorzaakt worden door resistente bacteriën of niet – treffen meestal zwakke patiënten: pasgeborenen, ouderen en patiënten die al ernstig ziek zijn. 'Het bepalen van de extra kosten van antibioticaresistentie, zowel in termen van mensenlevens, ziekte als geld, is een van de grootste uitdagingen waar we voor staan', zegt Andreas Heddini. Hij was tot voorjaar 2012 directeur en drijvende kracht van het aan de universiteit van Uppsala gevestigde ReAct – Action on Antibiotic Resistance. Tegenwoordig is hij als medisch adviseur werkzaam voor GlaxoSmithKline, een van de grootste farmaceutische bedrijven ter wereld. 'Die kosten zijn een belangrijk middel om mensen te overtuigen van de noodzaak om dit probleem aan te pakken. Maar hoe kun je de extra kosten van antibioticaresistentie vaststellen als je in veel gevallen helemaal niet weet of die zich heeft voorgedaan? Als niet wordt geregistreerd dat de hersenvliesontsteking die een patiëntje het leven heeft gekost door een resistente bacterie veroorzaakt is? We worden beter en beter in het ontdekken en monitoren van de resistentieproblematiek, zeker in ons deel van de wereld. Onze bewakingssystemen worden steeds beter, maar toch beschikken we nog over veel te weinig data en als we al data hebben is het de vraag hoe betrouwbaar ze zijn. De ECDC-cijfers die iedereen gebruikt zijn maar van vijf ziekteverwekkers. Dat zijn echt schattingen, niet meer dan heel ruwe schattingen. We moeten veel meer gaan doen aan *surveillance.** Daar gaat het om: surveillance, surveillance en nog eens surveillance.' Hoe moeilijk het ook mag zijn om tot betrouwbare schattingen te komen van de kosten van antibioticaresistentie en van ziekenhuisinfecties in het algemeen, Heddini juicht alle initiatieven op dat gebied toe. Zo is hij onder meer enthousiast over de BURDEN-studie.

Hoge kosten

In oktober 2011 publiceerde de BURDEN-studiegroep onder leiding van Hajo Grundmann, hoogleraar medische microbiologie** aan het UMC Groningen en verbonden aan het RIVM, een Europees onderzoek naar de kosten van infecties veroorzaakt door MRSA en *E. coli* resistent voor derde generatie cefalosporinen. Die laatste zijn meestal resistent doordat ze het enzym ESBL produceren, maar in een minderheid van de gevallen is er een ander resistentiemechanisme in het spel.

---

* Surveillance is het verzamelen van data over het vóórkomen van in dit geval resistente bacteriën.

** In het bijzonder voor de epidemiologie van infectieziekten.

Grundmann en zijn medeonderzoekers becijferden dat MRSA en voor derde generatie cefalosporinen resistente *E. coli* in Europa jaarlijks 43.000 bloedbaaninfecties veroorzaken die leiden tot 376.000 extra opnamedagen. Van de patiënten sterven er 8.200. De extra zorgkosten voor bloedbaaninfecties bedragen 62 miljoen euro, voor deze twee resistente bacteriën alleen. Aan het onderzoek deden 1.380 ziekenhuizen en 774 laboratoria in 33 landen mee. De gebruikte cijfers hadden betrekking op 2007. De onderzoekers zien het aantal MRSA-infecties dalen van 28.000 in 2007 naar 10.000 in 2015. Bij de resistente *E. coli's* gaat de trend precies de andere kant op en bovendien veel sneller. Hun aantal stijgt van 15.000 in 2007 naar 86.000 in 2015. Het totaal aantal gevallen van sepsis door deze beide bacteriën stijgt van 43.000 naar 96.000, het aantal doden van 8.200 naar 17.000. De kosten stijgen naar een kleine 120 miljoen euro.[72]

'Dan ga je wel uit van hetzelfde prijspeil als in 2007, terwijl de prijzen mogelijk gaan stijgen', zegt onderzoekster Marlieke de Kraker van het RIVM, die in de zomer van 2012 aan het UMC Groningen promoveerde op de BURDEN-studie. 'En je gaat ervan uit dat in 2015 de verdeling van de infecties over de drieëndertig landen hetzelfde blijft. Stel je krijgt minder infecties in Engeland en meer in Roemenië, dan beïnvloedt dat de kostenberekening omdat verpleegdagen in Engeland veel duurder zijn.'

In een Amerikaanse studie die in 2009 verscheen zijn de kosten voor infecties door multiresistente bacteriën in het jaar 2000 berekend op grond van een grote casestudie in een ziekenhuis in Chicago.[73] Geëxtrapoleerd naar de hele Verenigde Staten leverde dat op dat er in het jaar 2000 in de VS circa 20 miljard dollar werd uitgegeven aan extra medische kosten en nog eens 15 miljard dollar aan maatschappelijke kosten door productieverlies als gevolg van infecties veroorzaakt door multiresistente bacteriën. Sinds 2000 is het aantal infecties veroorzaakt door multiresistente bacteriën in de vs ongeveer verdubbeld en zijn de kosten dus ook aanzienlijk gestegen. De infectioloog en epidemioloog Eli Perencevich uit Iowa City houdt al enkele jaren een blog bij over ziekenhuisinfecties. Op woensdag 13 juni 2012 publiceerde hij daar een fraaie grafische weergave van de extra kosten voortvloeiend uit de twee belangrijkste ziekenhuisinfecties: sepsis en longontsteking.[74]

Perencevich gebruikte voor zijn berekeningen de gegevens over 58,7 miljoen ziekenhuisopnames in veertig Amerikaanse staten in de jaren 1998 tot en met 2006. Ruim 8,5 miljoen van die opnames gingen gepaard met invasieve ingrepen, met snijden in het lichaam dus. In de nasleep daarvan liep bijna een half miljoen patiënten een bloedvergiftiging op en bijna tachtigduizend patiënten kregen een longontsteking. Dat leidde tot veel extra sterfte: bijna 18 procent van de patiënten die een sepsis kregen, overleed aan de gevolgen daarvan. Hetzelfde gold voor ruim 8 procent van de patiënten die na hun operatie in het ziekenhuis een longontsteking opliepen. In totaal werden er als gevolg van deze twee ziekenhuisinfecties in die negen jaar een slordige 20 miljard dollar extra uitgegeven. Doorgerekend naar de hele Verenigde Staten komt Perencevich voor het jaar 2006 tot 2,3 miljoen extra opnamedagen, 8,1 miljard dollar extra uitgaven en 43.000 vermijdbare doden door in de Amerikaanse ziekenhuizen opgelopen sepsis en longontsteking alleen al.

In een factsheet van mei 2012 geeft ReAct – Action on Antibiotic Resistance een opsomming van een reeks studies naar de kosten van antibioticaresistentie.[75] Een kleine greep. Een Amerikaanse studie nam alle ziekenhuisinfecties door gramnegatieve bacteriën onder de loep in de periode 2000-2008. Een infectie door een (multi)resistente bacterie leidde tot 30 procent hogere kosten dan een infectie veroorzaakt door een bacterie die niet resistent was. Dat kwam met name doordat patiënten met een infectie door een resistente bacterie een kwart langer in het ziekenhuis liggen dan patiënten met een infectie veroorzaakt door een niet-resistente bacterie. Uit een Israëlisch onderzoek blijkt dat bloedbaaninfecties door ESBL-producerende bacteriën de ligduur van patiënten en de kosten per patiënt met meer dan de helft doen toenemen. Spaanse patiënten die een infectie door een resistente *Klebsiella* hebben of die drager zijn van een resistente *Klebsiella* liggen gemiddeld negenentwintig dagen langer in het ziekenhuis dan patiënten zonder *Klebsiella*.

PREZIES-netwerk

Het Rijksinstituut voor Volksgezondheid en Milieu in Bilthoven verzamelt in Nederland gegevens over het vóórkomen van ziekenhuisinfecties. Daarvoor is het PREZIES*-netwerk opgericht dat sinds maart 2007 elke zes maanden een 'nationaal prevalentieonderzoek ziekenhuisinfecties' houdt. Dat betekent dat er in maart en in oktober een meting plaatsvindt van het aantal patiënten met een of meer ziekenhuisinfecties. De laatste publicatie daarover, uit oktober 2012, bestrijkt de periode maart 2007-maart 2012.[76]

In totaal hebben 77 ziekenhuizen een of meer keer aan het onderzoek deelgenomen en daar zijn acht academische ziekenhuizen bij. Drie ziekenhuizen hebben aan alle elf metingen meegedaan. Over de gehele periode dat het PREZIES-netwerk gegevens verzamelt is de gemiddelde prevalentie van ziekenhuisinfecties 5,5 procent. Van alle patiënten kreeg 4,9 procent een ziekenhuisinfectie (sommige patiënten liepen meer dan één infectie op). Er waren grote verschillen tussen ziekenhuizen onderling. De infectieprevalentie varieerde van 0 tot 12,1 procent per ziekenhuis. Het aantal patiënten met een infectie liep uiteen van 0 tot 9,3 procent. Bij opname had 3,5 procent van de patiënten al een infectie die in ruim tweederde van de gevallen bij een eerdere opname in hetzelfde ziekenhuis was opgelopen.

* PREventie van InfectieZIEkten door Surveillance.

Het gemiddeld aantal ziekenhuisinfecties lijkt volgens de data van het PREZIES-netwerk sinds de meting van oktober 2009 terug te lopen. Sinds maart 2010 werden patiënten met een infectie veroorzaakt door een Bijzonder Resistent Micro-Organisme (BRMO) apart geregistreerd. Dankzij het succesvolle MRSA-beleid liepen maar twee patiënten in de onderzoeksperiode een MRSA-infectie op. De MRSA-prevalentie is minder dan 0,01. Die van ESBL is met 50 geïnfecteerde patiënten wat hoger, maar nog altijd niet meer dan 0,1 procent. Verder werden er twee infecties geteld veroorzaakt door *Enterobacteriaceae* die resistent waren voor carbapenem-antibiotica en twee door voor carbapenem resistente *Acinetobacter baumannii* of *Pseudomonas aeruginosa*. Ook werden er drie infecties door VRE gemeld. Die aantallen gaan stijgen. Want intussen zijn er grote uitbraken van OXA-48 producerende *Klebsiella* geweest in het Maasstad Ziekenhuis en een serie uitbraken van VRE. Verder zijn er incidenteel patiënten tegen bacteriën met NDM-1 of nog andere resistentiemechanismen aangelopen. Enkele onderzoekers van het RIVM hebben aan de hand van de cijfers uit het PREZIES-netwerk tot en met 2009 een berekening gemaakt van de kosten van ziekenhuisinfecties, los van de vraag of ze veroorzaakt zijn door (multi)resistente bacteriën of bacteriën die gevoelig zijn voor antibiotica.[77]

In die periode was de gemiddelde infectieprevalentie met 6,6 procent iets hoger, net als het aantal patiënten met een ziekenhuisinfectie (5,8 procent). Op grond van deze cijfers komen de onderzoekers tot de schatting dat er zich 4,2 infecties voordoen per 100 ziekenhuisopnames. Dat getal is lager dan het getal van PREZIES, omdat het gecorrigeerd is voor de oververtegenwoordiging van patiënten met ziekenhuisinfecties. Die liggen gemiddeld vier dagen langer in het ziekenhuis dan patiënten zonder ziekenhuisinfectie. De RIVM'ers berekenen dat in 2007 in Nederland 74.000 mensen een ziekenhuisinfectie hebben opgelopen. Die hebben gemiddeld vier dagen langer in het ziekenhuis gelegen. Samen waren dat in 2007 dus

296.000 extra ligdagen door ziekenhuisinfecties. De Nederlandse Vereniging van Ziekenhuizen (NVZ) hanteerde in 2007 een bedrag van 1.147 euro per ligdag. De onderzoekers begroten de prijs van een ligdag op 710 euro. Zij komen tot die lagere schatting door de kosten van een ligdag te beperken tot de klinische kosten die gemaakt worden en de kosten voor schoonmaak, verwarming en bijvoorbeeld reserveringen voor nieuw- of verbouw eruit te halen. Afhankelijk van het gehanteerde bedrag voor de kosten van een ligdag bedroegen in 2007 de extra kosten door ziekenhuisinfecties in Nederland een bedrag tussen 210 en 337 miljoen euro, dat is 1 tot 1,7 procent van de totale ziekenhuiskosten. In 2010 was het aantal ziekenhuisopnames in Nederland gedaald van 1,78 miljoen in 2007 naar 1,72 miljoen. Tegelijk was de prevalentie van ziekenhuisinfecties gedaald tot 5,9 procent. Na het doorvoeren van dezelfde correctie voor oververtegenwoordiging van patiënten met ziekenhuisinfecties levert dat op dat er 3,8 ziekenhuisinfecties per 100 opnames waren in 2010 en in totaal 65.000 infecties. Samen goed voor 261.000 extra ligdagen. In het Brancherapport 2011 *Zorg op Doorreis*[78] meldt de NVZ voor de periode van 2007 tot 2010 een jaarlijkse stijging van de tarieven van de ziekenhuizen van 1,1 procent. Dat betekent dat in 2010 de prijzen in de ziekenhuizen 3,46 procent hoger zijn dan in 2007. De totale extra kosten veroorzaakt door ziekenhuisinfecties lagen in 2010 – afhankelijk van de gekozen kostprijs voor een ligdag – op 192 tot 310 miljoen euro of 1 tot 1,6 procent van de totale ziekenhuiskosten.[79]

Bij deze berekeningen gaat het puur om de extra kosten die de ziekenhuizen maken voor de verzorging van hun patiënten. Maatschappelijke kosten als hogere sterfte, langere ziekteduur en verlies aan arbeidsproductiviteit als gevolg daarvan zijn niet meegenomen in de berekeningen. Het Belgische Federaal Kenniscentrum voor de Gezondheidszorg publiceerde in januari 2009 een studie over de gevolgen van in het ziekenhuis opgelopen infecties.[80] Ook deze studie maakt geen onderscheid tussen bacteriën die gevoelig zijn voor antibiotica of die resistent zijn. De onderzoekers gebruiken data uit 2005 en prijsgegevens uit 2008. Zij begroten op grond van die gegevens het jaarlijkse aantal patiënten dat in België een ziekenhuisinfectie oploopt op ruim 125.000. Ongeveer 17.500 van die patiënten overlijden en in 15 procent van de gevallen – 2.625 patiënten – is dat een rechtstreeks gevolg van de infectie die ze kregen. De patiënten met een infectie lagen gemiddeld bijna een week langer in het ziekenhuis dan patiënten zonder in het ziekenhuis opgelopen infectie. In 2008 kostte een ligdag in een Belgisch ziekenhuis gemiddeld 371 euro. De totale extra kosten door ziekenhuisinfecties beliepen zo'n 320 miljoen euro. Ook in deze studie zijn de maatschappelijke kosten van ziekenhuisinfecties door bijvoorbeeld ziekteverzuim buiten beschouwing gelaten.

Enorme kosten

Een bacteriële uitbraak is dus peperduur. Zeker als die niet adequaat tegemoet getreden wordt. Om de *Klebsiella*-uitbraak in het Maasstad Ziekenhuis te bestrijden zijn alleen al enkele tienduizenden testen aangeschaft om bacteriën te onderzoeken op de aanwezigheid van het OXA-48-enzym. Daar komen nog honoraria van extra ingehuurde mensen bij, vertrekpremies, een onbekend bedrag aan schadevergoedingen en een aanzienlijke inkomstenderving doordat patiënten zijn weggebleven. In 2010 maakte het Maasstad Ziekenhuis ruim 4 miljoen winst. Het jaar 2011 is afgesloten met een verlies van ruim 14 miljoen euro dat voor een aanzienlijk deel toe te schrijven is aan de falende aanpak van de *Klebsiella*-uitbraak. Volgens het ziekenhuis zelf heeft de uitbraak zo'n 7 miljoen gekost. Maar dat lijkt een lage inschatting. In 2010 realiseerde het Maasstad Ziekenhuis een enorme omzetgroei van maar liefst 17 procent.[81] Dat leverde het ziekenhuis toen een winst op van bijna 5 miljoen euro. In 2011 leed het ziekenhuis zoals gezegd een verlies van 14 miljoen euro.[82] De omzetdaling was beperkt tot ruim 2 procent, maar werd ten dele verhuld door een verschuiving naar duurdere behandelingen die het ziekenhuis signaleerde. Gemiddeld werd per behandeling meer geld verdiend. Het Maasstad Ziekenhuis presteerde in 2011 ronduit slecht vergeleken met de rest van de sector. Die zag volgens een brancheonderzoek van Deloitte de opbrengsten gemiddeld toenemen met 6,8 procent.[83] Zou het Maasstad die gemiddelde groei hebben gerealiseerd, dan had ziekenhuis in 2011 bijna 29 miljoen meer verdiend. Het Ikazia Ziekenhuis, de buurman van het Maasstad in Rotterdam-Zuid, heeft het in 2011 juist bovengemiddeld goed gedaan. Het ziekenhuis zag zijn productie met 8 procent stijgen en de omzet met bijna 4 procent. Het leverde het Ikazia een winst van 2,5 miljoen euro op.[84] Bestuurder Rob Kievit van het Ikazia is ervan overtuigd dat de extra patiënten die in 2011 naar zijn ziekenhuis zijn gekomen voor een aanzienlijk deel afkomstig zijn van het Maasstad Ziekenhuis. 'Een deel komt naar ons vanwege de verhuizing van het Maasstad van het centrum naar de rand van Rotterdam-Zuid. Dat merken we vooral op de Spoedeisende Hulp, waar we in 2011 een kwart meer aanloop hebben gehad. Maar een flink deel is het gevolg van de *Klebsiella*-uitbraak', zegt hij. In 2012 houdt het Ikazia blijkens de toelichting bij het jaarverslag over 2011 een flink deel van de extra patiënten uit 2011 vast. Ook het Erasmus MC kreeg in de zomer van 2011 te maken met patiënten die zich liever niet lieten opereren in het Maasstad Ziekenhuis. 'Wij merkten dat aan een opvallende toename van het aantal gecompliceerde hartoperaties', zegt bestuursvoorzitter Hans Büller. Zowel het Ikazia als het Erasmus MC zag in die zomermaanden van 2011 zo veel extra patiënten komen dat ze de zorgverzekeraars een brief schreven over de te verwachten overproductie in 2011. Ziekenhuizen maken met zorgverzekeraars contractuele afspraken over het aantal behandelingen dat zij doen. Behandelen ze meer patiënten dan afgesproken, dan wordt dat niet zomaar vergoed door de zorgverzekeraars. In dit geval hebben die rekening gehouden met de bijzondere omstandigheden die het gevolg waren van de *Klebsiella*-uitbraak in het Maasstad Ziekenhuis. De totale kosten van de uitbraak lijken dus veel hoger te zijn dan het bedrag van 7 miljoen euro dat het Maasstad Ziekenhuis noemt. Behalve de economische kosten zijn er, misschien wel in de eerste plaats, de maatschappelijke kosten. Patiënten gaan naar een ziekenhuis in het volste vertrouwen dat ze goed behandeld zullen worden en veilig zijn. In het Maasstad Ziekenhuis was dat tijdens de langdurige uitbraak van multiresistente *Klebsiella pneumoniae* niet het geval. Dat bleek pas toen het falen van het ziekenhuis ontdekt was. Maar ook toen hield het ziekenhuis tegenover patiënten nog geruime tijd vol dat er volgens de geldende richtlijnen en regels gewerkt was en dat de zorg goed was geweest. Infecties door multiresistente bacteriën gaan gepaard met hoge menselijke en economische kosten. Zoveel mag duidelijk zijn.

4. Het Maasstad, de moeder aller uitbraken

Op vrijdagavond 27 mei 2011 kwam er een mail voor me binnen bij de afdeling publieksvoorlichting van de NOS. Omdat het na kantoortijd was kreeg ik het mailtje pas de maandag erop onder ogen. Kort na elf uur. De mail was afkomstig van een anonieme tipgever. En verstuurd van een zodanig beveiligd e-mailadres dat het de eigenaar de garantie van anonimiteit bood. In dat mailtje werd in een paar zinnen uit de doeken gedaan dat er in het Maasstad Ziekenhuis in Rotterdam al geruime tijd 'een zeer dodelijke en onbehandelbare superbacterie' rondwaarde. De anonieme bron wist ook te melden om welke bacterie het ging. 'Deze OXA-48 producerende *Klebsiella pneumoniae* is vergelijkbaar met de NDM-1-bacterie ... dan kun je de ernst wel inschatten', vervolgde het mailtje. Dat kon ik inderdaad. NDM-1 is een killer.* Mijn anonieme tipgever meldde verder dat het ziekenhuis de uitbraak stil had gehouden. Patiënten noch artsen waren geïnformeerd en ook andere ziekenhuizen en verpleeghuizen in Rotterdam en de rest van het land wisten van niets. Maar kregen intussen wel patiënten doorgestuurd die besmet waren. 'Nu pas', schreef mijn tipgever, 'wordt er gestart met een analyse van de uitbraak, nadat meerdere ziekenhuizen die patiënten met deze bacterie uit het Maasstad hadden overgenomen, aan de bel getrokken hebben. Er zijn inmiddels enkele patiënten overleden aan infecties met deze bacterie en velen geïnfecteerd. De bacterie heeft zich inmiddels ook, mede door de laksheid van het Maasstadziekenhuis, verspreid

---

* NDM-1 en OXA-48 zijn carbapenemasen, enzymen die het vermogen hebben om de werking van antibiotica van de klasse der carbapenems te neutraliseren. Carbapenems zijn krachtige antibiotica met weinig bijwerkingen. Resistentie tegen carbapenems gaan vaak samen met resistentie tegen andere bèta-lactam-antibiotica zoals penicilline en cefalosporinen. Er blijven dan nog maar enkele middelen over die een veel hogere toxiciteit hebben, of minder effectief zijn, of beide.

naar andere ziekenhuizen in Nederland.' Met dit korte mailtje begon het verhaal van de *Klebsiella*-uitbraak in het Maasstad Ziekenhuis, dat een grote impact zou krijgen. Niet alleen in het ziekenhuis zelf, waar de gevolgen enorm waren, maar ook ver daarbuiten. De lessen die getrokken zijn uit het drama dat zich afspeelde in het Rotterdamse ziekenhuis zijn gedeeltelijk al verheven tot nieuw beleid. Achmea, de grootste zorgverzekeraar van het land, stelt vanaf 2013 bij de contractering van ziekenhuizen ook specifieke eisen op het gebied van infectiepreventie. Die eisen zijn goeddeels ontleend aan het rapport van de commissie-Lemstra die onderzoek deed naar de aanpak van de *Klebsiella*-uitbraak in het Maasstad Ziekenhuis. En ook het meldpunt voor uitbraken van bijzonder resistente micro-organismen (BRMO) waar Lemstra om vroeg is er intussen. De grote gevolgen van de *Klebsiella*-uitbraak maken het logisch om uitgebreid stil te staan bij wat zich afspeelde in het Rotterdamse ziekenhuis.

Het mailtje waarmee het allemaal begon loog er niet om. De gedetailleerde informatie die het bevatte wees op een goed geïnformeerde afzender. Maar één bron is geen bron. Het leek een lastige opgave om de beschuldigingen uit het mailtje op hun waarheidsgehalte te controleren, maar het was eigenlijk opvallend makkelijk om het verhaal in grote lijnen bevestigd te krijgen. Een paar uur en flink wat telefoontjes verder was duidelijk dat er inderdaad een uitbraak van OXA-48 producerende *Klebsiella pneumoniae* aan de gang was in het Maasstad Ziekenhuis. En ook dat die uitbraak onder de pet werd gehouden. Maar dat hij in zeer kleine kring buiten het ziekenhuis bekend was geworden, toen het Maasstad Ziekenhuis begin april 2011 een patiënt had overgeplaatst naar het Slotervaartziekenhuis in Amsterdam. Verder bleek meteen al dat het ziekenhuis ook worstelde met een andere multiresistente *Klebsiella*, eentje die het enzym ESBL* produceert. Diezelfde dag besloot ik

* ESBL is een enzym dat bacteriën resistent maakt voor alle bèta-lactam-antibiotica (penicillineachtige) behalve carbapenems.

per mail contact te zoeken met het ziekenhuis. Dit was de tekst van die eerste mail van 30 mei 2011 aan de afdeling voorlichting van het Maasstad Ziekenhuis:

> Begin april is een patiënt van jullie teruggegaan naar het Slotervaartziekenhuis in Amsterdam met de melding dat hij een 'bijzonder resistent micro-organisme' (BRMO) bij zich droeg. Het Slotervaart stelde vast dat het om OXA-48 producerende *Klebsiella pneumoniae* ging. Op 29 april 2011 bevestigde het RIVM dat. Die uitslag is door het Slotervaart teruggekoppeld aan het Maasstad Ziekenhuis.
> Verder is er al langdurig sprake van een uitbraak van ESBL-producerende *Klebsiella*.
>
> 1. Wanneer precies heeft de uitbraak van OXA-48 producerende *Klebsiella pneumoniae* zich voorgedaan in het Maasstad Ziekenhuis?
> 2. Heeft die uitbraak zich inderdaad voorgedaan op de intensive care (van het brandenwondencentrum)?
> 3. Hoeveel patiënten zijn sinds de uitbraak door het Maasstad Ziekenhuis terugverwezen naar ziekenhuizen elders in Nederland?
> 4. Hoeveel patiënten zijn besmet geraakt met deze OXA-48 producerende *Klebsiella pneumoniae*?
> 5. Hoeveel patiënten staan onder verdenking genoemde bacterie bij zich te dragen?
> 6. Wanneer is de uitbraak van ESBL's producerende *Klebsiella* begonnen?
> 7. Waarom heeft het Maasstad Ziekenhuis pas donderdag 26 mei 2011 een melding over de problemen gedaan aan de GGD Rotterdam?
> 8. Hoeveel patiënten zijn er sinds begin april van de IC van het Maasstad verwezen naar andere ziekenhuizen?

Het Maasstad Ziekenhuis beantwoordde mijn vragen diezelfde avond per mail:

1. Vorige week ontstond het vermoeden van OXA-48 producerende *Klebsiella*. Toen zijn we verder gaan testen bij vier personen op de gewone IC, dus niet die van het Brandwondencentrum, van wie er drie positief bleken. Zij zijn gemeld bij de GGD.
2. Nee, niet die van het Brandwondencentrum, wel op de gewone IC.
3. Sinds vorige week donderdag geen. Als patiënten worden overgeplaatst, wordt het altijd gemeld, wanneer we op de hoogte zijn.
4. Tot nu toe drie. Verder onderzoek is gaande. Begin volgende week hopen we daarvan de uitslag te hebben.
5. Aantallen zijn moeilijk te geven. We onderzoeken op dit moment alle patiënten die voor zover bekend de *Klebsiella*-bacterie bij zich hadden. We hopen daar begin volgende week meer over te kunnen melden.
6. Eind vorig jaar.
7. Pas op dat moment wisten wij dat het om een OXA-48 producerende variant ging. Onze medisch microbiologen waren niet eerder op de hoogte van de aard van de *Klebsiella* die de patiënt in het Slotervaart bij zich droeg.
8. Aantallen zijn op dit moment door de afdeling infectiepreventie niet te geven (die heeft op dit tijdstip geen inzage in die ontslagdossiers). Wel staat vast dat iedere patiënt van wie bekend was dat die een *Klebsiella* bij zich droeg, dat in zijn dossier had staan. Voor alle patiënten met ESBL-*Klebsiella* geldt te allen tijde dat zij geïsoleerd worden verpleegd. En dat geldt ook voor de drie patiënten met de nu bekende OXA-48.

Een loopje met de waarheid

Van de antwoorden die het Maasstad Ziekenhuis gaf waren in ieder geval één, zes en zeven bezijden de waarheid. Op 31 mei volgde een nieuwe serie vragen.

'Ik weet zeker', mailde ik aan de voorlichters van het ziekenhuis, 'dat het Slotervaartziekenhuis eind april aan de microbiologen van het Maasstad Ziekenhuis heeft gemeld dat de door jullie naar het Slotervaart gestuurde patiënt een OXA-48 producerende *Klebsiella* bij zich droeg. Half april hebben jullie te horen gekregen dat de patiënt een carbapenemresistente *Klebsiella* bij zich had. In de week van 29 april is het type gepreciseerd (OXA-48). Die vaststellingen zijn gedaan door het Slotervaart en bevestigd door het RIVM. Dat is (ruim) een maand eerder dan donderdag 26 mei.

Hoe zit dat?

Ik heb verschillende bronnen die mij vertellen dat de ESBL-uitbraak op de IC van het Maasstad al veel langer duurt dan sinds eind vorig jaar. Het begin ervan zou in 2009 liggen, mogelijk 2008. Mij is verteld dat die datering is gegeven door jullie microbioloog Ossewaarde.

Hoe zit dat?

Is de IC (zijn de IC's) van het Maasstad Ziekenhuis in 2008, 2009, 2010 of 2011 gesloten geweest vanwege aanhoudende problemen met resistente bacteriën?

Zo ja, wanneer en voor hoelang. Zo nee, waarom niet?

Hoeveel patiënten hebben er in 2008, 2009, 2010 en 2011 tot nu toe op de IC gelegen die mogelijk geconfronteerd zijn geweest met ESBL dragende *Klebsiella* of OXA-48 dragende *Klebsiella*?'

De antwoorden die een paar uur later kwamen waren op onderdelen een volledige bijstelling van de eerdere onwaarheden. 'Hier de cijfers', schreef de persvoorlichter van het Maasstad Ziekenhuis. 'Hoeveel patiënten van 2008 tot en met 2011 ESBL-*Klebsiella*-positief:

2008: niet bekend.

2009: 4 van de circa 1.000 mensen die dat jaar op de IC hebben gelegen.

2010: 32 van de circa 1.000 mensen die in 2010 op de IC hebben gelegen.

2011: 39 van de circa 1.000 mensen die in 2011 op de IC hebben gelegen.

Je kunt dus zeggen dat ongeveer 3 procent van IC-patiënten in aanraking komt met ESBL-*Klebsiella*. Het is een toenemend probleem in de Nederlandse ziekenhuizen.

OXA-48 is in het retrospectieve weefselonderzoek dus in oktober 2010 opgedoken en dus niet al in 2009 of zelfs 2008.

De IC is sinds 2008 een keer gesloten geweest vanwege *Acinetobacter baumannii*. Dat was in 2010. Toen is de boel met een vergassingstechniek gereinigd.'

De vragen zorgden voor veel onrust in het ziekenhuis. De commissie-Lemstra, die in de zomer van 2011 door het ziekenhuis is ingesteld om aan waarheidsvinding te doen, schrijft daarover in haar op 29 maart 2012 verschenen rapport *Oog voor het onzichtbare*.[85] 'De reguliere vergadering van de Raad van Bestuur met de Raad van Toezicht op 31 mei 2011 wordt onderbroken, omdat de NOS bij het ziekenhuis informeert naar de *Klebsiella*-uitbraak en aankondigt diezelfde avond hierover een item uit te zenden. De RvB informeert de RvT. Het crisisteam schaalt op naar calamiteitenteam. De directeur beheer meldt de uitbraak bij de Inspectie.'

Geen adequate reactie

Die avond van de 31ste mei kwam de NOS met het eerste verhaal over de *Klebsiella*-uitbraak in het Maasstad Ziekenhuis.[86] Kern daarvan was dat het ziekenhuis al zeven maanden worstelde met een uitbraak van 'een zeer gevaarlijke en nagenoeg onbehandelbare bacterie' en pas enkele dagen eerder was begonnen met onderzoek naar het vóórkomen van die bacterie. En dat terwijl het ziekenhuis in april al twee keer geïnformeerd was over de aard van de bacterie die voor zo veel problemen zorgde. Bestuursvoorzitter Paul Smits van het ziekenhuis erkende dat het Maasstad Ziekenhuis niet adequaat gereageerd had op de problemen. 'We hadden eerder moeten melden bij de GGD en de hulp van het RIVM moeten inroepen', zei hij in dat eerste item. Op dat moment had het ziekenhuis de OXA-48 producerende *Klebsiella* aangetoond bij vierendertig patiënten. Over de omvang van de uitbraak en eventuele verspreiding naar andere zorginstellingen* was nog niets bekend. Toen de uitbraak begon was het Maasstad Ziekenhuis gevestigd op twee verschillende locaties: het Zuiderziekenhuis en het Clara Ziekenhuis, allebei verouderde ziekenhuizen. Op 17 mei 2011 zijn beide ziekenhuizen verhuisd naar het prachtige nieuwe gebouw in Rotterdam Lombardijen. Het Maasstad Ziekenhuis heeft een van de drie brandwondencentra in Nederland en plaatst dus heel vaak patiënten over naar andere ziekenhuizen. Het brandenwondencentrum was gevestigd op de locatie Zuiderziekenhuis, waar de *Klebsiella*-uitbraak zich voordeed. De IC van het brandwondencentrum is niet besmet geraakt, maar soms worden patiënten van het brandwondencentrum eerst naar reguliere afdelingen van het Maasstad overgeplaatst voor ze teruggaan naar een ziekenhuis in hun eigen woonplaats. De patiënt die door het Maasstad was overgeplaatst naar het Slotervaartziekenhuis in Amsterdam was zo'n patiënt. Hij had eerst op de IC van het brandwondencentrum gelegen, daarna op de normale IC en vervolgens was hij naar zijn woonplaats Amsterdam overgebracht. Later bleek dat hij op de reguliere IC van het Zuiderziekenhuis besmet was geraakt.

---

* 'Bij de GGD Rotterdam-Rijnmond', schrijft Winfred Schop in een email aan mij, 'zijn zeven meldingen binnengekomen over patiënten die overgeplaatst waren van het Maasstad Ziekenhuis naar andere zorginstellingen en die achteraf besmet bleken te zijn met de OXA-48 *Klebsiella*. In twee gevallen ging het om een ziekenhuis, de vijf overige betroffen verzorgings- en verpleeghuizen.'

De patiënt waarom het hier gaat was een vierenzeventigjarige Amsterdammer die bij een brand op 13 maart 2011 ernstige brandwonden had opgelopen en rook had ingeademd. Op de gewone IC van het ziekenhuis werden bij de man vanaf 21 maart in verschillende kweken multiresistente *Klebsiella's* met ESBL's aangetoond. En ook nog een tweede type, veel resistentere *Klebsiella*, waarvan het resistentiemechanisme onbekend was. Bij de overdracht van de patiënt stuurde het Maasstad een print mee met essentiële informatie over de ziektegeschiedenis van de man en vermeldde daarbij ook dat hij een onbekende multiresistente *Klebsiella* bij zich had. Jayant Kalpoe was destijds arts-microbioloog in het Slotervaartziekenhuis. Hij nam de patiënt in strikte isolatie op en startte een onderzoek om te weten te komen welke multiresistente *Klebsiella* de man bij zich had, naast de ESBL-producerende *Klebsiella's*. 'Half april heb ik mijn collega in het Maasstad Ziekenhuis gebeld', vertelde Kalpoe me, 'en hem gezegd dat die onbekende multiresistente *Klebsiella* resistent was voor carbapenems, de zwaarste categorie antibiotica.' Een paar dagen later wist Kalpoe dat het om een OXA-48 producerende *Klebsiella pneumoniae* ging. Hij stuurde de stam voor bevestiging naar het RIVM. Daar is het nationale referentielaboratorium voor het onderzoek naar dit soort multiresistente bacteriën gevestigd. Het RIVM bevestigde de bevindingen van Kalpoe. 'Op 29 april heb ik weer gebeld naar mijn collega's van het Maasstad Ziekenhuis. Toen heb ik verteld dat de onbekende multiresistente *Klebsiella* het enzym OXA-48 produceerde en daardoor resistent was voor carbapenem-antibiotica.' Ook het RIVM nam contact op met het Maasstad Ziekenhuis. Om hulp aan te bieden én om de bacteriestammen te krijgen, zodat het RIVM een test* die in ontwikkeling was kon valideren en de diagnostiek om OXA-48 aan te tonen

---

* Het ging om een PCR-test. PCR staat voor Polymerase Chain Reaction. Met behulp van de test kan uit een paar moleculen DNA voldoende materiaal gewonnen worden om te analyseren.

ook kon valideren. 'Maar die stammen kwamen maar niet', vertelt een van de RIVM-medewerkers die destijds nauw betrokken was bij de zaak. 'We kregen amper informatie en we waren niet welkom.' Het verzoek om toezending van de bacteriestammen werd half mei nog eens herhaald per mail. 'De moleculair microbioloog', noteert de commissie-Lemstra, 'antwoordt op 19 mei 2011 aan het RIVM dat zij haar best zal doen om de stammen zo spoedig mogelijk toe te sturen. Zij stuurt deze echter pas op 7 en 10 juni 2011 naar het RIVM.' De moleculair microbioloog meldde niet aan het RIVM dat zij zelf bezig was een test te ontwikkelen om de OXA-48 te kunnen aantonen. Lemstra oordeelt daar als volgt over: 'De moleculair microbioloog heeft – in vaktechnisch opzicht – goed onderzoek verricht: zij heeft testen ingezet om de klonale verspreiding aan te tonen, vervolgens aanwijzingen en later bewijs gevonden voor de resistentie tegen carbapenem (hetgeen een hoge moeilijkheidsgraad heeft) en ten slotte een PCR ontwikkeld om OXA-48 aan te kunnen tonen. Merkwaardig is wel dat het LMM (Laboratorium Medische Microbiologie, RvdB) hiermee het nationaal referentielaboratorium passeert en zelfs niet meewerkt aan het verzoek om stammen op te sturen.'

Het Maasstad Ziekenhuis leek niet erg blij met de door het RIVM aangeboden hulp. Het wilde liever zelf een test ontwikkelen en had geen behoefte aan pottenkijkers. Wel ging een van de microbiologen te rade bij collega's van het Johns Hopkins-universiteitsziekenhuis in Baltimore waarmee het Maasstad een samenwerkingsverband heeft. Maar het aanbod van het RIVM om te komen helpen werd vijf weken lang genegeerd. Toen het ziekenhuis wist dat de NOS de uitbraak bekend zou maken, werd er contact gelegd met het RIVM en werd het hulpaanbod alsnog aanvaard. Op 1 juni stond er een team van het RIVM op de stoep in Rotterdam. Maar ook toen was het Maasstad Ziekenhuis niet erg happig op samenwerking met het RIVM.

Hard oordeel Inspectie

In de tussenrapportage *Klebsiella-uitbraak in Maasstad Ziekenhuis vermijdbaar*[87] van 2 november 2011 schrijft de Inspectie voor de Gezondheidszorg daarover: 'Maatregelen bleven ook nadat de volle omvang van de uitbraak duidelijk was uit door gebrek aan urgentiebesef en falende aansturing.' De IGZ oordeelde keihard over de gang van zaken in het Maasstad Ziekenhuis. 'De algemene conclusie is dat het Maasstad Ziekenhuis door niet adequaat te handelen veel patiënten langdurig aan grote risico's heeft blootgesteld. Hoe groot de risico's waren, bleek uit het feit dat er patiënten (mede) door de besmetting met de *Klebsiella* OXA-48-bacterie zijn overleden. Doordat de uitbraak maandenlang niet adequaat is bestreden, zijn ruim vierduizend patiënten onnodig in contact geweest met besmette patiënten. Als het ziekenhuis de richtlijnen van de landelijke Werkgroep Infectiepreventie* (WIP) had gevolgd, had de uitbraak niet zo lang geduurd, was de omvang van de uitbraak niet zo groot geweest, en waren de gevolgen niet zo ernstig geweest. De richtlijnen van de WIP, waaronder de richtlijn BRMO**, geven heel helder aan welke maatregelen onder dergelijke omstandigheden noodzakelijk zijn. Deze zijn niet gevolgd. Pas eind juni 2011, een maand na de melding aan de inspectie, werd met behulp van het RIVM en het UMCU gestart met het nemen van adequate maatregelen waaronder het invoeren van de BRMO-richtlijn. De inspectie vindt het verloop van deze calamiteit des te ernstiger omdat veel beroepsbeoefenaren in het ziekenhuis tijdig op de hoogte waren van het ongebruikelijke aantal patiënten met deze resistente bacterie. Artsen-microbioloog, adviseurs infectiepreventie, intensivisten en overige medisch specialisten, verpleegkundigen en bestuurders hebben hun verantwoorde-

---

* De WIP is een samenwerkingsverband van de Nederlandse Vereniging voor Medische Microbiologie, de Vereniging voor Infectieziekten en de Vereniging voor Hygiëne en Infectiepreventie in de Gezondheidszorg.

** BRMO staat voor bijzonder resistente micro-organismen.

lijkheid om verantwoorde zorg voor hun patiënten te waarborgen niet tijdig genomen. Zij hebben onvoldoende adequate preventie- en bestrijdingsmaatregelen in gang gezet, noch bij het bestuur op maatregelen aangedrongen.

Het Maasstad Ziekenhuis was na de melding aan de inspectie, ondanks de hulp van het RIVM en het UMCU, niet in staat zelf de maatregelen te treffen die nodig waren om de uitbraak tot staan te brengen en infectiepreventie snel en tijdig op een acceptabel niveau te brengen. Verscherpt toezicht* is een middel dat de inspectie niet lichtvaardig inzet, maar ingrijpen was in dit geval noodzakelijk om de goede maatregelen te treffen voor de patiëntveiligheid.

Tot op het hoogste niveau was er onvoldoende urgentiebesef en werd de ernst van de uitbraak en het risico voor patiënten volledig onderschat. Het bestuur kwam bovendien de gemaakte afspraken met de inspectie over uit te voeren maatregelen niet na. Ook het RIVM constateerde dat in het *outbreakteam* en bij het management het gevoel voor urgentie ontbrak. Het feit dat het ziekenhuis de uitbraak niet meldde aan andere ziekenhuizen, zorginstellingen en huisartsen in de regio en onvoldoende aandacht had voor de communicatie met nabestaanden en patiënten, duidt op een onderschatting van de calamiteit en de impact hiervan op de patiënten en de samenleving.

Deze calamiteit bracht aan het licht dat de aansturing van de organisatie op het punt van bestrijding en waarborging van de infectiepreventie systematisch tekortschoot. Verantwoordelijkheden waren in dit geval niet helder, samenwerking tussen disciplines was niet systematisch georganiseerd, registratiesystemen functioneerden niet naar behoren en het bestuur werd niet systematisch geïnfor-

---

* Op 20 juli 2011 stelde de IGZ verscherpt toezicht in. Die dag meldde de NOS vier nieuwe sterfgevallen van patiënten met OXA-48 *Klebsiella*. Het ziekenhuis had de IGZ zelf hiervan niet op de hoogte gesteld. Het verscherpte toezicht duurde tot 20 september 2011.

meerd over potentieel gevaarlijke situaties. Dit belemmerde zowel een adequate aanpak van de uitbraak als het implementeren van veranderingen in de ziekenhuisorganisatie.

Dat betrokken professionals niet aan de bel trokken, zegt ook iets over de cultuur die er ten tijde van de uitbraak heerste in het Maasstad Ziekenhuis. Patiënten werden de dupe van slechte samenwerking, gebrekkige communicatie en de cultuur waarbij professionals elkaar onvoldoende aanspraken op risicovol gedrag.'

Soms nam een werknemer van het Maasstad wel zijn of haar verantwoordelijkheid.

Eind december 2010, Judith, het dochtertje van Ellen, herstelde van de waterpokken.* Het meisje was bijna één. Maar het wilde niet echt vlotten met het opknappen, vertelde haar moeder me in de zomer van 2011. 'Ze werd weer heel ziek, stopte met eten en drinken en had toch veel poepluiers. Toen ik met haar op de huisartsenpost kwam stuurden die me door naar de Spoedeisende Hulp van het Zuiderziekenhuis, omdat Judith al eens eerder last van uitdroging had gehad.' Ellen zat die avond van negen tot na middernacht op de Spoedeisende Hulp met haar zieke kind. Het was er heel druk en ging er chaotisch aan toe, zei Ellen. 'Ze werd onderzocht en ik moest een plas opvangen, maar dat lukte niet. De kinderarts of de artsassistent, dat weet ik niet, zei dat Judith eigenlijk een nachtje opgenomen moest worden om haar goed te kunnen bekijken. "Maar u kunt beter naar huis gaan met uw dochtertje," zei hij, "want van alles wat er hier in ziekenhuis rondsliert, wordt ze zeker niet beter." Ik vond het toen wel raar wat hij zei, maar toen ik twee maanden terug hoorde wat er in het ziekenhuis speelde, viel het dubbeltje.'

---

* Judith en Ellen zijn niet de echte namen van de betrokkenen.

Een gesprek met de hoofdrolspelers

Weken voor het gesprek met Ellen werkte ik aan een tweede item over het Maasstad Ziekenhuis dat we op 21 juni 2011 uitgezonden hebben.[88] Het Maasstad Ziekenhuis wilde graag meewerken, 'om te laten zien dat we helemaal niets onder de pet houden zoals de NOS beweert', zei toenmalig bestuursvoorzitter Paul Smits. Behalve met Smits spraken we ook met fungerend hoofd medische microbiologie Tjaco Ossewaarde en hoofd communicatie Dick Berkelder. Ossewaarde was veel aan het woord. Hij legde uit waarom alles gelopen was zoals het gelopen was. Hoe er 'in februari en maart 2011 een verheffing van ESBL-producerende *Klebsiella* was op de IC met het hoogtepunt in maart en april'. Hoe die uitbraak mede dankzij veel overleg met de IC en de adviseurs infectiepreventie tot staan was gebracht. Hoe er toch weer een aantal nieuwe besmettingen bij kwamen. 'Ons viel op dat het niet om gewone *Klebsiella* met ESBL's ging. Ze kwamen wel als gevoelig voor carbapenems uit onze test, maar met afwijkende waarden.* Toen zijn we gaan kijken of het om bacteriën ging met een carbapenemase-enzym. Vervolgens is die patiënt overgeplaatst naar het Slotervaartziekenhuis.' Voor dat ziekenhuis was het veel makkelijker om vast te stellen om welk resistentiemechanisme het precies ging, vertelde Ossewaarde. 'Die hadden maar één patiënt, wij hadden er meer. Toen de Hodge-test** positief was voor carbapenemasen zijn we gaan zoeken naar een bevestiging van dat resultaat via genen. We zijn eerst gaan testen

---

* Bij dit soort tests wordt de MIC-waarde bepaald die aangeeft of een bacterie gevoelig is voor een bepaald antibioticum en in welke mate. De minimale inhibitorische concentratie (MIC) is de laagste concentratie van een middel waarbij de groei van een bacterie nog net wordt geremd. Elk antibioticum heeft een eigen MIC-waarde en die hangt af van de bacterie die ermee bestreden moet worden. In zijn algemeenheid geldt dat bij een lage MIC-waarde de bacterie gevoelig is voor het middel. En naarmate de waarde oploopt steeds minder gevoelig.

** De Hodgetest wordt gebruikt om vast te stellen of een bacterie een carbapenemase-enzym produceert. De test geeft geen uitsluitsel over welk enzym in het spel is.

op KPC* omdat die het meest voorkomt. Daarvoor hebben we een PCR-test opgezet. De uitkomst was negatief. Vervolgens kregen we bericht van het Slotervaart dat het om een OXA-48 zou gaan.' En net als bij de test voor KPC vroegen de microbiologen van het Maasstad Ziekenhuis geen hulp van collega's van het RIVM of andere ziekenhuizen, maar gingen zij zelf het wiel uitvinden en een PCR-test ontwikkelen voor de detectie van OXA-48. Dat duurde weken. Terwijl het RIVM vergeefs om de OXA-48-stammen van het Maasstad vroeg, kreeg het ziekenhuis zelf wel zulke stammen toegestuurd. Die kwamen uit het ziekenhuis van Kremlin-Bicêtre, een voorstad van Parijs. 'Enkele dagen later', schrijft de commissie-Lemstra in haar rapport, 'neemt de moleculair microbioloog contact op met microbioloog Nordmann in Parijs, die recentelijk een publicatie heeft uitgebracht over detectie van het OXA-48-gen. Hij geeft haar PCR-advies. Vervolgens vraagt zij per e-mail op 9 mei 2011 OXA-48-controlestammen bij hem op, die op 12 mei 2011 worden bezorgd. Hierop zet de unit moleculaire microbiologie van het Maasstad Ziekenhuis de OXA-PCR op; de analist start met testen.' Op 26 mei 2011 werden de eerste voorlopige testresultaten bekend: er waren 34 OXA-48-bacteriestammen gevonden. 'Daarvan kregen wij op diezelfde dag een eerste voorlopige melding', vertelt Marie Christine Trompenaars van de GGD in Rotterdam. Op 30 mei kregen we een melding dat er drie patiënten gevonden waren met OXA-48.'

Ongelukkige voorgeschiedenis

'Nadat we die vierendertig patiënten hadden gevonden,' vertelde Ossewaarde, 'hebben we de data geanalyseerd en vastgesteld dat de uitbraak op de IC eigenlijk tot staan was gebracht. Toen zijn we retrospectief gaan kijken bij oude patiënten. In heel korte tijd hebben we 3500 monsters getest.' Dat leek veel voor een ziekenhuis

* KPC staat voor *Klebsiella pneumoniae* carbapenemase, een enzym dat bacteriën resistent maakt voor carbapenem-antibiotica.

met dik zeshonderd bedden. Maar een monster staat niet gelijk aan een patiënt. Er worden per patiënt verschillende monsters getest. Van hoeveel patiënten die 3500 monsters waren kon Ossewaarde niet zeggen. De monsters hadden een zogeheten labnummer, maar dat was niet in een handomdraai te koppelen aan de patiënten van wie de monsters afkomstig waren. Welkom in de eenentwintigste eeuw. 'Ik kan die gegevens in een Excelsheet stoppen en dan kan ik ze koppelen aan patiënten, maar dat gaat niet één-twee-drie', legde Ossewaarde met het zweet op zijn voorhoofd uit. Hij bleef trots op de grote hoeveelheid gescreende monsters. Dat het Maasstad die 3.500 monsters zo snel kon screenen kwam door de aanwezigheid op het lab van een screeningsrobot. Dat was een erfenis van de grootste MRSA-uitbraak in de Nederlandse geschiedenis die zich vanaf begin 2002 eerst voordeed in het Clara Ziekenhuis en daarna in het Zuiderziekenhuis, de beide locaties van wat nu het Maasstad Ziekenhuis heet en toen het Medisch Centrum Rotterdam Zuid (MCRZ). De toenmalige microbiologen van het Clara misten de uitbraak. Ze moesten erop gewezen worden door collega's in omringende ziekenhuizen die besmette patiënten doorverwezen kregen. Ook nu faalden de microbiologen, maar daarbij speelde een heel bijzonder feit een belangrijke rol. Het toenmalige hoofd van de afdeling in het Clara zat altijd op zijn kamer achter zijn laptop en wenste niet gestoord te worden. Zijn medewerkers dachten dat hij druk was op de beurs, het was de tijd dat aandelen het goed deden. Tot de man opgepakt werd in het kader van een wereldwijde politieactie tegen kinderporno. Op zijn computer werden 65.000 afbeeldingen aangetroffen waarop jonge kinderen misbruikt werden. Tussen de foto's waren er ook een groot aantal waarop de arts-microbioloog zelf te zien was met kinderen die hij misbruikte. Uiteindelijk zijn veertien van zijn slachtoffers getraceerd. De man werd in 2006 in hoger beroep door het Hof in Den Haag veroordeeld tot dertig maanden cel waarvan zestien voorwaardelijk. Nadien was de afdeling microbiologie als het ware dubbel besmet: de grootste Nederlandse uitbraak van MRSA ooit was er gemist en er was een associatie met kinderporno. Wie in de positie was solliciteerde maar liever ergens anders. De afdeling medische microbiologie van het Maasstad Ziekenhuis heeft dus een wat ongelukkige voorgeschiedenis.

Signalen genegeerd

Intussen bleven er patiënten bij komen die besmet waren met de OXA-48-*Klebsiella*. Zowel oude patiënten die door het retrospectieve onderzoek gevonden werden, als nieuwe die in juni en juli 2011 in het Maasstad lagen. Volgens Ossewaarde doken er drie patiënten die besmet waren met OXA-48 op in andere zorginstellingen: één in het Amsterdamse Slotervaartziekenhuis, één in het Rotterdamse verpleeghuis Rijndam en één op een huisartsenlaboratorium in Etten-Leur. Daar werd in maart 2011 een urinemonster gekweekt van een patiënt die maanden op de intensive care van het Maasstad had gelegen. Uit de kweek kwam een vermoedelijke resistentie voor carbapenems. Het laboratorium van het Franciscus Ziekenhuis in Roosendaal bevestigde de testresultaten van het lab in Etten-Leur. Dat stuurde daarop de stam naar het RIVM. Op 14 maart 2011 meldde het RIVM aan het lab in Etten-Leur dat het bij de ingestuurde bacteriestam om een *Klebsiella* met OXA-48 ging. Microbiologe Ann Demeulemeester in Etten-Leur belde daarop de huisarts die het urinemonster had ingestuurd om hem te zeggen dat de patiënt alleen via een infuus antibiotica kon krijgen om een eventuele infectie te bestrijden. Toen de huisarts zei dat hij zijn patiënt weer wilde laten opnemen in het Maasstad, belde Demeulemeester meteen naar de afdeling medische microbiologie van het ziekenhuis om de komst van de al eerder in het ziekenhuis opgenomen patiënt met OXA-48 producerende *Klebsiella pneumoniae* aan te kondigen. De commissie-Lemstra beschrijft wat er vervolgens gebeurde: 'De arts-microbioloog informeert een dag later zijn collega's en de afdeling infectiepreventie dat hij door een collega op de hoogte is gesteld van de komst van een patiënt bij de uroloog, die gekoloniseerd is met *Klebsiella* OXA-48. Hij zoekt de gegevens van deze patiënt op en stelt vast dat "ook bij deze patiënt de multiresistente kweken zijn gedaan. Deze kweken waren negatief. Wij hebben toen besloten om niet naar de OXA-48 te kijken, maar – volgens de richtlijn voor carbapenemdetectie van het UMCU – naar fenotypische testen*. Ook hebben we de Hodgetest gedaan en nog enkele andere diskdiffusietesten**. Dit leverde niets op."'

Bij het screenen van die eerste 3.500 monsters werden er ook enkele 'bijvangsten' gedaan zoals Ossewaarde het noemde. Er werden een paar *E. coli's* en een *Pseudomonas* gevonden die OXA-48 produceerden. De IGZ daarover in haar eerder geciteerde tussenrapportage: 'De gegevens over de uitbraak waren verder sinds 2 juni niet meer in de epidemische curve*** bijgewerkt. Bovendien bleek dat ook bij andere bacteriën dan de *Klebsiella* de multiresistente plasmide OXA-48 was aangetoond. Dit was een zeer zorgwekkend signaal, dat echter niet leidde tot adequate actie van het ziekenhuis. De omvang van de epidemie was nog altijd niet bekend.' De Inspectie refereert in deze passage aan een gesprek met het hoofd Bacteriologie van het RIVM die zich op 22 juni hierover zeer bezorgd toonde. Ook het contactonderzoek dat uiteindelijk duidelijk moest maken hoeveel mensen besmet geraakt waren met de OXA-48 'kwam maar niet van de grond'.

De doden vermelden of maar niet?

Smits en Ossewaarde vertelden op 21 juni ook dat er tot dan 47 patiënten waren gevonden met een OXA-48 *Klebsiella*. De eerstgevonden besmetting dateerde van eind oktober 2010. Van de patiënten

---

* Een fenotypische test is een resistentiebepaling door middel van een kweek.
** Bij een diskdiffusietest worden op een plaat bacteriën aangebracht in een medium en het antibioticum waarvoor de gevoeligheid wordt getest. Als rond het antibioticum geen bacteriegroei plaatsvindt is de bacterie gevoelig voor het middel.
*** Een epidemische curve is een grafiek waarbij het aantal besmettingen wordt afgezet tegen de tijd.

waren er 21 overleden. Daarover bracht het Maasstad die dag ook een persbericht uit met deze slotalinea's: 'Van de 47 patiënten zijn 21 mensen overleden. Dit waren ernstig zieke patiënten die vanwege hun aandoening reeds op de intensive care verpleegd werden. De behandelend artsen achten het onaannemelijk dat deze mensen zijn overleden aan de bacterie. Op basis van het medisch dossier is aannemelijk dat zij zijn overleden aan de aandoening waarvoor zij op de intensive care waren opgenomen. Vanuit het oogpunt van volledige zorgvuldigheid worden de dossiers echter de komende maanden onderzocht door een werkgroep onder leiding van een onafhankelijke specialist die is aanbevolen door het RIVM. Dat onderzoek gaat naar verwachting drie maanden duren.'

Wat behalve enkele direct betrokkenen niemand wist, is dat in de oorspronkelijke versie van het persbericht geen melding werd gemaakt van de overleden patiënten. De passages die daarover gaan zijn pas opgenomen nadat het RIVM had gedreigd anders zelf met een persbericht te komen. Toen koos het ziekenhuis maar eieren voor zijn geld en nam de hierboven geciteerde zinnen op. Een paar weken later, op 12 juli, kwam het ziekenhuis weer met een persbericht als reactie op een verhaal van de NOS. In dat persbericht was er geen sprake meer van doden, maar alleen van besmette patiënten en patiënten die in een contactonderzoek gescreend zouden gaan worden.

Op 21 juni interviewde de NOS Tjaco Ossewaarde voor radio en televisie. Die ontkende dat het laboratorium in Etten-Leur al in maart het Maasstad Ziekenhuis had geïnformeerd dat er een OXA-48 was gevonden bij een patiënt van het ziekenhuis. Dat had het ziekenhuis pas in mei te horen gekregen volgens Ossewaarde. Hij herhaalde ook nog eens dat het naar de mening van de intensivisten van het ziekenhuis onwaarschijnlijk was dat de patiënten gestorven waren aan de gevolgen van een infectie veroorzaakt door de bacterie. En hij zei dat er geen hogere sterfte was geweest op de IC dan anders en dat het Maasstad Ziekenhuis wat dat betreft gemiddeld iets beter scoorde dan vergelijkbare ziekenhuizen. Een van de ingevlogen onderzoekers had daar een heel andere mening over. 'Er is een idiote hoeveelheid doden gevallen onder de patiënten met OXA-48.'

Op de vraag of er achteraf bezien dingen waren die het ziekenhuis misschien beter had kunnen doen, wist Ossewaarde niets te noemen. Hij schermde met de richtlijn voor het opsporen van resistentie voor carbapenems die nog niet van kracht was en waarover nog gediscussieerd werd in de beroepsgroep. Dat klopte, maar elke microbioloog aan wie het voorgelegd werd zei dat het minste wat het Maasstad had kunnen doen nu juist het volgen van die (ontwerp)richtlijn was. Jayant Kalpoe bijvoorbeeld: 'Als ze de richtlijn gevolgd hadden, dan hadden ze de OXA-48 gevonden. Die richtlijn was inderdaad formeel nog niet van kracht, maar dat betekent niet dat je hem niet kunt gebruiken. Die richtlijnen zijn hoe dan ook nooit bindend.' En Jan Kluytmans, voorzitter van de WIP, die de richtlijnen maakt, zei: 'Het is niet verplicht je aan de richtlijnen te houden, maar als je ervan afwijkt moet je daarvoor wel goede argumenten kunnen geven.'

Een onthullende nabespreking

Het radio-interview met Ossewaarde was een live telefoongesprek van de presentator van het NOS *Radio 1 Journaal* met Ossewaarde. Eerder had ik zelf de nieuwe resultaten van mijn onderzoek naar wat er in het Maasstad allemaal misgegaan was in de uitzending verteld. Na afloop van het gesprek met Ossewaarde gebeurde er iets geks. De regisseur van de uitzending probeerde hem te bedanken voor zijn bijdrage maar kreeg hem niet meer aan de telefoon. Maar de verbinding met Rotterdam was nog wel open. Net voor wij in Hilversum de verbinding wilden verbreken hoorden we via de telefoon een hoop rumoer. Hoofd communicatie Dick Berkelder, een van de persvoorlichters en nog enkele anderen evalueerden het gesprek en ons bezoek aan het ziekenhuis van die dag. Dat werd één grote scheldpartij, maar het gaf wel een interessant doorkijkje in de communicatiestrategie van het Maasstad Ziekenhuis. 'Die Van den Brink is een valse tekkel,' zei hoofd communicatie Dick Berkelder, 'die heeft zijn tanden in de kuiten van ons ziekenhuis gezet.' Berkelder is zich ervan bewust dat het imago van het ziekenhuis een flinke deuk heeft opgelopen. 'We staan er natuurlijk niet goed op. Dat is duidelijk. We kunnen maar één ding doen: *damage control*. Dus overal onze boodschap herhalen en nog eens herhalen. Waar we maar kunnen onze boodschap overbrengen.' Die boodschap is wat het hoofd communicatie betreft helder: 'Wij worden als jan lul weggezet omdat we alles te traag en te sloom hebben gedaan en dat we het daardoor mede hebben veroorzaakt. Ergo, ik denk dat je daar even iets van moet zeggen: we waren adequaat, we waren er op tijd bij, het was niet in februari, het was in mei, toen hebben we gereageerd, misschien had het veertien dagen sneller gekund.'

In haar rapport *Oog voor het onzichtbare* schrijft de commissie-Lemstra ook over de door Berkelder genoemde maand februari. 'Begin februari stelt het LMM (Laboratorium Medische Microbiologie, RvdB) vast dat de ESBL-positieve *Klebsiella*-stam nu ook daadwerkelijk resistent is geworden tegen carbapenems', schrijft de commissie. 'Nu hadden bij de microbiologen alle alarmbellen moeten gaan! Er was alle aanleiding om "op te schalen", dat wil zeggen: alle betrokkenen te informeren, een beleidsteam (of uitbraakteam) in te stellen, de RvB te informeren en te melden aan de GGD. Niets van dit alles gebeurt; ook de adviseur infectiepreventie wordt niet geïnformeerd over de carbapenemresistentie. Dit pleit overigens andere betrokkenen niet vrij. Overeind blijft namelijk dat het onbegrijpelijk is dat de mededeling van de afdeling infectiepreventie aan de managers van de IC dat er "weer een verheffing" is op IC1 en dat overleg moet plaatsvinden over te nemen maatregelen, in de wind wordt geslagen.'

Wancommunicatie en miscommunicatie

De commissie-Lemstra geeft in haar rapport ook een oordeel over de communicatie van het ziekenhuis over de *Klebsiella*-uitbraak. 'In de omgang met de media tijdens en na de uitzending van 31 mei 2011 wekt de Raad van Bestuur de indruk dat er weliswaar een uitbraak is, maar dat deze beperkt is en dat het ziekenhuis wellicht eerder had moeten melden, maar dat het probleem onder controle is. Ook in mediacontacten nadien wordt de indruk gewekt dat er niet veel aan de hand is.' Een van de leden van het team van het RIVM en het UMC Utrecht dat de *Klebsiella*-uitbraak uiteindelijk tot staan bracht, verwoordt het scherper. 'Wij hebben tegen het Maasstad gezegd: probeer uit die cyclus te komen van onjuiste informatie geven, waarvan een journalist dan vaststelt dat die niet klopt of dat hij het niet vertrouwt. Het RIVM en het UMC Utrecht hebben daar verder geen belang bij, maar wij hebben gezegd: geef toe dat het niet goed gegaan is. Vertel hoe het zit, voor zover we dat weten althans. Je moet open communiceren.'

De Inspectie voor de Gezondheidszorg had in haar tussenrapportage van november 2011 ook al stevige kritiek geuit op de communicatie over de uitbraak door het ziekenhuis. Zowel intern, als richting andere zorginstellingen, patiënten en nabestaanden, media en algemeen publiek schoot die in de ogen van IGZ tekort. 'Op aandringen van de Inspectie zegde het Maasstad Ziekenhuis toe andere zorginstellingen bij overplaatsing van besmette patiënten te informeren.' Die toezegging om het meest vanzelfsprekende te gaan doen was meteen na het bekend worden van de uitbraak gedaan. Op 9 juni 2011 informeerde het Maasstad inderdaad de overige ziekenhuizen en andere zorginstellingen in de regio. De directeuren van die instellingen waren toen natuurlijk allang op de hoogte van de uitbraak. Ze waren woedend op het Maasstad Ziekenhuis omdat het zo lang gewacht had met aan de bel trekken. Het late bericht was eerder olie op het vuur dan iets anders. In het hierboven aangehaalde rapport vermeldt de Inspectie ook een advies dat het ziekenhuis werd gegeven tijdens een inspectiebezoek op 12 juli 2011. 'De Inspectie drong sterk aan op het verbeteren van de communicatie met patiënten en de zorg voor nabestaanden. De Inspectie ontving signalen dat deze tekortschoten, zowel van burgers als van patiëntenvereniging Zorgbelang.' Zorgbelang stelde kort na het bekend worden van de falende aanpak van de *Klebsiella*-uitbraak door het Maasstad Ziekenhuis, een meldpunt voor patiënten in. Daar kwamen in de eerste maand veertig klachten binnen over de manier waarop het ziekenhuis met patiënten en nabestaanden omging. Ook de Inspectie zelf had te kampen met de slechte communicatie door het ziekenhuis, lezen we in de tussenrapportage van de IGZ. 'De bestuurder zou vervolgens de Inspectie zoals afgesproken dagelijks op de hoogte houden en van informatie voorzien. Dit gebeurde onvoldoende. De Inspectie kreeg vaak onvolledige informatie, die bovendien pas na herhaald aandringen geleverd werd.' En: 'Vanaf de melding van de uitbraak was er dagelijks contact tussen de Inspectie, het ziekenhuis en het RIVM om de bestrijding van de epidemie nauwgezet te volgen. De Inspectie was niet gerust op de voortgang van de aanpak door een gebrek aan informatie vanuit het ziekenhuis. Op 22 juni uitte ook het RIVM haar zorgen bij de Inspectie over de voortgang van de bestrijding.' Het hoofd bacteriologie van het RIVM maakte zich zorgen over 'het gebrek aan urgentiebesef bij de bestuurder en de overige leden van het outbreakteam.' Dat team werd overigens pas ingesteld op 31 mei 2011, nadat het ziekenhuis geïnformeerd was over de naderende publiciteit over de *Klebsiella*-uitbraak. Ook een paar maanden later, toen de aanpak van de uitbraak zelf al voortvarend ter hand was genomen onder leiding van externe hulptroepen, bleek dat de leiding van het ziekenhuis nog niet echt besefte wat er eigenlijk aan de hand was in haar ziekenhuis. Want hoe is het anders te begrijpen dat Saskia Baas, een van de twee toenmalige directeuren zorg van het ziekenhuis*, op het Nationale Congres Gezondheidszorg op 22 september 2011, een praatje kwam houden over de gastgerichtheid van het Maasstad Ziekenhuis? Het was toen in het ziekenhuis nog alle hens aan dek om de uitbraak er definitief onder te krijgen. En de gesprekken met slachtoffers en nabestaanden waren nog in volle gang. Maar de directeur zorg kwam collega zorgbestuurders in het Scheveningse Kurhaus vertellen over een innovatie die het Maasstad geen windeieren had gelegd. Want gastgerichtheid maakte de zorg effectiever en goedkoper. Baas verwees twee keer naar de *Klebsiella*-uitbraak. Een keer om te zeggen dat ze waarschijnlijk niet hoefde te vertellen wat voor ziekenhuis het Maasstad was. De tweede keer zei ze dat het Maasstad tijdelijk even wat minder tijd had besteed aan de 'gastgerichtheid'. Het ziekenhuis was te druk met andere zaken. Ze repte met geen woord over de noodzaak om het vertrouwen van patiënten in het ziekenhuis terug te winnen.

Onvermogen en onkunde

Enkele leden van het team dat in het Maasstad Ziekenhuis orde op zaken probeerde te stellen schetsten een onthutsend beeld van wat ze daar aantroffen. Begin juli 2011 was het aantal patiënten met een OXA-48 *Klebsiella* opgelopen tot ongeveer vijfenzestig. Hoeveel van die patiënten overleden waren, wisten de teamleden niet. 'Dat is niet te zeggen,' zei een van hen, 'het ziekenhuis is niet in staat te vertellen van welke patiënten de positieve monsters afkomstig zijn. Ze kunnen de geteste bacteriestammen niet koppelen aan patiënten. Of ze kunnen het wel maar doen het niet.' Daags na dit gesprek kwam de IGZ op bezoek in het Maasstad en dat bezoek werd de op-

---

* Saskia Baas en de tweede directeur zorg, Alex Dirks, zijn in de loop van 2012 van hun directietaken ontheven. Frank Arnoldy, het derde directielid, was al vertrokken in de vroege zomer van 2011. Bestuursvoorzitter Paul Smits stapte begin augustus 2011 op.

maat voor het verscherpt toezicht* dat dik een week later ingesteld werd. De frustraties liepen in die tijd hoog op bij het team van het RIVM en het UMC Utrecht dat probeerde de uitbraak te stoppen en de gevolgen ervan in kaart te brengen. 'Er was in dat ziekenhuis geen beleid hoe om te gaan met multiresistente bacteriën', vertelden enkelen van hen. 'Helemaal niet. Ze deden gewoon niets. Ze isoleerden niet eens de patiënten die uit buitenlandse ziekenhuizen afkomstig waren.' De commissie-Lemstra gaat ook in op dit gebrek aan beleid. 'Op 24 juni 2010 ligt een aantal patiënten met een ESBL-positieve *Klebsiella* op ICI. Dit was aanleiding om de BRMO-richtlijn[89] te volgen. Deze bleek echter niet te zijn geïmplementeerd in de ziekenhuisorganisatie.' Lemstra cum suis constateerden met name dat er geen contactonderzoek was uitgevoerd en dat er niet was onderzocht of er sprake was van een epidemische verheffing. 'Hiertoe had onderzocht moeten worden of de bij de verschillende patiënten aangetroffen BRMO tot hetzelfde type of dezelfde stam behoorden. Indien dat het geval was, dan was er formeel sprake van een uitbraak en had onmiddellijk "opgeschaald" moeten worden.' De commissie-Lemstra bevestigt dus de zienswijze die de leden van het RIVM-team op 5 juli 2011 verwoordden. En ook de IGZ deed dat in haar rapport van november 2011. 'Als het ziekenhuis de richtlijnen van de landelijke Werkgroep Infectiepreventie (WIP) had gevolgd, had de uitbraak niet zo lang geduurd, was de omvang van de uitbraak niet zo groot geweest, en waren de gevolgen niet zo ernstig geweest. De richtlijnen van de WIP, waaronder de richtlijn BRMO, geven heel helder aan welke maatregelen onder dergelijke omstandigheden noodzakelijk zijn. Deze zijn niet gevolgd. Pas eind juni 2011, een maand na de melding aan de Inspectie, werd met behulp

---

* Dat wordt vaak ingesteld als het verbeterplan te weinig resultaat geeft en dit te wijten is aan de zorgaanbieder. De inspectie maakt instellen en opheffen van verscherpt toezicht actief openbaar en informeert er de betrokken bewindspersoon over.

van het RIVM en UMCU gestart met het nemen van adequate maatregelen waaronder het invoeren van de BRMO-richtlijn.'

Niet open en niet eerlijk

Alle adviezen die het Maasstad Ziekenhuis in die eerste periode na het bekend worden van de uitbraak kreeg over open en eerlijk communiceren, waren aan dovemansoren gericht. Uit gesprekken met nabestaanden van overleden patiënten en met andere betrokkenen in en buiten het ziekenhuis bleek glashelder dat het Maasstad de elementaire regels van infectiepreventie en -bestrijding aan zijn laars gelapt had.[90] Patiënten met multiresistente bacteriën werden niet of niet tijdig geïsoleerd. Met de hygiënevoorschriften werd een loopje genomen: zelfs bij patiënten die in de strengste vorm van isolatie lagen liep personeel in en uit zonder handen te wassen en zonder beschermende kledij aan te trekken. Twee dagen nadat de NOS met een derde publicatie was gekomen over de *Klebsiella*-uitbraak, met als kern die schending van de regels, bracht het Maasstad een persbericht uit.[91] Onder de kop 'Maasstad Ziekenhuis oneens met berichtgeving NOS' schreef het ziekenhuis: '12 juli werden wij geconfronteerd met nieuwe publicaties van de NOS over de uitbraak van de multiresistente bacterie in ons ziekenhuis. Deze publicaties zijn suggestief, voorbarig en deels onjuist te noemen.' En: 'Tevens zegt de NOS dat wij elementaire regels voor de indamming van infecties aan onze laars hebben gelapt. Wij volgen elke richtlijn op. Wat wel duidelijk is, is dat gedurende deze epidemie onze maatregelen niet altijd succesvol zijn geweest.'

Een half jaar na mijn publicaties stelde de Inspectie voor de Gezondheidszorg vast dat ik gelijk had. Nog weer een half jaar later kwam de commissie-Lemstra tot exact dezelfde conclusie. Het Maasstad Ziekenhuis had zich niet aan de richtlijnen van de Werkgroep Infectiepreventie gehouden. Het ziekenhuis bestreed begrijpelijkerwijs ook dat het patiënten waarbij een multiresistente bacterie aangetroffen was, lange tijd niet geïsoleerd zou hebben.

'Uit eigen onderzoek van geteste patiënten blijkt niet dat wij een patiënt zeven weken na een positieve kweek pas in isolatie hebben genomen. Dit in tegenstelling tot eerdere berichtgeving.' Behalve de echtgenoot, zoon en dochter van die overleden patiënte die mij dit verteld hebben, beschik ik ook over het medische dossier waaruit zonneklaar blijkt dat de berichtgeving correct was. En mevrouw had niet één maar zelfs drie verschillende multiresistente bacteriën: de OXA-48 *Klebsiella*, een multiresistente *E. coli* en een resistente *Enterococcus faecium*.

Op 25 juli betrapte het Maasstad Ziekenhuis me wel op een fout. Ik meldde die dag dat de patiënt met OXA-48 *Klebsiella* die op 5 april was overgedragen aan het Slotervaartziekenhuis, al op de brandwonden-IC van de locatie Zuiderziekenhuis besmet was geraakt. Dat was een verkeerde interpretatie van enkele documenten die ik toen in bezit had gekregen. Ik had mijn conclusie niet voorgelegd aan het ziekenhuis, een onverstandige handelwijze. Ik heb dat destijds ogenblikkelijk gerectificeerd in een artikel op de site van de NOS.

Het vertrouwen van de medewerkers van het RIVM in het screeningswerk van hun Maasstad-collega's was niet bijster groot. 'Ik laat iemand alle data doorspitten en we doen alle testen zelf nog eens over, omdat ik het niet vertrouw', vertelde een van hen me. 'En ik laat uitzoeken waar die besmette patiënten gebleven zijn.' Professor Patrice Nordmann van het Hôpital Bicêtre in de Parijse voorstad Le Kremlin-Bicêtre had ook geen hoge dunk van de aanpak van de *Klebsiella*-uitbraak door zijn collega's in het Maasstad. Nordmann adviseerde de moleculair microbiologe van het ziekenhuis bij het opzetten van een PCR-test voor OXA-48. In 2001 dook er voor het eerst een *Klebsiella pneumoniae* op met OXA-48. Dat was in Turkije. Nordmann is een van de ontdekkers van de OXA-48. Hij publiceerde er met enkele collega's het eerste artikel[92] over en ontdekte ook dat de Rotterdamse OXA-48-stam identiek is aan de stam die in een ziekenhuis in Villeneuve-Saint-Georges, ook al een voorstad van Parijs, voor een uitbraak zorgde.[93] Bij die uitbraak van april tot juni 2010 op de IC van het ziekenhuis in Villeneuve-Saint-Georges raakten tien patiënten besmet met de OXA-48 *Klebsiella*. Zeven kregen daadwerkelijk een infectie door de bacterie en vijf van de besmette patiënten overleden. In de NOS-uitzending van 12 juli 2011 zei Nordmann over het niet meteen isoleren van patiënten die besmet zijn met multiresistente bacteriën: 'Als je niet meteen alarm slaat, dan ontwikkelen zich epidemieën en verspreiden ze zich. Dat weten we al ongeveer honderdvijftig jaar.'[94]

Nieuw is niet altijd níéuw

Het Maasstad-verhaal bleef zich ontwikkelen. Op 20 juli bleek dat er opnieuw vier patiënten die besmet waren met de OXA-48 *Klebsiella* overleden waren.[95] 'Een van de patiënten', vertelde hoofd communicatie Dick Berkelder, 'lag in het brandwondencentrum, de anderen op de afdelingen chirurgie, cardiologie en nefrologie van het gewone ziekenhuis.' Wat Berkelder niet vertelde, maar wat ik een dag later hoorde van een van de leden van het team van RIVM en UMC Utrecht, was dat het in drie van de vier gevallen om 'oude' gevallen ging. 'Er komen nog steeds bacteriestammen uit de vriezer die we testen. De positieve zijn nieuw bekend geworden besmettingen, nieuw op de lijst van besmette patiënten dus. Maar dat is heel wat anders dan nieuwe gevallen. Dat zijn patiënten die hier en nu besmet raken. Het is echt buitengewoon dom hoe ze dat naar buiten brengen. Maar ja, zij gaan over de communicatie.' In het voorjaar van 2012 publiceerden enkele medewerkers van de GGD in Rotterdam een artikel over de *Klebsiella*-uitbraak in het Maasstad Ziekenhuis in het Infectieziektenbulletin van het RIVM. 'Wat betreft risicocommunicatie heeft het ziekenhuis het zichzelf onnodig moeilijk gemaakt. Sinds 18 juli 2011 waren er geen nieuwe besmettingen meer geconstateerd. Na deze datum werd echter wekelijks in de persberichten gecommuniceerd dat er nieuwe patiënten bij kwamen. Dit had echter betrekking op een retrospectief onderzoek van alle eerdere monsters van patiënten met een afwijkend resistentiepatroon naar *Klebsiella* OXA-48. Voor buitenstaanders echter leek het of dit nieuw besmette patiënten waren. De GGD heeft sterk aangedrongen op een andere communicatie. Dit is pas met de komst van de interim-directeur gelukt.'

De Inspectie voor de Gezondheidszorg reageerde als door een wesp gestoken op het bericht over de 'nieuwe' doden.[96] Het Maasstad had de IGZ, ondanks de strikte afspraken die daarover waren gemaakt, niets verteld over de vier doden die erbij gekomen waren. We pakken de al enkele malen geciteerde Tussenrapportage van de IGZ uit november 2011 er nog even bij. 'De Inspectie constateerde dat de bestuurder op dat moment op vakantie was en zijn taken had overgedragen aan de directeur patiëntenzorg. Deze bleek niet geïnformeerd, kon de telefonische vragen van de Inspectie niet beantwoorden en geen duidelijkheid verschaffen over de nieuwe besmettingen. Inspecteurs van de IGZ gingen dezelfde dag nog ter plaatse. Aan het eind van het bezoek deelde de Inspectie mee dat zij geen vertrouwen meer had dat het ziekenhuis bij ongewijzigd beleid in staat zou zijn op korte termijn de juiste maatregelen te treffen om verdere verspreiding van de bacterie te stoppen. Bovendien was het ziekenhuis structureel onvoldoende transparant over zijn acties en kwam het afspraken met de Inspectie bij herhaling niet na. Dit alles leverde grote risico's op voor de patiëntveiligheid. De Inspectie stelde het Maasstad Ziekenhuis onder verscherpt toezicht. Een dag later – bestuurder Smits was intussen teruggekeerd van vakantie – gaf het ziekenhuis een persconferentie waarop het onder meer bekendmaakte dat professor Marc Bonten van het UMC Utrecht werd aangesteld als supervisor.[97] Dat was een van de eisen die de Inspectie had gesteld, net als het maken van een plan van aanpak door het Maasstad. Zou het ziekenhuis aan die eisen geen gehoor geven, dan zou de IGZ een opnamestop afkondigen voor het hele ziekenhuis. Het Maasstad Ziekenhuis voldeed morrend aan de eisen van de IGZ. Op de persconferentie wees Smits het oordeel van de Inspectie dat de Raad van Bestuur van het ziekenhuis, Smits zelf dus, geen controle had over de situatie, zonder blikken of blozen van de hand. 'Die kritiek deel ik niet', zei Smits. 'Ik ben wel in controle. We hebben nu iedere dag overleg. We horen nu iedere dag alles in tegenstelling tot enige tijd geleden. Ik hoor hoeveel patiënten er zijn, ik hoor het als er een bijzondere uitslag is. En mijn directeur patiëntenzorg Alex Dirks is zelf regelmatig in het ziekenhuis.' Hoofd IC en toenmalig voorzitter van de medische staf Albert Grootendorst* stond Smits ter zijde op de persconferentie. Grootendorst verklaarde dat het ziekenhuis 'uiteraard de richtlijnen van de Werkgroep Infectiepreventie had gevolgd toen er patiënten op de IC waren aangetroffen met *Klebsiella* met ESBL's. Maar we kregen toch nieuwe besmettingen. Maar dat was in het oude ziekenhuis. Sinds we in het nieuwe ziekenhuis zitten, zijn er geen problemen meer', zei hij de dag nadat bekend geworden was dat nu ook in het brandenwondencentrum van het Maasstad bij een patiënt een *Klebsiella* met OXA-48 was aangetroffen. Vooruitlopend op het onderzoek door de Leidse hoogleraar Evert de Jonge naar de bijdrage van de bacterie aan het overlijden van patiënten herhaalde Grootendorst nog maar eens dat die naar zijn mening maar zeer beperkt was. 'Het waren voor een heel groot deel patiënten die al eens gereanimeerd waren, patiënten met darmperforaties, hopeloze patiënten eigenlijk. En die hebben die bacterie opgelopen. Bij twee patiënten twijfel ik of hun overlijden misschien door de bacterie komt.' De commissie-Lemstra drukte in haar rapport een teruggevonden mailtje van Grootendorst af. In die mail, gedateerd 27 april 2011, meldt Grootendorst aan bestuurder Smits dat hij van plan is om in de week erna vanwege de aanwezigheid van multire-

* Grootendorst is in 2012 vertrokken als voorzitter van de medische staf en hoofd van de IC. Hij is wel nog als intensivist verbonden aan het ziekenhuis.

sistente *Klebsiella*-bacteriën selectieve darmdecontaminatie (SDD)* toe te passen bij de patiënten op de IC. 'Verder stelt hij', schrijft de commissie-Lemstra dan, 'dat de afdelingen medische microbiologie en ziekenhuishygiëne falen en besluit als volgt: "Zonder overdrijving bedreigend voor de continuïteit van het ziekenhuis."'

Paul Smits antwoordde niet op deze alarmkreet van de voorzitter van zijn medische staf. En Grootendorst zelf deed vervolgens niets meer. Hij kwam er niet op terug bij Smits, hij heeft geen melding gedaan bij de Inspectie voor de Gezondheidszorg, hij is niet naar de media gegaan en hij heeft ook zijn collega's geen deelgenoot gemaakt van zijn opvattingen. Althans, noch de Inspectie noch de commissie-Lemstra heeft daar een spoor van teruggevonden. Het heeft er alle schijn van dat de voorzitter van de medische staf zich heeft willen indekken voor het geval dat.

Smits stak op de persconferentie van 21 juli de hand ook wel enigszins in eigen boezem. 'We zijn ervan uitgegaan dat de juiste maatregelen zijn genomen. Maar we kunnen niet ontkennen dat de uitvoering niet honderd procent is geweest, want er zijn heel veel mensen besmet geraakt. We zijn onvoldoende scherp geweest in de uitvoering.' Met de hygiëne bijvoorbeeld. 'Blijkbaar is er op een aantal momenten niet hygiënisch gewerkt, want anders waren er niet zeventig besmettingen geweest. Dat is helder. Handen wassen doen we bijna altijd, maar niet altíjd.' Die opmerking van Smits leidde tot meewarige reacties bij iedereen die iets weet van handhygiëne in Nederlandse ziekenhuizen. Een ziekenhuis waar de artsen en verpleegkundigen in de helft van de gevallen dat het eigenlijk

---

* Bij selectieve darmdecontaminatie krijgt een patiënt tijdens het gehele verblijf op de IC een combinatie van verschillende antibiotica toegediend, vaak op verschillende manieren tegelijk, bijvoorbeeld oraal en via een infuus, om zo te voorkomen dat infecties optreden. De antibiotica worden zo toegediend dat ze niet worden opgenomen in de darm. Daardoor laten ze de gewone darmflora van de patiënt ongemoeid.

moet hun handen wassen, is spekkoper.* Smits zei ook nog dat hij de aanpak van de Inspectie 'lastig' vond. 'De Inspectie wil een plan van aanpak, maar daar zijn wij niet zo van. Wij zijn erg van het doen, van de actie. Maar het Maasstad komt de Inspectie tegemoet. We gaan komende woensdag een plan van aanpak presenteren van de bacterie-uitbraak.'

Voortvarende aanpak

Het plan van aanpak dat Smits aankondigde bleek een week later geen plan te zijn, maar een man. León Eijsman, hartchirurg in ruste, werd aangetrokken om op bestuurlijk niveau de leiding op zich te nemen van de aanpak van de *Klebsiella*-uitbraak. Eijsman bracht een reputatie mee. Hij is de man die een ernstig conflict heeft opgelost dat de afdeling hartchirurgie van het UMC St Radboud in Nijmegen jarenlang had verlamd en daardoor de veiligheid van patiënten in gevaar had gebracht.[98] Eijsman was zonder respect voor grote ego's en zonder aanzien des persoon te werk gegaan. Zo ging het ook nu. Eijsman nam samen met Marc Bonten de touwtjes strak in handen. Prompt verbeterde ook de communicatie van het ziekenhuis.

Daags voor het aantreden van Eijsman was Jan Kleijn, anesthesioloog in het Maasstad Ziekenhuis, nog opgestapt. Kleijn was ook hoogleraar patiëntveiligheid aan het Erasmus MC en het werd steeds lastiger om beide functies te combineren, vond hij. 'Ik belandde steeds meer in een spagaat', vertelde Kleijn me in de zomer van 2011. 'Ik heb geprobeerd om op de werkvloer met mijn collega's een ontwikkeling in gang te zetten. Ik heb aangeboden om coördinator patiëntveiligheid te worden. Maar daar werd eigenlijk niet op gerea-

* Artsen en verpleegkundigen wassen gemiddeld hun handen in één op de vijf gevallen dat het voorgeschreven is, zo bleek uit onderzoek van Vicki Erasmus http://repub.eur.nl/res/pub/32161/120425_Erasmus,%20Vicky%20-%20BEWERKT%20.pdf.

geerd. Ik heb mijn aanbod een paar keer herhaald. Gezegd dat ik uit eigen ervaring wist hoe je met zo'n ramp als die *Klebsiella*-uitbraak moest omgaan.* Maar het werd iedere keer geweigerd. Toen ben ik opgestapt. Ik ben er niet in geslaagd om een positie op te bouwen waarin ik overwicht had.' Kleijn vertelde dat er in het gloednieuwe gebouw van het Maasstad Ziekenhuis 'op de meest basale plekken geen alcoholdispensers waren, ook niet in operatiekamers. Er is niet voldoende over nagedacht, niet geluisterd naar mensen die het konden weten. Er is geen ziekenhuishygiënist bij betrokken geweest.' Vlak voor hij ontslag nam las Kleijn in het personeelsblaadje van 2 juli 2011 een interview dat directeur Paul Smits had met vertrekkend internist-oncoloog Jacqueline Stouthard. Die zei "Ik wens jullie veel nieuwe wastafels toe". Ze vond dat in alle kamers op de verpleegafdeling een wastafel moest komen. De wastafels die er nu zijn zitten in de badkamers van de patiënten. Dat is een slechte zaak voor de hygiëne. Want daar kom je als arts of verpleegkundige niet. Die badkamers zijn privé, die zijn van de patiënten.'

Eijsmans aantreden op 1 augustus 2011 zorgde voor een stroomversnelling. Op 9 augustus was Paul Smits gedwongen de handdoek in de ring te gooien. Hij vertrok met bijna een kwart miljoen euro. Dat leidde tot grote ophef omdat het algemeen gezien werd als het belonen van wanprestaties, maar Smits had zijn premie bij zijn aantreden contractueel vastgelegd.[99] Op de oproep om het geld in te leveren is hij niet ingegaan. Een week na Smits' vertrek trad een nieuwe interim-directeur toe tot de directie, Peter Weeda. Op 2 september 2009 presenteerde de Leidse hoogleraar intensieve ge-

* In september 2008 werden zeven patiënten na een relatief simpele ingreep in het Havenziekenhuis in Rotterdam ernstig ziek door het gebruik van een vervuild anesthesiemiddel. Jan Kleijn was daar toen werkzaam als anesthesioloog en betrokken bij de aanpak van de problemen. Dat gebeurde in alle openheid. In 2011 verscheen over deze zaak het boek *Onder Zeil* van Matthijs Buikema http://www.skipr.nl/actueel/id7855-indringend-boek-geeft-veiligheid-stimulans-.html.

neeskunde Evert de Jonge de resultaten van zijn onderzoek naar de daadwerkelijke rol van de OXA-48 *Klebsiella pneumoniae* bij het overlijden van achtentwintig met de bacterie besmette patiënten. De Jonge koos niet voor de makkelijkste weg. Die zou zijn geweest om te zeggen dat hij geen stellige uitspraken kon doen, omdat het immers om patiënten ging die allemaal ernstig ziek waren. De Jonge kwam met een afgewogen oordeel. In drie gevallen achtte hij het 'zeer waarschijnlijk' dat de patiënten door toedoen van de bacterie overleden waren. Bij tien patiënten is het 'niet uit te sluiten, maar ook niet te bewijzen' dat de bacterie een rol heeft gespeeld bij hun dood. Maar deze patiënten waren door de ernst van hun onderliggend lijden hoe dan ook overleden. In veertien gevallen meende De Jonge dat het 'zeer onwaarschijnlijk' was dat de bacterie een bijdrage had geleverd aan het overlijden van de patiënten. En in één geval ten slotte deed hij geen uitspraak omdat hij over onvoldoende gegevens beschikte. Dat was de patiënt die in april 2011 van het Maasstad Ziekenhuis was overgeplaatst naar het Slotervaartziekenhuis. 'Die patiënt is overleden aan hartfalen', vertelde Jayant Kalpoe, de microbioloog die de OXA-48 *Klebsiella* bij deze patiënt detecteerde, me in die tijd. 'De infectie door de *Klebsiella* waren we zo goed als de baas.' De beide interim-bestuurders maakten onomwonden excuses aan de nabestaanden. Dat gebeurde voor het eerst op zo'n duidelijke manier.

'Het zijn droevige gebeurtenissen, vooral voor de nabestaanden', zei interim-bestuurder Peter Weeda. 'Daarvoor bieden wij onze verontschuldigingen aan. Voor fouten die gemaakt zijn, want die zijn gemaakt, dat is duidelijk.' Ook León Eijsman trof de juiste toon. 'We zijn oprecht geraakt', zei hij. 'U begrijpt dat het voor een groep gemotiveerde professionals een trieste ervaring is om te zien dat je patiënten opneemt om ze beter te krijgen en dat dan dit zich voordoet.' Eijsman en Weeda kondigden ook aan dat er 'een gepaste financiële compensatie uitgekeerd zal worden aan nabestaanden en slachtoffers die daarvoor in aanmerking komen. Daarbij zal het

Maasstad zich "ruimhartig" opstellen. Bepalend daarbij zal zijn of er sprake is van verwijtbaar handelen door het ziekenhuis.'* Toch ging het ziekenhuis ook rond deze persconferentie de fout in. Er werd geen tijd ingeruimd voor een-op-eeninterviews met de betrokkenen. Daar was geen tijd voor, zei Eijsman, omdat er aansluitend aan de persconferentie een gesprek met de nabestaanden gepland was. De pers werd dus eerder geïnformeerd dan de nabestaanden. En dat leidde tot grote woede bij veel nabestaanden.

Woedende nabestaanden

Een van de nabestaanden die daar woedend over was is Linda van Os. Haar moeder was een van de tien patiënten van wie professor De Jonge niet met zekerheid kon zeggen of de OXA-48 *Klebsiella* nu wel of niet een rol had gespeeld bij hun overlijden. Linda's toen vierenzeventigjarige moeder Riet van Os kwam op 20 december 2010 met een ontsteking in haar darmen in het Zuiderziekenhuis terecht. Ze was behoorlijk ziek. De ontsteking die Riet van Os had ging gepaard met een abces dat een van haar urineleiders dichtdrukte. De behandeling met antibiotica verliep voorspoedig en op 31 december mocht ze naar huis, zodat ze de jaarwisseling in familiekring kon vieren. Al snel werd ze weer ziek en na verschillende poliklinische bezoeken aan het ziekenhuis werd ze op 20 januari weer opgenomen. Vanaf die dag ging het mis. Mevrouw Van Os raakte besmet met een aantal multiresistente bacteriën. Op 28 januari werd een multiresistente *Klebsiella pneumoniae* bij haar geconstateerd. Twee maanden later werd vastgesteld dat ze ook een multiresistente *E. coli* en een resistente *Enterococcus faecium* bij zich droeg. De *Kleb-*

---

* Het rapport van de commissie-Lemstra vermeldt dat er half februari 2012 achtentwintig overlijdenszaken en zestien letselzaken in behandeling waren genomen. Daarvan waren er negen – vier overlijdens- en vijf letselzaken – afgerond. Het Maasstad Ziekenhuis wilde nadien geen mededelingen doen over het aantal zaken dat in behandeling was of dat afgesloten was en evenmin over het bedrag aan schadevergoedingen dat al was uitgekeerd.

siella en de *E. coli* produceerden beide ESBL's. Riet van Os had de drie (multi)resistente bacteriën niet bij zich toen ze voor de tweede keer werd opgenomen in het Zuiderziekenhuis. 'Mijn moeder was tussen de beide opnames in het Zuiderziekenhuis in het Clara Ziekenhuis geweest voor onderzoek en daar waren kweken gemaakt', vertelt dochter Linda van Os. 'Toen had ze geen multiresistente bacteriën bij zich.' In weerwil van de richtlijnen voor preventie van infectie werd ze pas na zeven weken eindelijk geïsoleerd. Dat blijkt uit haar medisch dossier. In de tussentijd was ze als ambulante patiënt het hele ziekenhuis doorgelopen. 'Ze liep over alle gangen, naar het restaurant, maar ook naar andere zalen en kamers om te gaan buurten bij patiënten die ze intussen had leren kennen', zegt Linda. 'Al die tijd droeg ze verschillende multiresistente bacteriën bij zich. Volgens ons had ze geïsoleerd moeten worden.' Maar ook toen Riet van Os uiteindelijk wel in isolatie verpleegd werd, ging het nog behoorlijk mis in het ziekenhuis. Hygiënevoorschriften werden volgens haar familieleden vaker niet nageleefd dan wel. 'Ik heb met eigen ogen gezien dat verpleegkundigen of artsen zich niet aan de voorschriften hielden voor het verzorgen van patiënten in isolatie. Ze hebben bij mijn moeder met blote handen bloed geprikt terwijl ze geïsoleerd verpleegd werd', zegt Linda van Os. 'Er liepen mensen zonder beschermende kleding naar binnen, andere hadden alleen handschoenen aan en een kapje voor. Ik heb er verschillende verpleegkundigen maar ook dokters op moeten wijzen dat mijn moeder in strikte isolatie lag en dat ze beschermende kleding moesten dragen. Ik vraag me af of wij als bezoek niet ook zulke kleding hadden moeten dragen. We wasten uit eigen beweging onze handen bij binnenkomst en als we weer weg gingen. Op de intensive care hebben ze ons ook wel verteld dat we dat moesten doen, maar toen ze geïsoleerd lag op de afdeling niet.'

Zelfs op de IC waar het vol ligt met de meest kwetsbare patiënten werd er een loopje genomen met de hygiënevoorschriften. 'We zagen medewerkers zonder beschermende kleding op de IC in- en uitlopen bij patiënten. Achteraf snap ik wel dat er zo veel besmettingen waren. Die krijg je vanzelf als je je niet aan de voorschriften houdt. Het was ook een vuil ziekenhuis, er werd niet goed schoongemaakt. Als je maanden ergens komt dan zie je veel.' De toestand van Linda's moeder verslechterde intussen alleen maar. Haar buik bleef opspelen. 'De artsen wisten ook niet meer wat ze moesten. Toen hebben ze maar besloten om een operatie die gepland stond voor 1 april te vervroegen.' Op 23 maart werd Riet van Os geopereerd. Daarna ging ze nog verder achteruit. Twee dagen later ging ze halsoverkop naar de intensive care. Met een dubbele urineweginfectie die omsloeg in een sepsis, een bloedvergiftiging. 'Daar waren ze net op tijd bij. Ze knapte op en ging op 28 maart weer terug naar de afdeling. Een paar dagen later ging de wond weer open. Op 6 april is ze weer geopereerd. Op 9 april is ze teruggegaan naar de IC. Daar is ze in de nacht van 9 op 10 april overleden.' Een tweede bloedvergiftiging werd Riet van Os fataal. 'De arts op de intensive care vertelde ons meteen dat onze moeder aan een heel venijnige bacterie was gestorven. In een gesprek dat we later hadden, werd dat teruggedraaid. Ze was gestorven aan het darmprobleem. Weer later heeft de directeur van het ziekenhuis, Paul Smits, bevestigd dat mijn moeder wel aan een bacterie is overleden. Aan welke zei hij niet. Dat maakte toch niet uit.' Dat zei ook de IC-arts met wie Linda van Os en haar broer in de vroege zomer van 2011 spraken. Pas na lang aandringen zei die arts welke bacterie de boosdoener was, in een brief die niet in het dossier zit, maar voor de gelegenheid gemaakt is. 'Mevrouw Van Os', heet het in die brief, 'is op 10 april overleden aan de gevolgen van een overweldigende infectieziekte waar zij de juiste therapie voor heeft gekregen. Deze behandeling was echter niet in staat om de ziekte te stoppen. De betreffende bacterie was de enterokok, dit is niet de *Klebsiella*-bacterie. Zij heeft hiervoor het breedspectrum antibioticum gekregen dat hiervoor noodzakelijk is.' Bij de bestrijding van multiresistente *Klebsiella* kan als onbedoeld neveneffect optreden dat andere bacteriën zoals de enterokokken als het ware vrij spel krijgen. De enterokokken die Riet van Os bij zich droeg, waren gevoelig voor het antibioticum vancomycine. Dat maakte het volgens een aantal microbiologen die ik destijds geraadpleegd heb op voorhand niet waarschijnlijk dat ze juist aan deze bacterie zou zijn overleden. Het dossier van Riet van Os is op uitdrukkelijk verzoek van de familie opgestuurd naar professor Evert de Jonge in Leiden. De Jonge deed onderzoek naar alle overlijdensgevallen in het Maasstad Ziekenhuis van patiënten die besmet waren met de OXA-48 producerende multiresistente *Klebsiella*.[100] Uiteindelijk bleek Riet van Os wel degelijk de multiresistente OXA-48 producerende *Klebsiella* bij zich te hebben gehad. Van Os behoort tot de tien gevallen van wie professor De Jonge niet met zekerheid heeft kunnen vaststellen of ze aan de bacterie zijn overleden. Maar hij heeft dat evenmin kunnen uitsluiten.

Respect of toch niet

De moeder van Jeanette Beuzenberg is een van de drie patiënten van wie professor Evert de Jonge zegt dat ze door de OXA-48 *Klebsiella* overleden zijn. Beuzenbergs moeder is eind maart 2011 in het Zuiderziekenhuis opgenomen met buikklachten. Bij een kijkoperatie werd niets geconstateerd. Het ziektebeeld duidde op een abces, vertelden de artsen haar, maar dat werd niet gevonden. 'Daarna is ze zieker en zieker geworden,' vertelt Jeanette Beuzenberg, 'totdat ze twee weken later met spoed de OK op is gereden. In de voorbereiding voor de operatie heeft ze een hartstilstand gekregen, waarschijnlijk als gevolg van een bloedvergiftiging door de *Klebsiella*, zeiden ze. Dat was op 13 april 2011. Ze is daarna alsnog geopereerd en men heeft een stuk darm verwijderd en het abces. Mocht ze daarna bijkomen, dan was het allemaal vet in orde, zeiden ze. Niet dus.' Een paar dagen later vertelden de artsen Jeanette dat haar moeder een *Klebsiella*-infectie had. Zondag 17 april was een hoopvolle dag. 'Ze kwam voor het eerst bij, gelukkig zonder hersenbeschadiging. Ze herkende iedereen en reageerde normaal.'

Maar de familie juichte te vroeg. Hun moeder bleef ernstig ziek. De infectie nam weer in ernst toe, ondanks de verzekering van de artsen dat 'het lichaam schoon was'. De artsen besloten te stoppen met het geven van antibiotica. Die deden niets en zouden volgens de behandelende artsen Jeanettes moeder alleen maar verzwakken. Een nieuwe operatie om het abces alsnog te verwijderen was een brug te ver. De artsen besloten te proberen om het abces anaal uit te knijpen en vervolgens de restanten ervan aan te prikken en door middel van drainage op te ruimen. Net toen een arts dat wilde gaan doen, kreeg de moeder van Jeanette een longontsteking. 'Wij werden voor de keuze gesteld door de artsen: ofwel zouden ze de longontsteking behandelen, als die tenminste niet door de *Klebsiella* veroorzaakt was want dan zouden antibiotica niet helpen, zeiden ze, ofwel zouden ze het aan het lichaam van mijn moeder overlaten om zelf de infectie te bestrijden.' De familie koos gezien de algehele zwakte van hun moeder en de lange lijdensweg van de voorbije negen weken voor de laatste optie. Jeanettes moeder overleed dezelfde dag nog, op maandag 13 juni 2011. Of het een verstandige keuze was of niet, Jeanette Beuzenberg weet het niet. Als ze al hersteld zou zijn van de longontsteking, dan was daarmee het darmprobleem nog niet verholpen. 'We zouden terug bij af zijn geweest of eigenlijk nog verder terug, want mijn moeder had al zo veel te verduren gehad. De arts die haar behandelde zei iets over "haar lichaam respecteren". Mijn gevoel is dat het ziekenhuis zelf beter het lichaam of de mens had kunnen respecteren. Waar was hun respect? Ze legden mensen op een besmette IC! Ik denk trouwens dat mijn moeder op een verpleegafdeling besmet is geraakt. Het Maasstad beweert dat alleen de IC besmet was.' Maar er waren wel degelijk patiënten op verpleegafdelingen besmet. De moeder van Linda van Os werd pas zeven weken nadat bij haar een multiresistente *Klebsiella* werd aangetoond geïsoleerd. In die zeven weken dat ze zelfs meer dan één multiresistente bacterie bij zich droeg heeft ze zowel op de IC als op de verpleegafdeling gelegen. De eerste multiresistente *Klebsiella's* werden inderdaad op de IC van de locatie Zuiderziekenhuis van het Maasstad aangetroffen. Toen ging het nog om ESBL-*Klebsiella's*, een graadje minder resistent dan de OXA-48 *Klebsiella*. Dat was in juni 2010. Voor die tijd was de IC naar alle waarschijnlijkheid 'schoon'. In ieder geval gaat de commissie-Lemstra daarvan uit in haar rapport *Oog voor het onzichtbare*. Vanwege een uitbraak van een andere, virulente multiresistente bacterie, de *Acinetobacter baumannii*, in april 2010, was de IC met behulp van een vernevelingstechniek gedesinfecteerd. Nadat met omgevingskweken was vastgesteld dat de bacterie verdwenen was, ging de IC op 3 mei 2010 weer open. Vanaf juni wordt de ESBL-*Klebsiella* bij herhaling aangetroffen op de IC. Op 15 september wordt er behalve de *Klebsiella* ook een multiresistente *Pseudomonas*-bacterie aangetroffen. De microbiologen en de adviseurs infectiepreventie van het Maasstad slagen er niet in de uitbraak in te dammen. Rond de jaarwisseling zien de microbiologen de eerste tekenen van resistentie voor carbapenems, de enige categorie antibiotica die overblijft als patiënten een ESBL bij zich hebben.

Het hoofd van de IC

Jeanette is niet alleen boos over wat er allemaal mis is gegaan rond de behandeling van haar moeder. Ze is minstens zo woedend over de manier waarop het ziekenhuis daarna met de familie is omgegaan. Op 2 september 2011 zou de Leidse hoogleraar Evert de Jonge de bevindingen bekendmaken van zijn onderzoek naar de bijdrage van de OXA-48 *Klebsiella* aan het overlijden van achtentwintig patiënten. Tot drie keer toe werd haar door het ziekenhuis verzekerd dat de families onmiddellijk op de hoogte gesteld zouden worden van de resultaten van De Jonges onderzoek. Uiteindelijk kreeg ze aan het eind van de middag van 1 september te horen dat er de volgende dag een persconferentie zou zijn om 11.00 uur. Het lukte niet meer om de families voor die tijd in te lichten, liet het ziekenhuis weten. Beuzenberg ontplofte. Ze eiste dat ze vóór de media ingelicht zou worden. Het ging om háár moeder. 's Avonds werd ze weer gebeld door iemand van het ziekenhuis. Maar die kon geen patiëntgegevens inzien. Wel beloofde hij dat Albert Grootendorst haar zou bellen voor het begin van de persconferentie. Grootendorst was ten tijde van de uitbraak hoofd van de IC in het Maasstad. En ook voorzitter van de medische staf van het ziekenhuis. Over de rol van Grootendorst is veel te zeggen. De *Klebsiella*-uitbraak was vooral een probleem op zijn IC. Hij is daar twee jaar getuige geweest van de problemen met eerst ESBL-*Klebsiella's* en toen OXA-48-*Klebsiella's*. Grootendorst is op geen enkel moment handelend opgetreden. Maar opeens kwam hij toch in actie. Het was een van de opmerkelijke vondsten die de commissie-Lemstra deed tijdens haar onderzoek. Op 27 april 2011 schreef Grootendorst zijn eerder geciteerde email aan de bestuursvoorzitter van het ziekenhuis waarin hij in de meest krachtige bewoordingen de noodklok luidde. Om vervolgens, toen er geen reactie kwam van bestuursvoorzitter Smits, over te gaan tot de orde van de dag. Grootendorst belde Jeannette Beuzenberg inderdaad vóór de persconferentie op. 'Met de mededeling dat mijn moeder een van de drie was van wie het overlijden door professor De Jonge werd geweten aan de bacterie', schrijft Jeannette in haar mail. 'Maar Grootendorst ging het meteen alweer bagatelliseren. Van een was hij overtuigd dat de *Klebsiella* de oorzaak was. Van de ander vond hij het twijfelachtig omdat de kweek na het overlijden van de patiënt was gedaan en dat zou niet betrouwbaar zijn. En van mijn moeder, ach, die was toch al heel ziek en had het dus waarschijnlijk toch niet overleefd. Zo ongelofelijk en onnodig respectloos.' Grootendorst zei haar ook nog dat haar moeder was overleden aan een ver ontwikkelde diverticulitis, een ontsteking in de dikke darm. Maar die had ze niet bij binnenkomst in het ziekenhuis. 'Sterker nog, het abces was zo klein (of niet aanwezig) dat het bij de eerste kijkoperatie niet is ontdekt. Dus als dit tijdens de opname in het ziekenhuis vervolgens uitgroeit tot een abces ter grootte van haar halve onderbuik, dan is dat niet haar schuld. Maar de schuld van het falen van de medici en van een niet te behandelen bacterie genaamd *Klebsiella* OXA-48. Niet haar schuld!!!' Woede en verdriet strijden bij Beuzenberg om voorrang. Haar vertrouwen in de medische stand heeft een fikse knauw gekregen.*

Heldere en harde rapporten

De commissie-Lemstra werd ingesteld op 13 september 2012. Voorzitter professor Wolter Lemstra was in het verleden onder meer voorzitter van de Nederlandse Vereniging van Ziekenhuizen, secretaris-generaal op het ministerie van Welzijn, Volksgezondheid en Cultuur en burgemeester van Hengelo. Behalve Lemstra – die zijn reputatie van onafhankelijk onderzoeker gevestigd heeft met een onderzoek naar de zaak van neuroloog Jansen Steur in Enschede** – zaten er nog een aantal zwaargewichten in: professor Herman Goossens, hoofd van de afdeling microbiologie van het Universitair Ziekenhuis Antwerpen, doctor Peter Holland, voormalig voorzitter van de Koninklijke Nederlandse Maatschappij ter bevordering van de Geneeskunde (KNMG) en oud-bestuursvoorzitter van het ziekenhuis Rijnstaete in Arnhem en professor Hans van der Hoeven, hoofd van de intensive care van het UMC St Radboud in Nijmegen. Meester Marina de Lint, senior adviseur van de Raad voor de Volksgezondheid en Zorg was de secretaris van de commissie. De commissie-Lemstra publiceerde haar rapport ruim een half jaar later, maar eerst was het de beurt aan de Inspectie voor

---

* Albert Grootendorst is geen voorzitter van de medische staf meer en ook geen hoofd van de IC. Hij is als intensivist aan het Maasstad Ziekenhuis verbonden gebleven.

** Neuroloog Ernst Jansen Steur stelde jaren verkeerde diagnoses bij patiënten, doorgaans zeer ernstige. Hij was verslaafd aan opiaten. Jansen Steur moest eind 2012 voor de rechter verschijnen. Lemstra deed twee keer onderzoek in deze kwestie: http://nos.nl/artikel/160112-inspectie-faalde-in-zaak-verslaafde-neuroloog.html.

de Gezondheidszorg. Op 2 november 2011 presenteerde de IGZ een tussenrapportage met de titel *Klebsiella-uitbraak in Maasstad Ziekenhuis vermijdbaar.*[101] De Inspectie publiceert nooit dergelijke tussenrapportages, normaal wordt er geen enkele mededeling over onderzoeken gedaan voor ze helemaal afgerond zijn. De IGZ legde in het voorwoord uit waarom van de gebruikelijke aanpak wordt afgeweken. 'De Inspectie wil mensen die aangewezen zijn of zijn geweest op de zorg in het Maasstad Ziekenhuis zo snel mogelijk informeren over wat het ziekenhuis heeft gedaan om de uitbraak tot staan te brengen en hoe veilig de situatie voor de patiënt inmiddels is.' De conclusies logen er niet om: als het Maasstad Ziekenhuis de geldende richtlijnen voor preventie van infecties had gevolgd, was de uitbraak van de *Klebsiella*-bacterie veel minder erg geweest dan nu het geval was. De uitbraak had dan minder lang geduurd, was minder groot geworden en had minder ernstige gevolgen gehad.[102] De IGZ uitte in de tussenrapportage vooral scherpe kritiek op de bestuurders, de microbiologen en de adviseurs infectiepreventie, maar ook op een groot aantal intensivecare- artsen, -medisch specialisten en -verpleegkundigen die op de hoogte waren van de *Klebsiella*-uitbraak.

Op 25 januari 2012 kwam de IGZ met haar eindrapport *Falen infectiepreventie in het Maasstad Ziekenhuis verwijtbaar.*[103] Daarin kondigde de Inspectie aan de microbiologen van het ziekenhuis voor de tuchtrechter te zullen dagen.[104] De IGZ beschouwt hen als hoofdverantwoordelijken voor de falende aanpak van de *Klebsiella*-uitbraak. Ook de adviseurs infectiepreventie zijn daarvoor volgens de Inspectie 'direct verantwoordelijk', maar zij vallen niet onder het medisch tuchtrecht. Daarom adviseerde de IGZ minister Schippers van VWS om de wet te veranderen. De bestuurder, directieleden, artsen en verpleegkundigen die betrokken waren bij de falende infectiepreventie in het ziekenhuis, kwamen er vooralsnog vanaf met de kwalificatie dat ze 'onprofessioneel' geweest waren. Begin november 2012 bleken de tuchtklachten tegen de microbiologen intussen ingediend. De behandeling van de tuchtklacht was toen in de fase van de schriftelijke replieken van de microbiologen.

De commissie-Lemstra kwam op 29 maart 2012 met haar rapport.[105] Net als de IGZ prees de commissie-Lemstra de belangrijke rol van de NOS in deze zaak. En maakte ze gehakt van de manier waarop het Maasstad Ziekenhuis omgegaan was met de *Klebsiella*-uitbraak. De commissie concludeerde dat er sprake was van 'collectief falen' door de Raad van Bestuur, de Raad van Toezicht, de microbiologen, de adviseurs infectiepreventie, de artsen op de intensive care en de betrokken medisch specialisten. 'Van meet af aan is op cruciale momenten verzuimd de juiste acties te ondernemen om de uitbraak in te dammen', schrijft de commissie-Lemstra. In veel gevallen was er volgens de commissie sprake van 'ernstig verwijtbaar' handelen. Het Maasstad Ziekenhuis had collectief volstrekt onvoldoende oog voor kwaliteit en veiligheid van de zorg. De commissie deed in haar rapport een reeks aanbevelingen. Die waren niet alleen gericht aan het Maasstad Ziekenhuis, maar aan alle zorginstellingen en overheden, zowel in Nederland als daarbuiten. In de ogen van de commissie kon iedereen lering trekken uit het falen van het Maasstad Ziekenhuis. De aanbevelingen gaan over de reorganisatie van de infectiepreventie, over het invoeren van kwaliteits- en veiligheidssystemen en over de versterking van de positie van microbiologen en de adviseurs infectiepreventie. Verder wil de commissie-Lemstra dat de wetenschappelijke verenigingen hun richtlijn voor de aanpak van buitengewoon resistente micro-organismen (BRMO) dwingender en explicieter maken. Ook beveelt de commissie aan dat artsen-microbioloog in het ziekenhuis aanwezig moeten zijn. Zelfs als door fusies en schaalvergroting van laboratoria het lab niet meer in het ziekenhuis gehuisvest zou zijn. Ten slotte moet er een kwaliteits- en veiligheidscultuur opgebouwd worden in het ziekenhuis. Met een intern kwaliteitsinstituut dat data verzamelt en inzichtelijk maakt voor de medische staf en met functionerings- en beoordelingsgesprekken voor de medisch specialisten. Lemstra riep overheden op om goed na te denken over de risico's die ontstaan door het toenemen van de antibioticaresistentie en de verwachte afname van het budget voor de gezondheidszorg. Het Maasstad nam alle aanbevelingen over. Het interim-bestuur en de nieuwe bestuursvoorzitter Anton Westelaken hebben ook de bezem door het ziekenhuis gehaald. Het Maasstad Ziekenhuis heeft een nieuw bestuur. De vorige bestuursvoorzitter en de driekoppige directie die onder hem ressorteerde zijn vertrokken bij het ziekenhuis. Twee min of meer uit eigen beweging, de andere twee nadat ze te verstaan hadden gekregen dat er voor hen geen toekomst meer was in het ziekenhuis. Andere direct betrokkenen zijn uit hun functie gezet en hebben nieuwe taken gekregen. Alleen de microbiologen zitten nog op hun plek. Dat is omdat hun zaak onder de rechter is.

Nog even de harde cijfers.* Tijdens de uitbraak zijn ten minste 128 patiënten besmet geraakt met een bacterie met OXA-48. Van deze groep patiënten hadden er 118 de uitbraakstam van de *Klebsiella pneumoniae* OXA-48 bij zich en 10 een andere bacterie met OXA-48. Eind april 2012 waren 36 van die 118 patiënten overleden.[106] Voor zover supervisor Marc Bonten weet had geen van de 8 nieuw bekend geworden overleden patiënten een infectie opgelopen door de *Klebsiella* OXA-48. 'Ze hadden geen van allen klachten en zijn uit de retrospectieve screening gekomen', laat hij weten. In totaal zijn 7.527 patiënten elk drie keer gescreend.

In de hele periode van de uitbraak zijn er in totaal 72.000 patiënten opgenomen in het Maasstad Ziekenhuis. Van die groep werden er 4.722 als donkergrijze, risicopatiënten beschouwd. De patiënten die een bacterie met OXA-48 opgelopen hadden lagen in de uitbraakperiode gemiddeld drie keer in het Maasstad Ziekenhuis en bijna de

---

* Stand april 2012.

helft van hen (44 procent) belandde op de intensive care. Ook op de chirurgische verpleegafdelingen en de afdeling nierziekten lagen veel patiënten met de OXA-48 *Klebsiella*. Twintig patiënten ontwikkelden daadwerkelijk een infectie door de bacterie. Van alle 128 gevonden bacteriënstammen met OXA-48* was een kleine 10 procent geen *Klebsiella pneumoniae*. Vierenvijftig patiënten waren (ook) drager van een *E. coli* met OXA-48. Daarnaast werden nog twaalf andere soorten bacteriën gevonden die allemaal het enzym OXA-48 bij zich hadden.** Patiënten droegen verschillende combinaties van die bacteriën bij zich. Vijftien patiënten hadden zowel een *Klebsiella* als een *E. coli* als nog een derde bacterie met OXA-48 bij zich. De genetische informatie die bacteriën codeert voor de productie van het enzym OXA-48 ligt op zo'n plek in de bacterie dat die gemakkelijk kan worden doorgegeven aan een andere bacterie, ook een bacterie van een andere soort.***

Retrospectief meer doden

Na 18 juli 2011 zijn er geen nieuwe besmettingen meer bij gekomen. Daarom werd half september 2011 officieel het sein gegeven dat de uitbraak onder controle was. Het begin ervan werd gesteld op 1 juli 2009. Weliswaar dateert de oudste bewezen patiënt van september 2010, maar er zijn sterke aanwijzingen dat die patiënt niet de

* Cijfers tot en met april 2012, uit poster gepresenteerd op de ECCMID 2012 in Londen http://registration.akm.ch/einsicht.php?XNABSTRACT_ID=151896&XNSPRACHE_ID=2&XNKONGRESS_ID=161&XNMASKEN_ID=900.

** Zes patiënten met een *Enterobacter cloacae* met OXA-48, zes met een *Klebsiella oxytoca* met OXA-48, vijf met een *Morganella morgannii* met OXA-48, drie met een *Citrobacter freundii* met OXA 48. Daarnaast werden nog negen andere bacteriënsoorten met OXA-48 aangetroffen bij telkens één patiënt of twee patiënten. Negenveertig patiënten waren drager van meer dan één type bacterie met OXA-48.

*** De genetische informatie – bijvoorbeeld over eigenschappen die zorgen voor antibioticaresistentie – ligt op een plasmide, dat is een los stukje, cirkelvormige DNA. Dat maakt het mogelijk om die informatie uit te wisselen met andere bacteriën, ook bacteriën van een andere familie.

eerste was. 'Op basis van de gevoeligheidsgegevens uit de VITEK-machine* is niet uit te sluiten dat er al eerder patiënten drager zijn geweest', schrijft Marc Bonten in een rapport over de uitbraak.[107] 'Derhalve is pragmatisch bepaald dat de uitbraakperiode 1 juli 2009 is gestart.' Bij de VITEK-gegevens zat een groot aantal resistentiepatronen dat sterke overeenkomsten vertoont met de resistentiepatronen die werden aangetroffen bij bacteriën van patiënten met de OXA-48 *Klebsiella*. In totaal ging het om vierentachtig patiënten die de kwalificatie 'donkergrijs'** meekregen. In een presentatie op het voorjaarscongres van de NVMM sprak Marc Bonten daar op 17 april 2012 over.[108] Hij deed dat in plaats van Maasstad-microbioloog Tjaco Ossewaarde die in het programma vermeld stond. 'We hebben niet kunnen bewijzen dat het om identieke stammen ging,' zei Bonten, 'maar vanwege de grote gelijkenis die we zagen hebben we voor veiligheid gekozen en het begin van de uitbraak op 1 juli 2009 bepaald.'

James Cohen Stuart, microbioloog in het UMC Utrecht en lid van het team van Bonten dat de uitbraak in het Maasstad tot stilstand heeft gebracht: 'In 2009 zag je dat resistentiepatroon opkomen als je naar die gevoeligheidsdata uit VITEK keek. Zonder dat we wisten om welk gen het ging, maar je zag het gewoon opkomen. We weten niet of dat allemaal ook de uitbraakstam was, maar het is wel mogelijk dat de introductie daar ergens begonnen is.'

Ondanks verwoede pogingen is het niet gelukt om zekerheid te verschaffen over een mogelijke besmetting met OXA-48 van die vierentachtig patiënten die uit de VITEK-data naar boven kwamen.

---

* Een VITEK is een apparaat waarmee onder meer getest kan worden voor welke antibiotica een bacterie gevoelig is.

** Donkergrijze patiënten zijn patiënten waarbij het risico op besmetting met de OXA-48 *Klebsiella* het hoogst werd ingeschat, naast lichtgrijze waarbij die kans minder was. Witte patiënten zijn geen drager. Zwarte patiënten zijn drager van of geïnfecteerd door de OXA-48 *Klebsiella*.

De reconstructie die Bonten en zijn team hebben gemaakt van de gebeurtenissen in het Maasstad Ziekenhuis gaat terug tot week 31 van het jaar 2008. Vanaf dat moment kreeg het Maasstad Ziekenhuis op de locatie Zuiderziekenhuis te maken met *Klebsiella's* die het enzym ESBL produceerden. Het ging om een ESBL van een genetisch type dat in de hele wereld voorkomt en dat relatief makkelijk tussen verschillende bacteriesoorten uitgewisseld wordt.* De OXA-48 *Klebsiella pneumoniae* die voor de uitbraak zorgde in het Maasstad Ziekenhuis bleek, naast OXA-48, ook een ESBL bij zich te hebben van hetzelfde genetische type als de ESBL's van de *Klebsiella's* die al in 2008 in het ziekenhuis voorkwamen.

Andere multiresistente bacteriën

Janus Noltee was een van de patiënten die in het voorjaar van 2011 in het Maasstad verschillende multiresistente bacteriën opliep.[109] Noltee was door zijn huisarts naar het ziekenhuis gestuurd vanwege aanhoudende vermoeidheidsklachten en een pijnlijke linkerarm. Volgens zijn zoon Arthur en schoondochter Miranda was de toen drieënzeventigjarige Janus Noltee nog in prima conditie. Elke zomer was hij op het strand actief als verhuurder van stoelen en ligbedjes. Noltee kreeg de diagnose longkanker, maar in vroeg stadium en daarom goed behandelbaar. 'Hij werd al snel geopereerd, op 23 maart 2011', vertelt zoon Arthur. 'Dat is heel voorspoedig verlopen. Het viel mee. Zijn long hoefde er niet uit, ze hebben twee longkwabben weggesneden. Toen mijn vader van de uitslaapkamer kwam was hij goed aanspreekbaar en blij ons te zien.' Janus Noltee werd uit voorzorg op de IC opgenomen, maar mocht al de volgende dag naar de verpleegafdeling. Maar toen zijn zoon en schoondochter op bezoek kwamen lag Janus Noltee in isolatie, omdat hij een multiresistente bacterie had opgelopen. Twee dagen later was hij

* Het gaat om het type CTX-M-15. CTX-M-15 is ook een enzym.

nauwelijks meer aanspreekbaar, vertellen ze. 'We zijn toen naar de verpleging gegaan om te zeggen dat het niet goed ging met mijn vader. 'Vanmiddag zat hij nog rechtop', antwoordde de verpleging. Hij lag alleen op een kamertje achter in de gang, zonder enige bewaking. Maar we hoefden ons geen zorgen te maken. Weer een dag later, op 26 maart, belde het ziekenhuis met de mededeling dat Janus Noltee een minutenlange hartstilstand had gehad. Hij was volgens de verpleging gestikt in zijn eten. Na een geslaagde reanimatie was hij in coma weer opgenomen op de IC, opnieuw in isolatie. Er was geen hersenactiviteit meer merkbaar. 'Mijn vader is drie dagen gekoeld, maar hij is niet meer bijgekomen uit zijn coma. Toen hij in coma lag, had hij een longontsteking. Op 12 april werden we bij de dokter geroepen. Die deelde ons mede dat hij om medische redenen de behandeling ging stopzetten. Vijf kwartier later overleed hij.' Arthur Noltee vertelde dat zijn vader op de IC in een isolatiekamer met een sluis lag. 'Wij gingen daar zonder handschoenen, mondkapje of schort naar binnen. Niemand had ons gezegd dat we die aan moesten doen. Een deel van het personeel liep ook in en uit zonder bescherming.' De Noltees begrepen in de zomer van 2011 niet hoe het allemaal zo had kunnen lopen. Hoe het kon gebeuren dat hun (schoon)vader, die met zulke goede vooruitzichten het ziekenhuis in ging, toch is overleden. 'Hoe kan het', vroeg Miranda Noltee zich af, 'dat ze mijn schoonvader hebben opgenomen voor die operatie als ze wisten dat ze zo'n multiresistente bacterie in huis hadden. Waarom hebben ze dat risico genomen? Dat is toch spelen met mensenlevens.' Toen Arthur en Miranda Noltee me dit verhaal vertelden gingen ze ervan uit dat hun vader de OXA-48 *Klebsiella* had opgelopen. Dat bleek later niet het geval te zijn. Op 9 september 2011 hadden ze een gesprek met Marc Bonten. 'Die vertelde dat mijn vader een MRSA bij zich had én een multiresistente *E. coli*. Op mijn vraag of mijn vader was overleden aan die MRSA zei Bonten: "Om met de woorden van professor De Jonge te spreken: het is zeer onwaarschijnlijk dat uw vader is overleden aan die MRSA."'

Expertisecentra nodig

Het was niet eenvoudig om de OXA-48-stammen aan te tonen, vertelt Marc Bonten, die sinds 23 juli 2012 supervisor is van de afdeling medische microbiologie en infectiepreventie van het Maasstad Ziekenhuis. 'De OXA-48 is vrij moeilijk te detecteren, ook al heeft het allemaal veel te lang geduurd in het Maasstad. De helft van de stammen die wij daar ontdekt hebben, zou door elk ander lab gemist zijn. Wij zijn gaan screenen op het OXA-48-gen, omdat het anders niet te doen was. Maar de helft van die stammen had een MIC-waarde die wij normaal nooit detecteren als resistent. Daarom is die uitbraak ook twee keer zo groot als hij met elke andere screeningsmethode zou zijn geweest. Als dat OXA-48-gen bijvoorbeeld in een *E. coli* zit, dan is die *E. coli* gewoon gevoelig, maar komt er dan een ESBL bij, dan kan hij opeens resistent worden voor de standaard gebruikte bèta-lactam-antibiotica en zelfs ook voor carbapenems. De vraag is of je die *E. coli's* met OXA-48 moet gaan opsporen om dat voor te zijn. Het zou heel goed kunnen zijn dat die OXA-48 zich in andere bacteriesoorten dan die *Klebsiella* enorm aan het verspreiden is en zich straks via de *Klebsiella* op verschillende plaatsen tot ons wendt. Dat proberen we nu uit te zoeken. Het lijkt overigens tot nu toe wel mee te vallen. Maar het is dus heel moeilijk om aan te tonen. Als er nieuwe resistentiemechanismen bij blijven komen in het tempo dat we de laatste jaren gezien hebben, dan krijgen we het nog druk de komende jaren. Daarom vind ik dat er in Nederland een aantal expertisecentra moeten komen die op het gebied van resistentieproblematiek op wereldniveau serieuze spelers zijn. Die zich voortdurend van alles op de hoogte houden en waar andere ziekenhuizen en zorginstellingen zich toe kunnen wenden voor advies. Want geloof me, vooral al die kleinere ziekenhuizen kunnen dit echt niet allemaal op eigen kracht buiten de deur houden.'

Blessing in disguise

Ik heb zoals gezegd goede redenen om zo uitvoerig stil te staan bij de OXA-48 *Klebsiella*-uitbraak in het Maasstad Ziekenhuis. Eerst en vooral is het een uitbraak die in Nederland vooralsnog zijn weerga niet kent wat betreft omvang en ernst. De falende aanpak door het Maasstad Ziekenhuis inclusief het lange verzwijgen van de problemen, lijkt ook uniek voor de Nederlandse omstandigheden. Als ooit het belang van goede preventie en bestrijding van infectieziekten aangetoond is, dan wel in het Maasstad Ziekenhuis. Wee het ziekenhuis waar de microbiologen en de adviseurs infectiepreventie falen, zeker als een belangrijk deel van de overige medische staf, het bestuur en de toezichthouders ook collectief een wanprestatie leveren. Veel van mijn gesprekspartners in binnen- en buitenland zien in de casus-Maasstad een overtuigend argument voor het belang van een goed functionerende medische microbiologie en infectiepreventie. Niet iedereen durft het hardop te zeggen, maar daarom is het niet minder waar. 'Dat is precies wat ik ook altijd zeg, het is een blessing in disguise', zegt James Cohen Stuart. 'Maar dat kun je moeilijk zo hardop zeggen vanwege alle pijn en verdriet die de uitbraak heeft veroorzaakt. Onderling zijn we het er allemaal wel zo'n beetje over eens, maar niemand heeft het in de openbaarheid durven zeggen. Als je moet onderhandelen over geld met de Raad van Bestuur omdat ze vinden dat infectiepreventie zo veel kost, is het natuurlijk wel een sterk argument. Dan kun je zeggen, je kunt het goedkoop doen, maar kijk maar wat er dan kan gebeuren. Dat is die blessing in disguise en dat had ook wel in de openbaarheid gezegd mogen worden. Je moet alleen wel heel voorzichtig zijn met hoe je dat formuleert.' Professor Robert Skov is hoofd infectieziektebestrijding van het Statens Serum Institut in Kopenhagen, het Deense RIVM. Ik sprak hem in Kopenhagen tijdens de Europese conferentie Combatting Antimicrobial Resistance op 14 en 15 maart 2012. 'Gebeurtenissen als die in het Maasstad Ziekenhuis hebben, hoe ongelukkig ze ook zijn verder, ook een nuttige kant. Ze maken duidelijk wat het belang van infectieziektebestrijding en van preventie is. Deze uitbraak is uiteindelijk aan het licht gekomen omdat het om een bijzonder resistentiemechanisme ging, maar hoeveel uitbraken herkennen we niet als zodanig omdat we bijvoorbeeld niet kijken naar gewone *E. coli*-infecties?' Andreas Heddini was tot 1 maart 2012 directeur van ReAct, Action on Antibiotic Resistance. Hij heeft ReAct verlaten om medisch adviseur te worden op de afdeling virologie van farmaciegigant GlaxoSmithKline. 'De uitbraak in het Maasstad Ziekenhuis is een blessing in disguise. Zo'n gebeurtenis trekt enorm de aandacht en dat is hard nodig. Het leidt tot allerlei debatten over de betekenis van zo'n uitbraak en de gevolgen ervan. Mensen bellen er ook over. Hoe tragisch het ook is voor de betrokkenen in Rotterdam. We hadden pas geleden bij ReAct een groep collega's uit Ghana op bezoek en die vertelden ons dat ze onlangs een uitbraak van MRSA hadden gehad. Daarbij waren drie jonge kinderen omgekomen. Dat was natuurlijk verschrikkelijk, maar ze zeiden dat het ook hun hielp om de bevolking en de regering ervan te overtuigen dat antibioticaresistentie een zeer serieuze bedreiging voor de volksgezondheid is.'

Edwin Boel is voorzitter van de Nederlandse Vereniging voor Medische Microbiologie. 'Het Maasstad heeft laten zien wat er gebeurt als het systeem niet meer functioneert', zegt hij. 'De negatieve kant ervan is dat er microbiologen voor het hekje moeten verschijnen. De positieve kant is dat hierdoor onder de aandacht is gekomen hoe belangrijk goed functionerende microbiologie is. Het probleem van de medische microbiologie is dat je er niet zo veel van merkt als het goed functioneert. Pas als het misgaat, dan zie je dat. Dan merk je wat het kost in menselijk leed en geld, als het niet goed functioneert. Het is net als de stroomvoorziening. Je denkt er niet over na zolang er stroom is. Pas als er een keer geen stroom is, besef je het belang ervan.'

5. ‘Een dun laagje poep op alles wat je vastpakt’

Op het scherm verschijnt de kaart van het Verenigd Koninkrijk. De ziekenhuizen zijn er aangegeven als zwarte stippen. Een van die stippen is wit omdat er in dat ziekenhuis een uitbraak is van MRSA (meticilline resistente *Staphylococcus aureus*). Het gaat om een ziekenhuis in het oostelijk deel van de Midlands, het gebied rond de steden Leicester, Nottingham en Derby. Vanuit het witte stipje schiet af en toe een lijn naar een zwarte stip in de omgeving. Met de tijd neemt het aantal lijnen en de snelheid waarmee ze in beeld komen toe. Steeds meer zwarte stippen worden wit. Dat betekent dat daar dan tot 10 procent van alle patiënten MRSA bij zich heeft. Binnen twee jaar hebben ziekenhuizen in heel het Verenigd Koninkrijk MRSA in huis. De eerste gele stippen duiken op. Dat betekent dat tussen de 10 en 15 procent van de patiënten in dat ziekenhuis MRSA bij zich heeft. Dan verschijnt er een eerste rode stip. Die staat voor meer dan 15 procent MRSA. De lijnen schieten in steeds hoger tempo over het scherm en de stippen verschieten steeds sneller van kleur. Na een dikke twee jaar heeft de helft van alle Britse ziekenhuizen MRSA binnen de poorten. Na bijna zes jaar zijn er in alle ziekenhuizen patiënten die MRSA bij zich hebben. In tientallen ziekenhuizen, vooral academische, is meer dan 15 procent van de patiënten besmet. Er is geen enkel ziekenhuis meer met minder dat 10 procent MRSA-dragende patiënten.

Het onderzoeksmodel[110] van onderzoekers van het UMC Groningen en het RIVM dat ik hier beschrijf, laat zien hoe MRSA zich zou verspreiden in Engeland als er geen enkele maatregel wordt getroffen. De Nederlandse wetenschappers wilden met hun studie een eerdere studie naar de verspreiding van ziekenhuisinfecties in Nederland verifiëren. MRSA is wat wel wordt genoemd de klassieke ziekenhuisbacterie. Veel mensen dragen de *Staphylococcus aureus* mee in de neus of op de huid zonder dat die daar voor problemen zorgt. Maar als de bacterie in een wondje terechtkomt of wanneer een verzwakte patiënt MRSA oploopt, dan kan de bacterie voor ernstige problemen zorgen. Dat varieert van steenpuisten, huidinfecties en wondinfecties tot longontstekingen, botinfecties en levensbedreigende bloedvergiftigingen.[111] Uit het onderzoeksmodel blijkt dat verspreiding van een resistente bacterie heel snel kan gaan en dat heeft niet alleen te maken met de kwaliteit van de infectiepreventie in ziekenhuizen. Verkeer van patiënten tussen ziekenhuizen blijkt een bepalende factor te zijn voor de verspreiding van resistente bacteriën. De onderzoekers gebruiken gegevens over het verkeer van patiënten tussen ziekenhuizen in één heel jaar voor hun ingenieuze computeranimatie. Aanvankelijk brengen de patiënten de MRSA alleen naar ziekenhuizen in de onmiddellijke omgeving van het ziekenhuis waar de eerste uitbraak plaatsvond, maar al heel snel gaat de verspreiding ervan verder. Academische ziekenhuizen gaan dan een cruciale rol spelen. Zodra de bacterie daar binnenkomt begint een nieuwe fase in de overdracht van de MRSA, omdat academische ziekenhuizen veruit het meest patiënten uitwisselen met andere ziekenhuizen. Academische ziekenhuizen krijgen door andere ziekenhuizen complexe patiënten doorverwezen en ze verwijzen die weer terug zodra dat kan. Wat voor MRSA geldt, gaat ook op voor andere multiresistente bacteriën. En wat voor Engeland geldt, gaat ook op in Nederland. Daar hadden dezelfde onderzoekers eerder al een studie aan gewijd die – zonder gebruikmaking van computeranimaties – tot dezelfde conclusies leidde.[112] Alle Nederlandse ziekenhuizen staan rechtstreeks of indirect in contact met elkaar en academische ziekenhuizen zijn de kernen van het netwerk dat alle ziekenhuizen bindt.

Tot nu toe heb ik het vooral gehad over de MRSA, de resistente bacterie die het meest bekend is bij het grote publiek en de *E. coli's* en *Klebsiella's* met ESBL of OXA-48 die de laatste jaren in opmars zijn. Maar dat is maar een beperkte greep uit alle resistente bacteriën die rondwaren. Door selectie als gevolg van antibioticagebruik en door horizontale en verticale genentransfer komen er telkens nieuwe bij.* Of er duikt in een land een bacterie op die daar tot dan toe nauwelijks voorkwam. VRE bijvoorbeeld. Vancomycine resistente enterokokken zijn een relatief onschuldige soort resistente bacteriën. Enterokokken horen bij de normale darmflora van mensen en zijn makkelijk overdraagbaar. VRE is voor gezonde mensen niet gevaarlijk, maar kan dat wel zijn voor mensen met een verminderde weerstand zoals patiënten op de intensive care. VRE zijn resistent tegen de eerste keus antibiotica om enterokokkeninfecties te behandelen en dat maakt het lastig om die infecties goed te behandelen. In ziekenhuizen zijn veel ernstig zieke mensen en mensen met een verzwakt afweersysteem, bijvoorbeeld omdat ze chemotherapie ondergaan. VRE zijn niet zo ziekmakend als een aantal andere bacteriën, maar ze kunnen heel goed langdurig overleven in een ziekenhuisomgeving. Daardoor is het buitengewoon lastig om ze uit een ziekenhuis weg te krijgen als ze daar eenmaal zijn. VRE-uitbraken zijn om die reden voor ziekenhuizen vaak veel ingrijpender dan uitbraken van bacteriën die ziekmakender zijn. De financiële, en ook de menselijke, gevolgen van een VRE-uitbraak kunnen groot zijn. Verderop in dit hoofdstuk kom ik daar uitgebreid op terug.

De eerste uitbraken

De eerste VRE-uitbraak in Nederland was in 1999 op de afdeling hematologie** van het VU medisch centrum.[113] Voor die tijd kwam VRE in Nederland bij mensen sporadisch voor.[114] De uitbraak in het VUmc kwam aan het licht toen drie patiënten een bloedbaanin-

---

* Zie voor de uitleg van horizontale en verticale genentransfer hoofdstuk 2.

** De hematologie houdt zich bezig met ziekten of afwijkingen van bloed, beenmerg, milt of lymfklieren.

fectie kregen veroorzaakt door VRE. Na een surveillanceonderzoek bleken nog drieëntwintig andere patiënten drager te zijn van de bacterie. Twee van hen kregen ook een bloedbaaninfectie. Bij een van de patiënten werd de infectie pas na zijn overlijden ontdekt. De overige patiënten met bloedbaaninfectie zijn succesvol behandeld. Het VUmc trof stringente maatregelen, waardoor de afdeling hematologie op haar kop gezet werd. Besmette patiënten werden in strikte isolatie verpleegd in eenpersoonskamers of in cohortverpleging* op zaal. Bovendien kregen ze allemaal een eigen chemisch toilet. De overige patiënten werden gescreend en er werden omgevingskweken gedaan. Ten slotte werden de sanitaire ruimten, de spoelruimten en de patiëntenkamers dagelijks gedesinfecteerd en werd er veel aandacht besteed aan handhygiëne van de medewerkers. Mede omdat de afdeling hematologie van zichzelf al een enigszins geïsoleerde afdeling is en het om een beperkte groep patiënten ging, lukte het om de uitbraak in enkele maanden volledig onder controle te krijgen. 'Daarna hebben we die bewuste bacteriestam nooit meer teruggezien', zegt Christina Vandenbroucke-Grauls, hoofd van de afdeling medische microbiologie in het VUmc. 'Maar je moet wel heel streng zijn om VRE in toom te houden.' Daar komt bij dat negatieve kweken niet altijd betrouwbaar zijn. 'Wij hebben destijds in 1999 een patiënt ontslagen bij wie de controlekweek negatief was, maar toen die patiënt twee weken later terugkwam in het ziekenhuis had hij VRE bij zich. En later bleken drie van zijn kamergenoten uit de eerste opnameperiode ook allemaal drager van VRE te zijn. Een negatieve kweek is dus geen garantie.'

Een jaar na de uitbraak in het VUmc kregen het UMC Utrecht en het toenmalige ziekenhuis Eemland in Amersfoort te maken met VRE. De Utrechtse uitbraak was tot 2012 de grootste VRE-uitbraak in Nederland. In totaal werden vierentachtig patiënten opgespoord

---

* Bij cohortverpleging wordt een groep patiënten als groep geïsoleerd verpleegd.

die VRE bij zich hadden. Veertien van hen liepen een infectie op en dat waren allemaal patiënten van de afdeling hematologie. Geen van de infecties had een ernstig beloop. Het UMC ontdekte de VRE-besmettingen nadat het toenmalige ziekenhuis Eemland in Amersfoort had gemeld dat bij twee patiënten van het Eemland die eerder in het UMC Utrecht hadden gelegen, een VRE-besmetting was geconstateerd.[115] Daarop startte het UMC Utrecht een onderzoek naar de aanwezigheid en de verspreiding van VRE binnen het ziekenhuis. Ten minste zesentwintig van de UMC-patiënten die VRE bij zich hadden, waren besmet met hetzelfde genetische type VRE als in het Ziekenhuis Eemland was gevonden. Nog twee andere typen kwamen voor bij meer dan één patiënt, terwijl er ook VRE-typen werden gevonden die maar één patiënt besmet hadden. Feitelijk had het UMC Utrecht destijds gelijktijdig met drie verschillende uitbraken van VRE te maken. Het Amersfoortse ziekenhuis ontdekte begin maart 2000 VRE bij een patiënte op de afdeling interne geneeskunde/nefrologie*. Half maart volgde een tweede patiënte op dezelfde afdeling. Eind maart werd bij nog een derde patiënte VRE in de urine aangetroffen. Screening van alle patiënten op de afdeling interne geneeskunde/nefrologie leverde nog eens elf besmette patiënten op. Verder bleken ook vier dialysepatiënten drager van VRE, zodat het totaal aantal besmette patiënten op achttien kwam, onder wie de twee patiënten die kort tevoren ook in het UMC Utrecht opgenomen geweest waren.

Zweedse uitbraak

In Zweden deed zich een aantal jaren later een nog grotere en even plotselinge serie VRE-uitbraken voor.[116] Die duurde van juli 2007 tot maart 2009. In die twintig maanden werden er 760 gevallen van VRE-besmetting gemeld aan de Zweedse gezondheidsautoriteiten.

---

* Nefrologie is onderdeel van de interne geneeskunde en houdt zich bezig met nieraandoeningen.

In de zeven jaar daarvoor, van 2000 tot en met 2006, kwamen er 194 meldingen van VRE binnen. Er is in Zweden een meldingsplicht voor VRE. De uitbraken begonnen in een aantal ziekenhuizen in de provincie Stockholm. Vervolgens dook de VRE op in de provincies Halland (in het uiterste zuidwesten) en Västmannland (ten noordwesten van Stockholm) en behalve in ziekenhuizen ook in verzorgingshuizen en verpleeghuizen. Uit tien andere provincies kwamen incidentele meldingen van VRE. In vrijwel alle gevallen werd de VRE in Zweden opgelopen en de overgrote meerderheid van de besmettingen vond binnen de zorginstellingen plaats. De drie gebieden zijn geografisch van elkaar gescheiden, maar het ging in de meeste gevallen om genetisch nauw verwante VRE-stammen. Onderzoekers hebben vooralsnog niet kunnen vaststellen hoe de verspreiding van de VRE in zijn werk is gegaan. Mogelijk hebben patiënten die besmet waren met VRE maar van wie dat niet bekend was, de bacterie van de ene provincie naar de andere gebracht. Er zijn geen grote veranderingen geweest in het Zweedse beleid voor infectiepreventie of andere factoren die de plotselinge toename van het aantal VRE-gevallen zouden kunnen verklaren. Mogelijk heeft een rol gespeeld dat in de jaren 2005, 2006 en 2007 het antibioticumgebruik telkens toenam met 3 procent. Maar die stijging werd in 2008 en 2009 met een daling van 2 respectievelijk 6 procent alweer ongedaan gemaakt.[117] De Zweden gingen over tot rigoureuze screening van patiënten, contactonderzoek, hygiënemaatregelen en, vooral, het strikt naleven van de richtlijnen voor infectiepreventie en het verhogen van het bewustzijn over hygiëne bij patiënten en bezoekers. Dat leidde tot indamming van de VRE-uitbraken, maar ook daarna bleven zich nog nieuwe besmettingen voordoen. Van de 760 VRE-besmettingen liepen er vijftien uit op een bloedbaaninfectie.

In Nederland duurde het na de uitbraak in het UMC Utrecht en het toenmalige Eemland Ziekenhuis in Amersfoort tien jaar voor er weer een VRE-uitbraak bekend werd. Het UMC Groningen kampte met een uitbraak die in verschillende golven aanhield van de zomer van 2010 tot in mei 2011. In totaal raakten 139 patiënten besmet met VRE. Twee van hen ontwikkelden een ernstige bloedbaaninfectie. In ongeveer een op de vijf van die VRE-gevallen ging het volgens professor Alexander Friedrich, hoofd van de afdeling medische microbiologie van het UMCG, om een bacteriestam die met de standaardmethoden voor diagnostiek niet ontdekt kon worden. Logisch gevolg daarvan is dat een deel van de Nederlandse laboratoria de bacteriën bij onderzoek ook zou missen. In de noordelijke Euregio Eems Dollard* loopt nu een gezamenlijk onderzoek van alle algemene ziekenhuizen in de regio en de drie academische ziekenhuizen in Groningen en in Münster en Oldenburg in Duitsland. De ziekenhuizen zoeken naar mensen die bijzonder resistente micro-organismen (BRMO) in hun darmen dragen en met name deze specifieke variant van de VRE. De studie moet gegevens opleveren over waar deze VRE-stam vandaan komt, hoe gevaarlijk hij is en hoe vaak hij voorkomt.

Kort na de bedwinging van de uitbraak in het UMC Groningen werden het Martini Ziekenhuis in Groningen en de Isala Klinieken in Zwolle in de zomer van 2011 getroffen door een uitbraak van VRE. In het voorjaar en de zomer van 2012 kreeg een reeks Nederlandse ziekenhuizen te maken met een uitbraak van VRE. Daarbij liepen enkele honderden patiënten een VRE-besmetting op. Een beperkt aantal patiënten kreeg ook een infectie. Dragers van VRE kunnen die maanden en soms zelfs jaren bij zich houden. Het ging om het Medisch Centrum Zuiderzee in Lelystad, het Slingeland Ziekenhuis in Doetinchem, de locaties Oudenrijn en Nieuwegein van het St. Antonius Ziekenhuis, het Canisius Wilhelmina Ziekenhuis in Nijmegen en het Maasstad Ziekenhuis in Rotterdam. Begin

* De Euregio Eems Dollard omvat de Nederlandse provincies Groningen, Friesland, Drenthe en Overijssel en het noordwestelijke deel van de Duitse deelstaten Nedersaksen en Noordrijn-Westfalen.

oktober 2012 was het aantal ziekenhuizen met een VRE-uitbraak opgelopen tot veertien. In nog eens vier ziekenhuizen waren ook VRE aangetroffen, maar het is onduidelijk of er in die gevallen ook sprake was van een uitbraak. In het UMC Utrecht was bijvoorbeeld bij één patiënt een VRE aangetroffen. Rob Willems, VRE-specialist in het UMC Utrecht, kreeg uit achttien ziekenhuizen 169 VRE toegestuurd van zestien verschillende klonen. Tien klonen kwamen in verschillende ziekenhuizen voor.*

Omdat er in korte tijd zo ongewoon veel ziekenhuizen te maken kregen met een uitbraak van VRE, werd er door het RIVM op 6 juni 2012 een deskundigenberaad bijeengeroepen.[118] Aan die bijeenkomst namen behalve specialisten van het RIVM en andere deskundigen ook vertegenwoordigers van alle betrokken ziekenhuizen deel. Tijdens het beraad werd afgesproken om de bacteriestammen met dezelfde technieken te gaan typeren, zodat de resultaten en de gegevens van de verschillende ziekenhuizen met elkaar vergeleken kunnen worden en er een eenduidig beeld gevormd kan worden van VRE in Nederland. Een werkgroep onder leiding van het Centrum voor Infectieziektebestrijding (CIb) moest bepalen welke methodiek het meest geschikt was om VRE te typeren. Het CIb zou ook binnen enkele maanden voor een database over VRE zorgen. Bij de serie VRE-uitbraken in 2011 en vooral 2012 bleek het in enkele gevallen om aan elkaar gerelateerde uitbraken te gaan maar in andere juist om verschillende stammen van de VRE-bacterie. Ziekenhuizen werden opgeroepen om 'actief en laagdrempelig uitbraken van VRE te melden via het meldpunt ziekenhuisinfecties en antimicrobiële resistentie dat recentelijk** is opgezet door het RIVM en de Nederlandse Vereniging voor Medische Microbiologie.' Bovendien vindt

---

* Rob Willems presenteerde de hier geciteerde cijfers op het symposium VRE Wat moet je ermee?, dat op 4 oktober 2012 plaatsvond in Nijmegen.

** Dat meldpunt is er gekomen in de nasleep van de *Klebsiella*-uitbraak in het Maasstad Ziekenhuis.

het deskundigenberaad het wenselijk dat ziekenhuizen uitbraken melden bij de plaatselijke GGD zodat die zo nodig voorlichting kan geven aan het publiek, maar ook aan andere zorginstellingen en bijvoorbeeld huisartsen.

Grote gevolgen

De VRE-uitbraken hebben voor de ziekenhuizen ingrijpende gevolgen. Het Maasstad Ziekenhuis vond de bacterie bij twee patiënten, die meteen geïsoleerd zijn. In de zomer van 2012 zijn vervolgens ruim 450 oud-patiënten opgeroepen voor onderzoek, van wie er 33 besmet waren. In het Medisch Centrum Zuiderzee in Lelystad zijn sinds half april 2012 11 patiënten besmet geraakt met VRE. In het Slingeland Ziekenhuis in Doetinchem was de uitbraak veel groter. Het aantal bevestigde VRE-besmettingen liep tussen februari en eind juni 2012 op tot 63. Tien van de patiënten met VRE zijn overleden, maar geen van allen aan de VRE-infectie. De patiënten lagen op vijf afdelingen van het ziekenhuis en een afdeling van een verpleeghuis in de regio. Bij ongeveer vierduizend patiënten die sinds 1 november 2011 in het ziekenhuis hebben gelegen werd een contactonderzoek uitgevoerd om te zien of ook zij besmet zijn geraakt. Vier verpleegafdelingen zijn voor desinfectie gesloten, twee andere afdelingen zijn gereserveerd voor patiënten met VRE of een verdenking daarop. Het ziekenhuis heeft wekenlang minder operaties uitgevoerd en er gold een opnamestop voor interne geneeskunde, chirurgie en de intensive care. In het St. Antonius Ziekenhuis is de VRE-uitbraak eind april 2011 begonnen op de locatie Oudenrijn in Utrecht. Kort daarna is ook de locatie Nieuwegein besmet geraakt. Half november 2012 was de uitbraak onder controle. Het aantal patiënten met VRE was toen opgelopen tot 140. Op beide locaties zijn in totaal vier verpleegafdelingen voor enige tijd gesloten geweest. Zowel op de locatie Oudenrijn in Utrecht als in Nieuwegein zijn operaties uitgesteld en patiënten in isolatie verpleegd. Ruim drieduizend patiënten zijn teruggeroepen om onderzocht te worden op

VRE. Ongeveer tweeduizend daarvan zijn daadwerkelijk gekomen en na vijf keer testen schoon verklaard. Alle patiënten die langer dan vier dagen in het ziekenhuis verbleven werden ook half november 2012 nog steeds wekelijks gescreend. In totaal waren toen al 17.000 VRE-tests uitgevoerd. Het St. Antonius Ziekenhuis liet een commissie onder leiding van professor P. Speelman, internist-infectioloog in het AMC in Amsterdam, twaalf overlijdensgevallen onderzoeken van patiënten die drager waren van de VRE. Bij elf van de twaalf patiënten was er geen causaal verband tussen hun overlijden en de VRE-besmetting, bij één mogelijk wel.[119] Het Canisius Wilhelmina Ziekenhuis in Nijmegen kreeg half mei 2012 te maken met een VRE. Begin november 2012 waren er rond de 180 patiënten gevonden die de bacterie hadden opgelopen op vier verschillende afdelingen in het ziekenhuis. Sommige patiënten bleken de bacterie al bij hun opname in het Canisius Wilhelmina Ziekenhuis bij zich te dragen. In totaal zijn ongeveer drieduizend (oud-)patiënten getest op VRE-dragerschap. De kosten van alleen al de vele duizenden PCR-testen* die zijn uitgevoerd beliepen meer dan 100.000 euro. 'Patiënten die drager zijn van de bacterie blijven dat heel lang', zegt professor Andreas Voss, arts-microbioloog in het ziekenhuis. 'Zelfs als we patiënten vijf keer negatief testen lijkt dat nog geen garantie dat ze de bacterie echt kwijt zijn.' Ook het OLVG in Amsterdam en het Gelre Ziekenhuis in Apeldoorn kampten met een kleine VRE-uitbraak met respectievelijk acht en zes besmette patiënten.

De paradox van VRE

Professor Marc Bonten kreeg in 2000, kort na zijn aantreden op de afdeling medische microbiologie en infectiepreventie van het UMC Utrecht te maken met een grote uitbraak van VRE. Hij geldt sinds-

---

* PCR staat voor Polymerase Chain Reaction. Met de polymerase kettingreactie kan uit zeer kleine hoeveelheden DNA voldoende materiaal gewonnen worden om een analyse ervan mogelijk te maken.

dien als een van de grootste deskundigen op het gebied van VRE. 'Het is raar dat we nu opeens zo veel gelijktijdige uitbraken zien van VRE. Met name in de Verenigde Staten heb je een hoge prevalentie* van VRE in ziekenhuizen. In Europa zie je die VRE eigenlijk nauwelijks, terwijl er tien tot vijftien jaar geleden bij dieren wel een heel groot reservoir van was. Bij de dieren zijn ze verdwenen. Eigenlijk is het een soort paradox. VRE werden al snel in verband gebracht met avoparcine, dat is een antibioticum dat aan dieren wordt gegeven. Dat lijkt zo veel op vancomycine dat je daarmee selecteert op vancomycine resistente enterokokken bij die dieren. Dat gaat naar mensen, die komen in ziekenhuizen, het komt op de intensive care terecht en je hebt problemen. Maar die redenering ging op een aantal punten mank. In de VS was er geen VRE bij de dieren en ook niet bij gezonde mensen, maar wel heel veel in de ziekenhuizen. In Europa was het precies andersom. De stallen zaten vol met VRE. Je kon het zelfs bij gezonde mensen aantonen, maar in de ziekenhuizen zagen we niks. Dat is de VRE-paradox. Binnen mijn afdeling zijn we daar al vijftien jaar mee bezig.' Antibiotica zijn in de intensieve veeteelt langdurig gebruikt als groeibevorderaars. Tot 1997 werd in Nederland jaarlijks ongeveer 80.000 kilo avoparcine gebruikt om het vee lekker te laten groeien. In 1996 en 1998 werd er van het verwante vancomycine in de ziekenhuizen in Nederland respectievelijk 1500 en 1.260 kilo gebruikt. In alle landen waar avoparcine als groeibevorderaar werd gebruikt zaten dieren vol met VRE. Die VRE zaten op het vlees van die dieren dat in de handel kwam en ze werden ook aangetroffen in de darmen van gezonde mensen. In landen waar avoparcine niet werd gebruikt in de intensieve veeteelt, zoals Zweden, waar groeibevorderaars sinds 1986 verboden zijn, werden er tot de uitbraak van 2007 geen VRE

* De prevalentie van een aandoening of van dragerschap van een bacterie is het aantal gevallen per duizend of per honderdduizend in de bevolking op een bepaald moment.

gevonden in dieren, vlees of gezonde mensen.[120] Al in september 1998 heeft de Gezondheidsraad (GR) een advies gepubliceerd waarin de vraag centraal stond of de mens last zou kunnen krijgen van antibioticaresistente bacteriën uit de veeteelt.[121] Daarin verwees de GR onder meer naar een rapport van het Wetenschappelijk Comité voor Diervoeding van de Europese Commissie uit juli 1996 over avoparcine. 'Avoparcine is verwant aan vancomycine,' schrijft de GR, 'het enige thans nog beschikbare antibioticum dat effectief is bij de behandeling van patiënten met infecties van meticilline resistente *Staphylococcus aureus* (MRSA). Resistentie tegen vancomycine doet zich al voor bij een andere verwekker van ziekenhuisinfecties: *Enterococcus spp.** Hoewel het comité meende dat er geen sluitend wetenschappelijk bewijs is voor de vorming van resistentie van voor de mens pathogene bacteriën als gevolg van het gebruik van avoparcine als groeibevorderaar bij landbouwhuisdieren, achtte het de aanwijzingen in die richting ook niet voldoende weerlegd. Mede op grond van deze conclusie heeft de Europese Commissie het gebruik van avoparcine als groeibevorderaar in de EU tot 1999 verboden.' Dat leidde in verschillende landen onmiddellijk tot een fikse daling van het vóórkomen van VRE. In Denemarken daalde de aanwezigheid van VRE in kip van meer dan 80 procent in 1995 naar minder 5 procent in 1998. Bij varkens, met afstand de belangrijkste veesector in Denemarken, veranderde er gek genoeg niets. Twintig procent van de dieren hield VRE. In Duitsland daalde het aantal met VRE besmette kippen van 100 naar 25 procent door het verbod. Bij gezonde mensen daalde het aantal VRE-dragers van 12 naar 3 procent. In Italië werd het aantal kippen met VRE gehalveerd

---

* *Enterococcus* is de naam van een bacteriefamilie met verschillende soorten (species), bijvoorbeeld *Enterococcus faecalis* of *Enterococcus faecium. Enterococcus spp.* is de aanduiding voor de hele familie, zonder te specificeren welke species wordt bedoeld. De dubbele p betekent meervoud. Enterococcus sp., met één p, betekent dat het om een *Enterococcus* gaat, maar dat niet duidelijk is om welke soort.

van 15 naar 8 procent door het verbod op groeibevorderaars. Ook in Nederland daalde het vóórkomen van VRE zowel bij gezonde mensen, kippen als varkens met minstens de helft door het verbod op avoparcine als groeibevorderaar.[122]

Later is dat verbod definitief geworden. De Gezondheidsraad komt tot een vergelijkbare conclusie als de Europese Commissie: 'De commissie concludeert dat het verschijnsel van bacteriële resistentie tegen antibiotica een niet te veronachtzamen risico betekent voor de volksgezondheid dat om spoedig te nemen maatregelen vraagt. Hoewel de kennis over de bijdrage van het AMGB-gebruik* aan de ernst van het probleem nog niet volledig is, meent zij dat met betrekking tot dit gebruik concrete maatregelen gerechtvaardigd en noodzakelijk zijn.' De GR-commissie adviseerde om tot een verbod te komen van het gebruik van antibiotica als groeibevorderaars in de dierhouderij, te beginnen met die antibiotica – of daaraan nauw verwante middelen – die in de humane geneeskunde gebruikt worden om infecties te bestrijden. Uiteindelijk is er op 1 januari 2006 een Europees verbod gekomen op het gebruik van antibiotica – of eigenlijk antimicrobiële middelen – als groeibevorderaars. Dat leidde tot een scherpe daling van het gebruik van antibiotica als groeibevorderaar. Maar het ging hand in hand met een even spectaculaire stijging van het therapeutische gebruik van antibiotica. Dieren kregen massaal preventief antibiotica toegediend.

Nauwelijks weg te krijgen

Volgens Marc Bonten heeft het er alle schijn van dat de enterokokkenkloon** waarvan nu verschillende stammen opduiken, zich voor het eerst gemanifesteerd heeft in de VS. 'Daarna is die stam langzamerhand ook in Europa vaker opgedoken, maar niet als VRE.

---

* AMGB staat voor antimicrobiële groeibevorderaars.

** Alle nakomelingen van één bacterie worden een kloon genoemd. Een klonale groep bestaat uit bacteriestammen die genetisch nauw verwant zijn.

In Amerika is het gen dat resistentie voor vancomycine veroorzaakt er kennelijk eerder in terechtgekomen. Misschien komt dat door de hoge antibioticadruk*, maar die is in onze ziekenhuizen ook hoog, dus dat weten we eigenlijk niet precies. Alle ziekenhuizen in Nederland zitten nu vol met deze vervelende kloon van *Enterococcus faecium*. Die klonale groep heeft bewezen dat hij zich heel goed kan handhaven in ziekenhuizen. Die overleeft echt beter in het ziekenhuis dan de huis-tuin-en-keukenvariant die we allemaal in onze darm hebben. Maar hij is nog gevoelig voor vancomycine. We herkennen hem doordat hij resistent is voor ampicilline.** Vroeger hadden we twee middelen om enterokokkeninfecties te bestrijden, ampicilline en vancomycine. Later zijn daar nog linezolid en daptomycine bij gekomen. Die middelen bestonden nog niet begin jaren negentig ten tijde van de eerste uitbraken in de Amerikaanse ziekenhuizen. Toen was vancomycine echt het laatste middel dat beschikbaar was en dat verklaart dat er enorm veel aandacht voor die VRE was. In Nederland is de situatie nu dat in alle ziekenhuizen enterokokken voorkomen die resistent zijn voor ampicilline. Dus moeten we vancomycine geven en krijg je daar nu resistentie tegen. Vervolgens kunnen de VRE-stammen die je dan krijgt zich gaan verspreiden.' Die verspreiding van enterokokken

---

* De antibioticadruk is de hoeveelheid antibiotica die worden gebruikt. Hoe hoger het gebruik hoe sterker de selectie op bacteriën die de juiste resistentiegenen bij zich hebben om zich te beschermen tegen de gebruikte antibiotica. Naarmate het gebruik lager is, neemt dit effect in kracht af.

** Onderzoekers van het UMC Utrecht publiceerden in juni 2012 in het tijdschrift *PLOS Genetics* hoe *Enterococcus faecium* resistent wordt voor ampicilline en andere penicillines. Ze vonden vijf genen die daarbij een rol spelen en die allemaal betrokken zijn bij de vorming van de celwand van de bacterie. Tot dan was maar één gen bekend dat daarbij een rol speelt. Ampicilline remt de bouw van de celwand maar *Enterecocccus faecium* kan die dankzij de vijf resistentiegenen zo veranderen dat ampicilline onwerkzaam wordt. De nieuw ontdekte resistentiegenen kunnen belangrijk zijn bij de ontwikkeling van nieuwe antibiotica tegen de multiresistente *Enterococcus faecium* http://www.plosgenetics.org/article/info%3Adoi%2F10.1371%2Fjournal.pgen.1002804.

die ongevoelig zijn geworden voor vancomycine leek in 2011 en 2012 te gebeuren. Eerst in Noord-Nederland en halverwege 2012 vooral in het midden en oosten van het land. Maar in welke mate en op welke manier die uitbraken onderling verbonden zijn was in het najaar van 2012 nog onduidelijk. Bij de uitbraken in een aantal van de getroffen ziekenhuizen ging het om identieke stammen, maar hoe de verspreiding daarvan in zijn werk is gegaan, was nog niet bekend. Bonten: 'Het kan dat er bijvoorbeeld een patiënt uit het ene ziekenhuis met VRE in het andere ziekenhuis met VRE is geweest en daar de besmetting naartoe heeft gebracht. Maar het kan ook dat in een derde ziekenhuis een patiënt uit een besmet ziekenhuis heeft gelegen naast iemand die later in een ziekenhuis is opgenomen dat daardoor ook de bacterie in huis heeft gekregen. En er zijn ook uitbraken bij met verschillende stammen die niets met elkaar te maken hebben, maar zich toevallig min of meer gelijktijdig voordoen. Al die onderliggende gegevens van bijvoorbeeld de patiëntbewegingen tussen de betrokken ziekenhuizen moeten nog geanalyseerd worden.'

Enterokokken behoren zoals gezegd niet tot de bijzonder ziekmakende bacteriën en dat geldt ook voor de klonale groep van VRE waarmee veel Nederlandse ziekenhuizen in 2011 en 2012 te kampen hadden. Een patiënt moet al heel erg ziek zijn wil de bacterie gevaarlijk kunnen worden. Maar naarmate VRE meer voorkomen in ziekenhuizen stijgt uiteraard de kans dat ernstig zieke patiënten erdoor geïnfecteerd raken. VRE kan wel een paar jaar overleven op de vensterbank in een ziekenhuiskamer. 'Ze zitten overal,' zegt Bonten, 'je krijgt ze niet dood. Waar je ook kijkt rondom een patiënt, ze zijn er. Op de wc-bril, op de afstandsbediening van de tv, op kastjes, overal. Mijn Amerikaanse mentor sprak van de *fecal veneer*, een grafeen*-dun laagje poep dat op alles zit wat je vastpakt. Daarom is

* Grafeen is een vlak van koolstofatomen dat één atoom dik is.

het extreem moeilijk om een VRE-uitbraak onder controle te krijgen. Veel moeilijker dan een uitbraak van MRSA of van OXA-48.'

Financiële en menselijke kosten

De praktische gevolgen van een VRE-uitbraak vertonen een tweede paradox. De strikt medische gevolgen van een VRE-uitbraak zijn doorgaans beperkt. Maar weinig patiënten lopen ernstige infecties door enterokokken op. Maar wat betreft de praktische gevolgen voor het ziekenhuis van een VRE-uitbraak en de kosten daarvan is het een heel ander verhaal. De uitbraak van VRE die in 2010 en 2011 het UMC Groningen trof leidde zoals gezegd tot de besmetting van 139 patiënten van wie er twee een ernstige infectie in de bloedbaan kregen. 'We hebben', vertelt hoofd microbiologie en infectiepreventie Alexander Friedrich, '140.000 euro extra uitgegeven aan diagnostische testen. Ons desinfectiebeleid is aangepast. We hebben extra kosten gemaakt voor de facilitaire dienst, omdat ze twee uur langer nodig hebben om een kamer te desinfecteren. Dat kost 30.000 euro per jaar. In plaats van vancomycine geven we bij verdenking van een infectie met *Enterococcus faecium* eerder het antibioticum teicoplanine. Maar daar komt altijd een persoonlijk consult door de arts-microbioloog aan te pas. Vancomycine kost voor één patiënt 6 euro per dag, teicoplanine 70 euro. We hebben opnamestoppen ingesteld, bedden vrij moeten houden, operaties uitgesteld. Dat betekent allemaal derving van inkomsten en dat heeft ons naar schatting 440.000 euro gekost. De totale kosten van die uitbraak hebben we becijferd op 700.000 euro.' Het infectiepreventiebeleid schrijft isolatie van patiënten voor en contactonderzoek. Bij contactonderzoek worden alle patiënten die kamergenoot zijn geweest van een patiënt met een multiresistente bacterie en alle patiënten die sinds de afname van de eerste positief geteste kweek op dezelfde kamer hebben gelegen, onderzocht op de aanwezigheid van dezelfde bacterie. In sommige gevallen kan het contactonderzoek zich tot nog meer patiënten uitbreiden. De richtlijn van de

Werkgroep Infectiepreventie (WIP) *Maatregelen tegen overdracht van bijzonder resistente micro-organismen* (BRMO)[123] schrijft voor dat een patiënt met VRE altijd geïsoleerd moet worden op een eenpersoonskamer. 'Contactisolatie kan bij uitzondering op zaal plaatsvinden', schrijft de WIP over de aanpak van multiresistente bacteriën. 'Deze uitzondering geldt echter niet als het VRE betreft. In dat geval moet altijd een eenpersoonskamer gebruikt worden.'

Behalve de isolatie van besmette patiënten en het contactonderzoek zijn altijd extra hygiënemaatregelen nodig en soms het desinfecteren van hele afdelingen. Bonten: 'En dan is altijd weer de vraag: is dat vol te houden, zijn die kosten op te brengen en, vooral, staan ze in verhouding tot de opbrengsten.' De extra kosten voor infectiepreventie in de eerste vier maanden van de uitbraak die in 2000 het UMC Utrecht trof, werden door het ziekenhuis op 80.000 euro geschat. Die kosten maar ook de ongemakken die gepaard gaan met maatregelen om een bacteriële uitbraak in te dammen, leiden tot gemor. 'De ingestelde maatregelen, zoals een tijdelijke opnamestop op de afdeling neurochirurgie, waardoor electieve* operaties uitgesteld moesten worden, hadden directe gevolgen voor de patiëntenzorg. De vraag of bestrijding van deze relatief onschuldige bacterie dergelijke maatregelen rechtvaardigt, is meerdere malen gesteld. Dragerschap van VRE kan niet geëlimineerd worden. Patiënten kunnen langdurig drager zijn, zelfs met enige tussenpozen waarin de aantallen VRE in de darm zo laag worden dat deze niet meer aan te tonen zijn.'[124] Toen het artikel waaruit ik hier citeer begin mei 2004 verscheen werden er nog twee patiënten regelmatig in het UMC Utrecht opgenomen die drager waren van een van de uitbraakstammen uit 2000. Elke keer werden die patiënten in strikte isolatie opgenomen en verpleegd. 'Is VRE ziekmakend genoeg om zulke inspanningen te doen', vroeg Christina Vandenbroucke-

* Electieve zorg is zorg zonder spoedeisend karakter die dus goed ingepland kan worden.

Grauls zich af tijdens het symposium VRE *wat moet je ermee?*, begin oktober 2012 in Nijmegen. 'Zijn de kosten en baten van het beleid nog wel met elkaar in evenwicht?'

Onwrikbare protocollen

'Het Nederlandse infectieziektenbeleid wordt in de hele wereld geroemd omdat het zo goed is,' zegt Marc Bonten, 'maar we hebben weinig oog voor de kosten. En dan bedoel ik de financiële en de menselijke kosten. Die moet je altijd afwegen tegen de baten. Ik weet dat er op grond van de richtlijnen voor de preventie en bestrijding van infectieziekten mensen geweigerd worden in Nederlandse ziekenhuizen die medisch gezien absoluut opgenomen zouden moeten worden. En dat het in sommige gevallen ook misgaat met die mensen. Ik heb dat zelf ook meegemaakt. Tijdens onze grote VRE-uitbraak in 2000 zelfs twee keer. We hadden een patiënt met VRE op de afdeling gastro-enterologie*/nefrologie. Die werd niet meer beter en moest dus eigenlijk naar een verpleeghuis, maar het eerste verpleeghuis dat we benaderden weigerde haar op te nemen en waarschuwde alle andere verpleeghuizen in de regio. Dat verpleeghuis zei dat zijn personeel te onervaren was in het omgaan met infecties en ze waren bang voor verspreiding. Die vrouw heeft maanden alleen in een kamertje gelegen, is psychotisch geworden en overleden.' Infectieziektenpreventie en -bestrijding in verpleeghuizen zijn nog niet goed geregeld. 'Voor verpleeghuizen bestaat er geen nationaal beleid', zegt Jan Kluytmans. 'Verder moet je beleidsregels onderscheiden van hun toepassing. Het beleid zegt dat isolatiemaatregelen de medische zorg niet mogen aantasten.'

In dezelfde tijd kreeg Bonten nog een keer met hetzelfde probleem te maken. Nu ging het om een neurochirurgische patiënt die met spoed was overgebracht naar het UMC Utrecht voor een opera-

---

* Gastro-enterologie houdt zich bezig met aandoeningen van de maag en darmen, nefrologie met nierziekten.

tie, omdat er in Amsterdam geen plaats voor hem was. In Utrecht raakte de man besmet met VRE. En ook hij kon, toen zijn medische toestand dat toeliet en wenselijk maakte, niet terug naar een algemeen ziekenhuis in zijn eigen regio, in de buurt van zijn familie. De argumenten leken op die van het verpleeghuis waar het hierboven over ging: angst om een nieuw probleem binnen te halen, gebrek aan voldoende adviseurs infectiepreventie en ook de angst dat het een langdurige opname zou worden. Het gevolg was dat de patiënt over wie het hier gaat maandenlang in Utrecht verpleegd is, op meer dan 100 kilometer van zijn eigen woonplaats. Bovendien hield de patiënt onnodig een bed bezet in een academisch ziekenhuis waar ingewikkelde patiënten naar doorverwezen worden uit andere ziekenhuizen. Dat bemoeilijkte de doorstroming én het betekende een extra risico op infectie met een resistente bacterie voor de uiterst kwetsbare patiënten van wie er in een academisch ziekenhuis veel zijn. Daardoor zijn ook nog eens langduriger allerlei preventieve hygiënische maatregelen nodig in het academisch ziekenhuis. Bonten heeft niet alleen te maken met patiënten met een resistente bacterie die niet kunnen doorstromen. Het omgekeerde, dat patiënten in zijn eigen ziekenhuis niet toegelaten worden vanwege een multiresistente bacterie, heeft zich ook weleens voorgedaan. Toen ging het om de bijna onwrikbare protocollen van het MRSA-beleid. Een vrouw werd na een hersenbloeding opgenomen in een ziekenhuis in Brugge. De hersenbloeding was het gevolg van een aneurysma, een uitstulping in een slagader in de hersenen. Dat kan behandeld worden door een klemmetje te plaatsen op de bloedtoevoer naar de uitstulping en die zo af te sluiten. 'Die vrouw, nota bene een Utrechtse, moest als de wiedeweerga naar Utrecht vervoerd worden om hier die operatie te ondergaan', zegt Marc Bonten. 'Wij waren destijds een van de weinige ziekenhuizen die dat konden.' Het verhaal speelt in 2005, toen Bonten net hoofd van de afdeling hygiëne en infectiepreventie van het UMC Utrecht was. Hoe levensbedreigend haar situatie ook was, in eerste instantie werd de patiënt door het UMC Utrecht geweigerd. 'Het protocol trad in werking omdat het om een patiënt ging die in een buitenlands ziekenhuis lag. Die moest opgenomen worden in een eenpersoonskamer op de ic. Ze kon immers MRSA bij zich hebben. Er was geen eenpersoonskamer beschikbaar. Dus werd ze doodleuk geweigerd.' De neurochirurg die de vrouw moest opereren liet het er niet bij zitten en belde met Bonten. Die gaf toestemming om de vrouw op te nemen en legde haar in haar eentje op een zaal. 'Anders volgt iedereen keurig het protocol, maar gaat er wel een patiënt dood.' Het is een fraai voorbeeld van de botsing tussen het individuele belang van de patiënt en het belang van de volksgezondheid die Jan Kluytmans signaleerde.* Dat volksgezondheidsbelang is groot in het geval van een MRSA-uitbraak, want de gevolgen daarvan kunnen ingrijpend zijn.

Van november 1992 tot april 1993 werd het toenmalige universitaire Dijkzigt Ziekenhuis in Rotterdam getroffen door een MRSA-uitbraak. Die begon op de afdeling hematologie en verspreidde zich naar een vaatchirurgische afdeling in een heel ander deel van het ziekenhuis. Dat gebeurde vermoedelijk via een verpleegkundige die de bacterie bij zich had en die van de afdeling hematologie werd overgeplaatst naar de chirurgische verpleegafdeling. Daar kwam het tot een explosieve uitbraak. In totaal raakten 27 patiënten en 14 werknemers van het Dijkzigt besmet. Van de patiënten ontwikkelden er 21 een infectie en 5 overleden. Naar alle waarschijnlijkheid is de eerste bloedbaaninfectie bij deze uitbraak ontstaan door het eten van voedsel dat met MRSA besmet was door een gekoloniseerde medewerker. Die had het 'kiemarme' voedsel bereid voor de patiënten op de afdeling hematologie. Het duurde een half jaar voor de uitbraak onder controle was en dat lukte pas na verregaande maatregelen. Zo werden op een gegeven moment alle patiënten met MRSA geïsoleerd

---

* Zie hoofdstuk 1.

verpleegd op een speciale afdeling buiten het ziekenhuis. Dat gebeurde in een leegstaande vleugel van een verzorgingshuis. Daartoe werd besloten omdat de MRSA-stam ook via de lucht verspreid werd en omdat er in het toenmalige ziekenhuis geen goede isolatiekamers aanwezig waren.[125]

Infectiepreventie ter discussie

In een artikel met de dramatische titel 'De melaatsen van de nieuwe eeuw'[126] schrijven Bonten en anderen over de botsing van het individuele patiëntenbelang met het collectieve volksgezondheidsbelang. 'Het gevolg van dit alles is dat binnen het ziekenhuis de discussie oplaait over de waarde van infectiepreventie en dat het draagvlak hiervoor onder de medische staf en de verpleging op de helling komt te staan zodra de patiëntenzorg in het gedrang komt.' De auteurs onderstrepen dat de Inspectie voor de Gezondheidszorg hun visie ondersteunt. 'De Inspectie draagt het standpunt uit dat dragerschap van een resistente bacterie nooit een reden voor een instelling mag zijn om een patiënt te weigeren. Jammer genoeg gaat de bevoegdheid van de Inspectie in deze niet verder dan het uitbrengen van advies en kan zij overplaatsing niet afdwingen.' Behalve de hier gesignaleerde complicaties bij het overplaatsen van patiënten met een resistente bacterie bij zich, stelt Bonten ook nog een andere kant van de zaak aan de orde. Hoelang moet je blijven proberen om een bacterie eronder te houden met allerlei ingrijpende maatregelen? 'We moeten ons voortdurend blijven afvragen: hoeveel doen we, hoe ver gaan we met dit soort maatregelen. Los van de financiële lasten die het met zich meebrengt voor het ziekenhuis. Daar maken microbiologen zich meestal het minst zorgen over, want die kosten betekenen inkomsten voor de microbiologen. Je moet de kosten en baten steeds tegen elkaar blijven afwegen. Stel dat we straks in vijftig ziekenhuizen die VRE hebben, dan komt voor mij snel het moment om te zeggen dat we die strijd hebben verloren. We hebben dan nog twee antibiotica over, dus wordt het nog belangrijker om ervoor te zorgen dat die mensen geen infecties krijgen. Het dragerschap alleen van die bacterie is geen probleem. Bij de voorloper van de VRE, de ampicilline resistente enterokokken, hebben we ons op een gegeven moment de vraag gesteld of we die zouden moeten behandelen als een Bijzonder Resistent Micro-Organisme (BRMO). Dus met een heel protocol en een reeks maatregelen. Maar voor we daar een antwoord op geformuleerd hadden, was dat feitelijk al een gepasseerd station omdat die bacterie toen al in alle ziekenhuizen endemisch was, permanent aanwezig dus. Ik weet niet hoe het nu met de VRE zal gaan, maar als het in dit tempo doorgaat dan zijn we binnen een jaar klaar. Dan is ook VRE endemisch en kunnen we die van de lijst BRMO's afhalen.' Professor Jan Kluytmans is behalve hoogleraar aan de VU en hoofd van de afdeling medische microbiologie in het Amphia Ziekenhuis in Breda, ook voorzitter van de Stichting Werkgroep Infectiepreventie. De voornaamste bezigheid van de WIP is het opstellen van richtlijnen voor infectiepreventie. 'De afgelopen jaren heeft zich in de Nederlandse ziekenhuizen een reservoir opgebouwd van die ampicilline resistente enterokokken', zegt Kluytmans. 'We hebben omstandigheden gecreëerd waarin die bacterie heel goed gedijt. Dan kun je het soort gelijktijdige uitbraken krijgen die we in 2011 en 2012 zagen en zien. Het is een opwaartse spiraal: hoe vaker je een laatste toevluchtsmiddel als vancomycine inzet, hoe meer resistentie je krijgt. In onze richtlijnen ligt niet vast hoe ver je moet gaan met het screenen van contactpatiënten. Richtlijnen geven het denkkader aan. Een ziekenhuis moet zelf beoordelen hoeveel ontslagen patiënten het oproept voor onderzoek. Het is zaak een goede inschatting van de risico's te maken. Oncologiepatiënten lopen doorgaans meer risico dan kno-patiënten. Zo kun je ook kijken. De *Klebsiella*-uitbraak in het Maasstad Ziekenhuis, en vooral alle publiciteit over de falende aanpak daarvan, heeft voor een reflex gezorgd om elke uitbraak nogal groots aan te pakken. Meestal is het ook zo dat je door meteen krachtige maatregelen te nemen een probleem sneller oplost. Een slappe of een trage aanpak heeft al vaak voor veel ellende gezorgd. Maar ik vraag me weleens af of er bij die VRE-uitbraken misschien niet een beetje te veel uit de kast gehaald wordt, want die bacterie is voor de overgrote meerderheid van patiënten niet zo heel gevaarlijk. Aan de andere kant, de Isala Klinieken in Zwolle hebben in de zomer van 2011 ook hard ingezet en die zijn de VRE nu helemaal kwijt.'*

VRSA

Enterokokken zijn in staat om de genetische eigenschap die ze resistent maakt voor vancomycine door te geven aan andersoortige bacteriën. Doen ze dat aan MRSA-bacteriën dan ontstaat een groot probleem. Vancomycine is het aangewezen middel om MRSA te bestrijden. Als VRE-bacteriën de genetische eigenschap die ze resistent maakt voor vancomycine doorgeven aan MRSA, dan ontstaat de 'superbacterie' VRSA. Deze kan infecties veroorzaken die nog maar heel moeilijk behandelbaar zijn met twee resterende antibiotica.** In het laboratorium werd al in 1992 aangetoond dat overdracht van genetisch materiaal van VRE op MRSA mogelijk is. Er bestaat ook een tussenvorm van MRSA die verminderd gevoelig is voor vancomycine (VISA).

Berichten over verminderde gevoeligheid van MRSA voor vancomycine doken voor het eerst op in Japan in 1997 en daarna onder meer in India, Zuid-Korea en Thailand. In 2002 werd in de VS voor het eerst VRSA aangetoond bij twee patiënten. Eind 2010 waren er in de Verenigde Staten twaalf VRSA-patiënten, allemaal met onderliggend lijden, vaak diabetes, obesitas en chronische zweren. De patiënten varieerden in leeftijd van veertig tot drieëntachtig jaar, maar het me-

---

* Eind september 2012 werden in de Isala Klinieken bij enkele patiënten weer VRE aangetroffen. Het gesprek met Kluytmans had toen al plaatsgevonden.

** Linezolid en het nieuwe middel telavancin.

rendeel was jonger dan zestig jaar.[127] In 2004 liepen vier gezonde Brazilianen een besmetting met VRSA op.[128] In 2006 deden zich de eerste beschreven gevallen van VRSA voor in India.[129] Begin 2010 kwamen ook uit Iran berichten over een eerste geval van VRSA. In Nederland is tot nu toe nog geen VRSA aangetroffen. Het EARSS* Annual Report 2008 dat in oktober 2009 verscheen maakte melding van twee gevallen van VRSA in de Europese Unie, beide in Oostenrijk, en elf gevallen van MRSA die verminderd gevoelig was voor vancomycine. Van die elf patiënten kwamen er acht uit Oostenrijk, twee uit Hongarije en een uit het Verenigd Koninkrijk.[130]

De onderzoekers die in 2002 de eerste gevallen van VRSA in de VS ontdekten zijn er niet gerust op dat het probleem zo klein blijft als het nu is. In *Science* van november 2003 schreven ze dat de VRSA zich gemakkelijk in ziekenhuizen kan verspreiden, zijn genetische eigenschappen eenvoudig kan overdragen op MRSA-bacteriën, terwijl er nog maar twee antibiotica beschikbaar zijn** om infecties door VRSA te bestrijden.[131] Jan Kluytmans denkt dat de dreiging van VRSA vooralsnog wel meevalt. 'Als VRE hun genetische eigenschappen zo makkelijk zouden kunnen overdragen op MRSA-bacteriën, dan was dat denk ik al veel vaker gebeurd. Met name in de Verenigde Staten moeten er vele duizenden patiënten zijn met zowel VRE als MRSA en tot nu toe is er nog maar een handvol meldingen van VRSA. Gelukkig gaat het om maar heel weinig gevallen.' Alexander Friedrich deelt die visie. 'Die VRSA komt niet zo heel makkelijk tot stand. Er is kennelijk toch wel wat voor nodig voor er een stabiele uitwisseling van genetische informatie plaatsvindt tussen VRE en MRSA. Gelukkig maar. Met enterokokken kunnen we nu vaak al geen vancomycine meer geven, als dat straks ook niet meer kan

---

* European Antimicrobial Resistance Surveillance System.
** Het gaat om de antibiotica linezolid (Zyvox) en een combinatie van quinupristine en dalfopristine (Synercid).

bij stafylokokken, dan hebben we nog maar enkele middelen over. Dan worden zware chemotherapieën of orgaantransplantaties wel erg risicovol*. Tegelijkertijd is er nog veel onderzoek nodig om ook de VRE te ontdekken die met standaarddiagnostiek gemist worden.'

Meldpunt voor ziekenhuisinfecties en antibiotica-resistentie

Na de uitbraken in het VUmc, het Eemland Ziekenhuis en het UMC Utrecht – waarbij die laatste twee onderling verbonden waren – werd er jarenlang niets meer vernomen van de VRE in Nederland. In het voorjaar van 2010 kwam daar verandering in. Toen dook het eerste geval van VRE op bij een patiënt in het UMC Groningen, dat tot ver in de lente van 2011 bleef kampen met de bacterie. Daarna waren het Martini Ziekenhuis in Groningen en de Isala Klinieken in Zwolle aan de beurt. Het UMC Groningen heeft het Martini Ziekenhuis destijds wel geïnformeerd, 'maar op een informele manier, per telefoon en blijkbaar niet goed genoeg', vertelt Alexander Friedrich, die pas in het UMCG kwam werken toen de uitbraak aan de gang was. Sinds 2012 vindt er in de regio geregeld en intensief overleg plaats tussen artsen-microbioloog en deskundigen infectiepreventie. 'Daarvoor hebben we najaar 2011 het Regionaal Microbiologisch Infectiologisch Symposium (REMIS) opgezet waar we dit soort problemen zo snel mogelijk met elkaar bespreken. Daar komt communicatie over uitbraken geregeld aan de orde.' Aan REMIS nemen artsen-microbioloog, infectiologen, GGD-artsen en deskundigen infectiepreventie deel uit Groningen, Friesland, Drenthe en Overijssel.

Om meer inzicht te krijgen in wat er precies gebeurt op het gebied van multiresistentie en beter te begrijpen hoe uitbraken onderling wel of niet samenhangen, is er in 2012 in Nederland door

---

* Het UMC Groningen is het grootste transplantatiecentrum van Nederland en het enige dat transplantaties van alle organen doet.

het RIVM en de Nederlandse Vereniging voor Medische Microbiologie (NVMM) een centraal meldpunt voor ziekenhuisinfecties en antimicrobiële resistentie ingesteld. Ziekenhuizen worden geacht daar uitbraken van multiresistente bacteriën te rapporteren. Het meldpunt moet de ziekenhuizen ook in staat stellen adequaat te reageren in het geval dat ze een patiënt opnemen uit een ziekenhuis dat te maken heeft met een multiresistentieprobleem. Als een ziekenhuis in Amersfoort bijvoorbeeld een patiënt overneemt uit een ziekenhuis in Ede kan het op een website eenvoudig controleren of er speciale voorzorgsmaatregelen nodig zijn omdat er in het ziekenhuis in Ede net sprake is geweest van een bacteriële uitbraak. Als dat zo is, dan wordt die patiënt geïsoleerd tot duidelijk is of hij of zij besmet is met de bacterie. Heeft zich in Ede de laatste tijd niets bijzonders voorgedaan, dan kan de patiënt zonder meer opgenomen worden. Het opzetten van het meldpunt, dat voorlopig een vrijwillig karakter krijgt, is een van de aanbevelingen die de commissie-Lemstra heeft gedaan in haar rapport *Oog voor het onzichtbare* over de aanpak van de *Klebsiella*-uitbraak in het Maasstad Ziekenhuis. De commissie-Lemstra adviseerde overigens om het meldpunt geen vrijwillig karakter te geven, maar het melden van uitbraken van multiresistente bacteriën verplicht te stellen. Zo'n meldpunt is des te belangrijker omdat de komende tijd de kans op uitbraken van multiresistente bacteriën eerder zal toenemen dan kleiner worden. In de eerste plaats neemt de antibioticaresistentie toe. Er zijn steeds meer bacteriën die ongevoelig zijn voor veel of zelfs alle antibiotica. Maar er is nog een belangrijke reden waardoor het risico op uitbraken toeneemt. Die ligt in de veranderende organisatie van de Nederlandse gezondheidszorg. In een streven naar verbetering van de kwaliteit van de zorg specialiseren ziekenhuizen zich steeds verder. Patiënten kunnen niet altijd meer voor elke behandeling in hun regionale ziekenhuis terecht en daardoor ontstaan er via die patiënten steeds frequentere contacten tussen de ziekenhuizen. Dat vergroot het risico op de verspreiding van multiresistente bacteriën en infectieziekten. Hetzelfde geldt trouwens voor de verspreiding van virussen en schimmels.

Signaleringsoverleg

Concentratie van zorg zou dus samen moeten gaan met de aanscherping van infectiepreventie en -bestrijding. 'Het is essentieel dat precies bekend is wat er in Nederland gebeurt op het gebied van infectieziekten en bacteriële uitbraken', zegt hoogleraar Hajo Grundmann van het UMC Groningen en het RIVM. 'Er bestaat al een netwerk waarbinnen laboratoria positieve kweken van multiresistente bacteriën kunnen insturen.' Bij dat ISIS-AR-netwerk* is overigens maar bijna de helft van alle ziekenhuislaboratoria in Nederland aangesloten. Nu komt daar dus het meldpunt bij om uitbraken van multiresistente bacteriën te melden. 'We liggen met zijn allen in hetzelfde ziekenhuisbed', verwoordt Gijs Ruijs beeldend de nauwe banden tussen alle ziekenhuizen in Nederland. 'Er is enorm veel transport van patiënten van de ene plek naar de andere. En ze nemen altijd hun darmflora mee, ook al die multiresistente bacteriën die we nu steeds vaker tegenkomen.' Ruijs is arts-microbioloog in de Isala Klinieken in Zwolle en was van najaar 2004 tot najaar 2009 voorzitter van de NVMM. 'Het is belangrijk dat ziekenhuizen zich realiseren dat een probleem dat zij hebben met een multiresistente bacterie ook het probleem van andere ziekenhuizen, van verpleeghuizen en zelfs van mensen thuis is', zegt Roel Coutinho, de directeur van het Centrum voor Infectieziektebestrijding bij het RIVM. 'Dat betekent dus dat ze er veel transparanter mee om moeten gaan.' En daar schort het nog weleens aan, zegt Edwin Boel, voorzitter van de NVMM. 'Het komt weleens voor dat ziekenhuizen een uitbraak onder de pet proberen te houden, want ze vinden dat geen goede reclame.'

---

* Infectieziekten Surveillance Informatie Systeem – Antibiotica Resistentie.

Precies daarom is er behalve het meldpunt voor uitbraken van multiresistente bacteriën nog een tweede initiatief genomen. Coutinho: 'De belangrijkste les die we uit de *Klebsiella*-uitbraak in het Maasstad hebben getrokken is dat veel te lang iemand in zijn eentje kon bepalen hoe dat aangepakt werd. Dat is helemaal fout. Daarom zijn we begonnen met een signaleringsoverleg. Daar was ook wel verzet tegen in de trant van "dan word ik dus gecontroleerd". Dat willen mensen natuurlijk niet. Wij willen juist die openheid, dat mensen de bereidheid hebben om tegen elkaar te zeggen wat er aan de hand is en dat met elkaar te bespreken. Dat is essentieel. Maar reserves daartegen zijn natuurlijk helemaal niet specifiek voor de medische microbiologie. Ik lees ook verhalen over chirurg x of medisch specialist y die al jaren slecht functioneert in een ziekenhuis en iedereen weet het, maar niemand doet er iets aan. Dat zijn vergelijkbare dingen. Er is wat dat betreft echt iets mis, denk ik. Er heerst nog steeds een soort kastegeest, ja. Dat heeft allemaal te maken met het idee dat die specialist een soort godheid is. Dat moet natuurlijk doorbroken worden, maar dat is een heel fundamentele verandering. Wij proberen in ieder geval met dat signaleringsoverleg tot zo'n soort doorbraak te komen. En daarvoor hebben we een ijzersterk argument, want wat in het ene ziekenhuis gebeurt heeft consequenties voor de andere ziekenhuizen. Patiënten gaan van het ene ziekenhuis naar het andere, naar verpleeghuizen of weer terug naar huis en dan naar een ander ziekenhuis. En die contacten die er tussen ziekenhuizen zijn nemen alleen maar toe doordat ziekenhuizen zich steeds meer specialiseren om de kwaliteit van hun zorg te verbeteren. Het gaat allemaal veel sneller. Je kunt infectieziektebestrijding dus gewoon niet in je eentje doen, daarvoor is het belang ervan veel te groot.'

En er zijn nog meer redenen om nauw samen te werken. 'Vroeger waren ziekenhuisinfecties een probleem van het ziekenhuis waar ze zich voordeden', zegt Coutinho. 'Nu is het een probleem van alle ziekenhuizen gezamenlijk en naarmate ze meer met elkaar te maken hebben, is het een steeds groter issue. Dat betekent dat ziekenhuizen elkaar op de hoogte moeten stellen. En dat doen ze gewoon niet, of in ieder geval veel te weinig. Bovendien speelt de volksgezondheidskant een rol, omdat die resistente micro-organismen op allerlei manieren naar binnen komen. Wie rondreist in India, kan bij terugkeer naar huis resistente bacteriestammen bij zich hebben. Ga je dan naar het ziekenhuis, dan neem je die resistente bacteriën mee. Dat gebeurt gewoon. Antibioticaresistentie komt via allerlei nieuwe wegen naar ons toe en dat maakt die hele resistentieproblematiek veel ingewikkelder. Vroeger lieten wij als Centrum voor Infectieziektebestrijding het aan de ziekenhuizen over. En de SWAB (Stichting Werkgroep Antibiotica Beleid, RvdB) registreerde de gegevens. Maar nu zeggen we: dat kan niet meer. Die verantwoordelijkheid kun je niet meer simpelweg aan een klein groepje of een stichting overlaten. Het is een volksgezondheidsverantwoordelijkheid. Niet dat wij als CIb het gaan overnemen, dat kunnen we helemaal niet. We hebben die specialisten natuurlijk enorm hard nodig, de kennis zit in de ziekenhuizen. Maar je kunt niet meer zeggen dat het een verantwoordelijkheid is van de medisch microbiologen en de infectiologen in het betrokken ziekenhuis en dat wij wel horen hoe het gaat. Die tijd is echt voorbij. En dat beseffen ze zelf trouwens ook. Het is een gezamenlijke verantwoordelijkheid. Dus moet iedereen opener zijn, transparanter, informatie delen, luisteren naar wat anderen ervan vinden. Dat zijn dingen die in de openbare gezondheidszorg natuurlijk al lang gebeuren. Daar is zoiets als het Maasstad ondenkbaar. Als er zich een of ander probleem voordoet, dan wordt erover gepraat en gezegd wat vinden we ervan? Wat moet er gebeuren, hoe pakken we dat het beste aan? Die openheid is niet de gewoonte in de ziekenhuizen en met de marktwerking wordt het er niet beter op. Tegenwoordig zijn ziekenhuizen veel meer elkaars concurrenten. Maar goed, daar staat tegenover dat ze zich realiseren dat hun naam ernstig beschadigd raakt als ze iets niet goed doen. Dat is de andere kant ervan. Die hele zaak in het Maasstad heeft in zoverre wel geholpen dat men zich realiseert dat de deuren opengegooid moeten worden. Maar het zal niet makkelijk zijn.' Christina Vandenbroucke-Grauls is het niet helemaal eens met het rooskleurige beeld dat Coutinho schetst van de openbare gezondheidszorg. Ze verwijst naar de Q-koortsuitbraak waar ook het nodige fout gelopen is.* Ook professor Inge Gyssens die verbonden is aan het UMC St Radboud in Nijmegen en het academisch ziekenhuis Jessa in Hasselt maakt enkele kanttekeningen bij Coutinho's stellingname. Die raakt aan een gevoelig punt. 'De SWAB is in 1996 opgericht als stichting, maar heeft een bestuur dat gemandateerd is door de Nederlandse Vereniging voor Medische Microbiologie (NVMM), de Vereniging voor Infectieziekten (VIZ) en de Nederlandse Vereniging voor Ziekenhuisapothekers (NVZA). Dat zijn de belangrijkste specialistengroepen die kennis hebben over infectieziekten in ziekenhuizen, resistentie en antibiotica. De rapportage over resistentie gebeurt samen met het RIVM in NethMap, met geld van de overheid. Eigenlijk veranderde er van jaar tot jaar maar heel weinig. Omdat het in het Maasstad Ziekenhuis om een uitbraak ging, komen we nu voor het eerst sinds de oprichting van het CIb in 2004 op het terrein van het CIb. Dat is er om epidemieën te bestrijden en dat vergt snelle en ziekenhuis overschrijdende acties. Tot nu toe hield het CIb zich enkel bezig met uitbraken van infectieziekten buiten het ziekenhuis.'

Wel of niet een meldingsplicht

Niemand weet of het toenemend voorkomen van multiresistente bacteriën ook zorgt voor meer uitbraken in zorginstellingen. Ook de directeur van het Centrum voor Infectieziektebestrijding niet. 'Dat weet ik gewoon niet. We registreren niet, dat is juist het probleem. Dan weet je ook niet of er meer uitbraken zijn. We hebben er eigenlijk geen beeld van. We hopen dat we daar zicht op krijgen

* Zie hoofdstuk 6.

met het nieuwe meldpunt. Maar of dat gaat werken moet nog blijken. Het functioneert natuurlijk alleen maar als mensen er ook aan gaan meewerken, als ze daadwerkelijk gaan melden.' Coutinho is geen voorstander van een meldingsplicht. Vandenbroucke-Grauls denkt er al net zo over. Zij wijst erop dat het Nederlandse MRSA-beleid genoegzaam bewijst dat vrijwillig melden werkt. 'Vanaf 1987 is het altijd vrijwillig geweest om MRSA-besmettingen te melden.* Op die manier zijn we de beste van de wereld geworden', zegt ze. De commissie-Lemstra, die onderzoek deed naar de aanpak van de *Klebsiella*-uitbraak in het Maasstad Ziekenhuis, is zoals gezegd wel voorstander van verplicht melden.[132]

'Antimicrobiële resistentie is wereldwijd een toenemend probleem', heet het in het rapport van de commissie dat op 29 maart 2012 verscheen. 'Het aantal ziekteverwekkers dat resistent is tegen een combinatie van verschillende antibiotica neemt toe en de farmaceutische industrie heeft de laatste tijd maar weinig nieuwe middelen ontwikkeld. Dit is een acute bedreiging voor de volksgezondheid.' Daarom is het volgens de commissie van groot belang om een goed werkend (inter)nationaal surveillancesysteem en kenniscentrum te hebben. Het Centrum voor Infectieziektebestrijding (CIb) van het RIVM moet een sleutelrol spelen: het voert de surveillance van infectieziekten uit, rapporteert daarover en signaleert dreigende risico's aan professionals en beleidsmakers. Verder heeft het CIb een coördinerende rol bij de aanpak van uitbraken. Het CIb heeft samen met de laboratoria voor medische microbiologie (MML) ISIS-AR opgezet, een surveillancesysteem voor het vóórkomen van resistentie in Nederland. Laboratoria wordt verzocht resistente bacteriestammen – bijvoorbeeld *Enterobacteriaceae*-stammen die mogelijk carbapenemase produceren – in te sturen,** maar kunnen

---

* Sinds de invoering op 1 december 2008 van de Wet Publieke Gezondheid die onder meer de Infectieziektenwet verving, zijn MRSA-infecties wel meldingsplichtig.

** *Enterobacteriaceae* behoren tot de grote familie van gramnegatieve staafvormige

daartoe niet verplicht worden. 'Het probleem is echter', schrijft de commissie-Lemstra, 'dat minder dan de helft van alle MML's in Nederland is aangesloten bij ISIS-AR.* Een ander surveillancesysteem van het CIb, het PREZIES-netwerk** heeft een hogere deelnamegraad, maar ook hier is deelname niet verplicht.'

De commissie komt met de volgende aanbevelingen:

- Er moet een meldingsplicht komen in het kader van de Wet publieke gezondheid*** voor bacteriën die resistent zijn tegen carbapenems.
- Meldingen in het kader van de Wpg moeten niet alleen aan de GGD, maar ook aan het CIb/RIVM gedaan worden. De NVMM moet hierbij betrokken worden vanwege de benodigde ervaring en deskundigheid op het gebied van de individuele patiëntenzorg.
- Ziekenhuizen en laboratoria voor medische microbiologie moeten verplicht gaan deelnemen aan de nationale surveillance van BRMO. Tegelijk zijn ze verplicht desgevraagd bacteriestammen in te sturen naar het CIb/RIVM.
- Het CIb krijgt de bevoegdheid om specialistisch onderzoek toe te wijzen aan referentielaboratoria.****

---

bacteriën waartoe onder meer de *Salmonella*, de *E. coli* en de *Klebsiella spp.* horen. Carbapenemasen zijn enzymen die de bacteriën resistent maken voor de krachtige antibiotica van de klasse der carbapenems.

* Dat heeft onder meer te maken met ict-problemen. De computersystemen van de microbiologische labs kunnen vaak niet communiceren met het systeem van ISIS-AR en de menskracht bij het RIVM is beperkt.

** PREZIES staat voor PREventie van ZIEkenhuisinfecties door Surveillance.

*** De Wet publieke gezondheid (Wpg) regelt de organisatie van de openbare gezondheidszorg, de bestrijding van infectieziektencrises en de isolatie van personen/vervoermiddelen die internationaal gezondheidsgevaren kunnen opleveren. Ook regelt de wet de jeugd- en ouderengezondheidszorg. De Wpg vervangt sinds 2008 de Infectieziektenwet, de Wet Collectieve Preventieve Volksgezondheid en de Quarantainewet.

**** In de praktijk doet het CIb dat al.

Op vrijwillige basis

CIB-baas Roel Coutinho is het niet zo eens met de aanbeveling om een meldplicht in te voeren voor bacteriën die resistent zijn voor de klasse antibiotica van de carbapenems. De commissie-Lemstra vindt voor dit voorstel het European Center for Disease Prevention and Control aan haar zijde. Het ECDC bepleit in een rapport over carbapenemresistentie uit november 2011 zo'n meldplicht.[133] 'Ik geloof veel meer in een systeem waarin je probeert die informatie op vrijwillige basis te krijgen,' zegt Coutinho. 'Maar het kan best zijn dat we over een tijdje de conclusie moeten trekken dat het op vrijwillige basis niet gaat werken. Dan zien we op dat moment wel weer verder. We hebben wel een aantal ziekten waarvoor meldingsplicht is, maar we hebben toch vooral heel veel surveillance op vrijwillige basis. Dat gaat ook veel verder dan de meldingsplichtige infectieziekten alleen. En eigenlijk functioneert dat uitstekend. Als je kijkt waar wij onze informatie vandaan halen, dan komt maar een klein deel van meldingsplichtige ziekten. Een veel groter deel komt uit allerlei informatiesystemen die we opgebouwd hebben en waar mensen uit vrije wil aan meewerken. En dat geeft veel meer en veel vollediger informatie dan alleen die meldingsplicht.' Inge Gyssens is het eens met Coutinho. 'Dat vrijwillige is iets typisch Nederlands. Het is eigen aan de Nederlandse medische cultuur, denk ik. Sterke beroepsgroepen handelen op eigen initiatief, met steun van de overheid, maar zonder dwang. In andere EU-landen werkt soms enkel de verplichting. Ik probeer dat ook altijd uit te leggen in discussies bij het ECDC.'

Toch klinkt het vreemd. Een meldingsplicht stuit op bezwaren, maar een vrijwillig meldingssysteem functioneert wel. 'Men gaat dan melden wat moet, maar de kans is groot dat vreemde dingen die zich voordoen niet meer gemeld worden omdat ze niet meldingsplichtig zijn', zegt Christina Vandenbroucke-Grauls. 'Het probleem is dat je als je het verplicht stelt moet gaan afspreken waarvoor je dan een meldingsplicht instelt', zegt Coutinho. 'Maak je dan elke resistentie meldingsplichtig of niet? En als je dat niet doet, welke resistentiemechanismen dan wel? Waarom resistentie voor carbapenems wel en andere niet? Dat wordt allemaal erg lastig. Waar het mij om gaat is dat we zicht moeten hebben op die problematiek. Dat hebben we op dit moment onvoldoende. We hebben via ISIS-AR en NethMap* wel een goed beeld van hoe het zit met het antibioticagebruik en de resistentie in Nederland, maar hoeveel uitbraken er zijn weten we niet.'

Bij het ISIS-AR-netwerk zijn nu negenentwintig laboratoria aangesloten, dat is ruim eenderde van alle negenenzeventig laboratoria voor medische microbiologie die vermeld worden op de site van de NVMM. En bijna de helft van alle ziekenhuislaboratoria. De overgrote meerderheid van de labs is nog altijd gevestigd in ziekenhuizen.[134] 'We begonnen met ongeveer een kwart', zegt James Cohen Stuart. 'Dat waren de state-of-the-art-ziekenhuizen. Die echt wilden en graag in zo'n netwerk zitten en actief meedoen. De ziekenhuizen die nu nog niet meedoen, die vliegen in feite onder onze radar. Dat baart mij soms wel zorgen. We hebben geen idee wat er in die ziekenhuizen gebeurt. ISIS-AR is een prachtig systeem, waarbij iemand van buiten even meekijkt of de resistentiepatronen in een ziekenhuis niet heel raar aan het worden zijn. Al is het maar eens per maand. Als het Maasstad Ziekenhuis eerder deel had genomen aan ISIS-AR dan hadden we de *Klebsiella*-uitbraak daar heel veel eerder gezien. Maanden. En nog veel eerder hadden we gezien dat ze ook een ESBL-probleem in huis hadden.'

ISIS-web heeft een paar doelen: microbiologische laboratoria

---

* Jaarlijks verschijnt een rapport (NethMap) waarin de gegevens van de lopende surveillance van antibioticagebruik en resistentieontwikkeling in Nederland gepresenteerd worden. In 2012 is dat voor het eerst gebeurd samen met het MARAN-rapport, dat over de veterinaire sector gaat http://www.swab.nl/swab/cms3.nsf/viewdoc/20BCD3983B5C390AC12575850031D33D.

kunnen het gebruiken om de lokale patiëntenzorg te ondersteunen en om data aan elkaar te spiegelen. Verder biedt het de mogelijkheid om gelijktijdige uitbraken van dezelfde bacteriën op verschillende plaatsen te constateren en zijn de verzamelde data uiteraard voor wetenschappelijk onderzoek beschikbaar. De gegevens uit ISIS-AR zijn op allerlei manieren uit te lezen: per maand, kwartaal of jaar bijvoorbeeld, maar ook naar geslacht, leeftijd, type zorginstelling en vanzelfsprekend naar type bacterie en resistentiemechanisme. Het systeem maakt het ook mogelijk om vergelijkingen te maken tussen lokale, regionale of nationale gegevens. Behalve een website voor professionals is er sinds najaar 2010 ook een (beperktere) publieksversie beschikbaar. De kerndoelen van ISIS-AR, het nieuwe meldpunt voor uitbraken van multiresistente bacteriën en het signaleringsoverleg dat is opgezet na de *Klebsiella*-uitbraak in het Maasstad Ziekenhuis, zijn het verbeteren van de zorg aan patiënten en het dienen van het belang van de volksgezondheid. Daar is, ondanks het hoogstaande niveau van de Nederlandse gezondheidszorg en de relatief beperkte verspreiding van antibioticaresistentie, nog een wereld te winnen.

6. Het voorportaal van het einde

Ik weet nog goed hoe het ging. Samen met collega Rob Koster was ik bezig een onderwerp voor te bereiden over de verkoop van geneesmiddelen en vooral antibiotica door dierenartsen. Het was vrijdagmiddag, 5 maart 2010. Toenmalig minister Verburg vond het na een onderzoek[135] door het organisatieadviesbureau Berenschot niet nodig om een scheiding aan te brengen tussen het voorschrijven van diergeneesmiddelen en de verkoop ervan. Berenschot had vooral bezwaren gevonden die aan zo'n ontkoppeling zouden kleven. Die zou niet het gewenste resultaat opleveren en bovendien gepaard gaan met veel te veel bureaucratie en grote problemen bij de handhaving. Maar de minister wilde wel dat er minder antibiotica zouden worden voorgeschreven door de dierenartsen. Dus was er eind 2008 een convenant gesloten met de dierenartsen en de veehouderijsector. Die beloofden dat er in 2011 20 procent minder antibiotica zou worden gebruikt. Diezelfde vrijdag waren Koster en ik ook bezig de laatste hand te leggen aan een ander onderwerp over hetzelfde thema dat die dag zou worden uitgezonden[136]: Verburg overwoog een verbod af te kondigen op het gebruik in de veeteelt van cefalosporinen van de derde en vierde generatie*, antibiotica die voor mensen zeer belangrijk zijn. 'Het overmatige gebruik van deze middelen bij de productie van vleeskuikens wordt onder meer

* Cefalosporinen behoren net als penicillines tot de bèta-lactam-antibiotica. Cefalosporinen zijn bactericide middelen, ze doden bacteriën. Ze worden gebruikt voor de bestrijding van nierbekkeninfecties, luchtweginfecties en ook huidinfecties. Door de jaren heen zijn er vier generaties cefalosporinen op de markt gekomen. Cefalosporinen zijn reservemiddelen, die alleen in het ziekenhuis worden gegeven als bacteriën resistent zijn voor andere middelen. Cefalosprinen worden meestal per infuus toegediend.

in verband gebracht met de toename van ESBL* in de pluimveesector. Een groot deel van de pluimveesector is met ESBL besmet.' In het artikel op de site viel voor het eerst bij de NOS de term 'ESBL'. In het televisieonderwerp had Koster hem vermeden. Die vrijdagmiddag gebeurde er iets geks. Woordvoerders van de ministeries van Volksgezondheid en Landbouw – dat was toen nog een zelfstandig ministerie – belden ons. Om te vragen wat de NOS eigenlijk ging uitzenden. Zo'n telefoontje is ongebruikelijk. Kennelijk maakten ze zich zorgen, maar dat kon niet zijn omdat we de Kamerbrief van de minister over het rapport-Berenschot al hadden.[137] Want daarvan waren ze op de hoogte. We hadden geen flauw idee waarom er op de Haagse ministeries onrust was over ons onderwerp. We wisten ook niet of het om het onderwerp van 5 maart ging, het mogelijke verbod op het gebruik van cefalosporinen in de veeteelt, of om het onderwerp over het rapport-Berenschot. Daar kwamen we pas in de week erna achter.

Dinsdag 9 maart werd Ludo Hellebrekers, de voorzitter van de Koninklijke Nederlandse Maatschappij voor Diergeneeskunde (KNMvD), geïnterviewd in de ochtenduitzending van het *Radio 1 Journaal*. Hellebrekers toonde zich ingenomen met het besluit van de minister. Kritiek op dierenartsen die te veel antibiotica voorschrijven vond niet al te veel gehoor bij hem. Het is een probleem van de hele sector dat in gezamenlijkheid opgelost moet worden, zei hij. Op de uitzendredactie van het *Radio 1 Journaal* ging de telefoon terwijl het gesprek met Hellebrekers nog gaande was. Een woedende man aan de lijn. 'Jullie hebben geen idee,' voegde hij mijn verbouwereerde collega Geke Jonkers toe, 'het is allemaal veel erger dan jullie denken.' De collega gaf de beller mijn nummer en vroeg hem om mij te bellen. Een uurtje later belde iemand die zich

---

* Extended-Spectrum Bèta-Lactamase is de naam voor een groep enzymen die penicillines en cephalosporines, de meest gebruikte antibiotica om infecties door *Enterebactericeae* te bestrijden, onwerkzaam maken.

voorstelde als Koos. Hij herhaalde, en ook nu op verontwaardigde toon, wat hij eerder die ochtend al had gezegd. 'Jullie hebben geen flauw idee van wat er aan de hand is.' Vervolgens stortte hij een stroom informatie over mij heen. Het ging over ESBL's, over een sterke toename daarvan bij dieren en mensen en over plasmiden* die verspreiding van ESBL's heel makkelijk maakten. En het ging over bijna 100 procent van de Nederlandse kippen en steeds meer mensen die deze multiresistente bacterie bij zich zouden dragen. Over infecties waarvoor over pakweg vijftien jaar geen effectieve behandeling meer zou zijn, omdat de bacteriën resistent zouden zijn voor alle antibiotica. Er kwamen ministers voorbij die zich met spoed hadden laten informeren over de kwestie. Het ging over zieken en doden. Meer dan genoeg dus om me heel aandachtig te laten luisteren. Het was glashelder dat ik iemand aan de telefoon had die wist waar hij over praatte. Dat werd nog duidelijker toen mijn gesprekspartner een paar passages voorlas uit een onbekend document. '*Enterobacteriaceae* zijn een groep van (gramnegatieve) bacteriën waarvan de *E. coli*** en *Klebsiella spp.* de meest voorkomende zijn. Deze bacteriën zijn de voornaamste verwekkers van urineweginfecties, en eveneens verantwoordelijk voor een belangrijk deel van de bacteriële infecties in ziekenhuizen en verpleeghuizen. Wereldwijd is onder deze bacteriën de afgelopen jaren een alarmerende toename van resistentie opgemerkt tegen vele van de beschikbare antibiotica. De snelle toename in resistentie tegen penicillines en cefalosporinen blijkt voor een belangrijk deel te berusten op de

* Plasmiden zijn vrije stukjes DNA die los in de bacterie liggen en gemakkelijk overgaan van de ene bacterie(soort) op de andere. Op die plasmiden liggen samen met de ESBL's vaak nog andere resistentiegenen waardoor de bacteriën veelal alleen nog gevoelig zijn voor antibiotica van de klasse der carbapenems.

** *Escherichia coli* of *E. coli*, genoemd naar de Duitse microbioloog Theodor Escherich, een staafvormige gramnegatieve bacterie, onderdeel van de familie der *Enterobacteriaceae*. De *E. coli* kent vele varianten. EHEC is bijvoorbeeld een *E. coli*. EHEC staat centraal in hoofdstuk 8.

productie van Extended-Spectrum Bèta-Lactamases (ESBL's).' En: 'Met name het toenemend percentage ESBL-positieve isolaten* in de huisartsenpraktijk dat resistent is tegen alle beschikbare orale antibiotica is verontrustend. Infecties door ESBL-producerende bacteriën zijn dan ook geassocieerd met een hogere morbiditeit**, mortaliteit***, duur van opname en kosten dan infecties door bacteriën zonder ESBL. Daarnaast zijn ESBL-producerende stammen sterk geassocieerd met het optreden van epidemieën binnen zorginstellingen.' Het document gaf ook cijfers. Het aantal *E. coli* met ESBL's was van minder dan 1 procent in 2001 gestegen naar 5 procent in 2008. Bij de *Klebsiella pneumoniae* in bloedkweek-isolaten was dat in 2009 al opgelopen tot 8 procent. Beller Koos citeerde ook de meest brisante passage van het document: 'Hoewel de hoge mate van darmkolonisatie van pluimvee met ESBL's positieve bacteriën en het hoge percentage besmet vlees suggestief is voor een causale relatie tussen het pluimvee en de mens is dit geen bewijs.' Maar de eerste resultaten van een kleinschalig onderzoek naar die relatie zetten wel alle seinen op rood: ongeveer eenderde van de bij mensen aangetroffen ESBL's bleek genetisch nauw verwant aan de ESBL's bij de kippen die we opeten.

Zwaar geschut

Ik wilde natuurlijk afspreken met Koos. Om het document waaruit hij voorlas zelf te kunnen lezen. En om me een beeld te vormen van de bron die ik in de schoot geworpen kreeg. Koos wilde daar niets van weten. Geen ontmoeting, geen telefoonnummer en al helemaal geen document. Ik moest zijn anonimiteit respecteren. En

---

* Een isolaat is een cultuur van bacteriën die afstammen van één enkele bacterie.

** Morbiditeit betekent ziektecijfer, het aantal ziektegevallen dat in dit geval een bacterie veroorzaakt.

*** Mortaliteit betekent sterftecijfer, het aantal sterfgevallen als gevolg van in dit geval infecties veroorzaakt door een bacterie.

hij hing op. Behalve mijn aantekeningen van het telefoongesprek en de naam van een microbioloog die er meer van wist, had ik niets in handen. Die microbioloog was Maurine Leverstein-van Hall, toen werkzaam in het UMC Utrecht en verbonden aan het RIVM. Ik kende haar niet. En zij wilde me op dat moment niet leren kennen. Toen ik belde hield ze de boot af en verwees naar de voorlichters van het RIVM. Ook daar ving ik bot: niemand wist over welk stuk ik het had. Op zoek naar het onbekende document ben ik andere microbiologen gaan bellen. Onder meer Paul Gruteke van het Onze Lieve Vrouwe Gasthuis in Amsterdam. Hij herkende het beeld van het kwistige gebruik van antibiotica in de intensieve veeteelt en het toenemende ESBL-probleem. 'Je merkt het aan de urineweginfecties die niet meer behandeld kunnen worden door huisartsen of in verpleeghuizen, omdat de bacteriën resistent zijn voor de gewone oraal toegediende antibiotica. Die mensen komen bij ons in het ziekenhuis terecht.' Of mensen door het eten van kip met ESBL-producerende bacteriën besmet kunnen raken met die ESBL's, dat wist hij niet. 'Als je zo'n stukje DNA opeet dat codeert voor ESBL's, dan komt dat in je maag terecht. Weerstaat dat je maagzuur en kan het dan in je dikke darm belanden en daar overgaan op bacteriën? Ik weet het niet, ik kan me dat moeilijk voorstellen. Maar die overdracht kan in ieder geval wel plaatsvinden door direct contact. Bij de bereiding van kip bijvoorbeeld.' Gruteke adviseerde ook nog om Maurine Leverstein-van Hall te bellen. Ook Ellen Stobberingh, medisch microbioloog van het Academisch Ziekenhuis Maastricht, verwees naar Leverstein. 'Ik denk dat die de auteur van dat stuk is', zei ze. Stobberingh bracht ook een relativering aan. 'Ik weet heel zeker dat de populatie waarover het in dit onderzoek van het RIVM gaat, probleemgevallen zijn waarbij de normale aanpak niet werkte.* Anders zouden huisartsen die bacteriestammen niet insturen.

* Maurine Leverstein-van Hall zou dat later bevestigen.

Maar zo'n enzym gaat inderdaad bij het bakken van het vlees niet dood. Het genetisch materiaal gaat met het kippenboutje mee naar binnen. Daar kan het dan een bacterie ontmoeten die een prettige omgeving voor die genen vormt. En zo krijg je vermenigvuldiging. Daar zit zeker een potentieel gevaar. Ik kan me ook wel iets voorstellen bij het inzetten van zwaar geschut om minister Verburg in beweging te krijgen. De intensieve veehouderij vormt echt een probleem voor de humane geneeskunde. Met zo veel dieren op een kluitje heb je automatisch heel veel bacteriën en krijg je hoog antibioticagebruik om die beesten gezond te houden. En dat zorgt voor resistentie waar mensen dan last van hebben. Antibioticaresistentie kun je vergelijken met een kogelvrij vest dat de bacteriën dragen.'

Een doorbraak

En zo voerde ik meer gesprekken. Maar niemand die ik sprak kende het stuk waar ik het over had of wilde toegeven dat hij of zij dat kende. In het Jeroen Bosch Ziekenhuis slaakte microbioloog Nicole Renders alleen maar een diepe zucht toen ik over ESBL's begon. 'Wij kunnen hier ESBL's er echt niet bij hebben', zei ze. 'We staan al met onze rug tegen de muur. We zijn bezig de grootste Q-koortsepidemie ooit te bestrijden.* Met 4,1 fte microbiologen. Voor die ESBL's hebben we geen ruimte. Maar het is ons wel opgevallen dat er steeds vaker ESBL's zitten in de urine van patiënten die we nog nooit in het ziekenhuis hebben gezien.' Na twee dagen vergeefs zoeken naar het document waarover Koos gebeld had, was er een doorbraak. Opeens wist iemand waar ik het over had. Meer nog, die persoon wilde me het stuk ook wel laten lezen. Na een lange

* Van zomer 2007 tot begin 2010 deed zich in Nederland een door zijn omvang unieke uitbraak van Q-koorts voor. Q-koorts is een zoönose, een dierziekte die op mensen overdraagbaar is. De meeste mensen die besmet raken merken niets, een flink deel krijgt griepachtige klachten. Enkele procenten ontwikkelen chronische Q-koorts en dat kan gepaard gaan met ernstige, levensbedreigende complicaties. Zie verderop in dit hoofdstuk.

autorit was ik woensdagavond bijna op de plaats van bestemming, toen Koos belde. Hij vertelde dat er in Den Haag op de ministeries flinke onrust was ontstaan. En informeerde of ik eruit kwam met de informatie die hij me had gegeven. Toen ik hem vertelde dat ik op het punt stond het stuk te gaan lezen zei hij 'mooi' en hing weer op. Anderhalf uur later had ik het stuk niet alleen gelezen, maar ook overgeschreven. Fotokopiëren mocht niet. Wat ik in handen had was een stuk van Maurine Leverstein-van Hall met de titel 'Volksgezondheidsbelang ESBL'.[138] Het was een notitie aan de ministers van Volksgezondheid en Landbouw gedateerd 5 maart 2010, de dag dat mijn collega Rob Koster en ik gebeld werden door de voorlichters van die ministers om te informeren naar de inhoud van ons onderwerp over de dierenartsen en het veterinaire antibioticagebruik. Een mooi voorbeeld van slapende honden wakker maken. Later ontdekte ik dat Leverstein die bewuste vrijdagmiddag opdracht had gekregen om in enkele uren tijd de notitie voor de ministers te schrijven. Blijkbaar vreesden de ministeries dat we op de hoogte waren van de ESBL-problematiek. Quod non. In ieder geval werden we onbedoeld op een mooi spoor gezet.

Het paniekvoetbal rond de notitie van Leverstein-van Hall hing zeker niet alleen samen met de angst voor een publicatie van de NOS over ESBL's. Er was al sprake van enige onrust over het onderwerp zelf. Het verhaal begint in de zomer van 2009 in het Amphia Ziekenhuis in Breda. Daar ontving Jan Kluytmans de zeventienjarige Jasper Bastiaansen, een scholier die graag stage bij hem wilde lopen om zich te oriënteren op een medische studie. 'Het project dat hij zou gaan doen, kon door omstandigheden niet doorgaan', vertelt Kluytmans. 'Ik ben toen naarstig op zoek gegaan naar een alternatief. In mijn achterhoofd liep ik al een tijdje rond met de gedachte om eens te kijken waar de sterke toename van ESBL's bij onze patiënten vandaan kwam. In de literatuur werd vlees meermaals genoemd als mogelijke bron. Wij hebben toen besloten om een goedkope en praktische studie te gaan doen, want er was geen geld beschikbaar. Alle analisten van de vijf ziekenhuizen* waarvoor onze maatschap werkt is gevraagd om na het doen van hun boodschappen een klein stukje rauw en onbewerkt vlees af te snijden voor ons onderzoek. Mijn stagiair Jasper heeft in het lab de proefjes gedaan. Tot onze verbazing was bijna 90 procent van het kippenvlees besmet met ESBL-vormende bacteriën. En ze leken sterk op de soorten die we bij mensen vonden. Daarop hebben we in vier van onze ziekenhuizen alle opgenomen patiënten bemonsterd om te kijken of ze ESBL bij zich hadden. Voor de tweede keer vonden we onverwacht veel ESBL.' Kluytmans ging met zijn onderzoeksresultaten te rade bij een aantal collega's die op het grensvlak van de humane en de veterinaire geneeskunde werkzaam zijn. Die bezwoeren hem dat het geen nieuws was dat er veel ESBL in kippen zat. 'Het hoge percentage besmet vlees was voor hun nieuw. Maar ze zeiden dat ik me geen zorgen hoefde te maken, want de ESBL-genen bij kip en mens waren volstrekt verschillend. Dit speelde in januari 2010.' Niet helemaal gerust besloot Kluytmans de ESBL-genen en de karakteristieken van de bacteriestammen uit de vleesmonsters en van zijn patiënten in kaart te brengen. Hij deed dat samen met een Engelse onderzoeksgroep. 'Ik kreeg de resultaten in februari en constateerde dat er meer overeenkomsten dan verschillen waren tussen de ESBL's in de vleesmonsters en de patiënten. Ik heb toen Roel Coutinho gebeld en die deelde direct mijn zorgen. Hij besloot een deskundigenberaad bijeen te roepen om de situatie te beoordelen en eventuele maatregelen te inventariseren. De notitie die Maurine Leverstein-van Hall schreef was gebaseerd op mijn oorspronkelijke melding waarin ik verslag had gedaan van mijn bevindingen. Zo zie je hoe je soms met een klein, goedkoop en impulsief begonnen project de wereld een beetje kunt veranderen.'

---

* Amphia Ziekenhuis in Breda, het Lievensberg Ziekenhuis in Bergen op Zoom, het Franciscus Ziekenhuis in Roosendaal, het St. Elisabeth Ziekenhuis en het TweeSteden Ziekenhuis in Tilburg.

Onzorgvuldig en overmatig

Leversteins notitie loog er niet om. Vooral de als 'vertrouwelijk' aangemerkte passage 'Is pluimvee een bron van ESBL's bij mensen?' die Koos in ons eerste telefoongesprek citeerde, was dynamiet. In een land waar enkele miljarden omgaan in de vleeskuikensector is het opwerpen van die vraag een garantie voor heftige reacties en veel gedoe. De onrust op de Haagse ministeries en de aanvankelijke geheimzinnigheid rond Leversteins notitie waren daar uitingen van. In haar notitie somt de microbiologe een aantal mogelijke verklaringen op voor de razendsnelle toename van het aantal ESBL's. 'Onzorgvuldig en overmatig antibioticagebruik wordt vaak als belangrijkste reden genoemd voor de toename van antimicrobiële resistentie. Het is echter opvallend dat ondanks het relatief lage antibioticagebruik in de humane geneeskunde in Nederland de ESBL-prevalentie* in overeenstemming is met die in de ons omringende landen.'

Leverstein-van Hall somt in haar notitie verschillende factoren op die mogelijk een rol gespeeld hebben bij de snelle toename in Nederland van het aantal ESBL's.

- Net als in andere landen komt een bepaald type ESBL's, de zogeheten CTX-M-genen**, steeds vaker voor in Nederland. CTX-M-genen lijken zich bovendien makkelijker te verspreiden dan andere typen ESBL's.
- De voedselketen lijkt ook een bron te zijn van CTX-M-genen. De aanwezigheid van bacteriën met ESBL's in voedsel kan leiden tot kolonisatie van de darm door die bacteriën. Dat betekent een risico omdat de eigen darmflora de belangrijkste bron is voor

---

* Prevalentie betekent het vóórkomen van iets.

** CTX-M-genen, met verschillende subtypen, behoren tot de verschillende soorten ESBL-genen. Volgens buitenlandse studies waarnaar Leverstein verwijst in haar notitie is het aantal CTX-M-genen sinds 2000 sterk gestegen van minder dan 1 procent naar meer dan 70 procent van alle ESBL's in 2008.

gramnegatieve bacteriën die urineweginfecties of ziekenhuisinfecties veroorzaken. CTX-M-genen worden veelvuldig aangetroffen in *E. coli*-isolaten van Nederlandse vleeskuikens. In 2006 en 2007 was 15 procent van de *E. coli's* op vleeskuikenbedrijven ESBL-positief.

- Buitenlands onderzoek liet zien dat tweederde van de kippen in de winkels in Sevilla en 85 procent van de kippen in de winkels in Pittsburgh besmet was met ESBL-producerende bacteriën.
- Ook het toenemende aantal overplaatsingen van patiënten uit buitenlandse ziekenhuizen waar ESBL's vaker voorkomen dan in Nederland kan een rol spelen.
- Verder zijn het hoge antibioticagebruik in de Nederlandse dierhouderij, de tekortschietende opsporing van ESBL's in het laboratorium, de falende (ziekenhuis)hygiënische maatregelen en een veranderd voorschrijfgedrag van antibiotica* mogelijk ook van invloed.

Op 13 maart 2010 publiceerde de NOS een eerste verhaal over ESBL's naar aanleiding van de notitie van Maurine Leverstein-van Hall voor de ministers.[139] Voor het grote publiek was het de eerste kennismaking met ESBL's. Het kiezen van de juiste toon om het onderwerp de noodzakelijke urgentie mee te geven zonder paniek te creëren was niet eenvoudig. Ook op de NOS-redactie leidde dat tot stevige discussie, omdat sommigen vonden dat de berichtgeving misschien wel voor paniek zou zorgen. Maar die oefening in op eieren lopen lukte toch aardig. Tegenover de Roel Coutinho die vriendelijk lachend zei dat mensen prima kip konden blijven eten

---

* In Nederland werden destijds steeds vaker (fluor)quinolonen of (fluor)chinolonen voorgeschreven. Dat zijn breedspectrumantibiotica. Nadeel van het gebruik van dergelijke antibiotica met een brede werking is dat de kans dat er resistentie ontstaat groter is dan bij smalspectrumantibiotica die tegen een beperkter aantal bacteriën werkzaam zijn. (Fluor)quinolonen verstoren het voor celdeling noodzakelijke proces van verdubbeling van het DNA van de bacterie, de zogeheten DNA-replicatie.

mits ze er hygiënisch mee omgingen en het vlees goed doorbakten, zat Roel Coutinho die zei dat er toch echt een eind moest komen aan het overdadige gebruik van antibiotica in de intensieve veehouderij. 'Het antibioticagebruik in de veehouderij moet absoluut teruggedrongen worden. Dat is een serieus probleem. We doen er in de humane gezondheidszorg alles aan om terughoudend te zijn met antibiotica om het ontstaan van resistentie ertegen zo lang mogelijk uit te stellen. Dan moet dat probleem niet via de achterdeur toch binnenkomen. Het gaat om antibiotica in de veterinaire sector. We hebben dat bij varkens gehad met MRSA, nu bij kippen. Dat antibioticagebruik bij dieren moet omlaag, anders worden we steeds weer met nieuwe dingen geconfronteerd.' En daarbij hadden we natuurlijk de alarmerende notitie van Leverstein-van Hall. Coutinho onderstreepte – in navolging van Maurine Leverstein in haar eigen notitie – dat het nog niet vaststond dat de onderling nauw verwante bacteriën met ESBL's van kip op mens overgingen. 'Het is niet bewezen dat er een relatie is tussen de ESBL's bij kippen en de mens, maar het is wel weer een waarschuwing dat we met antibiotica spaarzaam moeten zijn, zowel bij mens als bij dier.'

Kippenvlees als bron

Op 31 maart 2010 vond er een deskundigenberaad plaats over ESBL's bij het RIVM in Bilthoven. Roel Coutinho had als directeur van het Centrum voor Infectieziektebestrijding (CIb) specialisten op het gebied van ESBL's bijeengeroepen. De agenda was even overzichtelijk als ingewikkeld. Coutinho: 'Er zijn aanwijzingen dat bacteriën met ESBL's vanuit kip in de mens terechtkomen. Hoe zeker is het dat dat echt zo is? En als het zo is, wat moeten we er dan mee?' Het overleg in Bilthoven moest leiden tot een advies aan de ministers Klink en Verburg. En het was niet toegankelijk voor de pers. Ook in de wandelgangen en na afloop kwamen we niet veel te weten van wat er besproken was. Behalve dat een deel van de aanwezigen zich zeer bezorgd had getoond over de ontwikkelingen. Op 8 april 2010 stuurde Coutinho namens het deskundigenberaad een brief aan de directeuren-generaal van Landbouw en Volksgezondheid die een dag later door de beide bewindslieden werd doorgestuurd aan de Kamer.[140]

'ESBL's zijn een ernstig probleem in opkomst', schrijft Coutinho in de conclusies van zijn brief. 'Er zijn sterke aanwijzingen dat de toename van ESBL-producerende bacteriën in de humane gezondheidszorg niet alleen door humaan antibioticagebruik veroorzaakt wordt, maar voor een deel te wijten is aan resistentieontwikkeling in de veterinaire sector. Daarbij dient te worden opgemerkt dat dit niet uitsluitend een Nederlands probleem is. Ook in het buitenland, zowel binnen als buiten de EU, wordt de toename van ESBL-producerende bacteriën bij mensen, dieren en op vlees van dieren gesignaleerd. Dezelfde stammen worden ook daar bij mensen en vleesproducten gevonden. Het vlees in de Nederlandse winkels heeft voor een deel een buitenlandse herkomst.' De meeste ESBL's die bij mensen waren gevonden kwamen niet overeen met de typen die bij vleeskuikens werden aangetroffen. 'Echter,' noteert Coutinho eerder in zijn brief al, 'een belangrijk deel van de ESBL's vertoont wél overeenkomsten met die uit vleeskuikens, waarbij voor een beperkt aantal isolaten de genetische verwantschap is aangetoond van genen en plasmiden* in isolaten afkomstig van mensen en kippen uit Nederland.'

De deskundigen concluderen ook dat er verschillende routes zijn waarlangs mensen ESBL-producerende bacteriën oplopen: 'In het buitenland is overdracht binnen zorginstellingen een van de belangrijkste verspreidingsroutes van ESBL-producerende bacteriën. In Nederland is de frequentie van deze vorm van verspreiding waarschijnlijk minder, maar zeker niet uitgesloten. Nieuwe data sugge-

* Een plasmide is een cirkelvormige streng DNA die mobiel is en daardoor de overdracht mogelijk maakt van genetisch materiaal tussen bacteriën van dezelfde of verschillende soorten.

reren dat patiënten vaak al bij opname ESBL-producerende bacteriën bij zich dragen en dat hierbij een dierlijk reservoir een rol kan spelen. Overdracht vanuit dit dierlijk reservoir kan plaatsvinden via direct contact met besmette dieren, maar ook door werken met en consumeren van vlees(producten) die van die dieren afkomstig zijn en mogelijk indirect via het milieu.'

Ook in de conclusies hameren de deskundigen op de rol van de veterinaire sector bij het ontstaan van de ESBL-problematiek. 'Er zijn verschillende routes die bijdragen aan de verspreiding van ESBL-producerende bacteriën bij de mens. De bijdrage van elk van deze routes is nog niet duidelijk. Een belangrijke factor voor het optreden van resistentie van bacteriën is het antibioticumgebruik bij mens en dier. De deskundigen zijn het erover eens dat een verantwoord en zeer restrictief antibioticagebruik een belangrijke voorwaarde is om de resistentieprevalentie terug te dringen.' Het deskundigenberaad stelde vier adviezen op aan de ministers Klink en Verburg.

Het eerste was een dringend advies om 'het antibioticumgebruik in de veterinaire sector drastisch en op korte termijn terug te brengen'. Dat moest hand in hand gaan met initiatieven op internationaal en vooral Europees niveau om ESBL's op de agenda te krijgen en ook in andere landen tot een substantiële vermindering van het antibioticumgebruik in de dierhouderij te komen. Verder wilden de deskundigen dat de Gezondheidsraad op korte termijn de risico's ervan voor de volksgezondheid in kaart zou brengen. Het derde advies ging over het in kaart brengen van de kennislacunes en het stellen van onderzoeksprioriteiten. Het laatste advies ging over de communicatie naar het algemene publiek. De deskundigen waren het erover eens 'dat het op dit moment geen zin heeft het eten van kippenvlees te ontraden. Uiteraard blijven de adviezen ten aanzien van de hygiënische bereiding van vlees en vleesproducten onverminderd van kracht. Echter, het probleem is veel breder van aard en behelst de gezondheidszorg, de gehele voedselketen en het milieu. In hoeverre de verschillende routes bijdragen aan het probleem zou aan de in te stellen gezondheidsraadcommissie moeten worden voorgelegd.'

De ministers schreven aan de Kamer: 'Het advies vanuit het deskundigenberaad is zorgelijk en wordt door ons vanzelfsprekend buitengewoon serieus genomen.' Verburg greep het aan om de afspraken over het terugdringen van het antibioticagebruik te versnellen. Boven op de 20 procent reductie die in 2011 gerealiseerd moest worden, moeten de boeren ervoor zorgen dat het antibioticagebruik in 2013 met de helft is gedaald ten opzichte van 2009. 'Wij bereiden ons erop voor', schreven de ministers aan de Kamer, 'om nadere maatregelen te treffen, indien onverhoopt mocht blijken dat de sectoren niet tijdig met voldoende, concrete stappen komen.'

Klassiek dilemma

Wil Goessens, microbioloog in het Erasmus MC in Rotterdam was toen al jaren bezig met onderzoek naar ESBL's. 'De ESBL's van nu hebben CTX-M-genen* bij zich. Die hadden we eerder nog niet gezien in *E. coli*. CTX-M-genen gaan heel makkelijk over van de ene bacterie op de andere, ook op andere soorten. Dat maakt het wel eng, vind ik.' Goessens trok een parallel met vijftig jaar eerder. 'In de jaren zestig waren alle *E. coli* gevoelig voor penicillines van de eerste generatie. Op een gegeven moment is er toen een mutatie opgetreden waardoor ze daar ongevoelig voor werden. Zoiets is er weer gebeurd. Bacteriën zijn daar heel goed in.' Goessens legde de zwarte piet bij 'de voedingsindustrie', zoals hij dat noemde. 'Het antibioticumgebruik in de intensieve veeteelt is absurd hoog. Dat zorgt voor selectie op resistentie. En dat gaat snel, zeker bij zulke hoeveelheden antibiotica.' Goessens was niet bepaald optimistisch gestemd.

---

* CTX-M-genen behoren tot de verschillende soorten ESBL-genen.

'Antibioticaresistentie wordt wereldwijd het echte probleem in de gezondheidszorg. Hier in Nederland zijn we de dans tot nu toe ontsprongen door ons goede beleid. Maar geloof me, MRSA is echt klein vergeleken bij de ESBL's. Patiënten die een infectie krijgen door een bacterie met ESBL kunnen alleen nog met carbapenems behandeld worden. Maar hoe vaker je die laatste toevluchtsmiddelen gebruikt, hoe eerder ook daar resistentie voor ontstaat. Bacteriën gaan dan carbapenemasen produceren, enzymen die de werking van antibiotica van de klasse der carbapenems neutraliseren. 'Dat is voor dokters die patiënten moeten behandelen die door ESBL-positieve bacteriën blijven kampen met een soms ernstige infectie een dilemma', zegt Christina Vandenbroucke-Grauls, hoofd van de afdeling medische microbiologie van het VUmc in Amsterdam. 'Ze weten dat zo'n patiënt een carbapenem nodig heeft. Maar ze weten ook maar al te goed dat hoe vaker ze dat middel geven, hoe eerder bacteriën ook daar resistent tegen worden.' Het is de klassieke tegenstelling tussen het belang van de individuele patiënt en het belang van de volksgezondheid.

'Het is een probleem dat veel groter is dan alleen medisch', zegt professor Vincent Jarlier, hoofd van de afdeling medische microbiologie van la Pitié Salpétrière, een van de grote Parijse ziekenhuizen in het zuidoosten van de stad. 'De medische wereld is volgens mij niet in staat met de juiste recepten te komen. Wij dokters proberen patiënten beter te maken. Dat hebben we nu eenmaal geleerd. Maar we hebben hulp nodig om verder te kunnen kijken. Anders blijven we alleen maar doen wat op korte termijn resultaat oplevert. We moeten ons niet alleen met onze ene patiënt bezighouden die een infectie heeft door een resistente bacterie, maar ook met de hele keten van kruisoverdracht* en selectiedruk door antibioticagebruik.

---

* Er is sprake van kruisoverdracht als meer dan één patiënt in dezelfde periode en op dezelfde plek een identieke bacterie oploopt.

En daarbij moeten we verder kijken dan de gezondheidszorg alleen. In het ziekenhuis moeten we alles blijven doen wat we kunnen, maar we moeten verder gaan. We moeten de politici ervan overtuigen dat het niveau van hygiëne bij de mensen thuis en op scholen omhoog moet, want daar is het nu droevig mee gesteld. Vooral met de fecale hygiëne, de hygiëne dus rond het poepen. Op scholen zijn de toiletten vies, de kinderen wassen hun handen niet, er is vaak geen toiletpapier, er is geen maandverband. Ik garandeer u dat kinderen hun darmbacteriën uitwisselen. En bij mensen thuis is het vaak niet veel beter. Mijn vroegere baas zei altijd tegen me: "Jarlier, je weet, we hebben allemaal de darmflora van degene die voor ons kookt." We zijn wel vooruitgegaan, daarom hebben we hier geen tyfus meer. Maar de antibioticaresistentie die we nu zien, de *E. coli* en de *Klebsiella's* met ESBL's of met carbapenemasen, zijn het fecale gevaar van de moderne tijd. Het is wat de tyfus vroeger was.'

Omvattende visie nodig

Precies vanwege die parallel vindt Jarlier dat de oplossingen niet alleen van medici moeten komen. Die vertrouwt hij dat niet toe. Hij citeert de Franse staatsman Clémenceau*. '"Oorlog is een te serieuze zaak om aan soldaten over te laten." Het is net hetzelfde met antibioticaresistentie. Dat is een veel te ernstig probleem om de bestrijding ervan alleen toe te vertrouwen aan artsen en microbiologen. Die zijn daar niet het best voor toegerust. Artsen en microbiologen zijn wel het best geplaatst om uit te leggen hoeveel last ze ervan hebben, hoezeer het hen belemmert bij het goed verzorgen van hun patiënten. Maar voor het aandragen van oplossingen, van manieren om er iets aan te doen, geloof ik niet dat de dokters de meest aangewezen personen zijn. Natuurlijk moeten wij artsen ons

---

* George Clémenceau, Frans arts, staatsman, journalist en publicist. Was tijdens het laatste deel van de Eerste Wereldoorlog premier en minister van Oorlog (1917-1920).

daar wel mee bemoeien, maar laat ik het zo zeggen, als er alleen maar dokters in de zaal zijn, zie ik de remmingen. Artsen gaan zich er niet mee bezighouden dat alles nu de afvoer in gaat. Of met algemene hygiëne, daar zijn ze niet goed voor opgeleid. In ieder geval niet in Frankrijk. Artsen zijn geen hygiënespecialisten. Ze maken zich zorgen over elke patiënt die ze onder hun hoede hebben, daar doen ze alles voor. Op zijn best mag je van artsen verwachten dat ze hun patiënten proberen te overtuigen van het nut van vaccinaties en dat ze zichzelf laten vaccineren. Maar je kunt echt niet van ze verwachten dat ze een omvattende visie ontwikkelen op dit probleem waarin de mensheid zijn plek heeft, maar ook dieren, planten, waterzuivering en voeding. Echt niet.'

Jarlier illustreert zijn fundamentele betoog met een voorbeeld. 'Kort geleden waren we op het ministerie van Volksgezondheid bij elkaar met pakweg dertig verantwoordelijken voor het Plan antibiotiques.* Daar waren alleen maar medici. En één veearts. Iedereen die daar was weet dat volksgezondheid meer is dan de geneeskunde. Dat het probleem van de tyfus niet is opgelost door artsen, maar door de aanleg van waterleidingen en waterzuivering, door de scheiding van drinkwater en afvalwater. Toen we tijdens die vergadering aan de gezondheidsautoriteiten voorstelden dat er een interministeriële aanpak nodig is om het antibioticagebruik terug te dringen, dat we dat met Volksgezondheid niet alleen kunnen, reageerden ze met "interministerieel, oh la la, ingewikkeld, dat lukt nooit". Het ís trouwens heel moeilijk, maar ik vond die reacties

---

* Initiatief genomen in 2002 om antibioticagebruik terug te dringen. Leidde tot een daling van het gebruik met 15 procent tot eind 2009. Maar in 2008 en 2009 steeg het antibioticagebruik weer http://www.medqual.fr/grandpublic/Infectiologie/journee%20atb%202010%20Vdef.pdf en die trend zette in 2010 door http://www.invs.sante.fr/fr/Publications-et-outils/Rapports-et-syntheses/Maladies-infectieuses/2012/Surveillance-de-la-consommation-des-antibiotiques-Reseau-ATB-Raisin-Resultats-2010.

exemplarisch. Het Plan antibiotiques zoals we dat nu hebben opgezet is medisch, met een vleugje veterinair. Maar het milieu vind je er niet in terug. Verschillende collega's vielen me bij, die zeiden: "Beseft u wel wat er in het afvalwater zit?" Er is een heel pak publicaties over ESBL's in ziekenhuisafvalwater. Over ESBL's die op het boerenland komen via de mest van het vee dat er vol meezit. Maar dat betekent niet dat er niets meer te doen valt. Integendeel, juist omdat de situatie zo is moeten we het aanpakken. Net als we ook aan de uitstoot van CO_2 iets moeten doen, hoe ingewikkeld ook. Je kunt niet met je armen over elkaar gaan toekijken hoe het verder gaat met de antibioticaresistentie of de uitstoot van CO_2. Maar het is een probleem dat de dimensie van de individuele dokter verre overstijgt. Elke dokter heeft zijn eigen opvattingen. Dat is prima bij de behandeling van individuele patiënten, zolang de arts zich maar aan de beroepsstandaarden en richtlijnen houdt. Maar bij een veelkoppig probleem als antibioticaresistentie ligt dat anders. En dat is nieuw. Tot nu was resistentie eigenlijk altijd een medisch probleem. Een infectie die je er niet meer onder kreeg met het voorgeschreven middel. Dan moest je bedenken hoe je nog wel kon behandelen. Maar nu is alles anders. Bijvoorbeeld: resistentie van pneumokokken* voor bèta-lactam-antibiotica, we weten dat die samenhangt met antibioticagebruik én met de nabijheid van andere kinderen met hetzelfde. Dat bracht een aantal collega's ertoe de stoute schoenen aan te trekken om zich hardop af te vragen of we de kinderopvang misschien niet anders moeten organiseren. Moeten we niet toe naar een systeem met drie, vier kinderen in plaats van grote crèches? Kinderartsen onderkennen het probleem. Maar het was volstrekt

---

* De *Streptococcus pneumoniae* (pneumokok) is een bacterie die veel mensen in hun normale flora hebben zitten. De bacterie kan voor ernstige infecties zorgen. In Nederland sterven jaarlijks nog meer dan duizend mensen door pneumokokkeninfecties. Daarbij gaat het vooral om longontsteking, hersenvliesontsteking en bloedbaaninfecties. In Vlaanderen is het beeld niet anders.

onmogelijk om erover te praten met verantwoordelijken op het ministerie van Volksgezondheid. Die wilden niet verder kijken dan de strikt medische kant van de zaak. Met antibioticaresistentie ligt het net zo. Ook daarbij moeten we buiten de puur medische kaders treden. Dokters kunnen dit niet alleen.'

Jarlier lacht. 'Ik ben hard voor mijn vakgenoten. Niet iedereen gaat blij met me zijn. Ik heb professioneel veel te danken aan die nieuwe resistentiemechanismen. Die hebben me in mijn carrière geholpen. Maar nu hoef ik geen carrière meer te maken. Ik heb al kleinkinderen, ik ben aan het eind van mijn carrière. Dat maakt het makkelijker om dit soort dingen te zeggen.'

Marc Sprenger, de directeur van het European Centre for Disease Prevention and Control (ECDC), vertelt een anekdote die naadloos aansluit bij Jarliers verhaal, omdat die ook over de organisatie van de moderne samenleving gaat. 'Konstanty Radziwill, de Poolse voorzitter van de Europese artsenorganisatie* legde me laatst uit hoe dynamisch zijn land is, dat de economie snel groeit, dat heel veel vrouwen een baan hebben. Maar dat heeft soms rare gevolgen, zei hij. Als er dan een vrouw bij de dokter komt met een ziek kind, zegt ze: "Dokter, mijn kind is ziek, maar ik moet werken. Ik kan me niet veroorloven om thuis te blijven. Dus wil je hem iets stevigs geven, want paracetamol dat helpt niet." De druk op artsen om antibiotica te geven is dan vaak wel groot, zeker in een land waar zaken minder strak geregeld zijn dan bijvoorbeeld in Nederland.'

Onder professoren

'Als we niets doen aan het vóórkomen van ESBL's, dan geven we daarmee een zwart-op-wit garantie voor het optreden van resistentie tegen carbapenems.' Jarlier zegt het met veel nadruk. 'Er is geen enkele manier om te voorkomen dat artsen in ziekenhuizen, maar

---

* CPME, Comité Permanent des Médecins Européens, de Europese pendant van de Nederlandse KNMG en de Belgische Orde van Geneesheren.

zelfs daarbuiten, carbapenem-antibiotica voorschrijven aan patiënten met een infectie door een gramnegatieve bacterie met ESBL's. Ze moeten die mensen toch behandelen! Dokters kiezen voor de beste behandeling voor hun patiënt. Dat moeten ze, dat is het contract dat ze gesloten hebben toen ze dokter werden. Zodra je weet dat pakweg 20 procent van de gramnegatieven een ESBL bij zich heeft, kun je niet meer tegen mevrouw Dupont zeggen dat je haar een cefalosporine geeft. Want de kans is één op vijf dat die niets doet. Op het moment zijn we nog niet zo ver, we hebben nu rond de 6 procent ESBL's in de ziekenhuizen. Maar zodra dat pakweg 10 procent is, dat is typisch zo'n symbolische psychologische grens, dan gaan artsen hun voorschrijfgedrag aanpassen. Als je weet dat je therapie in één op de tien gevallen niet werkt, dan pas je die aan. En dan niet in één geval, maar voor iedereen. Want artsen baseren zich op waarschijnlijkheid. Dus als we niets doen aan de toename van het aantal ESBL's, dan is dat precies hetzelfde als doorroeien in een lekke boot zonder het gat te dichten waardoor het water naar binnen loopt. Ik begrijp best de aarzelingen van sommigen, want je moet je niet alleen bezighouden met die nog kleine aantallen patiënten, maar ook met de duizenden dragers van bacteriën met ESBL's en vooral met de risicofactoren. Mensen die zeggen: dat is onmogelijk, die bedoelen eigenlijk: ik geef het op. Dat is menselijk, het gaat om enorm gecompliceerde problemen, maar het is net als met de schuldencrisis in Europa: we hebben geen keuze. We krijgen het probleem van de multiresistente bacteriën nooit helemaal weg. Dat kan niet, er komen altijd weer nieuwe. Het gaat erom om het onder controle te krijgen, om het zo te beheersen dat de risico's voor de patiëntenzorg aanvaardbaar zijn. Ik ben bang dat de werkelijke reikwijdte van dit probleem nog niet echt is doorgedrongen. Maar dat komt. Ik sta niet alleen in mijn analyse.'

Over mijn hoofd heen gaat Jarlier in discussie met zijn collega Patrice Nordmann. Een onder collega's internationaal geacht wetenschapper, hoewel door diezelfde collega's wel geregeld gezegd wordt dat hij erg veel in zijn laboratorium zit en te weinig met zijn voeten in het bluswater staat. Een derde Franse specialist op het gebied van antibioticaresistentie, Jean Carlet*, voormalig hoofd van de intensive care van het Hôpital Saint-Joseph in het veertiende arrondissement van Parijs, had me al verteld dat Nordmann meent dat de slag tegen de ESBL's al verloren is. 'De tendens is om nu vooral maar de nadruk te leggen op de carbapenemasen. Want journalisten begrijpen goed dat resistentie voor carbapenems een dramatische ontwikkeling is, omdat er dan eigenlijk niets meer is. Vooral Jarlier blijft aandacht vragen voor de ESBL's als motor voor het ontstaan van resistentie voor carbapenems. Daarom was hij ook zo boos op Nordmann. Die lijkt te zeggen: ESBL's daar zijn we te laat mee, laten we ons maar richten op de carbapenemasen. En dat helpt niet echt om mensen zo ver te krijgen dat ze het onderste uit de kan halen tegen die ESBL's. Hij laat zich geregeld publiekelijk op die manier uit. Elke keer tot grote woede van Vincent Jarlier, die er juist van overtuigd is dat er veel meer moet gebeuren om de verspreiding van ESBL's zo veel mogelijk tegen te gaan. In het ziekenhuis, maar ook daarbuiten en misschien wel te beginnen bij kinderen die moeten leren om veel hygiënischer te worden. Omdat het gaat om een gevaar dat samenhangt met de ontlasting. Dat zijn van die kleine verschillen tussen grote specialisten.'

Grenzen van wat mogelijk is

In het gesprek dat ik diezelfde decemberdag in 2011 met Nordmann had, is hij iets minder stellig dan Carlet zegt: 'Die ESBL's komen overal vandaan', zegt Nordmann. 'Veel kip zit er vol mee, onder andere in Nederland. Dat is een van de manieren waarop het ook in Frankrijk terecht is gekomen, via de import van kippen uit verschillende Europese landen. We moeten het gebruik van antibiotica

---

* Carlet is voorzitter van de in juni 2012 opgerichte World Alliance against Antibiotic Resistance (WAAR).

terugdringen, ook in de veeteelt. Dat helpt bij het verminderen van de selectiedruk, dan krijg je minder resistentie. Maar het zal toch heel moeilijk zijn om de verspreiding van die ESBL's te beheersen, omdat een deel ervan geïmporteerd wordt uit het buitenland. Oplossingen zijn heel moeilijk, ook al is het aantal ESBL-stammen zeker in het noordelijk deel van Europa nog beperkt. Bacteriën met de volgende trap van resistentie, voor carbapenems, zien we in onze contreien voorlopig nog minder. Maar ze komen, dat staat vast. We gaan naar een situatie waarin we patiënten soms niet meer zullen kunnen behandelen. In absolute aantallen blijft dat voorlopig nog beperkt. We moeten in de eerste plaats zo goed mogelijk screenen, vooral risicopatiënten. Patiënten die dragers zijn van heel resistente bacteriën moeten we isoleren. Misschien dat we daarmee genoeg tijd winnen om te wachten op een nieuw antibioticum. Maar dat is allerminst zeker.'

Carlet denkt dat de Franse ziekenhuizen zo'n beetje aan de limiet zitten van wat ze kunnen doen om de multiresistente bacteriën onder controle te houden. 'Anders gaat het te veel tijd en werk kosten. Het zou niet realistisch zijn om te denken dat er veel meer mogelijk is. Je kunt niet zo makkelijk ziekenhuisafdelingen sluiten. De concurrentie tussen de ziekenhuizen is moordend, budgettair lopen ze over een heel dun draadje. Dus als je een opnamestop moet afkondigen en besmette patiënten in cohorten moet gaan verplegen, en dat is wat de richtlijnen voorschrijven, dan is dat een ramp. Misschien is er daardoor hier ook weleens de neiging om uitbraken een beetje verborgen te houden, maar toch niet met carbapenemasen, zoals in het Maasstad Ziekenhuis gebeurd is.' Carlet vertelt dat tegelijk met de succesvolle pogingen om het aantal MRSA-gevallen in Frankrijk terug te dringen, de *E. coli* en de *Klebsiella spp.* met ESBL's opgekomen zijn.* 'Die lijnen hebben elkaar gekruist. ESBL's zijn de

---

* In 2009 was 7 procent van alle *E. coli* en 19 procent van alle *Klebsiella pneumoniae* die in Franse ziekenhuizen gekweekt werden ESBL-positief. In 2005 was dat nog 1

nieuwe publieke vijand nummer één. En daarnaast hebben we af en toe problemen met carbapenemasen, maar dat is nog beperkt.'*

Trending topic ESBL

Het jaar 2010 was niet alleen in Nederland het jaar van de ESBL's. Op het European Congress of Clinical Microbiology and Infectious Diseases van dat jaar was het ook de *trending topic*. Vier dagen lang, van 10 tot 13 april, ging het in het Austria Center in Wenen vaak over ESBL's. Een lange rij sprekers vertelden hoe op alle continenten ESBL's gedurig in aantal toenamen en steeds meer problemen veroorzaakten. Ik licht er een paar voorbeelden uit. In Caïro was meer dan driekwart van alle geteste *E. coli*-isolaten ESBL-positief, terwijl het merendeel van de dragers nog nooit in een ziekenhuis geweest was.[141] In alle Europese landen werd een duidelijke groei geconstateerd in het aantal ESBL's.[142] In een ziekenhuis in het noorden van Ghana was 20 procent van alle *E. coli* en bijna 80 procent van alle *Klebsiella's* in bloedkweken van kinderen ESBL-positief. Twee op de drie van hun familieleden waren besmet met dezelfde bacteriestammen.[143] Een rapport van de Global Antibiotic Resistance Partnership (GARP) over Zuid-Afrika[144] meldt dat in privéklinieken in Johannesburg 20 procent van de *Enterobacter cloacae* een ESBL bij zich had. In 2006 bleek bij een onderzoek uitgevoerd in vijf grote Zuid-Afrikaanse steden dat ruim de helft van de *Klebsiella pneumoniae* ESBL-positief was. In het GARP-rapport over Kenia[145] worden hoge resistentiepercentages gesignaleerd die zijn gevonden

---

en 4 procent. http://www.sante.gouv.fr/IMG/pdf/plan_antibiotiques_2011-2016_DEFINITIF.pdf.

* Van 2004 tot 2008 waren er in Frankrijk jaarlijks tussen de één en drie meldingen van *Enterobacteriaceae* zoals *E. coli* en *Klebsiella spp.* met carbapenems. In 2009 waren er zes, in 2010 zesentwintig en in de eerste zes maanden van 2011 al zevenentwintig. Het aantal stammen *Acinetobacter baumannii* dat resistent was voor imipenem steeg van tweeëntwintig in 2008 naar negenenzeventig in 2010. http://www.sante.gouv.fr/IMG/pdf/plan_antibiotiques_2011-2016_DEFINITIF.pdf.

in kleine onderzoeken. Er was nauwelijks resistentie voor cefalosporinen en al helemaal niet voor carbapenemasen, maar dat heeft waarschijnlijk meer te maken met de beperkte beschikbaarheid van die duurdere antibiotica in het land.

Ook België wordt geconfronteerd met een toenemend aantal ESBL's in zijn ziekenhuizen. Eind 2012 kwamen de cijfers beschikbaar over 2011.[146]

Het aantal patiënten in België dat met een MRSA het ziekenhuis binnenkwam daalde van 11 per 1.000 in 2007 verder naar 7,2 per 1.000 in 2011. In het ziekenhuis lopen 1,3 per 1.000 patiënten een MRSA-besmetting op. Van alle *Staphylococcus aureus*-stammen die in 2011 in de Belgische ziekenhuizen aangetroffen werden, waren 20,8 procent MRSA-stammen. In Vlaanderen zijn de cijfers lager dan in Brussel en vooral Wallonië. VRE is ook in België een toenemend probleem. In 2009 werden 75 VRE-besmettingen aangetoond, in 2010 liep dat op tot 117 en in de eerste vier maanden van 2011 werden er al 62 VRE gevonden. Het aantal met VRE besmette patiënten dat ook daadwerkelijk een infectie kreeg liep op van 7 in 2009 naar 20 in 2010. Van de in 2011 gekweekte stammen van de *Enterobacter aerogenes* produceerde 21,5 procent ESBL's. Dat percentage is sinds 2007 gehalveerd. Van de *Enterobacter cloacae*-stammen was 12 procent positief. In Brussel was ruim een kwart van alle *E. cloacae*-stammen ESBL-positief. De surveillance van deze bacterie loopt te kort om een trend te kunnen onderscheiden. Van de veel meer voorkomende *E. coli* produceerde 6,7 procent een ESBL, in ziekenhuizen in Brussel lag dat percentage de helft hoger. Van de *Klebsiella pneumoniae*-isolaten was 13 procent ESBL–positief, een stijging met eenderde ten opzichte van een jaar eerder. In de Brusselse ziekenhuizen lag dat getal de helft hoger. Het vóórkomen van *Klebsiella's* met ESBL's heeft een grillig verloop in België. Toen de surveillance begon in het tweede semester van 2005 was 6,9 procent van de *Klebsiella's* ESBL-positief. Een jaar later was dat 9,5 procent om vervolgens te dalen naar 6 procent half 2008. Sindsdien is het weer gestegen naar 9,5 procent in het eerste semester van 2010 en 9,9 procent in het tweede semester.

'We weten niet of in België dezelfde ESBL's voorkomen bij mensen en kippen, zoals in Nederland', zegt professor Youri Glupczynski, hoofd van de afdeling medische microbiologie van het academisch ziekenhuis Mont Godinne van de universiteit van Louvain-la-Neuve. 'Of dat het bij ons is zoals in Engeland, waar het om andere typen ESBL's gaat. We beschikken niet over die gegevens. De samenwerking met onze veterinaire collega's is moeizaam. Maar op grond van de paar gegevens die we wel hebben, denk ik dat het in België eerder is zoals in Engeland. De manier van werken in de abattoirs, maar ook het preventieve gebruik van antibiotica hoeft niet per se hetzelfde te zijn in Nederland en België. Ik heb weleens statistieken gezien over het gebruik van ceftiofur* in de pluimveehouderij. Cef-

* Ceftiofur is een cefalosporine van de derde generatie. In de humane geneeskunde is het een derdekeusmiddel dat alleen gebruikt wordt als andere middelen niet werken. In de pluimveesector is het lang gebruikt om kuikens preventief mee te behandelen. In de hele wereld worden de eieren van legkippen ermee geïnjecteerd. Op de paar Amerikaanse en Canadese bedrijven waar grootouderdieren worden geproduceerd, worden de eieren of de eendagskuikens ook met ceftiofur behandeld. In Nederland en België is het gebruik van ceftiofur en vergelijkbare middelen verboden, maar gebeurt het nog steeds zoals uit de statistieken blijkt en af en toe bij controles http://www.vilt.be/FAVV_vindt_verboden_antibioticum_bij_kippenbroederijen. In Nederland bestond 0,23 procent van de 338 ton antibiotica die in 2011 volgens de officiële cijfers gebruikt werd in de dierhouderij uit cefalosporinen. In totaal ging het om 777 kilo cefalosporinen waaronder 575 kilo – 0,17 procent – derde en vierde generatie cefalosporinen zoals ceftiofur. http://www.uu.nl/SiteCollectionImages/Fac_DGK/Nieuwsplaatjes/Nieuws/2012/Nethmap-Maran_Web.pdf. In 2011 werd er in de Belgische dierhouderij 299 ton antibiotica gebruikt, waaronder bijna 1.500 kilo cefalosporinen. http://www.belvetsac.ugent.be/pages/home/BelvetSAC_report_2011%20finaal.pdf Meer dan de helft daarvan, 850 kilo, betrof cefalosporinen van de derde en vierde generatie, meestal ceftiofur (650 kilo). Van die middelen worden kleine hoeveelheden gebruikt vergeleken met andere middelen. Bovendien worden ze vooral aan pluimvee gegeven waarbij de doseringen in zijn algemeenheid laag zijn.

tiofur is een cruciaal middel in de humane geneeskunde. Aan het grootschalig gebruik bij dieren kleven dus grote risico's. Ceftiofur werd in België vier of vijf keer meer gebruikt dan in Nederland. Daarbij, het ene antibioticum is het andere niet. Van sommige heb je veel nodig, van andere weinig.* Kortom, we hebben nog lang niet alle stukjes te pakken van de legpuzzel die ESBL heet. Maar ik maak me grote zorgen over die ESBL's. Ik constateer dat de ziekenhuizen die nu te maken hebben met carbapenemasen in het verleden allemaal problemen met ESBL's hadden. Het gaat om dezelfde manier van overdracht van de genetische informatie die voor de resistentie zorgt.'**

Verontrustende cijfers

In Wenen kwam nog veel meer aan de orde over ESBL's. Hoe gemakkelijk die zich verspreiden via toeristen en andere reizigers.*** Dat er een virulente *E. coli*-stam met ESBL's over de wereld gaat die mensen makkelijker koloniseert en vaak urineweginfecties veroorzaakt.[147] Dat in Engeland de eerste *E. coli* gevonden was die niet alleen ESBL-positief was, maar ook het enzym NDM-1 bij zich had dat resistent maakt voor carbapenems.[148] Verder ging het over het gemak waarmee ESBL's zich verspreiden door de overdracht van de plasmiden met genetische informatie[149] tussen bacteriën en hoe moeilijk het zal zijn die verspreiding in de hand te houden.[150] Jan Kluytmans, hoogleraar aan de VU en hoofd van de afdeling medische microbiologie van het Amphia Ziekenhuis in Breda presenteerde er de resultaten van zijn eerder genoemde onderzoek naar het vóórkomen van ESBL's op vlees.[151] Bijna de helft van alle 249 gekochte vleesmonsters bleek besmet met ESBL's. Van alle kippenvlees bevatte 88 procent ESBL's. In bijna 19 procent van het

---

* Zie hoofdstuk 9.
** Zie hoofdstuk 7 en hoofdstuk 9.
*** Zie hoofdstuk 1 en hoofdstuk 7.

rund- en varkensvlees zaten ESBL's. In biologisch vlees zaten minder ESBL's, maar het verschil was statistisch niet relevant. 'ESBL's zijn overal', zegt Kluytmans. 'Waar we kijken vinden we ze. Op kip, maar ook op ander vlees. Op groenten, in water, in de grond, ESBL's zijn overal. Dat is het grote verschil met MRSA, de klassieke ziekenhuisbacterie. Dat is een probleem van buitenlandse ziekenhuizen, dat we hier heel goed buiten de deur weten te houden dankzij ons strikte beleid. En het is een probleem van varkensboeren, die hebben het ook vaak bij zich. Maar ESBL's, dat is een probleem van een andere orde. Het is hier overal, maar in ontwikkelingslanden nog veel meer en op reis kun je het heel makkelijk oplopen. Moet je dan alle mensen die in het buitenland geweest zijn en bij wie de kans op ESBL's pakweg 40 procent is, structureel gaan isoleren en controleren? Mij lijkt dat je dan een achterhoedegevecht aan het voeren bent. We zullen ons moeten richten op het beheersen van risico's, maar het is een illusie om te denken dat we dit probleem nog kunnen elimineren.' Kluytmans en ook Christina Vandenbroucke-Grauls zien maar één oplossing: er moeten nieuwe antibiotica komen die effectief zijn tegen gramnegatieve bacteriën. 'En die moeten dan zo duur gemaakt worden', zegt Vandenbroucke-Grauls, 'dat geen boer het in zijn hoofd zal halen om die middelen preventief te gebruiken voor vee. En geen dokter om ze in te zetten als het niet strikt noodzakelijk is.' Het vleesonderzoek van Jan Kluytmans en zijn groep leidde tot veel publiciteit. Na de NOS besteedden ook Zembla en Radar uitgebreid aandacht aan ESBL's en ook verschillende kranten stortten zich op de antibioticaresistentie. De Consumentenbond drong er bij de toenmalige demissionaire minister van Volksgezondheid Ab Klink op aan om de risico's in kaart te brengen.

Vermoedens bevestigd

Die risico's bleken nog weer groter dan al gedacht. Op de najaarsvergadering van de Nederlandse Vereniging voor Medische

Microbiologie (NVMM) op 18 november 2010 presenteerde de onderzoeksgroep van Christina Vandenbroucke-Grauls de resultaten van een studie naar het vóórkomen van ESBL's bij de Amsterdamse bevolking. Daartoe was de ontlasting onderzocht van 720 mensen die met buikpijn bij hun huisarts kwamen. Er is geen verband bekend tussen buikpijn en antibioticaresistentie. Van alle monsters bevatten er 10 procent ESBL's.[152] 'Wij hadden verwacht dat we tussen de 2 en 5 procent ESBL's zouden vinden', vertelde Christina Vandenbroucke-Grauls me. 'In het ziekenhuis hebben we 6 procent ESBL's. Van de Amsterdammers met ESBL's had maar een klein deel een ESBL bij zich die ook bij kippen voorkomt. Van de Tilburgers bleek bij een vergelijkbaar onderzoek begin 2011 8 procent ESBL's in hun ontlasting te hebben. De onderzoeksgroep van het VUmc is na het onderzoek bij mensen die met buikpijn bij hun huisarts kwamen een nieuw onderzoek begonnen onder de algemene bevolking van Amsterdam. Daartoe is Amsterdammers via hun huisarts gevraagd een ontlastingsmonster in te sturen. Ruim 1.700 mensen gaven gehoor aan die oproep. 'Van die groep bleek 8,5 procent ESBL-positieve bacteriën bij zich te dragen', vertelt Vandenbroucke-Grauls begin november 2012. 'We hebben zelfs één *E. coli* met OXA-48 gevonden. Toen we 10 procent ESBL's vonden bij die groep mensen met buikpijn dachten we nog dat veel van die mensen misschien buikpijn hadden als gevolg van een diarree opgelopen op een buitenlandse reis. Maar nu gezonde mensen vrijwel even vaak ESBL's bij zich hebben, wordt de vraag nog prangender: hoe komen die mensen aan die ESBL's? Dat probeert onze onderzoeksgroep nu te achterhalen met een epidemiologische analyse van de honderden uitgebreide vragenlijsten met persoonsgegevens, gegevens over antibiotica- en ander medicijngebruik, reisgedrag en voedingsgewoontes.'

Voorjaar 2011 publiceerde de onderzoeksgroep van de VU ook een eerste, klein onderzoek naar ESBL's op groenten. Zoals te verwachten viel werden die gevonden. Van 120 groentemonsters bleek 5 procent besmet met ESBL-producerende bacteriën.* Vier taugémonsters, en een van radijs, lente-ui en pastinaak waren besmet.[153] Vier van de zeven besmette monsters waren van biologische teelt. Eerder vond er alleen in Frankrijk een onderzoek plaats naar ESBL's in groente.[154] In dat grotere onderzoek bleek 13 procent van 399 groente- en fruitmonsters besmet. En ook toen waren daar biologische geteelde producten bij. Vandenbroucke-Grauls zag in de resultaten van het groenteonderzoek een bevestiging van bange vermoedens. 'Er zijn veel meer soorten bacteriën die resistent zijn voor allerlei antibiotica en ze zitten op veel meer plekken dan we vermoedden. Eigenlijk is het wonderlijk dat ze niet al veel meer voorkomen in mensen.' Op de voorjaarsvergadering 2012 van de NVMM presenteerde professor Alexander Friedrich de uitkomsten van een onderzoek van het UMC Groningen naar het vóórkomen van ESBL's in ziekenhuizen in het Nederlands-Duitse grensgebied. 'Uit onze studie bleek dat er tussen beide landen geen verschil is wat betreft het vóórkomen van ESBL-producerende *E. coli* in de ziekenhuizen. Dat varieerde van 6 tot 10 procent. Het maakt eens te meer de noodzaak van een Europese aanpak duidelijk', zegt Friedrich.[155]

In Nederland worden in het Infectieziekten Surveillance Informatie Systeem – Antibiotica Resistentie (ISIS-AR) gegevens bijgehouden over ESBL's. Negenentwintig laboratoria voor medische microbiologie zijn aangesloten. Samen bedienen ze ongeveer tweederde van de Nederlandse ziekenhuizen.

In 2011 waren 2,7 procent van alle *E. coli* die op verzoek van huisartsen gekweekt werden ESBL-positief. De helft meer dan in 2008. In de polikliniek liep het aantal ESBL-producerende *E. coli* op van 3,2 procent in 2008 naar 5 procent eind 2011. Op de opnameafdeling van de ziekenhuizen was het percentage ESBL-positieve *E. coli* in

* Het ging om een *Klebsiella pneumoniae*, een *Citrobacter freundii* en twee *Enterobacter cloacae*.

dezelfde periode gestegen van 3,8 naar 5,7 procent. In verpleeg- en verzorgingshuizen verdubbelde het van 4 procent in 2008 naar 7,9 procent eind 2011. Voor ESBL-producerende *Klebsiella pneumoniae* lagen de cijfers wat hoger. Bij de huisarts ging dat van 1,4 procent in 2008 naar 3,3 procent eind 2011. In de polikliniek steeg het van 2,9 naar 6,3 procent. Op de verpleegafdelingen van het ziekenhuis ging het van 5,3 naar 8,4 procent. In de verpleeg- en verzorgingshuizen nam het met een factor drie toe van 3,9 procent in 2008 naar 11,6 eind 2011.*

Cijfers die in november 2011 door het ECDC werden gepresenteerd laten een vergelijkbaar beeld zien, vooral voor *Klebsiella pneumoniae* met ESBL's. In Griekenland produceerde in 2010 meer dan de helft van alle *Klebsiella pneumoniae* die een infectie veroorzaakten ESBL's. In Bulgarije, Hongarije, Tsjechië, Italië, Litouwen en Letland gold dat voor een kwart tot de helft van alle *Klebsiella pneumoniae*. In Frankrijk, Portugal, Roemenië, Estland en Slovenië lag het aantal ESBL-positieve *Klebsiella's* tussen de 10 en 25 procent.[156] Een jaar later was dat beeld er niet beter op geworden. Uit de ECDC-cijfers over 2011 bleek dat in Litouwen, Polen, Slowakije, Hongarije, Bulgarije en Griekenland meer dan de helft van alle *Klebsiella pneumoniae* die een infectie veroorzaakten ESBL-positief was. En in Frankrijk gold dat in 2011 voor tussen de 25 en 50 procent.[157]

Schoon vlees eisen

Ongeveer een jaar na Kluytmans publiceerde ook Maurine Leverstein-van Hall de resultaten van een onderzoek naar het vóórkomen van ESBL op kippenvlees en bij kippen. Haar studie ging verder over de overeenkomsten tussen de ESBL's bij mensen en bij kippen. De Utrechtse onderzoeksgroep van Leverstein** vond dat één op

* Cijfers op verzoek van auteur door ISIS-AR geleverd.
** Inmiddels werkt ze in het Bronovo Ziekenhuis in Den Haag.

de vijf menselijke ESBL's genetisch identiek was aan die gevonden op kippenvlees. Bijna evenveel menselijke ESBL's waren genetisch nauw verwant aan die op kippenvlees. Van alle kippenvlees was 94 procent besmet met ESBL-producerende *E. coli*. Nagenoeg 40 procent van die *E. coli* was dus van een genetisch type dat ook voorkwam in de menselijke isolaten. 'Deze resultaten', schrijven de onderzoekers in het tijdschrift *Clinical Microbiology and Infection* van juni 2011, 'suggereren dat er overdracht plaatsvindt van ESBL-genen, plasmiden en *E. coli*-isolaten van kippen naar mensen, naar alle waarschijnlijkheid via de voedselketen.'[158]

In het najaar van 2010 ontstond een nieuwe golf publiciteit over ESBL's toen de NOS op 24 september bekendmaakte dat voor het eerst een patiënt overleden was aan de gevolgen van een infectie door een bacterie met ESBL.[159] In wetenschappelijke kring was er veel kritiek op de presentatie die Maurine Leverstein-van Hall die dag gaf over deze casus tijdens de Boerhaave Leergangen in Leiden. Men betwistte dat Leverstein kon weten dat het om de eerste patiënt ging.* Maar voor de kern van haar betoog kreeg ze bijval. Jan Kluytmans: 'Het staat buiten kijf dat er mensen sterven door infecties veroorzaakt door resistente bacteriën die ze binnen hebben gekregen door het eten van besmet kippenvlees. Je kunt alleen niet bij een individueel geval zeggen waar en hoe de besmetting is opgetreden.' Uit de gegevens die Leverstein verder nog presenteerde bleek dat het aantal ziekenhuispatiënten met resistente ESBL-bacteriën in minder dan twee jaar met de helft is toegenomen. In huisartsenpraktijken is het aantal patiënten met ESBL-bacteriën in bloedkweken zelfs verdrievoudigd. Dat baart artsen-microbioloog grote zorgen. Bacteriën kunnen in de bloedbaan een bloedvergiftiging veroorzaken. Dan moet er snel ingegrepen worden, omdat een bloedvergiftiging levensbedreigend is. Er is vaak nauwelijks tijd om

* Zie verder hoofdstuk 3.

te kijken welke bacterie de boosdoener is. Dat kan grote gevolgen hebben als zo'n bacterie resistent is, omdat dan de kans bestaat dat een antibioticum wordt gegeven dat niets doet. Dat leidt tot verlies van kostbare tijd.

In een gesprek met de NOS riep Leverstein die dag de supermarkten op om hun macht te gebruiken. 'Als die eisen dat het vlees dat ze inkopen ESBL-vrij is, dan gaat er iets gebeuren.' De onderzoekster vertelde dat ze ook contact had gehad met de supermarktbranche. 'Daar staat het intussen op de agenda, net als bij de grootste leverancier van pluimvee. Die is zich er ook van bewust dat het anders moet.' Contact met de levensmiddelenbranche of niet, die reageerde niet zoals Leverstein gewild had. Ze eisten duidelijkheid van het ministerie van VWS en de Voedsel- en Waren Autoriteit over ernst en omvang van de ESBL-problematiek. Verder vroegen ze de minister om consumenten snel duidelijk te maken dat kip eten geen gevaar voor de gezondheid opleverde. Daarop liet het RIVM weten dat kip na door en door verhitten en als het maar hygiënisch bereid wordt, geen gevaar oplevert. Het leek alsof Leverstein gecorrigeerd werd door haar eigen werkgever, de Volkskrant schreef dat ook. Maar dat was bezijden de waarheid. Leverstein had niet gezegd dat kip eten slecht voor de gezondheid was, ze had de supermarkten opgeroepen van de pluimveebranche te eisen dat er ESBL-vrije kip in de schappen komt te liggen. Heel iets anders. De levensmiddelenbranche negeerde die oproep gewoon. Een klein jaar later kwam Leversteins *moment of glory*. In ieder geval op papier. Op 2 september 2011 publiceerde de commissie-Van Doorn het rapport *Al het vlees duurzaam. De doorbraak naar een gezonde, veilige en gewaardeerde veehouderij in 2020.*[160] Boeren, supermarkten, voederbedrijven en vleesverwerkers spraken daarin gezamenlijk af dat al het vlees in Nederland in 2020 duurzaam geproduceerd moet worden. In het akkoord – ook wel het Verbond van Den Bosch genoemd – staat onder meer dat boeren zo min mogelijk antibiotica moeten gebruiken. Verder werd een lijst aangekondigd met daarop antibiotica die in de veeteelt niet meer gebruikt mogen worden omdat ze voor mensen cruciaal zijn. Maar het akkoord stipuleerde ook dat intensieve veeteelt onmisbaar is vanwege de aanhoudende groei van de wereldbevolking en de al maar stijgende vraag naar vlees. Het merendeel van de maatregelen – die veel talrijker zijn dan hier beschreven – is in 2012 van kracht geworden.*

Q-koorts en de botsende belangen

De eerste reactie van de supermarktbranche op de oproep van Leverstein-van Hall toont dezelfde botsing tussen het belang van de volksgezondheid en het economisch belang als ten tijde van de Q-koorts. De uitbraak van de Q-koorts is onnodig uit de hand gelopen blijkt uit een reconstructie die de NOS in januari 2010 publiceerde.[161] Die reconstructie hebben we gebaseerd op de ambtelijke stukken die ten grondslag lagen aan de ontwikkeling van het beleid om de Q-koorts aan te pakken. Met de eerste signalen van een mogelijk gezondheidsprobleem, eind 2005 en voorjaar 2006 en uitmondend in een breed gedragen onderzoeksvoorstel van januari 2007,[162] is niets gedaan. Al op 23 juli van datzelfde jaar – tijdens het eerste Bestuurlijke Afstemmingsoverleg (BAO) Q-koorts – vraagt het Outbreak Management Team (OMT) dat door het RIVM is ingesteld, om de adressen van de paar dan besmette bedrijven.[163] In het BAO zitten vertegenwoordigers van alle betrokken diensten. De gevraagde adressen worden niet vrijgegeven, omdat daarmee de privacy van de boeren in het geding zou komen. In het Brabantse dorpje Herpen zit de wachtkamer van de huisarts dan vol met mensen met griepachtige verschijnselen en aandoeningen van de luchtwegen. Begin oktober 2007 vindt een volgend BAO plaats, waar een advies van het OMT besproken wordt dat weer onderstreept hoe belangrijk het is te weten welke bedrijven besmet zijn. Het OMT wil Q-koorts

* Zie verder hoofdstuk 9.

als een ziekte aanmerken waarvoor melding verplicht is. Verder pleit het OMT voor een uitgebreid onderzoek. In tegenstelling tot de eerste punten neemt het BAO dat laatste punt wel over. Met de kanttekening dat uit zo'n onderzoek 'zal blijken dat de plek waar iemand woont het belangrijkste risico vormt voor het besmet raken met Q-koorts.' Met andere woorden: bedrijven waar Q-koorts heerst bedreigen de gezondheid van de omwonenden. De gevraagde meldplicht komt er pas driekwart jaar later als weer duizend mensen besmet zijn geraakt met Q-koorts. In de tussentijd wordt de bevolking niet geïnformeerd over mogelijke gezondheidsrisico's, zoals de GGD Hart voor Brabant wilde. Omdat er op een aantal vragen 'nog geen antwoord is, moet vermeden worden onnodig onrust te creëren.' Hartpatiënten en zwangere vrouwen hebben daardoor rond de besmette bedrijven drie jaar lang een verhoogd risico gelopen op infecties en miskramen, meestal zonder dat te weten. Allerlei maatregelen worden lange tijd uitgesteld en intussen grijpt de Q-koorts om zich heen. Toen er eindelijk een meldplicht was, bleek die een wassen neus. Want een bedrijf was alleen maar besmet als er meer dan 5 procent van de drachtige dieren vroeggeboortes had. Grote bedrijven waar de Q-koortsbesmetting onder de 5 procent bleef hoefden dus helemaal geen maatregelen te nemen, maar zorgden wel voor de massale verspreiding van bacteriën. Intussen konden besmette geiten door heel Nederland vervoerd worden, werd besmette mest over andere provincies uitgereden en waaide de Q-koortsbacterie door het Brabantse land. Mensen werden ziek. Mensen werden met ernstige longontsteking opgenomen in het ziekenhuis. Mensen kregen chronische hartklepontstekingen. Mensen gingen dood. En, mensen werden boos. Het duurde tot 9 december 2009 voor de ministers Verburg en Klink een besluit namen waarover tot op het allerlaatste moment werd gestreden.[164] De omslag was compleet. Het ministerie van LNV staakte haar verzet tegen ingrijpende maatregelen. De volksgezondheidsbelangen kregen alsnog de overhand. Alle drachtige geiten op besmette bedrijven gaan geruimd worden, kondigden de ministers aan.

De aanpak van de driejarige Q-koortsuitbraak is het verhaal van hoe zachte heelmeesters stinkende wonden maakten. Hoe Landbouw de boerenbelangen heel lang liet voorgaan. En hoe de bacteriejagers van Volksgezondheid wel wisten wat er moest gebeuren maar lange tijd toch niet doordrukten. Hoe er lang gepraat werd en te weinig werd gedaan. Hoe het zover kon komen dat duizenden* mensen besmet raakten, honderden ernstig ziek werden en vijfentwintig zelfs overleden.[165] Hoe het uit kon draaien op het ruimen van tienduizenden geiten en schapen op 89 bedrijven. De economische schade liep – afhankelijk van een aantal aannames – op tot een bedrag tussen de 161 en 336 miljoen euro.[166] De Zuidelijke Land- en Tuinbouw Organisatie (ZLTO) berekende dat de schade voor een gemiddeld geitenbedrijf met 750 dieren waarvan eenderde deel geruimd werd al 132.000 euro beliep.[167]

Hard oordeel onderzoekscommissie

Op 22 november 2010 presenteerde de Evaluatiecommissie Q-koorts haar rapport *Van verwerping tot verheffing*. De commissie onder voorzitterschap van hoogleraar Gert van Dijk van Wageningen Universiteit en Nyenrode was in januari 2010 ingesteld en had een duidelijke opdracht meegekregen: onderzoek hoe de ministeries van VWS en LNV de Q-koortsuitbraak aangepakt hebben en welke lessen er voor de toekomst te trekken zijn. Het oordeel van de commissie was keihard. De ministeries van Landbouw (LNV) en Volksgezondheid (VWS) hadden doortastender kunnen én moeten optreden tijdens de uitbraak van de Q-koorts. Belangrijke informatie als de adressen van besmette bedrijven hadden nooit met

---

* Dit zijn bevestigde gevallen. Roel Coutinho schat dat in werkelijkheid zo'n 50.000 mensen besmet zijn geraakt met Q-koorts en dat ook het aantal sterfgevallen twee à drie keer hoger ligt dan het officieel geregistreerde aantal http://nieuwsuur.nl/onderwerp/345985-rivm-zeker-24-mensen-overleden-aan-qkoorts.html.

een beroep op de privacy van de boeren geheimgehouden mogen worden voor de GGD's. De commissie oordeelde ook dat bij de bestrijding van voor mensen gevaarlijke dierziekten het ministerie van Volksgezondheid de leiding moet hebben. Inclusief de macht om besluiten door te zetten, ook als andere betrokken ministeries het er niet mee eens zouden zijn. Van Dijk cum suis oordeelden verder dat privacyoverwegingen nooit meer een rol mogen spelen als de volksgezondheid in het geding is. En de Nieuwe Voedsel- en Waren Autoriteit moet verzelfstandigd worden. Nu is die onderdeel van het ministerie van Economische Zaken waar Landbouw onder valt.

Begin 2012 besloot de Nationale Ombudsman Alex Brenninkmeijer een onderzoek te gaan doen naar mogelijkheden om de slachtoffers van de Q-koorts tegemoet te komen. Hij deed dat nadat minister Schippers had laten weten dat ze niets kon betekenen voor hen. Brenninkmeijer organiseerde op 24 april 2012 een openbare hoorzitting in het provinciehuis in Den Bosch waar hij allerlei sleutelfiguren hoorde. Die hoorzitting werd een bijzondere bijeenkomst. Jos van der Sande was als manager algemene gezondheid van de GGD Hart voor Brabant de lokale teamleider voor de bestrijding van de Q-koorts. Het gebied van de GGD Hart voor Brabant was het hardst getroffen door de Q-koorts. Van der Sande schuwde tijdens de Q-koortsuitbraak de contacten met de media niet. Hij werd niet moe om aandacht te vragen voor de Q-koortsuitbraak die aanvankelijk onderschat werd en in Den Haag te lang gezien werd als een Brabants probleem. Van der Sande zei dat het gevoel van urgentie dat er iets moest gebeuren bij Klink groter was dan bij Verburg. 'Het was alleen niet Klink die de maatregelen moest nemen, maar juist Verburg. En die wilde ondubbelzinnig bewijs hebben over de manier waarop mensen besmet waren. Maar infectieziekten bestrijden is hypothesen formuleren, de beste kiezen en dan blijkt of die hypothese klopte. Je kunt niet afwachten tot iets volledig vaststaat. Je moet al zoekende je weg vinden.'

Goed gedaan

Later die dag waren de oud-ministers Klink en Verburg aan de beurt. Wie verwachtte dat die deemoedig het hoofd zouden buigen en heel misschien zelfs wel een woord van excuus over hun lippen zouden krijgen, kwam bedrogen uit. Ze verschenen terdege voorbereid in de hoorzitting, om niet te zeggen tot de tanden toe gewapend. Oud-minister van Volksgezondheid Ab Klink zette meteen de toon. 'We kunnen niet stellen dat er meer patiënten bij zijn gekomen door het uitblijven van maatregelen', aldus de oud-bewindsman die meteen ook zei dat hij veel respect had voor het werk van de commissie-Van Dijk, maar dat hij zich niet herkende in alle fouten die de commissie had blootgelegd. 'Er is nooit sprake van geweest', zei Klink verder, 'dat ik het gevoel had dat bij mevrouw Verburg andere belangen meespeelden dan bij mij. Het ging ons om dezelfde belangen.' Op één punt wilde hij wel toegeven dat het allemaal wat sneller had gekund. 'Het vervoersverbod had iets eerder gemoeten.' Hij vroeg zich tegelijk wel af hoe zinvol dat geweest zou zijn, omdat de Q-koortsbacterie toch al overal was. En verder straalde Klink vooral tevredenheid uit. Hij vond dat hij die Q-koortsuitbraak wel goed had aangepakt. Voormalig minister van Landbouw Gerda Verburg kon zich evenmin herkennen in alle kritiek die er eerder tijdens de hoorzitting en ook door de commissie-Van Dijk was geuit. Verburg onderschreef Klinks conclusie dat de Q-koortsuitbraak wel goed was aangepakt. 'Onze lijn is steeds geweest: hoe kunnen we handelen, hoe effectief zijn die maatregelen en hoe proportioneel zijn ze.' Ook zij wist één punt te noemen waarop het kabinet achteraf sneller had kunnen handelen. De meldingsplicht voor bedrijven met Q-koorts had er eerder kunnen komen. Daar werd eind 2007 voor het eerst over gesproken, maar het duurde tot juni 2008 voor hij er kwam. De zin was nog niet uitgesproken of Verburg relativeerde de inhoud ervan alweer weg. 'Als u me vraagt of een eerdere meldingsplicht had geleid tot minder patiënten, dan zeg ik nee. De Gezondheidsdienst voor Dieren had alle besmette locaties in het vizier.' Maar weigerde die zoals gezegd bekend te maken omdat anders de privacy van de boeren aangetast zou worden. En dus werd de gezondheid van duizenden mensen aangetast. Dat belette Verburg niet om ettelijke keren te onderstrepen dat de volksgezondheid altijd voorop had gestaan. Alle kritiek leek van de ministers af te glijden als water van eenden. Hun opvolgers Schippers en Bleker hadden de conclusies van de commissie-Van Dijk dan wel omarmd en de aanbevelingen overgenomen, maar Klink en Verburg veegden eigenlijk min of meer de vloer aan met de bevindingen van de commissie. Veel van de toehoorders bij de hoorzitting bleven in lichte verbijstering achter. Ombudsman Alex Brenninkmeijer niet het minst. 'Ik had zo'n houding niet verwacht van Klink en Verburg. Zo weinig empathisch en zo overtuigd van het eigen gelijk. En totaal negerend dat de aanbevelingen van de commissie-Van Dijk zijn overgenomen door het kabinet.' Het onderzoeksrapport[168] van ombudsman Brenninkmeijer was kritisch over de overheid. De ministers Klink en Verburg hebben naar zijn stellige overtuiging slecht en veel te traag gereageerd op de Q-koortsuitbraak. De Ombudsman wil dat de overheid excuses maakt aan de slachtoffers. En hij wil dat er een noodfonds komt voor de meest schrijnende gevallen van Q-koortspatiënten. In de gebieden waar de ziekte voorkwam moet er een bevolkingsonderzoek komen en een steunpunt waar mensen informatie kunnen krijgen over de ziekte en haar gevolgen. De regering liet weten dat er van excuses geen sprake kan zijn.[169] Wel kwam er 10 miljoen euro beschikbaar voor een onafhankelijke stichting die Q-koortspatiënten moet gaan ondersteunen met advies, begeleiding en onderzoek.

Nog voor Brenninkmeijers rapport kwam *Nieuwsuur* met een spraakmakende uitzending over de Q-koorts.[170] Daarin toonde het programma aan dat de ministers al een half jaar vóór de ruimingen wisten dat een groot aantal van de melkgeitenbedrijven besmet was. Klink en Verburg hadden altijd volgehouden dat er pas eind 2009 een betrouwbare PCR-test beschikbaar was om Q-koorts aan te tonen in de melk van de geiten. Tijdens de hoorzitting van de Ombudsman vertelden ze dat onder ede nog eens. *Nieuwsuur* toonde aan dat de laboratoriumtest al een vol jaar voor de ruimingen plaatsvonden gebruikt werd. Toen al wist het ministerie van Landbouw dat op honderd van driehonderd onderzochte bedrijven Q-koorts was aangetoond. De Gezondheidsdienst voor Dieren (GD) had op verzoek van Landbouw een tankmelkonderzoek uitgevoerd waaraan driehonderd van de ongeveer vierhonderd geitenhouders mee hebben gedaan. Eenderde deel van de deelnemende bedrijven bleek besmet. Het ministerie van Landbouw bevestigde dat de GD het ministerie op de hoogte heeft gesteld van de uitkomsten van het onderzoek.

Het gedraai van het ministerie van Landbouw, het een loopje nemen met de waarheid, de arrogante en empathiearme opstelling van de oud-ministers Klink en Verburg tijdens de hoorzitting van de Nationale Ombudsman, het past eigenlijk naadloos bij de falende aanpak van de Q-koortsuitbraak. Volksgezondheidsbelangen hebben het nakijken gekregen.

One world – one medicine – one health

De uitbraak van de Q-koorts verraste de gezondheidsautoriteiten, maar ook alle veterinaire diensten volledig. Nergens ter wereld heeft zich ooit een vergelijkbare uitbraak van Q-koorts voorgedaan. Dat bemoeilijkte een snelle en adequate aanpak van de problemen zeer. De tegenstrijdige belangen die in het geding kwamen – volksgezondheid versus economische belangen – deden de rest. De overheidsreactie op de Q-koortsuitbraak was een perfecte illustratie van de hoofdconclusie van de studie *Emerging zoönoses: early warning and surveillance in the Netherlands.*[171] Nederland is niet goed voorbereid op een uitbraak van zoönosen, voor mensen gevaarlijke dierziekten. In het rapport werd een drastische verbetering bepleit van de samenwerking tussen de humane gezondheidszorg en de veterinaire sector. Zoals dat wordt voorgesteld in het door de WHO gelanceerde concept 'One world – one medicine – one health'.[172] Daarmee is intussen een begin gemaakt. Experts uit de veterinaire en de humane geneeskunde overleggen veel vaker met elkaar dan vroeger. De Stichting Diergeneesmiddelen Autoriteit is er ook een voorbeeld van. Die pakt het antibioticagebruik in de intensieve veeteelt aan onder leiding van een veterinair microbioloog, een epidemioloog en een medisch microbioloog. Roel Coutinho, directeur van het Centrum voor Infectieziektebestrijding (CIb) van het RIVM is sinds 2011 hoogleraar Life Sciences aan de faculteiten Geneeskunde en Diergeneeskunde van de Universiteit Utrecht. Zijn leeropdracht is de epidemiologie en de preventie van zoönosen. In zijn oratie[173] legde Coutinho op 10 februari 2012 uit dat er alle reden is om snel werk te maken van de aanpak van zoönosen.

'In een recent onderzoek', aldus Coutinho, 'zijn de opduikende infectieziekten uit de periode 1940-2004 op een rij gezet op basis van artikelen die verschenen in wetenschappelijke tijdschriften.[174] In de onderzochte periode van 65 jaar doken 335 nieuwe infectieziekten op. Het aantal opduikende infectieziekten nam toe in de tijd. Daarbij is gecorrigeerd voor het feit dat er nu meer wetenschappelijke publicaties zijn dan vroeger. Tweederde van de 335 gerapporteerde opduikende infectieziekten zijn afkomstig van dieren. Er zijn op basis van deze studie sterke aanwijzingen dat er steeds meer nieuwe infectieziekten opduiken en dat het daarbij vooral om zoönosen gaat. Boeren zijn we al meer dan 11.000 jaar. En we temmen ook niet meer dieren. Wat zou dan de verklaring kunnen zijn voor deze toename in transmissies van dier naar mens in de recente tijd? Door de enorme ontwikkelingen op het gebied van de moleculaire typering van micro-organismen is er veel onderzoek op dat terrein verricht. Met als gevolg dat sterk de nadruk is gelegd op de betekenis van genetische veranderingen – mutaties – van dierlijke micro-organismen voor de overdracht naar de mens. Door die mutaties kan het dierlijke micro-organisme zich bijvoorbeeld beter gaan hechten aan bepaalde menselijke cellen. Of andere eigenschappen verkrijgen waardoor het van mens naar mens kan worden overgedragen. Als we de vele recente nieuwe zoönosen bekijken valt echter op dat het vooral ecologische en maatschappelijke veranderingen zijn die leiden tot het versneld opduiken van zoönosen[175].' Coutinho keerde zich in zijn oratie tegen het afschaffen van de intensieve veeteelt en romantische ideeën over kleinschalig boeren. 'Wij kunnen niet terug naar vroeger en wij willen dat ook niet. Want al die veranderingen in de maatschappij hebben ons welvaart gebracht. Een welvaart die langzaam aan ook andere delen van de wereld bereikt. Terug naar vroeger kan niet. Het is nooit de oplossing. Ook nu niet.' In het kader van de studie 'Emerging zoönoses: early warning and surveillance in the Netherlands'[176] is tussen 2006 en 2010 een lijst opgesteld van de dierlijke micro-organismen die het grootste risico vormen voor mensen. 'Een zinvolle exercitie', zei Coutinho in zijn oratie, 'maar de recente geschiedenis leert ons dat er nieuwe infectieziekten zijn ontstaan die we niet voorspeld hadden. Dan is het essentieel dat we de beschikking hebben over een sterke en goed samenwerkende publieke infectieziektebestrijding. Met verbindingen naar alle geledingen van de gezondheidszorg, zowel binnen als buiten het ziekenhuis. En verbindingen met alle universiteiten en wetenschappelijke instellingen in Nederland. En ver daar buiten. En voor zoönosen een constructieve samenwerking met de veterinaire sector. Met een stevige onderzoeksbasis. Een brug tussen praktijk en wetenschap. Kortom een sterk Centrum Infectieziektebestrijding zoals dat in 2005 werd opgericht en ondergebracht bij het RIVM.'

Ecologische veranderingen

Maar daarmee zijn we er niet. Het is minstens even belangrijk dat er een goed surveillancesysteem is om uitbraken van oude of nieuwe zoönosen zo snel mogelijk te signaleren. Die surveillance moet in de eerste plaats gebeuren in gebieden waar de kans het grootst is dat zich zoönosen voordoen. 'Maar', zei Coutinho, 'we moeten onze surveillance ook richten op de gebieden in de wereld waar grote ecologische en maatschappelijke veranderingen plaatsvinden. Waar bossen worden gekapt, waar de landbouw wordt geïntensifieerd of waar grote sociale veranderingen plaatsvinden door oorlogen. Waar veel meer dan vroeger wilde dieren worden gejaagd en verhandeld. Of waar je zonder recept antibiotica kunt kopen. Antibiotica die bij ons als laatste redmiddel bij ernstige infecties worden ingezet. Dat klinkt als een 'ver weg'- verhaal. Maar ook in ons land is de surveillance voor uit dieren opduikende infectieziekten van groot belang. In de intensieve veehouderij waar overmatig gebruik van antibiotica leidt tot het opduiken van resistente micro-organismen die een risico zijn voor de mens. En waar door het aanwezig zijn van grote aantallen genetisch overeenkomstige dieren het risico van snelle verspreiding van nieuwe verwekkers wordt vergroot. Nauwe samenwerking met de veterinaire sector maar ook met de boeren is daarvoor noodzakelijk. Op basis van een evaluatie van de Q-koortsepidemie is een goede stap in die richting gezet. Maar het kan beter. Het schort nog aan de openheid en de bereidheid nieuwe aandoeningen bij dieren snel te melden. Al is er ook op dat gebied de laatste jaren aanzienlijke vooruitgang geboekt.' Rijke landen hebben de kennis en middelen om zelf een surveillancesysteem op te zetten. Ontwikkelingslanden kunnen dat niet zonder langdurige technische ondersteuning vanuit geïndustrialiseerde landen, aldus Coutinho in zijn oratie. 'Nederland zou daaraan een aanzienlijk grotere bijdrage kunnen leveren dan nu het geval is. Door een duurzame verbinding aan te gaan met een instituut in een ontwikkelingsland, bij voorkeur in Afrika ten zuiden van de Sahara. Het liefst in een land waar de hierboven genoemde factoren spelen die het opduiken van infectieziekten aanjagen. Onze maatschappij verandert voortdurend en steeds sneller. Wat ik u heb willen laten zien, is dat die maatschappelijke en ecologische veranderingen betekenen dat wij meer dan voorheen met opduikende zoönosen te maken zullen krijgen. De hiv-epidemie, een zoönose, heeft ons laten zien dat de gevolgen daarvan zeer ingrijpend kunnen zijn. De geschiedenis herhaalt zich niet maar zou ons wel bescheiden moeten maken. We kunnen ons niet volledig wapenen tegen bedreigingen in de toekomst. Dat moeten wij ook niet pretenderen. Wat wij wel kunnen en moeten doen, is investeren in een betere samenwerking tussen de humane en veterinaire wereld. Twee werelden die ver uit elkaar liggen en te weinig van elkaar weten. Gezamenlijk onderwijs van studenten geneeskunde en diergeneeskunde zoals dat nu wordt opgezet binnen de Summa-opleiding bij de Universiteit van Utrecht kan die afstand verkleinen.' Ook Alexander Friedrich is overtuigd van de noodzaak van een samen optrekken van de humane en de veterinaire sector. 'Volgens mij is een van de problemen in Nederland dat er geen structureel onderzoeksprogramma bestaat dat zich bezighoudt met het potentieel aan antibioticaresistentie in zoönosen. De bestaande programma's zijn veel te beperkt. Er is geen programma dat interdisciplinair onderzoek van humane artsen, dierenartsen en de landbouwsector steunt.'

Veiligheid van vlees in het geding

Als de door Coutinho in zijn oratie geschetste 'one world one health'-aanpak ergens van belang is dan wel bij de voedselveiligheid. Het vlees dat in Nederland te koop is zit vol met ESBL-producerende bacteriën. Het kippenvlees spant de kroon, op alle onderzochte vleeskuikenbedrijven komen ESBL's voor.[177] Hetzelfde geldt voor meer dan 40 procent van de varkensbedrijven[178] en voor meer dan de helft van de onderzochte vleeskalveren.[179] Het is een probleem dat in de hele wereld speelt. De resultaten van de onderzoeksgroepen van Kluytmans en Leverstein-van Hall worden allerwege in grote lijnen bevestigd. De getallen verschillen, maar de kern is telkens: vlees, en met afstand het meest kippenvlees, is een reservoir van multiresistente bacteriën die mensen ziek maken. Een paar voorbeelden. Canadese onderzoekers vonden in een studie gepubliceerd in juli 2012 dat kippenvlees in de provincie Alberta in Canada veel multiresistente *E. coli* bevatte. Verschillende resistentiegenen voor cefalosporinen – en die resistentie wordt vrijwel altijd veroorzaakt door ESBL's – zaten in respectievelijk 18 en 27 procent van het kippenvlees.[180] Een andere Canadese onderzoeksgroep in Montreal had een paar maanden eerder genetische overeenkomsten gevonden tussen *E. coli's* die urineweginfecties veroorzaakten bij mensen en *E. coli's* uit de darmen van dieren in slachthuizen. Van alle stammen die genetisch verwant zijn aan de veroorzakers van de urineweginfecties was ruim 70 procent afkomstig van kippen.[181] Ziekteverwekkende *E. coli's* veroorzaken meer dan 85 procent van alle urineweginfecties bij mensen.[182] In de Verenigde Staten wordt jaarlijks tussen de 6 en 8 miljoen keer de diagnose urineweginfectie gesteld. Wereldwijd zijn het er elk jaar tussen de 130 en de 175 miljoen. In de VS kosten urineweginfecties tussen de 1 en 2 miljard dollar per jaar.[183] Vooral kwetsbare patiënten lopen risico met dit soort multiresistente bacteriën, maar een goede gezondheid is geen garantie dat iemand geen last krijgt van een ESBL.

De tweeënvijftigjarige Tom Dukes was op een dag in 2009 in Latima in Californië door zijn dochter naar de Spoedeisende Hulp gebracht. Hij had al twee dagen helse buikpijnen. Zijn huisarts stelde als diagnose een ontsteking van de twaalfvingerige darm, die had Dukes namelijk een maand of zeven eerder ook al gehad. Zijn huisarts had hem toen een antibioticakuurtje meegegeven en dat was afdoende geweest. Maar deze keer hielpen de antibiotica niet en belandde Dukes in het ziekenhuis. Hij kreeg het ijskoud en begon over zijn hele lichaam te beven. Hij onderging een spoedoperatie. De darm was geperforeerd geraakt en de ESBL-producerende *E. coli* was in zijn bloedbaan terechtgekomen. De artsen verwijderden een stuk darm en plaatsten een stoma bij Dukes. Hij lag maanden in het ziekenhuis. Verloor meer dan 10 kilo en knapte maar heel moeizaam weer op. Een gezonde man, bestuurder bij een bedrijf dat in plastics doet, die elke dag sportte, op zijn voeding lette, kortom die een gezond leven leidde. Hij legde het bijna af door die ESBL-producerende *E. coli.*[184]

In hun hierboven geciteerde studie maken de onderzoekers uit Montreal melding van grote uitbraken van pathogene *E. coli's* onder de gewone bevolking in Zuid-Londen, Kopenhagen, Californië en in Canada in de provincies Calgary en Alberta. In veel Aziatische landen is het percentage ESBL-positieve *Klebsiella pneumoniae* torenhoog: in India, Pakistan en Jordanië 70 procent, in Saoedi-Arabië 55 procent, in Zuid-Korea 29 procent, in Taiwan 26 procent en in Koeweit 24 procent.[185] In Bremen vond op de afdeling neonatologie van de Klinikum Bremen Mitte in 2011 en 2012 een grote uitbraak plaats van ESBL-producerende *Klebsiella pneumoniae*. Vijf baby's zijn overleden nadat zij eerder besmet geraakt waren met de bacterie.* Ook de afdelingen neonatologie van de universiteitsziekenhuizen in het Zwitserse Basel[186] en het Noorse Stavanger[187] kregen de afgelopen jaren te maken met een uitbraak van ESBL-producerende bacteriën. In het voorjaar van 2012 was het St Jansdal Ziekenhuis in Harderwijk aan de beurt voor een uitbraak van ESBL-producerende *Klebsiella pneumoniae*. In juni raakten drie patiënten besmet, in juli kregen drie patiënten een infectie. In de zomer van 2011 kampte het Kennemer Gasthuis met eenzelfde probleem. Ook in Haarlem raakten twee keer drie patiënten besmet met twee verschillende stammen van een ESBL-producerende *Klebsiella pneumoniae*.

Een tuin die je netjes onderhouden moet

Jan van Wijngaarden is bij de Inspectie voor de Gezondheidszorg (IGZ) hoofdinspecteur publieke gezondheidszorg. Infectieziekten en de preventie en bestrijding daarvan horen tot zijn portefeuille. Hij maakt zich grote zorgen over de snelle verspreiding van ESBL's binnen en buiten het ziekenhuis. 'We weten niet precies waar het vandaan komt. Uit het buitenland in ieder geval, maar niet alleen daarvandaan. Ik denk niet dat het buiten het ziekenhuis te beheer-

* Zie hoofdstuk 7.

sen is. Volgens Jan Kluytmans zitten er vooral door het gebruik in de veehouderij van derde generatie cefalosporinen en ook andere antibiotica zo veel resistentiegenen in de grond, op het land, in het water, op de groenten en in het vlees, dat de verspreiding daarvan niet meer tegen te houden is. Omdat ze overal zijn.' Dragerschap van ESBL komt veel voor en dat wordt steeds meer, zegt Van Wijngaarden. 'De vraag is: hoe erg is dat? Ziekenhuizen onderscheiden zich door twee dingen: er verblijven zieke en kwetsbare mensen die bovendien steeds ouder en ernstiger ziek worden en er vinden invasieve* ingrepen plaats. Je hebt dus te maken met een populatie voor wie resistente bacteriën een risico betekenen. Met ESBL's is het wat dat betreft niet anders dan met MRSA. De eerste uitdaging is dus: probeer de ziekenhuizen zo goed mogelijk vrij te houden van die beestjes. Maar ja, hoe doe je dat? Nu al heeft tussen de 5 en 10 procent van de mensen die in het ziekenhuis komen een ESBL bij zich. Als mensen een infectie hebben door een ESBL-producerende bacterie verandert er niets. Je moet kijken welke bacterie de infectie veroorzaakt, hoe het resistentiepatroon eruitziet en dan het juiste antibioticum kiezen. Als je preventief gaat behandelen kijk je ook naar het resistentiepatroon. Dat is de standaardmanier van werken. Maar hoe stel je vast dat zo'n ESBL zich gaat verspreiden door het ziekenhuis, nieuwe mensen infecteert en daardoor een probleem wordt voor alle patiënten en het hele ziekenhuis. En natuurlijk voor andere ziekenhuizen en verzorgings- en verpleeghuizen. Hoe doe je dat? In de stroom van voortdurende introducties van bacteriën moet je opmerken dat er iets bijzonders aan het gebeuren is. Dat er een beestje binnen de muren is dat blijkbaar eigenschappen heeft die maken dat het zich gemakkelijk verspreidt van de ene naar de andere patiënt.' De artsen-microbioloog kunnen dan met behulp van moleculaire diagnostiek vaststellen of de bacteriën met ESBL

* Invasief, waarbij een instrument in een orgaan ingebracht wordt.

die twee of meer patiënten bij zich hebben identiek zijn. 'Maar', zegt van Wijngaarden, 'dat is duur, ingewikkeld en tijdrovend.' Het alternatief is een algoritme gebruiken. Dat is een rekenmodel. 'Als je in een afgebakende periode op een afdeling een bepaald aantal besmette patiënten hebt, dan is het waarschijnlijk dat je een probleem hebt.' Over het punt dat Van Wijngaarden hier aanstipt, is de discussie volop gaande onder artsen-microbioloog, infectiologen* en adviseurs infectiepreventie. En ook de IGZ en het Centrum voor Infectieziektebestrijding van het RIVM bemoeien zich er volop mee. 'Precies hierom draait de hele discussie die opgekomen is na de instelling van de website om uitbraken van multiresistente bacteriën te melden. Wat zijn nu precies de criteria om te melden? Wanneer heb je een probleem? De introductie in ziekenhuizen van ESBL's vindt voortdurend plaats. Wanneer is dat een probleem dat de individuele patiënt overstijgt?'

Van Wijngaarden heeft niet alle antwoorden op die vragen. De discussie gaat voort. Maar hij heeft wel een heel heldere opvatting over de preventie en de bestrijding van infectieziekten. 'We moeten een maximale inspanning leveren om multiresistente bacteriën zo veel mogelijk buiten het ziekenhuis te houden. Ook zo'n VRE** die veel inspanningen vraagt en geld kost, maar misschien niet zo heel erg gevaarlijk is voor de patiënten. De Gezondheidsraad vindt het de moeite waard die te blijven bestrijden, daar verlaat ik me op. Bovendien heeft het een groot bijkomend voordeel: je houdt een goede infrastructuur in stand voor infectiepreventie. Daarmee kunnen we iets. Dat bewijzen we met MRSA, dat we al jaren goed onder controle hebben. Daardoor kunnen we nieuwe problemen beter de baas. Die goed functionerende infrastructuur is een belangrijk gegeven in de huidige situatie. Ik maak me helemaal geen zorgen

---

* In infectieziekten gespecialiseerde internisten.

** Vancomycine resistente enterokok, voorjaar 2012 kreeg een aantal Nederlandse ziekenhuizen te maken met een uitbraak van VRE, zie hoofdstuk 5.

over VRE, maar wel over ESBL's. Dat is een veel groter probleem. Maar onze structuur voor infectiepreventie biedt ons goede kansen om ook de problemen die zich nu aandienen eronder te krijgen. De investeringen die we hebben gedaan voor het MRSA-beleid betalen zich echt uit. De problemen die we in kaart hebben moeten we goed afdekken. We weten bijvoorbeeld dat er introductie plaatsvindt van multiresistente tuberculose (MR tb). We hebben een systeem opgezet om dat beheersbaar te houden, een soort dijkbewaking eigenlijk, die heel goed werkt. Maar dat probleem kennen we. Van ESBL's en carbapenemasen weten we veel minder. Daarom is het des te belangrijker dat we onze structuren op orde houden. Infectiepreventie is in Nederland niet zo heel spectaculair. Het is een tuin die je netjes moet onderhouden. Je kunt het geen moment laten versloffen, want dan duikt er meteen overal onkruid op.'

7. Het einde in zicht?

David Ricci is een jonge, idealistische Amerikaan uit de buurt van Seattle. In juni 2011 werkte hij als vrijwilliger bij een project voor hiv/aidswezen in Calcutta. Op een dag besloot hij een kortere route naar zijn werk te nemen over een spoorwegemplacement. Hij had geen zin om door straten vol met afval te lopen. David werd gegrepen door een trein en verloor daarbij het grootste deel van zijn rechterbeen. Hij belandde drie weken in een plaatselijk ziekenhuis waar hij – zo schrijft hij zelf op de website van de Infectious Diseases Society of America[188] (IDSA) – op apegapen lag. Pas na een week kreeg hij pijnstillers. Eenmaal onderweg terug naar Seattle dacht David dat het meeste leed geleden was en dat hij kon gaan leren hoe te leven met één been. Daarin vergiste hij zich. Zijn wond was in Calcutta zwaar geïnfecteerd geraakt door een keur aan multiresistente bacteriën waaronder verschillende die het enzym NDM-1* produceerden. David Ricci werd geïsoleerd en hij werd geopereerd om geïnfecteerd weefsel te verwijderen. Hij mocht naar huis, maar kwam al na vier weken weer terug naar het ziekenhuis omdat de pijn aanhield. De stomp van zijn rechterbeen was nog steeds geïnfecteerd. Een nieuwe operatie volgde en David kreeg colistine, een van de twee middelen die overblijven als bacteriën resistent zijn voor carbapenems. 'Dat wordt weinig gebruikt omdat het giftig is', schrijft David. 'Het leek alsof mijn

* NDM is een carbapenemase, een enzym dat bacteriën resistent maakt tegen antibiotica van de klasse der carbapenems. Er zijn verschillende typen NDM. Carbapenems zijn krachtige antibiotica met heel weinig bijwerkingen. Ze worden doorgaans ingezet als laatste toevluchtsmiddel tegen infecties veroorzaakt door multiresistente bacteriën. Als resistentie tegen carbapenems ontstaat, blijven alleen nog middelen over die hetzij weinig efficiënt, hetzij veel giftiger, hetzij een combinatie daarvan zijn.

lichaam ermee ophield door de giftigheid van mijn behandeling. Mijn immuunsysteem, nieren en lever gooiden het bijltje erbij neer, mijn lichaam gaf er de brui aan. Ik voelde me machteloos bij de gedachte dat de medicijnen die krachtig genoeg waren om mijn organen te beschadigen, misschien niet sterk genoeg waren om de bacterie te bestrijden waarvoor ze bedoeld waren.' Eind september 2011 kon David stoppen met de colistine, de infectie leek verdwenen. Maar in december was die weer terug, nu in de vorm van een abces in zijn dij, zo groot als golfbal. Een nieuwe operatie volgde om nog meer weefsel te verwijderen. En hij kreeg een nog sterkere kuur colistine. 'De behandeling leek sterk op chemotherapie,' schrijft David op de website van de IDSA, 'ik moest elke dag overgeven. Het voelde alsof al mijn organen langzaam achteruit gingen. Ik voelde mijn lichaam doodgaan. Toen mijn gehalte aan witte bloedlichaampjes terugliep, verzwakte ik zo dat ik normale dagelijkse activiteiten niet meer kon doen.' David Ricci schreef zijn verhaal in april 2012. De wond van zijn stomp was eindelijk dicht, de infectie verdwenen. Maar hij hield nog dagelijks rekening met de terugkeer ervan. Davids verhaal geeft goed inzicht in hoe ingrijpend de gevolgen van antibioticaresistentie kunnen zijn. Hij liep in India tegen multiresistente superbacteriën op. Ook de eerste drie bekende gevallen van NDM-1 in de Verenigde Staten zijn terug te voeren op India.[189] In de eerste helft van 2010 identificeerde het Centre for Disease Control (CDC) tot drie keer toe een NDM-1 in bacteriën van de familie der *Enterobacteriaceae*.* Alle drie de bacteriën waren aangetroffen bij patiënten die kort daarvoor medische zorg hadden gekregen in India. Dat kan betekenen dat die patiënten als medisch toerist naar India zijn gegaan om daar bijvoorbeeld plastische chirurgie te ondergaan. Nogal wat Indiërs en Pakistani uit de Verenigde Staten en vooral ook het Verenigd

---

* Het ging om een *Klebsiella pneumoniae*, een *Escherichia coli* (*E. coli*) en een *Enterobacter cloacae*.

Koninkrijk doen dat. Maar ook uit landen in het Midden-Oosten komt een stroom patiënten. In 2012 verwachtte India ongeveer een half miljoen medische toeristen. Tien jaar eerder waren dat er nog maar honderdvijftigduizend. Geschatte opbrengst in 2012: 2,2 miljard dollar.[190] In andere gevallen gaat het om acute zorg die mensen op een vakantie of zakenreis nodig hebben. Een vrouw uit de staat Rhode Island aan de oostkust van de Verenigde Staten keerde in mei 2011 terug naar haar geboorteland Cambodja. Ze werd ziek en kreeg te horen dat ze een tumor op haar ruggemerg had. Voor haar behandeling moest ze naar het buurland Vietnam waar ze van 20 tot 30 december 2011 opgenomen werd in een ziekenhuis in Ho Chi Minhstad. Ze kreeg daar een katheter ingebracht en uit voorzorg twee soorten antibiotica toegediend. Op 6 januari 2012 keerde de vrouw terug naar Rhode Island waar ze meteen weer werd opgenomen. Ze kreeg de diagnose lymfeklierkanker. Er volgde chemotherapie en ze kreeg opnieuw een katheter. Een week later werd in een kweek een *E. coli* met ESBL aangetoond. Een maand later had de vrouw twee verschillende stammen van een *Klebsiella pneumoniae* met NDM-1 bij zich. De bacteriën waren resistent voor vierentwintig verschillende antibiotica en nog gevoelig voor drie. De vrouw werd vanaf dat moment in strikte isolatie verpleegd. Het hoofd van de afdeling infectiepreventie kwam het verzorgend personeel op de afdeling oncologie/hematologie voorlichten over NDM en hoe daarmee om te gaan. Eind maart kon de patiënt naar huis, maar daarvoor was al een tweede patiënt besmet geraakt met precies dezelfde bacterie. De twee patiënten werden door verschillende teams artsen en arts-assistenten behandeld.

De vrouw uit Rhode Island belandde volstrekt onvoorzien in een ziekenhuis in Vietnam. Antibioticaresistentie is daar een groot probleem, zo veel is duidelijk, maar er zijn niet erg veel harde gegevens over bekend. Westerse artsen-microbioloog en wetenschappers die in Vietnam werken publiceren weinig over hun werk. De luiken zijn in Vietnam nog niet helemaal open, zeker niet als het om wat gevoeliger onderwerpen gaat.* Er bestaat in Vietnam wel een nationale werkgroep van de Global Antibiotic Resistance Partnership (GARP). GARP is een initiatief van het Amerikaanse Center for Disease Dynamics, Economics & Policy. De Nederlandse arts-microbioloog Heiman Wertheim is de supervisor van GARP in Vietnam. In oktober 2010 publiceerde de Vietnamese GARP-werkgroep het rapport *Situation analysis. Antibiotic use and Resistance in Vietnam.*[191] Voorzitter Nguyen Van Kinh van de Vietnamese GARP-werkgroep schrijft in zijn voorwoord: 'Het wereldwijde probleem van de antibioticaresistentie weegt bijzonder zwaar in ontwikkelingslanden, waar de last aan infectieziekten hoog is en de vervanging van oude antibiotica door nieuwere, duurdere soorten geremd wordt door de kosten ervan. Maag-darm-, luchtweg-, seksueel overdraagbare en ziekenhuisinfecties horen tot de belangrijkste oorzaken van ziekte en dood in ontwikkelingslanden. De beheersing van al deze omstandigheden is zeer ernstig bemoeilijkt door het verschijnen en de snelle verspreiding van resistentie.' Ik ontmoette Kinh voorjaar 2012 op de ECCMID in Londen. Kinh is geen erg spraakzaam man, al verhult hij de problemen van zijn land met antibioticaresistentie en het gebruik van antibiotica niet. In zijn voorwoord bij het GARP-rapport legt hij de vinger aardig op de zere plek: er is onvoldoende aandacht voor het probleem. 'Antibioticaresistentie voert op het ogenblik geen enkel lijstje van nationale problemen aan. Strategieën om antibioticaresistentie onder controle te krijgen moeten geen fondsen weghalen bij nog dringender problemen. Als het op de goede manier gebeurt, is het beheersen van antibioticaresistentie kostenneutraal of een van die schaarse gezondheidsinterventies die juist geld bespaart.' Op grond van de beperkte gegevens die

---

* Jan Kluytmans vertelt dat hij van verschillende van zijn collega's in Aziatische landen hoort dat zij niet meer mogen publiceren over resistentieproblematiek. Tegelijk is er in bijvoorbeeld India en China sprake van meer bewustwording over antibioticagebruik en –resistentie. Zie daarvoor ook hoofdstuk 10.

beschikbaar zijn en gesprekken met experts, komt het rapport tot een aantal harde vaststellingen. Multiresistentie komt vaak voor in Vietnam*, is voor sommige bacteriën erger dan in andere Zuidoost-Aziatische landen** en daarbij kampt het land met een illegale markt voor medicijnen[192] waar veel antibiotica[193] aangeboden worden.*** In 2012 waarschuwde de WHO voor een aanzienlijke markt voor illegale middelen in vooral Azië en Afrika.[194] Vaak zijn de illegale middelen slechte namaak met te weinig actieve stof. In het geval van antibiotica hebben zulke middelen onvoldoende genezende werking, terwijl ze wel een bijdrage leveren aan het ontstaan van resistentie. 'Tenzij ze helemaal geen werkzame stof bevatten', zegt Wertheim, 'en dat is vaak zo.' In Indonesië lijkt dat beeld anders als we afgaan op een internationale studie van een groep waarvan ook professor Inge Gyssens van het UMC St Radboud in Nijmegen en het Jessa Ziekenhuis in Hasselt deel uitmaakt. Die concludeerde in een studie in Soerabaja dat antibiotica weliswaar bij elke apotheek en in allerlei kiosken en stalletjes vrij en zonder recept te koop waren voor soms exorbitante prijzen, maar dat de hoeveelheid actieve stof meestal wel in orde was.[195]

---

* De *Streptococcus pneumoniae* was in de jaren 2000 en 2001 in 71 procent van de gevallen resistent voor penicilline en in 92 procent van de gevallen voor erythromycine.

** Van de gramnegatieve *Enterobacteriaceae* was 42 procent resistent voor ceftazidime, 63 procent voor gentamicin en 74 procent voor nalidixic zuur. Ceftazidime is een derdegeneratie-cefalosporine, een bèta-lactam-antibioticum. Gentamicin is een aminoglycoside antibioticum en nalidixic zuur is een antibioticum van de klasse der (fluro)chinolonen.

*** In het GARP-rapport over Vietnam staat dat er volgens het Vietnamese ministerie van Volksgezondheid in 2008 vijfentwintig partijen antibiotica van de markt zijn gehaald vanwege hun slechte kwaliteit. Het ging zowel om in Vietnam geproduceerde middelen als om import. Antibiotica maakten ruim een kwart uit van alle van de markt gehaalde illegale middelen.

Iedereen apotheker

Op de voorjaarsvergadering 2011 van de Nederlandse Vereniging voor Medische Microbiologie gaf Heiman Wertheim een presentatie naar aanleiding van het hier geciteerde rapport over Vietnam en over een onderzoek onder apothekers.[196] Aan ruim 90 procent van alle antibiotica die in Vietnam verkocht worden komt geen recept te pas, hoewel dat wettelijk wel verplicht is. Een kwart van alle geneesmiddelen die in Vietnam verkocht worden, zijn antibiotica. Die worden gekocht bij de apotheek.

Vietnam heeft bijna 90 miljoen inwoners en telt circa 57.000 apotheken.[197] Dat zijn 6,5 apotheken per tienduizend inwoners. Apotheek is hier wel een ruim begrip. Ook kiosken en stalletjes waar geneesmiddelen verkocht worden zijn meegeteld. In het GARP-rapport over Vietnam staat dat het land 39.000 apotheken heeft. Dat zouden er nog altijd 4,3 per tienduizend inwoners zijn. Ter vergelijking: Nederland telde 1.997 apotheken op 1 januari 2012 voor een bevolking van 16,7 miljoen mensen.[198] Dat is 1,2 apotheken per tienduizend inwoners. België telde eind mei 2012 tweeënhalf keer zo veel apotheken als Nederland: 5.059 voor een bevolking van 11,1 miljoen.[199] Dat is 4,6 apotheken per tienduizend inwoners.

Vietnamezen die zich ziek voelen zijn eerder geneigd naar een apotheek te gaan dan naar een kliniek of een ziekenhuis. Dat spaart tijd en geld, schrijven de auteurs van het GARP-rapport over Vietnam. Wie niet eerst langs de dokter gaat, hoeft de arts de eigen bijdrage niet te betalen die ook voor de basiszorg geldt.*

Volgens de Vietnamese wet mogen alleen apothekers met vijf jaar

---

* Iedereen die in loondienst is moet een verplichte ziektekostenverzekering afsluiten. Voor armen en gepensioneerden is die gratis. De verzekering dekt de kosten van de basiszorg en kent eigen bijdragen van ongeveer 20 procent. Sinds 2005 is alle medische zorg voor kinderen onder de zes jaar gratis.

ervaring een apotheek in eigendom hebben. De werkelijkheid staat daar haaks op. Zo ongeveer iedereen kan een apotheek beginnen door gebruik te maken van de licentie van een gediplomeerde apotheker. Patiënten leggen uit wat hun mankeert aan de werknemers van de apotheek, die meestal nauwelijks of geen medische opleiding hebben. Apotheken hebben uiteraard een economisch belang bij het verkopen van antibiotica. In 2006, meldt het GARP-rapport, telde Vietnam 230 fulltime inspecteurs met duizend medewerkers die zich bezighielden met de prijzen van antibiotica en het voorkomen van corruptie. Die zou behoorlijk omvangrijk zijn en behalve het gesjoemel met licenties van apothekers ook betalingen van farmaceutische bedrijven aan artsen betreffen. En dan zijn er nog de patiënten die absoluut antibiotica willen hebben, omdat ze geloven dat het middel overal tegen helpt. Dat moet wel leiden tot omvangrijk gebruik van antibiotica en het ontstaan van resistentie.* Wertheim vertelde dat Vietnamese kinderen onder de vijf jaarlijks vijf kuren antibiotica gebruiken. Nederlandse huisartsen schrijven kinderen onder vijf jaar gemiddeld veel minder dan één kuur per jaar voor.[200] In België ligt het antibioticagebruik ongeveer tweeënhalf keer zo hoog als in Nederland.[201] Ik heb geen aanwijzingen gevonden dat dit bij kinderen anders is dan bij volwassenen.

Er is niet zo veel bekend over antibioticaresistentie in Vietnam. Wertheim vertelde dat er tussen 2000 en 2010 in internationale tijdschriften achtenvijftig studies over infectieziekten in Vietnam gepubliceerd zijn. Precies één daarvan ging over antibioticaresistentie op Vietnamese IC's. Een paar gingen over postoperatieve infecties, de rest over infecties opgelopen buiten het ziekenhuis. Intussen zijn de

* Per hoofd van de bevolking gebruikt Vietnam, en ook India, nog steeds veel minder antibiotica dan de Verenigde Staten en de landen in Zuid-Europa. Veel Indiërs en Vietnamezen hebben geen of maar beperkt toegang tot gezondheidszorg en geneesmiddelen. Ze kopen vaak antibiotica voor een korte periode, regelmatig zelfs maar voor één dag. Dat leidt tot onderdosering en dat werkt het ontstaan van resistentie in de hand.

eerste gevallen van NDM-1 gerapporteerd. De Nederlandse microbioloog beschreef nog een even curieuze als trieste casus. Een patiënt lag op een Vietnamese IC met een in het ziekenhuis opgelopen longontsteking veroorzaakt door een multiresistente gramnegatieve bacterie. De patiënt moest met colistine behandeld worden, maar dat is in Vietnam niet beschikbaar voor gebruik door mensen. Wél voor dieren. In de veterinaire sector wordt colistine op grote schaal gebruikt. De patiënt in kwestie is overleden. Wertheim toonde een tamelijk onheilspellende dia waarop een lange reeks antibiotica vermeld stonden die allemaal als groeibevorderaars in diervoeding verwerkt worden. Er bestaat in Vietnam nauwelijks diervoeding zonder antibiotica. Het gaat om belangrijke middelen uit alle klassen antibiotica.[202] In buurland China wordt de helft van alle gebruikte antibiotica in de veterinaire sector gegeven. Over het veterinaire antibioticagebruik in Vietnam is zo'n cijfer niet bekend. Maar de gegevens die er wel zijn spreken boekdelen. Zeventig procent van alle medicijnen die dieren krijgen bestaat uit antibiotica. Ook in de viskweek worden in Vietnam grote hoeveelheden antibiotica gebruikt. Het GARP-rapport verwijst naar een Nederlands onderzoek van de Voedsel- en Waren Autoriteit uit 2009 waarin het gebruik van antibiotica bij de Vietnamese viskweek op 700 gram per ton vis wordt geschat.[203] In Noorwegen en Zweden wordt volgens de VWA ongeveer 2 gram antibiotica per geproduceerde ton vis gebruikt, in het Verenigd Koninkrijk 10 tot 20 gram en in Canada 157 gram per ton. Slechts in eenderde van de gevallen is er een veearts betrokken bij het gebruik van antibiotica in de dierhouderij en de viskweek. Uit casestudies in vier verschillende provincies in Vietnam bleek dat meer dan de helft van het vlees van de vele tientallen varkens- en kippenboerderijen sporen van antibiotica bevatte, soms in concentraties die de normen ver te boven gingen.* Intussen is

---

* Veel van de gegevens over antibioticagebruik komen uit *Report of antibiotic use in animal in Vietnam*, een presentatie die N.Q. Ân gaf op de eerste GARP-workshop

Wertheim met zijn collega's druk met het opzetten van een surveillanceproject om het gebruik van de antibiotica en het vóórkomen van resistentie te monitoren. 'Dat loopt redelijk goed', zegt hij me in de zomer van 2012. Het project moet in samenwerking met het ministerie van Volksgezondheid in twintig ziekenhuizen gaan lopen en tot een jaarlijks rapport leiden. Iets dergelijks moet ook worden opgezet voor de veterinaire sector. Professor Jan Kluytmans juicht het opzetten van surveillance toe, maar waarschuwt tegen overspannen verwachtingen. 'Meten is het begin,' zegt hij, 'maar het gaat om de verdere acties. In Nederland produceren we al jaren dergelijke rapporten zonder merkbaar effect op het misbruik van antibiotica.'

De reislust van micro-organismen

Resistentie voor antibiotica van de klasse der carbapenems kwam tot voor enkele jaren niet voor in Europa. Maar dat verandert snel. Reizen speelt een cruciale rol bij de verspreiding ervan. Akke van der Bij van het Reinier de Graaf Ziekenhuis in Delft en het RIVM en haar Canadese collega Johann Pitout van de Universiteit van Calgary schrijven daar in juni 2012 over in het *Journal of Antimicrobial Chemotherapy*: 'Van internationale toeristen tot door oorlog ontheemde vluchtelingen, meer mensen dan ooit zijn onderweg. Dit biedt een keur aan antibioticaresistente bacteriën de kans om van de ene geografische locatie naar de andere gebracht te worden. *Enterobacteriaceae* behoren tot de belangrijkste veroorzakers van ernstige ziekenhuisinfecties en community-onset*-infecties bij

op 4 en 5 september 2009 in Hanoi http://www.cddep.org/sites/cddep.org/files/vietnam_garp_final2.pdf. De presentatie wordt geciteerd in het GARP-rapport over Vietnam.

* *Community Onset* MRSA (CO-MRSA) betekent dat de drager op het moment dat hij of zij MRSA opliep buiten het ziekenhuis was, maar wel aan een of meer risicofactoren voor de 'ziekenhuis-MRSA' voldoet, zoals een recent verblijf in een buitenlands ziekenhuis. Daarnaast bestaat CA-MRSA. Dat staat voor *Community Acquired* of *Community Associated* MRSA. Dit betekent dat MRSA is opgelopen door

mensen. Resistentie van deze bacteriën tegen antimicrobiële middelen is een in toenemende mate relevant probleem geworden. Internationaal reisverkeer en toerisme zijn belangrijke manieren voor het oplopen en de verspreiding van antibioticaresistente *Enterobacteriaceae*, in het bijzonder CTX-M* producerende *Escherichia coli*. Infecties in ontwikkelde landen met *Enterobacteriaceae* die KPC, VIM, OXA-48 en NDM** produceren zijn in verband gebracht met bezoek aan en ziekenhuisopname in endemische*** gebieden zoals de Verenigde Staten, Griekenland en Israël voor KPC, Griekenland voor VIM, Turkije voor OXA-48**** en het Indische subcontinent voor NDM.'

In het inleidende hoofdstuk citeer ik een Zweeds onderzoek van de universiteit van Linköping over reizen als bron van besmetting met multiresistente bacteriën. Voor vertrek had 4 procent van de reizigers naar bestemmingen in Afrika, Azië en Latijns-Amerika een ESBL bij zich, na terugkeer 32 procent.[204] In een tweede studie van de universiteit van Uppsala namen honderd Zweden die een reis buiten Europa maakten deel aan het onderzoek.[205] Vierentwintig

---

gezonde mensen buiten het ziekenhuis die nooit in contact zijn geweest met MRSA-dragers uit het ziekenhuis http://www.mrsa-net.nl/nl/personeel/mrsa-algemeen-personeel/definities-personeel/642-wat-is-ca-mrsa.

* CTX-M is de naam van een aantal nauw verwante plasmiden. Dat zijn stukjes DNA die los in bacteriën liggen en hen in staat stellen enzymen te produceren die hen resistent maken voor bepaalde antibiotica. Bacteriën kunnen die genetische informatie via die plasmiden heel gemakkelijk aan elkaar overdragen.

** *Klebsiella pneumoniae* Carbapenemase (KPC), Verona integron-encoded metallo-bèta-lactamase (VIM), OXA-48 en New Delhi metallo-bèta-lactamase (NDM) zijn allemaal carbapenemasen, enzymen die bacteriën resistent maken voor carbapenems.

*** Als een bacterie ergens endemisch is, dan komt hij daar standaard voor.

**** Op het internationale microbiologencongres ECCMID 2012 in Londen bleek dat volgens een van de presentaties alweer achterhaald. OXA-48 is endemisch in Turkije, Marokko, Tunesië en India. Er hebben zich intussen in ieder geval grotere uitbraken voorgedaan in Nederland, België, Frankrijk, Spanje, Ierland, Duitsland en Rusland. Zie dia 37 van http://www.infectiologie.com/site/medias/enseignement/gericco/2012/2012-GERICCO-Nordmann.pdf.

van de honderd proefpersonen bleken na terugkeer van hun reis gekoloniseerd* met een ESBL-producerende *E. coli*. Van de reizigers naar India keerde 88 procent besmet terug. Reizigers uit het onderzoek naar andere landen in Azië en naar het Midden-Oosten liepen in respectievelijk 32 en 29 procent van de gevallen een ESBL-producerende *E. coli* op. Een onderzoeksgroep van het Universitair Medisch Centrum Leiden presenteerde op het 22nd European Congress of Clinical Microbiology and Infectious Diseases (ECCMID) in Londen de eerste resultaten van een studie naar het dragerschap van ESBL-producerende *Enterobacteriaceae* onder Nederlandse reizigers.

Aan het onderzoek dat van maart tot september 2011 liep namen 473 mensen deel. In Londen presenteerden de onderzoekers de gegevens van 307 reizigers, de rest was nog niet verwerkt. Van hen bleken er 33 (11 procent) voor vertrek al een ESBL bij zich te dragen. Dat is meer dan de onderzoekers op grond van eerdere studies hadden verwacht, schrijven ze in de samenvatting van hun studie die gepubliceerd is in het *Abstract-book* van de ECCMID 2012. Van die groep van 307 raakten er 107 – 35 procent – onderweg gekoloniseerd met een ESBL-producerende *E. coli*. India was de bestemming met het grootste risico op besmetting. Maar liefst 64 procent van de reizigers daarheen had bij terugkeer een *E. coli* met ESBL in zijn darmen. In de rest van Azië was het risico daarop wat kleiner, maar nog altijd kwam 42 procent van de reizigers daarvandaan thuis met een multiresistente ESBL *E. coli*. In Afrika en het Midden-Oosten raakte precies een kwart van de reizigers gekoloniseerd en in Latijns-Amerika liep 17 procent van de Nederlandse reizigers tegen een ESBL-producerende *E. coli* op. Een verblijf in budgethotels vergrootte de kans op het oplopen van ESBL's.[206]

---

* Als iemand gekoloniseerd is door een bacterie dan draagt hij die bij zich en vermenigvuldigt die bacterie zich zonder voor ziekteverschijnselen te zorgen.

Van de eerste negen bekend geworden Nederlandse patiënten met bacteriën die resistent zijn voor carbapenems, hadden er vijf de bacterie opgelopen op de IC van een Grieks ziekenhuis, drie op reis in India en één in Nederland. Op de Boerhaave Leergangen van september 2010 in Leiden liet Maurine Leverstein-van Hall een lijstje zien met die eerste casussen. Alle negen patiënten hadden een *Klebsiella pneumoniae* bij zich. Bij de resistentie producerende enzymen ging het vijf keer om KPC, twee keer om NDM-1, een keer om OXA-48 en een keer om het enzym VIM. In 2008-2009 deed zich voor het eerst een uitbraak voor van *Pseudomonas aeruginosa* die door het enzym VIM-2 resistent was voor het carbapenem-antibioticum imipenem. De uitbraak deed zich voor op de intensive care en tien verpleegafdelingen van het Erasmus MC in Rotterdam.[207] VIM-2 geeft een hoger risico op ernstige infecties en opname op de intensive care. Niet lang na deze eerste beschreven uitbraak van een bacterie met VIM-2, deed zich een tweede uitbraak voor, nu in het brandwondencentrum van het Rode Kruis Ziekenhuis in Beverwijk.[208] In februari 2011 bleken daar kort na elkaar twee patiënten een bijzonder resistente *Pseudomonas* bij zich te hebben. In dezelfde periode raakte ook een patiënt op de gewone IC van het ziekenhuis besmet met de bacterie die resistent was voor alle antibiotica behalve colistine. Onderzoek wees uit dat het om genetisch identieke bacteriën ging. Twee van de drie patiënten ontwikkelden een bloedbaaninfectie. Uit het daarop ingestelde retrospectief onderzoek bleek dat in de periode 2006 tot 2011 in totaal veertien patiënten in het brandwondencentrum en zeven patiënten op de reguliere IC van het Rode Kruis Ziekenhuis de bacterie met VIM hadden opgelopen. Van een tweeëntwintigste patiënt is niet bekend op welke afdeling hij lag. De bacterie was dus al vijf jaar aanwezig voordat werd opgemerkt dat er een uitbraak gaande was. Volgens arts-microbioloog Bram Diederen van het Streeklaboratorium voor de Volksgezondheid in Haarlem kon dat gebeuren 'door afwezigheid van clustering in tijd en plaats'. Omdat patiënten op verschillende afdelingen en niet gelijktijdig besmet raakten dus, tot zich twee besmettingen tegelijk voordeden in het brandwondencentrum. Vanwege het zeer ziekmakende karakter van de VIM-2 *Pseudomonas aeruginosa* werd er na de uitbraak in het Rode Kruis Ziekenhuis prompt een studie opgezet om te kijken hoe vaak VIM producerende *Pseudomonas aeruginosa* eigenlijk voorkomen in Nederland.[209] In de periode 2010-2011 hadden elf Nederlandse ziekenhuizen VIM-2 in huis. Vijfentachtig procent van alle gevonden VIM-2 was genetisch identiek. 'Omdat metallo-bèta-lactamase producerende isolaten ernstige infecties veroorzaken die moeilijk behandelbaar zijn,' schrijven de onderzoekers, 'is de aanwezigheid van isolaten die tot dezelfde kloon behoren in verscheidene ziekenhuizen verspreid door Nederland een punt van nationale zorg.'

Koploper van de verkeerde lijstjes

Griekenland is koploper in Europa met zowel het gebruik van antibiotica[210] als het vóórkomen van resistentie.[211] De Grieken gebruiken ruim drie keer zo veel antibiotica als de Nederlanders en nog altijd eenderde meer dan de Belgen, die ook grootgebruikers zijn.[212] En geen EU-land heeft meer resistentie door carbapenemasen of door ESBL's dan de Grieken.* Dat maakt dat er nogal eens naar het land wordt gewezen als bron van uitbraken waar andere landen mee kampen. Op het Europese microbiologencongres ECCMID 2012 in Londen gaf de Oostenrijkse microbioloog Martin Hoenigl een presentatie over een uitbraak van een multiresistente *Klebsiella* in het universiteitsziekenhuis in Graz. Toen hij daarbij en passant liet vallen dat de eerste patiënt 'de bacterie wel uit Griekenland zou hebben meegebracht' greep de voorzitter van de sessie, de Griekse microbioloog George Daikos uit Athene, geërgerd in: 'Geef Grie-

* In Griekenland was in 2011 meer dan de helft van de *Klebsiella*'s die een infectie veroorzaakten resistent voor carbapenems en ESBL-positief http://www.ecdc.europa.eu/en/eaad/Documents/EARS-Net-summary-antibiotic-resistance.pdf.

kenland niet voortdurend de schuld van alles', voegde hij Hoenigl toe. Daikos' landgenote Olympia Zarkotou is microbioloog in het Tzaneio Ziekenhuis in Piraeus. Haar werk en dat van haar collega's heeft veel weg van dweilen met de kraan open. 'We zitten in de ziekenhuizen natuurlijk met al die infecties door heel erg resistente bacteriën die bijvoorbeeld Nederland niet heeft. Dat speelt een belangrijke rol bij het hoge gebruik, maar dat is ook de kwestie van de kip of het ei. Was het hoge antibioticagebruik er eerst of waren de resistente bacteriën er eerst? En het antibioticagebruik buiten de ziekenhuizen is ook hoog. Het lukt ons niet om dat omlaag te krijgen. Door bijvoorbeeld geen antibiotica meer te geven bij een virusinfectie. Dan helpt het helemaal niet, maar onder druk van de patiënten schrijven artsen toch voor. In de ogen van patiënten is een dokter die geen antibiotica geeft geen goede dokter. Hoog antibioticagebruik leidt tot resistentie, dan heb je weer meer andere, nog wel effectieve antibiotica nodig waardoor je weer meer resistentie krijgt. We zitten in een vicieuze cirkel.' Veel antibiotica zijn in Griekenland gewoon te koop, zonder dat er een recept aan te pas komt. 'Dat is in meer landen zo', zegt Dominique Monnet, senior expert en coördinator van de afdeling antibioticaresistentie en ziekenhuisinfecties van het European Centre for Disease Prevention and Control (ECDC). 'Over de toonbank verkoop van antibiotica is in alle lidstaten van de Europese Unie illegaal. En het is zeker een deel van de verklaring van de problemen.' Olympia Zarkotou benadrukt dat niet álle antibiotica zomaar te koop zijn en schetst dan de rol van de apotheker in Griekenland. 'Uiteraard zouden er helemaal geen antibiotica zo verkocht moeten worden, maar apothekers hebben in Griekenland een bijzondere rol. Elke buurt heeft zijn eigen apotheker en iedereen kent die apotheker. Dat is een buurtgenoot, een soort vriend waarmee je 's morgens koffie drinkt in het café. En die "vriend" die weigert je geen antibiotica als je die wil hebben.' Anna-Pelagia Magiorakos is Griekse en Monnets directe collega bij ECDC. Ze kent de situatie in haar geboorteland als geen ander. 'Zulke praktijken komen inderdaad voor, maar de laatste tijd is er veel gedaan om ervoor te zorgen dat er geen medicijnen meer verstrekt worden zonder recept. Het is nu voor artsen verplicht om elektronisch voor te schrijven. Dat maakt over de toonbank verkopen en het kopiëren van recepten, dat gebeurde ook, een stuk lastiger. Die wijzigingen zijn er zeker gekomen om budgettaire redenen, maar voor een deel is het ook een beleidskeuze.'

Het Griekse ministerie van Volksgezondheid heeft ook verschillende bewustwordingscampagnes gevoerd om de bevolking ervan te doordringen dat het onnodig gebruik van grote hoeveelheden antibiotica slecht is. Zarkotou denkt dat die campagnes wel wat effecten hebben gehad, al is dat niet meer dan een indruk. 'Maar kinderartsen bijvoorbeeld, zitten in een heel lastig parket. Ouders zijn heel bang voor koorts en zetten hen vaak zwaar onder druk. Griekse kinderen slikken heel veel macroliden.* Wat zien we prompt? Streptokokken zijn zeer resistent tegen die antibiotica. Maar dat hoge antibioticagebruik is één ding. Iets heel anders is wat je moet doen in ziekenhuizen met een hoog percentage multiresistente bacteriën.' Sinds 2010 is er een actieplan dat door het ministerie van Volksgezondheid en de HCDCP**, de Griekse zusterorganisatie van het Centrum voor Infectieziektebestrijding van het RIVM, wordt uitgevoerd. 'Kern van het plan is surveillance om een goed beeld van de situatie te krijgen en verplicht rapporteren van infecties veroorzaakt door multiresistente bacteriën. Maar dan wel serieuze surveillance en eerlijk rapporteren. Behalve de gegevens van EARS-net***

---

* Een groep antibiotica die vooral actief zijn tegen grampositieve bacteriën als Streptokokken en Pneumokokken. De bekendste zijn erytromycine en claritromycine.

** Hellenic Centre for Disease Control and Prevention.

*** Het European Antibiotic Resistance Surveillance Network werd tot 2010 door het RIVM gecoördineerd. Nu gebeurt dat door het ECDC in Stockholm. Negenhonderd laboratoria in landen van de EU leveren gegevens. Ze werken voor veertienhonderd ziekenhuizen met een bereik van ongeveer honderd miljoen mensen.

hebben we geen inzicht in wat er gebeurt in Griekenland. Hoeveel patiënten drager zijn van een multiresistente bacterie, hoeveel er daadwerkelijk een infectie krijgen, hoeveel patiënten sterven door een infectie, we weten het niet. En heel belangrijk is ook dat het plan centraal afgestemde aanbevelingen doet over het opsporen van multiresistente bacteriën en over maatregelen om infecties te voorkómen en te bestrijden. Als je niet goed weet hoe je multiresistente bacteriën moet zoeken, dan heb je automatisch een probleem met infectiepreventie.' Ongeveer een maand na mijn gesprek met Zarkotou publiceerde het HCDCP de eerste resultaten van het actieplan Procrustes.* Tot dan toe hadden vierenzestig openbare en militaire ziekenhuizen aan het surveillancenetwerk meegedaan van de in totaal honderddrieëndertig Griekse ziekenhuizen.[213] De regering is in het kader van de grote bezuinigingsoperaties bezig het aantal ziekenhuizen terug te brengen tot zo'n tachtig. Het aantal ziekenhuisbedden zou daarmee dalen tot dertigduizend, tegen ruim vierenvijftigduizend nu. Omgerekend is dat nu 480 ziekenhuisbedden per honderdduizend inwoners en straks 273. Ter vergelijking: Nederland had volgens de cijfers over 2011 van de Nederlandse Vereniging van Ziekenhuizen 46.515 ziekenhuisbedden[214], dat is 357 ziekenhuisbedden voor honderdduizend inwoners. België beschikte in 2010 over bijna 54.600 ziekenhuisbedden[215], dat is 496 bedden per honderdduizend inwoners.**

---

* Procrustes is een mythologische figuur. Hij was een herbergier die gasten te eten en te drinken gaf. Als ze in bed lagen keek hij of ze precies in het bed pasten. Waren ze te kort, dan rekte hij de gasten met geweld uit. Waren ze te lang dan kortte hij ze in door een stuk van hun ledematen af te hakken. Doorgaans stierven de gasten zodat Procrustes zich hun bezittingen kon toe-eigenen. Procrustes gewelddadigheid is volgens Olympia Zarkotou een metafoor voor de stringente maatregelen die nodig zijn om het antibioticagebruik en de antibioticaresistentie terug te snoeien tot aanvaardbare proporties.

** Volgens onderzoek dat de NVZ een jaar later liet doen was het aantal ziekenhuisbedden met 2,8 per 1.000 inwoners nog aanzienlijk lager. Ook in België kwam het met 4,2 per 1.000 lager uit dan volgens opgave van de Belgische minister van

Maandelijks werden er in *Procrustes* tussen de tweehonderddertig en vierhonderdvijftig infecties gemeld veroorzaakt door bacteriën die resistent zijn voor carbapenems.[216] Ruim de helft deed zich voor op intensive care units, ruim een kwart op afdelingen interne geneeskunde, bijna 20 procent op chirurgische afdelingen. Ruim een op drie van de infecties betrof een bloedbaaninfectie, in net iets minder dan eenderde van alle gevallen ging het om longontsteking. Ook urineweginfecties en postoperatieve infecties kwamen veel voor. In iets meer dan 40 procent van de gevallen was een *Klebsiella pneumoniae* de veroorzaker van de infectie. *Acinetobacter* was verantwoordelijk voor ruim eenderde van alle infecties en *Pseudomonas* veroorzaakte 20 procent van de gemelde infecties. Het meest voorkomende resistentiemechanisme was KPC. Vijfentachtig procent van alle *Klebsiella*'s produceerde het enzym KPC. Een kleine minderheid van de *Klebsiella*'s maakte daarnaast ook het enzym VIM aan. De sterfte in de periode van vier weken nadat de bacterie voor het eerst aangetoond werd was bijna 36 procent. De hoogste sterfte werd geconstateerd bij patiënten die op de intensive care lagen (bijna 44 procent) en die longontsteking ontwikkelden (45 procent) of bloedvergiftiging (40 procent).

India, waar alle plagen van Egypte vandaan komen

Misschien meer nog dan Griekenland wordt India voortdurend in verband gebracht met overal opduikende 'superbugs'. Zeer resistente ziekteverwekkers die infecties kunnen veroorzaken die niet of nauwelijks meer te behandelen zijn. Het Indiase ministerie van Volksgezondheid sprak over het 'creëren van sensatie'.[217] In het Indiase parlement werd een samenzwering van multinationals ge-

Volksgezondheid. In dit rapport gaat het om gegevens over 2009. Het verschil in de cijfers zit volgens de onderzoekers in het wel of niet meetellen van de bedden voor dagbehandeling http://sirm.nl/downloads/82_120712%20NVZ%20Ziekenhuiszorg%20Europa%20-%20Achtergronddocument.pdf.

suggereerd. De farmaceutische industrie en het medisch toerisme zijn in India booming business.[218] Ik beschreef de woedende reactie van de Indiase autoriteiten op de naamgeving van het enzym New Delhi-metallo-bèta-lactamase (NDM) elders in dit boek al uitvoeriger.* Daar komt ook de desinteresse voor antibioticaresistentie aan bod, waarop de Vlaamse professor Herman Goossens en zijn Britse collega Timothy Walsh bij een deel van hun Indiase collega's stuitten. Net als over Vietnam bestaat er ook over India een GARP-rapport, *Situation Analysis Antibiotic Use and Resistance in India*, dat in maart 2011 gepubliceerd werd.[219] De werkgroep die het rapport heeft opgesteld bestaat vrijwel geheel uit Indiase wetenschappers, zoals ook het rapport over Vietnam voornamelijk door lokale wetenschappers samengesteld is. Natuurlijk, papier is geduldig, maar zonder een groep voortrekkers die de overmatige consumptie van antibiotica wil terugdringen, die de gebrekkige toegang tot het middel voor een groot deel van de bevolking wil verbeteren en, last but not least, een begin wil maken met het aanpakken van het schromelijke tekort aan sanitaire voorzieningen in India, verandert er zeker niets. En dat is niet alleen een probleem van de 1,2 miljard inwoners van India, maar ook van de rest van de wereldbevolking. Het is een immens probleem. Timothy Walsh schat dat zo'n 100 miljoen Indiërs drager zijn van darmbacteriën met NDM-1. Walsh heeft ook drinkwatermonsters en oppervlaktewatermonsters uit New Delhi onderzocht op de aanwezigheid van NDM-1. In 4 procent van de drinkwatermonsters en 30 procent van de oppervlaktewatermonsters bleken bacteriën met NDM-1 te zitten.[220] Ook na publicatie van dit tweede artikel in *The Lancet Infectious Diseases* reageerde de Indiase overheid kritisch richting Walsh en zijn mede-auteurs. Maar minder dan na de publicatie van zijn eerste artikel over NDM op 12 augustus 2010. Toen werd

---

* Zie hoofdstuk 2.

er met name op Walsh' Indiase co-auteurs grote druk uitgeoefend. Indiase wetenschappers kregen zelfs de opdracht zich niet bezig te houden met onderzoek naar NDM-1. Verder kregen ze te horen dat het illegaal was om bacteriestammen naar het buitenland te sturen. Nog in de maand dat Walsh' tweede artikel gepubliceerd werd, stelde de Indiase regering budget beschikbaar om onderzoek te gaan doen naar NDM-1. Christina Vandenbroucke-Grauls, hoogleraar aan het VUmc in Amsterdam en hoofd van de afdeling medische microbiologie daar, bezocht India in oktober 2011 voor een congres. 'India lijkt een rijk land te zijn,' zegt ze, 'maar als je ziet hoeveel mensen er leven en hoeveel daarvan in de modder wonen, dan besef je wat voor enorme problemen daar nog opgelost moeten worden. Maar de Indiërs lijken nu zelf de strijdbijl op te pakken, ze beginnen te begrijpen dat ze echt iets moeten doen om te voorkomen dat elke bacterie volledig resistent wordt voor alle middelen die we hebben. Dat stemt dan weer een stuk vrolijker. Het viel me op dat er ondanks alles dokters zijn die veel moed hebben om de onmetelijke problemen daar toch aan te pakken. Met infectiepreventie en onderwijs aan collega's. Ik ben in een staatsziekenhuis in Mumbai geweest dat ongelofelijk vies was, oud en overvol. Maar de microbioloog daar was een indrukwekkende vrouw die probeerde te doen wat ze kon.'

Het GARP-rapport over India valt met de deur in huis: 'De infectieziektenlast in India behoort tot de hoogste ter wereld. Bij het bestrijden van infecties wordt een grote hoeveelheid antibiotica gebruikt, sommige redden levens, maar elk gebruik draagt bij aan resistentie van bacteriën. Het gebruik van antibiotica stijgt gestaag, met name dat van bepaalde klassen antibiotica (bèta-lactam-antibiotica), en het duidelijkst in de meer welvarende deelstaten. Resistentie loopt ermee in de pas.' De verkoop in Indiase apotheken van carbapenem-antibiotica verviervoudigde ongeveer tussen 2005 en 2010.[221] In Pakistan deed zich een vergelijkbare ontwikkeling voor. In veel gevallen komt daar geen dokter en geen recept aan te pas, zodat te vrezen valt dat het vaak om onnodig gebruik gaat. Tegelijkertijd hebben heel veel Indiërs geen toegang tot antibiotica en zeker niet tot de relatief dure carbapenems. Infectieziekten zijn een immens probleem in het land: ongeveer 8 procent van alle overlijdens wordt veroorzaakt door diarree-gelinkte ziekten en nog eens 6 procent door infecties van de luchtwegen. Meer dan vijf miljoen kinderen onder vijf jaar krijgen elk jaar longontsteking of sepsis. Van de kinderen met longontsteking kreeg in de jaren 2005 en 2006 maar 13 procent antibiotica en maar één op de drie kinderen met verschijnselen van longontsteking bezocht een dokter. En dat is een armoedevraagstuk. Hoewel behalve geld ook lage opleidingsniveaus en het gebrek aan ziekenhuizen, poliklinieken en artsen in bepaalde delen van het land meespelen. Tegelijk wordt er op grote schaal verkeerd gebruikgemaakt van antibiotica. Mensen die verkouden zijn worden veelvuldig met antibiotica behandeld, terwijl die niet helpen, omdat het bij verkoudheid om virusinfecties gaat. Dat heeft – en daarin is India allerminst uniek – te maken met gebrekkige kennis van publiek en van artsen over het juiste gebruik van antibiotica. Maar ook met de verwachtingspatronen van patiënten. En met de wens van apothekers en van sommige dokters om winst te maken met de verkoop van medicijnen. In New Delhi ging ten tijde van de verschijning van het rapport 20 procent van alle antibiotica zonder recept over de toonbank. Tussen 2005 en 2009 is de geregistreerde verkoop van antibiotica buiten het ziekenhuis in India nagenoeg verdubbeld. In India gaat tussen de 4 en 5 procent van het BNP op aan uitgaven voor gezondheidszorg, maar 80 procent daarvan komt rechtstreeks uit de portemonnee van de gebruiker. In westerse landen ligt die verhouding heel anders.

Het Verenigd Koninkrijk besteedde in 2010 9,6 procent van het BNP aan gezondheidszorg en daarvan betaalde de overheid ruim 80 procent. In de Verenigde Staten werd 17,6 procent van het BNP aan gezondheidszorg uitgegeven en daar betaalde de overheid bijna de helft van. In Japan betaalde de overheid 80 procent van de uitgaven aan gezondheidszorg die 9,5 procent van het BNP beliepen. In 2010 ging in België 10,5 procent van het BNP naar de gezondheidszorg en daarvan werd driekwart uit de collectieve middelen gefinancierd. Nederland besteedde 12 procent van het BNP aan gezondheidszorg en ook daarvan werd het merendeel gefinancierd uit de collectieve middelen.[222]

De Indiase overheid gaf op vijf na het minste uit aan gezondheidszorg van alle landen in de wereld.[223] De overheidsuitgaven aan zorg nemen de laatste jaren toe en meer mensen hebben toegang gekregen tot gezondheidszorg, maar in een enorm land als India, met een zo grote bevolking, vragen dergelijke verbeteringen heel lange adem.

Er zijn in India heel veel studies gedaan naar het vóórkomen van ziekenhuisinfecties en van antibioticaresistentie, vaak beperken die zich tot één ziekenhuis. Uit die studies komen geregeld hoge resistentiepercentages en grote aantallen ziekenhuisinfecties naar voren.* India beschikt niet over echt goede data over het vóórkomen van resistentie, omdat er geen nationaal systeem is voor de surveillance ervan. Ook over het gebruik van antibiotica bij dieren is maar weinig bekend. Maar de onderzoekers die zich hebben beziggehouden met de aanwezigheid van antibiotica en resistentie in vee, kippen en zeevruchten vonden allemaal hoge resistentiepercentages voor een aantal antibiotica. Een voorbeeld uit 2009: Bhoj Raj Singh onderzocht 267 bacteriestammen afkomstig van paarden uit het noorden van India.[224] Van die enterokokken was 80 procent resistent voor vancomycine en 99,6 procent was multiresistent. Singh

* Enkele voorbeelden uit het GARP-rapport over India: In een studie naar brandwondenpatiënten bleek 83 procent van de 71 patiënten een ziekenhuisinfectie te hebben opgelopen. In klinieken en ziekenhuizen op het Indiase platteland vormt 90 procent van de *E. coli's* ESBL's.

concludeerde dat een dergelijke aanwezigheid van multiresistente bacteriën – VRE in dit geval – in de paarden risico's oplevert voor mensen die met de dieren in contact komen. India staat nog aan het begin wat betreft het nemen van maatregelen om het gebruik van antibiotica en het vóórkomen van resistentie terug te dringen en, nog veel belangrijker, de hygiëne te bevorderen.

Doden in plaats van genezen

Op 14 maart 2012 sprak Margaret Chan, algemeen directeur van de Wereldgezondheidsorganisatie (WHO), de openingsvergadering toe van de conferentie Combatting antimicrobial resistance, die het Deense voorzitterschap van de EU in Kopenhagen organiseerde.[225] Chan luidde de noodklok met kracht: 'Het is makkelijk om de bacteriële dreiging te beschrijven. Die kent een onomstotelijke logica. De resistentie voor antibiotica neemt toe in Europa, en in de rest van de wereld ook. We zijn bezig onze eerste keus antibiotica kwijt te raken. Vervangende middelen zijn duurder, giftiger, moeten langer gegeven worden en kunnen behandeling op intensivecare-afdelingen vereisen.' Later in haar toespraak kwam de WHO-baas met een haast apocalyptische passage op de proppen: 'Ziekenhuizen zijn broeinesten geworden van hoogresistente ziekteverwekkers, zoals MRSA, ESBL en CPE*. Daardoor neemt het risico toe dat ziekenhuisopnames doden in plaats van genezen. Het gaat hier om de ultieme resistente ziekteverwekkers die zelfs ongevoelig zijn voor de laatste categorie antibiotica. Als de huidige trends onverminderd doorzetten, is het eenvoudig om de toekomst te voorspellen. Er zijn experts die zeggen dat we terugkeren naar het tijdperk van vóór de antibiotica. Nee. Het wordt een post-antibioticatijdperk.' Chan schetst ook wat dat zou betekenen: 'Een post-antibioticatijdperk betekent in feite het einde van de moderne geneeskunde zoals wij

* CPE, Carbapenemase Producerende *Enterobacteriaceae.*

die kennen. Dingen zo gewoon als een keelontsteking of een geschaafde knie zouden weer dodelijk kunnen zijn. Een aantal hoog ontwikkelde behandelingen, zoals heupvervangingen, orgaantransplantaties, chemotherapie bij kanker en zorg voor te vroeg geboren kinderen, zouden veel moeilijker worden of zelfs te gevaarlijk om te doen. Op het moment dat er een reeks calamiteiten in de wereld aan de gang is, kunnen we niet toestaan dat we cruciale antibiotica, onmisbare geneesmiddelen voor vele miljoenen mensen, kwijtraken.'

Rotterdam aan de Weser, Bremen aan de Maas

Bij de zorg voor te vroeg en pasgeboren kinderen zijn antibiotica van groot belang. Baby's, zeker premature baby's, zijn zeer gevoelig voor infecties. Dat bleek begin november 2011 weer eens toen bekend werd dat er op de afdeling neonatologie van de Klinikum Bremen Mitte al geruime tijd een uitbraak van ESBL-producerende *Klebsiella pneumoniae* aan de gang was. Het verhaal vertoont enige overeenkomst met dat van de uitbraak van OXA-48 producerende *Klebsiella* in het Rotterdamse Maasstad Ziekenhuis. Ook in Bremen werd de zaak maanden stilgehouden en werden de gezondheidsautoriteiten te laat ingelicht. Pas nádat de regionale zender Radio Bremen gemeld had dat er enkele baby'tjes in Klinikum Bremen Mitte overleden waren, maakte dat ziekenhuis bekend dat het al geruime tijd kampte met een ESBL-producerende *Klebsiella pneumoniae*. Dezelfde bacteriesoort dus waarmee de uitbraak in het Maasstad Ziekenhuis ook begonnen is. 'Het lijkt in Bremen hetzelfde verhaal als in Rotterdam', zegt Alexander Friedrich, hoofd van de afdeling microbiologie en infectiepreventie van het UMC Groningen. 'Het patroon in de problemen niet herkennen, te lang zelf doorgaan met proberen het op te lossen, niet melden bij de gezondheidsautoriteiten, geen hulp inroepen van deskundiger collega's en vergelijkbare grote gevolgen als in Rotterdam.' Friedrich is half mei 2012 gehoord door de parlementaire onderzoekscommissie die de Bremische Bürgerschaft instelde.* Voor die gelegenheid heeft hij *Oog voor het onzichtbare*, het rapport van de commissie-Lemstra over het Maasstad Ziekenhuis, in het Duits laten vertalen. Friedrich is Duitser en werkt sinds het najaar van 2010 in het UMCG. 'Ik vind het rapport van Lemstra een uitstekende reconstructie en analyse van wat er mis is gegaan in het Maasstad Ziekenhuis en ik ben ervan overtuigd dat ze daar in Bremen heel wat van kunnen leren.' Op 2 november 2011 maakte de leiding van het ziekenhuis in Bremen op een persconferentie bekend dat er drie zuigelingen – twee jongens en een meisje – gestorven waren op de afdeling neonatologie van het ziekenhuis. De sterfgevallen hadden te maken met 'een hygiëneprobleem met ESBL-producerende en daardoor resistente' *Klebsiella pneumoniae.* Als hygiëne ergens in een ziekenhuis extreem belangrijk is dan wel op een IC voor te vroeg geboren baby's. De ziekenhuisleiding kondigde een opnamestop voor de IC neonatologie af. De dag voor de persconferentie had het ziekenhuis de senator voor Volksgezondheid ingelicht en hulp gevraagd aan de specialisten van het Robert Koch Institut, het Duitse RIVM. De eerste baby overleed in augustus, de andere twee in oktober 2011. Nog twaalf andere baby's zijn in dezelfde periode besmet geraakt met de bacterie. Acht werden niet ziek, vier wel. De directeur van de holding waaronder het ziekenhuis valt zei op de persconferentie dat overal in de wereld mensen aan ziekenhuisbacteriën sterven. 'De suggestie dat men dat zou kunnen verhinderen, is een illusie', zei hij. In het vervolg zou blijken dat zijn ziekenhuis wel degelijk heel wat meer moeite had kunnen doen om te verhinderen dat er mensen sterven aan infecties veroorzaakt door resistente ziekenhuisbacteriën. Het Openbaar Ministerie stelde meteen een onderzoek in naar de gebeurtenissen in het ziekenhuis en was not amused dat ze uit de pers had moeten

* Bremen vormt samen met Bremerhaven de kleinste Duitse deelstaat. De Bürgerschaft is het deelstaatsparlement. De Vrije Hanzenstad Bremen wordt geregeerd door een Senaat.

vernemen wat er aan de hand was. Ook de verantwoordelijke senator voor Volksgezondheid gaf te kennen dat ze liever eerder op de hoogte gebracht had willen worden van de feiten. Overigens had het ziekenhuis begin september 2011 wel de Bremer gezondheidsdienst geïnformeerd.

Loopje met de feiten

Dankzij onderzoek van de media – met name Radio Bremen[226] en de Weser Kurier[227] – bleek dat de voorstelling van zaken die op de persconferentie door het ziekenhuis werd gegeven niet geheel conform de werkelijkheid was. De ESBL-producerende *Klebsiella* werd al in april 2011 aangetoond op de IC voor prematuren. Volgens Radio Bremen kampt het ziekenhuis zelfs al sinds 2009 met de bacterie. Eind mei 2012 bleek dat de bacterie al in september 2011 gevonden was in een slang waar leidingwater doorheen liep en ook op verschillende oppervlakken in het ziekenhuis. De afdeling neonatologie ging begin januari 2012 weer open. Amper zes weken later: bij twee patiëntjes wordt dezelfde ESBL-producerende *Klebsiella* aangetroffen die het ziekenhuis in november ook in huis had. De IC op de afdeling neonatologie van de Klinikum Bremen Mitte moet onmiddellijk sluiten van de autoriteiten. Voorgoed deze keer. Pas als de nieuwbouw van het ziekenhuis klaar is, in 2015, mag de afdeling weer open. Op 29 februari 2012 overlijden twee baby'tjes aan een bloedvergiftiging door de ESBL-*Klebsiella*. Nadat eerder al het hoofd van de afdeling neonatologie is ontslagen*, krijgt nu ook de hoogste baas van de holding waaronder de vier gemeentelijke ziekenhuizen in Bremen vallen, zijn congé. De gifbeker is nog niet leeg. Half maart worden er *Klebsiella* gevonden op een doos met

---

* Het hoofd van de afdeling neonatologie kreeg op 1 oktober 2012 zijn baan terug na een besluit van het Arbeitsgericht Bremen. Fouten op het niveau van de holding hadden het hem onmogelijk gemaakt de *Klebsiella*-uitbraak op een afdoende manier aan te pakken.

latex handschoenen. Half mei 2012 wordt de bacterie gevonden bij een tien weken oud jongetje dat is opgenomen voor een operatie aan een liesbreuk. Bij opname was hij schoon, na de operatie zat de bacterie op zijn huid. Het jongetje wordt ernstig ziek, maar overleeft het. Het totaal aantal besmettingen loopt op naar drieëntwintig. Op 22 mei 2012 lekte een evaluatie van de schoonmaakwerkzaamheden uit die hygiënespecialist Ludwig Weber van het Deutsche Beratungszentrum für Hygiëne op verzoek van de ziekenhuisdirectie maakte. Weber constateerde grote tekortkomingen voortkomend uit onkunde en gebrek aan kennis. De handleiding voor de schoonmaakdienst staat vol met aanwijzingen die een garantie zijn voor onhygiënische praktijken. Zo worden de schoonmakers geacht het handvat van elke toiletborstel met een nieuwe rode doek te reinigen, maar gebruiken ze voor het schoonmaken van alle sanitaire ruimtes dezelfde handschoenen. Om dan telkens wel een schoon doekje te nemen is 'zinloos', schrijft Weber in zijn rapport dat vol staat met dergelijke voorbeelden van onhygiënische methoden.

De getuigenverhoren van de parlementaire onderzoekscommissie die in december 2011 aan de slag ging, brachten veel nieuwe informatie boven tafel. En dat ondanks het feit dat veel van de personen die door de commissie gehoord werden zich op hun wettelijke zwijgrecht beriepen. Op 15 mei 2012, dezelfde dag dat professor Alexander Friedrich als externe expert door de commissie gehoord werd, getuigde ook een inspecteur van het Gesundheitsamt in Bremen, te vergelijken met de GGD in Nederland of het Vlaams Agentschap Zorg en Gezondheid. Die inspecteur verklaarde tegenover de parlementaire onderzoekscommissie dat de problemen in het ziekenhuis al in 2010 bekend waren bij het Gesundheitsamt. Door personeelsgebrek was er niets met die kennis gedaan totdat in november 2011 de eerste sterfgevallen bekend werden. Een paar dagen eerder had de voorzitter van de ondernemingsraad van het ziekenhuis gewezen op de personeelsschaarste in het ziekenhuis. Sinds

2004 is het aantal werknemers van het ziekenhuis afgenomen van drieduizend naar ruim achttienhonderd. Daarbij zijn achthonderd volledige banen verdwenen. Het besluit daartoe is overigens door de Bremische Bürgerschaft zelf genomen. Het gaat immers om een overheidsziekenhuis. Verder stelde de onderzoekscommissie nog vast dat patiëntdossiers vaak niet goed worden bijgehouden. Op 8 juni 2012 was er een doorbraak: onderzoekers van het Robert Koch Institut meenden dat ze de bron van de ellende gevonden hebben. De ESBL-producerende *Klebsiella pneumoniae* werd gevonden in een doseerpompje voor desinfectiemiddel.

'De melding had eerder gekund'

Problemen op een afdeling neonatologie zorgen steevast voor grote krantenkoppen. Als er baby's of kinderen in het geding zijn, lopen de emoties snel op. De uitbraak in Bremen kreeg veel meer aandacht in de media dan een andere uitbraak die zich ongeveer gelijktijdig voordeed. Ook in Duitsland, maar nu in de Universitätsklinikum Leipzig. En ook nu meldde het ziekenhuis de uitbraak niet meteen aan de gezondheidsautoriteiten. En ook nu werd er pas na lange tijd specialistische hulp van buiten ingeroepen. Op 9 juli 2010 nam het ziekenhuis een patiënt afkomstig uit de omgeving van Leipzig op die tijdens zijn vakantie op Rhodos in het ziekenhuis had gelegen. Bij de man werd een *Klebsiella* aangetoond die het enzym KPC produceert. Dat maakt de bacterie ongevoelig voor nagenoeg alle antibiotica. De man werd meteen geïsoleerd, de hygiënemaatregelen werden uitgebreid en er vond onderzoek plaats bij contactpatiënten en in de kamer waar de man gelegen had. Er werden geen andere besmettingen gevonden. Met de nodige vertraging kwamen die er toch. In de herfst van 2010 deed zich een uitbraak van dezelfde *Klebsiella* voor op verschillende afdelingen in het ziekenhuis. Toen die uitbraak in februari 2011 tot stilstand gebracht was waren dertig patiënten besmet. Dat was voor de universiteitskliniek reden om het plaatselijke Gesundheitsamt op de hoogte te stellen. 'Bezien met de kennis van vandaag had deze melding zeker eerder kunnen gebeuren', zei medisch directeur Wolfgang Fleig op de persconferentie waarop het ziekenhuis de uitbraak bekendmaakte. Dat was meer dan een jaar later, op 24 mei 2012.

Het tijdig aan de bel trekken in geval van meldingsplichtige uitbraken bleef ook na de flagrante schendingen van de regels in Bremen en Leipzig geen vanzelfsprekendheid. Het beroemde Charité Ziekenhuis in Berlijn en het aanpalende Deutsche Herzzentrum kunnen beide een boete tegemoetzien omdat ze een uitbraak van de bacterie *Serratia marcescens** te laat gemeld hebben.[228] De bacterie is volgens de Berlijnse gezondheidsautoriteiten al in september 2012 aangetroffen in de hartkliniek en pas in de tweede helft van oktober is er een melding gedaan. Toen was er al een baby gestorven. Bij obductie is vastgesteld dat de bacterie daarbij geen doorslaggevende rol heeft gespeeld. Een ander kindje overleefde de infectie. Op twee intensivecare-afdelingen neonatologie van het Charité liepen zeven te vroeg geboren baby's een infectie op. Vijftien raakten besmet met de *Serratia* zonder ziek te worden. Ook het Charité wachtte volgens de Berlijnse gezondheidsautoriteiten bijna twee weken met melden. Het ziekenhuis ontkent dat het iets fout heeft gedaan.

Het indammen van de *Klebsiella*-uitbraak bleek veel lastiger dan het ziekenhuis in Leipzig in februari 2011 nog dacht. Sindsdien zijn

* *Serratia marcescens* behoort tot de soort *Serratia* die onderdeel is van de uitgebreide familie van de staafvormige, gramnegatieve *Entereobacteriaceae*. Het ziekmakende vermogen van de *Serratia marcescens* is pas in de jaren vijftig ontdekt. Het Amerikaanse leger experimenteerde toen met biologische wapens en maakte bij proeven gebruik van de onschuldig geachte *Serratia marcescens*. Tijdens operatie Sea Spray liet het Pentagon ballonnen gevuld met de bacterie ontploffen boven San Francisco. Dat leidde tot stijging van het aantal longontstekingen en urineweginfecties in de periode na het experiment http://microbewiki.kenyon.edu/index.php/Serratia_marcescens.

er elke maand nieuwe patiënten met een KPC-*Klebsiella* bijgekomen. Op 1 september 2012 stond de teller op vijfentachtig, bijna allemaal patiënten die al zeer ernstig ziek waren. Van hen waren er toen dertig overleden, ruim eenderde dus. Een groep experts van onder meer het Robert Koch Institut onderzoekt hoeveel van die patiënten door toedoen van de bacterie gestorven zijn. De uitbraak in de universiteitskliniek in Leipzig is de grootste ooit in Duitsland van dergelijke ziekmakende darmbacteriën.[229] De omvang ervan wordt pas echt goed duidelijk bij het bekijken van de cijfers over 2010 voor alle in Duitsland aangetroffen *Klebsiella pneumoniae* die resistent zijn voor carbapenem-antibiotica.[230] Dat waren er in totaal honderddertien en die waren niet alleen door KPC maar door alle resistentiemechanismen samen veroorzaakt. KPC was goed voor tweeënvijftig gevallen, bijna de helft van het totale aantal. In de tachtig ziekenhuizen die de deelstaat Saksen telt[231] is de KPC-*Klebsiella* volgens het ministerie van Volksgezondheid[232] sinds 2009 in totaal 126 keer aangetoond. De universiteitskliniek in Leipzig nam meer de helft van alle gevallen voor haar rekening. Zelfs voor een academisch ziekenhuis dat de moeilijke patiënten krijgt en veel patiënten uitwisselt met andere ziekenhuizen, is dat een onevenredig hoog aantal. Hoe het kan dat er zich telkens nieuwe besmettingen bleven voordoen was begin september 2012 nog onduidelijk. Wel hadden de onderzoekers van het ziekenhuis en het Robert Koch Institut vastgesteld dat 'er klaarblijkelijk een lange tijd zit tussen het moment waarop iemand de bacterie oploopt en die aangetoond kan worden'.

KPC aan de Amerikaanse Oostkust

KPC werd voor het eerst gevonden in 1996 in de Amerikaanse staat North Carolina. Het eerste wetenschappelijke artikel erover verscheen in 2001.[233] Intussen zijn er acht typen KPC die allemaal heel nauw verwant zijn, de dominante typen zijn KPC-2 en KPC-3. Vooral in het noordoosten van de VS komen KPC's veel voor. In New

York zijn er vanaf 2003 geregeld uitbraken geweest. In ziekenhuizen in Brooklyn in New York had in de herfst van 2004 een kwart van alle *Klebsiella pneumoniae* die gekweekt werden het enzym KPC bij zich.[234] In 2007 produceerde volgens cijfers van het Center for Disease Control 8 procent van alle in de Verenigde Staten gekweekte *Klebsiella pneumoniae* KPC's.[235] In datzelfde jaar bereikte KPC ook Chicago. Dat had even geduurd, maar daarna was het ook goed raak. In 2009 hadden 26 van 54 zorginstellingen in Chicago infecties door een KPC-producerende *Klebsiella* gemeld. In 2010 was dat opgelopen tot 37 van 57 zorginstellingen, een stijging van 30 procent in een jaar tijd. Het gemiddeld aantal patiënten dat positief testte op KPC steeg in datzelfde jaar van nog geen 4 naar ruim 10 procent. Driekwart van alle patiënten met KPC had een geschiedenis van verblijf in een verpleeghuis of een andere instelling voor langdurige zorg. Vanuit dergelijke instellingen worden patiënten veelvuldig overgebracht naar ziekenhuizen, waardoor gemakkelijk verspreiding van resistente bacteriën kan plaatsvinden. Ook de intensieve contacten tussen ziekenhuizen in een regio spelen een grote rol. Dat blijkt mooi uit een studie die helemaal aan de andere kant van de Verenigde Staten is uitgevoerd in Orange County in Californië en waaraan alle tweeëndertig ziekenhuizen daar deelnamen.[236]

Van de 173.000 patiënten die in 2005 in de ziekenhuizen in Orange County werden opgenomen, werd zo'n 30 procent minstens twee keer opgenomen. De heropnames vonden gemiddeld binnen drieenvijftig dagen na ontslag uit het ziekenhuis plaats. In totaal ging het om 320.000 ziekenhuisopnames. En driekwart van de groep met meer ziekenhuisopnames, zo'n 35.000 patiënten, werd opgenomen in meer dan één ziekenhuis. De onderzoekers berekenden dat zes van de tweeëndertig ziekenhuizen in Orange County binnen zes maanden elk patiënten deelden met meer dan de helft van de andere ziekenhuizen in Orange County. Na een jaar bleken zeventien ziekenhuizen elk patiënten te delen met meer dan de helft van de ziekenhuizen in de regio. De ziekenhuizen deelden allemaal ten minste één patiënt met gemiddeld achtentwintig andere ziekenhuizen. In de studie werd ook gekeken naar het delen van patiënten met een infectie veroorzaakt door de bacterie *Clostridium difficile**, een in de VS veel voorkomende ziekenhuisinfectie die ook in Europa in opmars is. Van die patiënten wordt 49 procent om enige reden binnen twaalf weken opnieuw opgenomen in het ziekenhuis. In 2005 werden er in Orange County ruim negenhonderd patiënten met zo'n infectie meer dan één keer in het ziekenhuis opgenomen. In ruim een kwart van de gevallen in een ander ziekenhuis dan dat waar ze oorspronkelijk verbleven. In totaal gingen net iets meer dan tweehonderd patiënten met infectie en al naar een ander ziekenhuis.

Intussen zijn er in tweeëndertig Amerikaanse staten *Klebsiella's* – en soms ook andere bacteriën – met KPC's gevonden. In onder meer New York, New Jersey en Chicago is de bacterie endemisch.

Mega-uitbraak in Israël

Het was professor Yehuda Carmeli die me attendeerde op de studie uit Orange County. Hij is hoofd van de afdeling epidemiologie en preventieve geneeskunde van het Tel Aviv Medical Center. Sinds de *Klebsiella*-uitbraak in het Maasstad Ziekenhuis heb ik zo nu en dan

---

* *Clostridium difficile* is een grampositieve bacterie die in de menselijke darm voorkomt en doorgaans geen problemen veroorzaakt. Bij zwakke patiënten kan hij dat in bepaalde omstandigheden wel doen en diarree veroorzaken die soms ernstige gevolgen kan hebben http://www.rivm.nl/Bibliotheek/Algemeen_Actueel/Veelgestelde_vragen/Infectieziekten/Veelgestelde_vragen_Clostridium_difficile. In 2011 liepen in Nederland naar schattingen 2.700 in het ziekenhuis opgenomen patiënten een infectie met *Clostridium difficile* op. Naar schatting honderd van hen stierven aan de gevolgen daarvan http://www.rivm.nl/Bibliotheek/Algemeen_Actueel/Uitgaven/Infectieziekten/Sixth_Annual_Report_of_the_National_Reference_Laboratory_for_Clostridium_difficile_May_2011_to_May_2012_and_results_of_the_sentinel_surveillance. In België zijn in 2010 2.364 infecties met Clostridium difficile geturfd. Drie procent van de patiënten stierf aan de gevolgen van de infectie http://www.nsih.be/download/CDIF/CDIF-AR-2011-NL.pdf.

contact met hem. Begin april 2012 sprak ik hem kort in Londen op het Europese microbiologencongres ECCMID 2012. 'Tot 2005 hadden we in Israël eigenlijk nog bijna nooit zo'n *Klebsiella* met KPC gezien', zegt Carmeli. 'Maar dat veranderde in de loop van 2006 in sneltreinvaart. Eerst in mijn eigen ziekenhuis, maar al heel snel in het hele land. Eind 2005 is de KPC met iemand uit de Verenigde Staten meegekomen naar Israël.' Aan de Amerikaanse oostkust is een grote Joodse gemeenschap en er is druk reisverkeer met Israël. De *Klebsiella* met KPC zorgde voor een ongekende uitbraak die door heel Israël trok. En die Carmeli en een aantal van zijn collega's internationale faam bezorgden als topspecialisten op het gebied van bacteriën die resistent zijn voor carbapenems. Op 21 juni 2012 werd Carmeli daarvoor in Nederland geëerd. Tijdens het jaarlijkse symposium van de Stichting Werkgroep Antibioticabeleid (SWAB) mocht hij de SWAB-*lecture* houden en kreeg hij de SWAB-award uitgereikt. Eind 2005 doken de eerste infecties door KPC-producerende *Klebsiella* in Israël op[237]. Met een gemiddelde van zes per maand. In een van de zevenentwintig getroffen ziekenhuizen werd op 4 februari 2006 een patiënt met KPC opgenomen. Op de intensive care en niet in isolatie, hoewel hij kort daarvoor naar Miami was geweest voor een niertransplantatie. 'Vanuit Amerika was er een brief meegegeven dat de patiënt KPC bij zich had, maar de chirurg die hem opnam wist niet wat dat was', vertelt Carmeli. 'Prompt liepen er negen andere patiënten op de IC een KPC-besmetting op. Een aantal van hen is overleden.' De dag na opname werd er een kweek van de urine van de man gemaakt. Weer een dag later leverde die kweek een verdenking op van resistentie tegen antibiotica van de klasse van de carbapenems. Het kweekresultaat moest bevestigd worden, maar de patiënt werd wel alvast geïsoleerd. 'Bij de bevestiging trad een technisch probleem op en vervolgens was het weekend.' Carmeli vertelt het hoofdschuddend en met enige plaatsvervangende schaamte. Na het weekend bleek de patiënt inderdaad een KPC bij zich te hebben en kon het contactonderzoek bij zijn medepatiënten beginnen. 'Dat is het verhaal van de uitbraak in een van de ziekenhuizen', zegt hij. De KPC verspreidde zich razendsnel door het land.

In de eerste helft van 2006 liep het aantal patiënten op tot 40 nieuwe gevallen per maand en in het tweede semester van 2006 tot 89 nieuwe patiënten met KPC per maand. In het eerste kwartaal van 2007 kwamen er maandelijks gemiddeld 143 nieuwe patiënten. In de maand maart kwamen er zelfs 185 nieuwe patiënten. Op 31 maart 2007 waren er al 1.275 patiënten in zevenentwintig verschillende ziekenhuizen die een infectie hadden door een bacterie met KPC. In 92 procent van de gevallen ging het om *Klebsiella pneumoniae*. In 8 procent om andere bacteriën waarop de KPC was overgesprongen.

In het voorjaar van 2007 lukte het om de stijgende lijn in het aantal infecties en besmettingen te doorbreken. 'Het werd mij begin 2006 bijna meteen duidelijk dat het niet lukte om de uitbraak te stoppen. En wat in mijn ziekenhuis gold, ging ook op in andere ziekenhuizen. We hebben toen besloten om de uitbraak landelijk aan te pakken.' Het ministerie van Volksgezondheid kwam met richtlijnen over de isolatie van dragers van KPC. Die moesten strikt geïsoleerd in eenpersoonskamers of in cohortverpleging, bij elkaar op de kamer verpleegd worden. Verder werd een systeem ingevoerd waarbij verpleegkundigen die voor KPC-patiënten zorgden in dezelfde dienst niet voor onbesmette patiënten mochten zorgen. Dat is van groot belang omdat bacteriën vaak verspreid worden door het verzorgende personeel. Bovendien werd een taskforce voor antibioticaresistentie en infectiepreventie ingesteld. Die specialisten bezochten alle ziekenhuizen om de aanpak van de uitbraak gecoördineerd te laten verlopen. Vanaf mei daalde het aantal nieuwe infecties naar zevenenvijftig per maand in september 2007. In oktober was weer sprake van een scherpe stijging naar zevenentachtig nieuwe patiënten, maar daarna is de trend definitief naar beneden gegaan. In mei 2008 bedroeg het aantal nieuwe patiënten met een infectie veroorzaakt door een bacterie met KPC vijfenveertig. Maar Israël is tot op heden niet meer afgekomen van zijn KPC-probleem. De uitbraak ging gepaard met sterk verhoogde sterfte. Van alle patiënten in Israël die een infectie veroorzaakt door een KPC-bacterie opliepen stierf bijna de helft (44 procent). Andere landen met veel KPC zoals de Verenigde Staten en Griekenland komen met vergelijkbare sterftecijfers. Carmeli denkt dat de sterfte die echt toe te schrijven is aan de KPC-infectie wat lager ligt dan de ruwe sterfte van 44 procent. 'Op basis van eerdere bevindingen kan het gecorrigeerde cijfer voor sterfte door toedoen van de bacterie op 35 procent geschat worden', schrijft hij in een van zijn vele artikelen over de Israëlische uitbraak.[238]

Intussen heeft KPC zich door de hele wereld verspreid. Op ECCMID 2012 kwamen in één sessie achtereenvolgens kleine en grote KPC-uitbraken voorbij in een reeks landen in Azië, Noord-Amerika, Latijns-Amerika en Europa. In Nederland werden in 2011 in totaal 169 gramnegatieve bacteriestammen aangetroffen met een van de talrijke carbapenemase-enzymen. Het leeuwendeel daarvan betrof de toen 117 bekende patiënten die in het Maasstad Ziekenhuis een OXA-48 producerende *Klebsiella pneumoniae* opliepen. Bij nog dertig andere patiënten in Nederlandse ziekenhuizen werden vergelijkbare bacteriën aangetroffen. Daarvan hadden drieëntwintig ook het enzym OXA-48 bij zich, vijf een KPC, vier een NDM en twee een VIM. In tweederde van deze gevallen ging het, net als in het Maasstad om *Klebsiella pneumoniae.* Dertien van de dertig patiënten liepen de bacterie op in het buitenland. Marokko was daarbij met zes gevallen koploper. Vijf besmettingen zijn te herleiden naar het Maasstad maar zijn in andere zorginstellingen gevonden. Van zestien bacteriestammen is de herkomst nog onbekend. In 2012 werden 68 carbapenemasen aangetoond, tweederde daarvan bij *Klebsiella pneumoniae.* In ruim de helft van de gevallen (36) was OXA-48 het resistentiemechanisme. KPC kwam 13 keer voor, NDM 12 keer.[239]

Sint-Niklaas en Duffel

In België werden de eerste voor carbapenem resistente gramnegatieve bacteriën in 2008 aangetoond. Het ging om vijf verschillende patiënten in drie Brusselse ziekenhuizen die allemaal *Klebsiella pneumoniae* met het resistentiemechanisme VIM bij zich droegen.[240] Twee patiënten waren afkomstig uit twee verschillende Griekse ziekenhuizen, waar ze na een ernstig auto-ongeluk waren opgenomen. Half 2010 doken ook NDM-1 *Klebsiella's* op. Patiënten die in Pakistan en in Balkanlanden waren geweest brachten de bacteriën mee terug naar België. 'In de eerste tien maanden van 2011', schrijft de Hoge Gezondheidsraad in een eerder geciteerd advies[241], 'stelde het nationaal referentielaboratorium vast dat er meer carbapenemresistente (of soms verminderd gevoelige) enterobacteriën naar hen werden doorgezonden waarbij het aandeel carbapenemase producerende isolaten (Carbapenemase Producing *Enterobacteriaceae*, CPE) fors toegenomen is. Tijdens deze periode stelde men in drie ziekenhuizen epidemieën vast en in een twaalftal instellingen sporadische gevallen van CPE. Het merendeel van de betrokken patiënten had vooraf geen landen bezocht waar CPE endemisch voorkomt.' Dit leidde ertoe dat er vanaf 1 januari 2012 een nationale surveillance kwam voor CPE. 'Met de carbapenemasen hebben we tamelijk snel gehandeld', zegt professor Youri Glupczynski. Hij is hoofd van de afdeling medische microbiologie van het academisch ziekenhuis Mont-Godinne van de Université Catholique de Louvain-la-Neuve. 'Zeker als je het in historisch perspectief bekijkt. De eerste MRSA-uitbraak, dat was in een Brussels Ziekenhuis, is in 1981 beschreven. Het duurde tot 1993 voor er formeel maatregelen genomen waren om dergelijke uitbraken te voorkomen. ESBL's troffen we vanaf 2001 geregeld aan. In 2006 zijn we daar werkelijk alert op geworden en bij gaan houden hoe vaak ze voorkomen. Dat was al de helft sneller. Carbapenemasen waren er in 2008 en 2009 sporadisch. Vanaf 2010 kregen we regelmatig met NDM te maken. En eind 2011 hebben we besloten een nationale surveillance op te zetten. Het gaat dus steeds sneller.'

Glupczynski's laboratorium in Mont-Godinne is het nationale referentielaboratorium voor veel multiresistente bacteriën waaronder die met carbapenemasen. Bij de uitbraken die zich in 2011 voordeden waren twee grote: de ene in het Algemeen Ziekenhuis Sint-Maarten in Duffel bij Mechelen, de andere in het Algemeen Ziekenhuis Nikolaas in Sint-Niklaas, tussen Gent en Antwerpen. Het gaat bij beide uitbraken om *Enterobacteriaceae*, meestal *Klebsiella pneumoniae*, met OXA-48. Vooral de uitbraak in Sint-Niklaas die drie locaties van het ziekenhuis trof, was omvangrijk. 'Voor zover ik weet is dat de grootste uitbraak die gemeld is', zegt Glupczynski. 'Een minderheid van de dragers van de bacterie heeft ook daadwerkelijk een infectie opgelopen. Maar wie meer zoekt, vindt ook meer.'

Per 1 juli 2012 waren er in het ziekenhuis in Sint-Niklaas precies 100 patiënten besmet met een OXA-48 producerende bacterie. Meestal ging het om *Klebsiella pneumoniae*. De uitbraak was op dat moment nog niet onder controle. In het Algemeen Ziekenhuis Sint-Maarten in Duffel wel. Daar is de teller op 13 patiënten blijven staan van wie er één een ernstige infectie kreeg. Behalve deze 113 gevallen van carbapenemase producerende bacteriën (CPE) hadden zich in het eerste semester van 2012 elders in België nog 93 gevallen voorgedaan: 16 in Brussel, 15 in Wallonië en nog eens 62 in Vlaanderen. Zelfs zonder rekening te houden met de uitbraken in Sint-Niklaas en Duffel was het aantal bevestigde gevallen van CPE in de eerste zes maanden van 2012 al de helft hoger dan in heel 2011 toen het ook al ruim drie keer hoger was dan in 2010. Naast de beide grote uitbraken deed zich in twaalf ziekenhuizen één enkel geval voor, in drie ziekenhuizen twee gevallen en in zes ziekenhuizen meer dan drie gevallen. In bijna acht op de tien gevallen was de bacterie een *Klebsiella pneumoniae* en negen op tien keer was het resistentiemechanisme een OXA-48. In totaal liep één op de drie besmette patiënten daadwerkelijk een infectie op, maar in Sint-Niklaas en Duffel lag dat aantal de helft lager, omdat die ziekenhuizen uitgebreide maatregelen hadden genomen om de uitbraak te bestrijden. De meeste besmette patiënten waren vrouw en gemiddeld zesenzeventig jaar oud.* Vijftien waren boven de negentig. In Sint-Niklaas en Duffel was de gemiddelde leeftijd van de besmette patiënten met ruim tachtig jaar meer dan tien jaar hoger dan in de overige ziekenhuizen. Vierenveertig procent van alle patiënten lag op een geriatrische afdeling, 20 procent op de IC. Van alle patiënten die besmet raakten was 46 procent niet recentelijk in een ziekenhuis opgenomen, 43 procent in een Belgisch ziekenhuis of verpleeghuis en 11 procent in een buitenlands ziekenhuis.[242] Eind augustus 2012 was het aantal infecties door CPE-producerende bacteriën opgelopen tot 240. In bijna driekwart van de gevallen ging het om *Klebsiella pneumoniae* en het resistentiemechanisme was in meer dan 85 procent van de gevallen OXA-48

Het ging bij de grote uitbraak in Sint-Niklaas niet om een uitbraak van één bacteriestam, maar om een polyklonale uitbraak van verschillende stammen. Eind april 2012 waren al zeven verschillende bacteriën aangetroffen die allemaal hetzelfde plasmide met de genetische informatie voor resistentie delen.** Dat mobiele stukje DNA kan zich razendsnel verspreiden. Glupczynski is zeer te spreken over de manier waarop het ziekenhuis in Sint-Niklaas de problemen tegemoettreedt. 'Ziekenhuizen die zelf bekendmaken dat ze een uitbraak van multiresistente bacteriën hebben, zijn er niet veel. Ze zijn open, ze sturen ons de bacteriestammen toe, ze hebben hulp ingeroepen van specialisten, ze volgen de richtlijnen, ze doen het echt goed. Ik heb moeite met ziekenhuizen die zeggen dat ze geen carbapenemasen of andere resistente stammen in huis

* Van 137 patiënten van de 153 bevestigde zijn persoonsgegevens beschikbaar. Eenenzestig procent is vrouw, de gemiddelde leeftijd is zesenzeventig jaar en een maand. De jongste patiënt was dertien, de oudste achtennegentig jaar.

** *Klebsiella pneumoniae*, *Escherciaceae coli*, *Enterobacter cloacae*, *Citrobacter freundii*, *Klebsiella oxytoca*, *Enterobacter aerogenes* en een combinatie van *Klebsiella pneumoniae* en *Citrobacter freundii*.

hebben, maar die gewoon niet zoeken. Of ziekenhuizen die ze wel vinden, maar er gewoon niets over zeggen.' Toch was het in het najaar van 2012 nog steeds niet gelukt om de uitbraak in Sint-Niklaas eronder te krijgen. Dat heeft ongetwijfeld te maken met een aantal bijzondere omstandigheden, denkt Glupczynski. 'Het ziekenhuis in Sint-Niklaas heeft vijf vestigingen in Sint-Niklaas en onmiddellijke omgeving. Ze hebben te maken met veel oudere patiënten die lang blijven en daardoor nog weleens verplaatst worden binnen het ziekenhuis, ook van de ene vestiging naar de andere, om bedden vrij te maken die voor andere patiënten nodig zijn. Die oudere patiënten worden vaak ook snel weer heropgenomen in het ziekenhuis. In epidemiologische termen hakt dat er in, dat zorgt voor verspreiding.' Ouderen zijn in België goed voor 30 procent van alle ziekenhuisopnames. Een flink deel van die oudere patiënten gaat met enige regelmaat heen en weer tussen verzorgings- en verpleeghuizen en het ziekenhuis.* Dertig procent van alle zeventigplussers heeft volgens Glupczynski bacteriën bij zich in hun urine die afkomstig zijn uit hun eigen darmflora. 'Maar die mensen hebben geen ziekteverschijnselen, ze zijn alleen dragers. Die moet je dus niet allemaal gaan behandelen met antibiotica. Dat is onnodig. Voor al die zaken hebben we onvoldoende oog gehad toen we eind 2011 onze snelle aanbeveling opstelden over de aanpak van carbapenemasen. Het is heel jammer dat we toen die rol van verzorgings- en verpleeghuizen buiten beschouwing hebben gelaten. We zouden nu heel snel een onderzoek moeten gaan doen naar hoe vaak dit soort bacteriën voorkomen in de ouderenzorg. En trouwens ook bij patiënten die

* In september 2012 was er een uitbraak van een multiresistente *Klebsiella* in het revalidatiecentrum Beatrixoord in Haren waarbij die verplaatsingen ook een rol speelden. Beatrixoord maakt deel uit van het UMC Groningen waar dezelfde *Klebsiella* opdook. De bacterie is met een patiënt uit het ziekenhuis meegekomen naar de dwarslaesieafdeling van Beatrixoord. In totaal bleken elf patiënten verdeeld over beide locaties drager van de bacterie. In het UMCG werd tegelijk nog een tweede resistente *Klebsiella* aangetroffen.

de huisarts bezoeken. Daar hebben we nu geen idee van.' Vooral het onderzoek naar de situatie in de ouderenzorg dringt. 'Er zijn nu rusthuizen die weigeren om patiënten met OXA-48 bij zich op te nemen. Daar is geen enkele reden voor, maar ze doen dat toch door gebrek aan kennis.'

Op de Europese Antibioticadag 2012 presenteerden verschillende Belgische onderzoekers nieuwe cijfers over het vóórkomen van resistentie in woon-zorgcentra en ziekenhuizen.[243] MRSA komt steeds minder vaak voor in de Belgische woon-zorgcentra. Sinds 2005 is het aantal infecties door MRSA er met 7 procent gedaald. In de ziekenhuizen is het aantal infecties door MRSA sinds 2003 zelfs met de helft afgenomen. In 2011 is voor het eerst onderzocht hoe vaak zich in woon-zorgcentra infecties voordoen veroorzaakt door bacteriën die ESBL's produceren. Van alle infecties door *E. coli* en *Klebsiella pneumoniae* gaat het in 6,2 procent van de gevallen om ESBL-positieve. Voor de ziekenhuizen is er onderscheid gemaakt tussen die beide bacteriën. Het aantal infecties door *E. coli's* met ESBL is van 4 procent in 2005 gestegen naar 7,4 procent in 2011. Voor *Klebsiella pneumoniae* is het in dezelfde periode toegenomen van 6,9 naar 11,6 procent.

Glupczynski is ervan overtuigd dat er een grote pedagogische inspanning nodig is om de kennis over bacteriën, antibioticaresistentie en vooral het belang van hygiëne bij artsen, op laboratoria, bij verpleegkundigen en onder de gewone bevolking op een hoger peil te krijgen. 'Maar in het curriculum van de medische faculteiten hebben de hygiëne van artsen en verpleegkundigen, de hygiëne van de patiënt en die van de ziekenhuis, nauwelijks een plek. Daar wordt geen onderwijs in gegeven. Met het terugdraaien van de duur van de studie geneeskunde van zeven naar zes jaar wordt het er natuurlijk niet beter op', zegt hij. Glupczynski raakt aan het stokpaardje van zijn Vlaamse collega Inge Gyssens. 'De meeste hoogleraren microbiologie en infectieziekten in België', zegt Gyssens, 'ruimen in hun academisch onderwijs geen plaats in voor hygiëne en antibioticabeleid. Dat wordt alleen postuniversitair onderwezen en dat is te laat.'

En er zijn de perverse prikkels van het systeem. Er bestaat in België grote concurrentie tussen huisartsen. Een systeem zoals in Nederland waar iedereen zijn eigen huisarts heeft en het overstappen naar een andere vaak nogal wat voeten in de aarde heeft, kent België niet. Iedere Belg kan in principe bij elke huisarts terecht. 'Die concurrentie zorgt ervoor dat artsen hun patiënten niet zo gemakkelijk iets zullen weigeren, want ze zijn bang dat ze dan niet terugkomen. Wist u dat van alle antibiotica die in België wordt gebruikt, 93 procent voorgeschreven wordt buiten het ziekenhuis? Dat voorschrijven van antibiotica is het grote probleem. Huisartsen zouden zich daarvan bewust moeten zijn. Antibioticaresistentie is geen ziekenhuisprobleem. In ieder geval lang niet alleen een ziekenhuisprobleem.' En dan zijn er nog een paar typisch Belgische, complicerende factoren die samenhangen met de ingewikkelde staatsstructuur. 'Alles wat tot de curatieve zorg hoort', legt Glupczynski uit, 'valt onder de federale regering. Maar preventie valt onder de gewestelijke regeringen en de regionale raden. Juist op dit gebied is het heel moeilijk te bepalen wat nu precies curatief is en wat preventief.' Dat kan niet anders dan lastige problemen veroorzaken over competenties en verantwoordelijkheden. En natuurlijk over geld.

De door Glupczynski geroemde openheid van het AZ Nikolaas beperkt zich tot openheid naar collega's. In juni 2012 heeft een microbioloog van het ziekenhuis een presentatie gegeven op een bijeenkomst van de Belgian Infectious Control Society (BICS), maar op de website van het ziekenhuis is in januari 2013 nog altijd niets te vinden over de bacteriële uitbraak.[244] Ook de website van Algemeen Ziekenhuis Sint-Maarten in Duffel rept met geen woord over de uitbraak van OXA-48 producerende bacteriën.[245] De uitbraak in het ziekenhuis in Duffel – dat ook drie verschillende vestigingen heeft – is minder groot dan die in Sint-Niklaas, maar was al even moeilijk om eronder te krijgen. 'Naar mijn idee pakt ook Duffel de problemen goed aan, ook zij hebben contact met ons opgenomen en met het ziekenhuisnetwerk Antwerpen.' Professor Glupczynski constateert een opvallende overeenkomst tussen de ziekenhuizen waar CPE zijn aangetroffen: bijna allemaal hebben ze in het verleden ook te maken gehad met uitbraken van *Klebsiella pneumoniae* met ESBL's. Maar dat geldt uitgerekend niet voor het ziekenhuis in Sint-Niklaas. 'Die ESBL's houden we sinds 2006 bij, dus daar hebben we veel gegevens over. Het lijkt erop dat er in het merendeel van de ziekenhuizen met carbapenemasen producerende *Enterobacteriaceae*, er in het verleden uitbraken van ESBL-*Klebsiella's* zijn geweest. Het is nog niet helemaal hard, maar het heeft er alle schijn van. We zijn nu bezig die oude ESBL-stammen weer boven water te halen, zodat we die kunnen vergelijken met de huidige OXA-48 bacteriestammen. Het zou kunnen dat het om dezelfde stam gaat die eerst een ESBL had en er later een OXA-48 bij heeft opgepikt. Zoals dat ook in het Maasstad Ziekenhuis is gebeurd.'

Verborgen reservoir

Door de omvang van de uitbraken in Duffel en vooral Sint-Niklaas is het risico op verspreiding onder de gewone bevolking en in bijvoorbeeld verpleeghuizen aanzienlijk. Maar daar zou de bacterie zoals gezegd ook heel goed vandaan kunnen komen. 'Van de met een OXA-48 besmette patiënten had bijna de helft geen recente ziekenhuisopname gehad. Het zou natuurlijk kunnen dat we die patiënten niet goed ondervraagd hebben, maar ook in Frankrijk zie je dat de meeste besmettingen buiten het ziekenhuis ontstaan zijn en vaak op reis.' Glupczynski denkt dat er ongemerkt een reservoir van carbapenemasen is ontstaan onder de Belgische bevolking. 'Door reizen naar landen waar veel van die bacteriën zijn. In Noord-Afrika bijvoorbeeld, vooral in Marokko, komt OXA-48 veel voor. Migranten die op vakantie naar hun land van herkomst gaan, zouden die daar kunnen oppikken en mee terug naar België nemen.' Hij wijst in dit verband naar de langzaam veranderende bevolking van de verzorgings- en verpleeghuizen. 'Daar komen langzamerhand meer eerste generatie migranten wonen.' Glupczynski: 'Eind 2011 hebben we de eerste patiënten gehad die niet in een ziekenhuis gelegen hadden en zelfs nog nooit op reis geweest waren, maar toch een carbapenemase bij zich hadden.' In de omgeving van Luik zijn er de laatste tijd een aantal gevallen geconstateerd van patiënten die een bacterie met KPC bij zich hadden. 'In Luik en omgeving heb je een grote Italiaanse gemeenschap. In Italië komen KPC's vaak voor. Misschien dat het een het ander verklaart. Ik denk in ieder geval dat er sprake is van verborgen overdracht binnen de gewone bevolking. Vooral de *Klebsiella pneumoniae* voelt zich zowel binnen het ziekenhuis als daarbuiten prima. Die fungeert als een soort verbinding tussen ziekenhuis en de gewone bevolking. De *E. coli* wat minder. Daarvan zijn er veel meer, dus die is nog makkelijker overdraagbaar, maar hij is minder ziekmakend dan de *Klebsiella*. Die overdracht binnen de gewone bevolking gaat heel makkelijk, zeker bij slechte lichaamshygiëne of voedselhygiëne. En dat je zie vaker voorkomen bij ouderen.' In de Frans-Belgische grensstreek speelt nog een bijzonder aspect mee, vertelt Glupczynski. 'Ouderen uit Frankrijk mogen van de Franse verzekeringen als ze dat willen in België in een verzorgingshuis gaan wonen. Dat doen ze graag, omdat de rusthuizen in België betere zorg bieden en je er sneller een plek vindt dan in Frankrijk. In Tournai (Doornik, RvdB) bijvoorbeeld heeft 80 procent van alle bewoners van de rusthuizen de Franse nationaliteit. Maar als die mensen naar het ziekenhuis moeten, dan moeten ze van hun verzekering in een Frans ziekenhuis opgenomen worden. Dat zorgt voor risico's op verspreiding van resistente bacteriën waar niemand aan gedacht heeft.' Cijfers van het Nederlandse ISIS-AR*

---

* Infectieziekten Surveillance Informatie Systeem – Antibiotica Resistentie.

lijken Glupczynski gelijk te geven met zijn pleidooi voor veel meer aandacht voor antibioticaresistentie in instellingen voor langdurige zorg. Uit de weinige beschikbare cijfers blijkt dat er in toenemende mate multiresistente bacteriën worden aangetroffen bij bewoners van Nederlandse verzorgings- en verpleeghuizen. MRSA, *E. coli's* met ESBL en *Klebsiella pneumoniae* met ESBL komen vaker voor in verpleeghuizen en verzorgingshuizen dan in het ziekenhuis, de polikliniek en bij de huisarts.* Bij MRSA, waar meer over bekend is, gaat het om geringe aantallen. Over ESBL's is weinig bekend, maar de beperkte beschikbare gegevens doen vermoeden dat die veel vaker voorkomen in de ouderenzorg. Najaar 2012 is daar in Nederland een onderzoek naar begonnen.

De 206 bevestigde gevallen in België van carbapenemase producerende *Enterobacteriaceae* die er in de eerste helft van 2012 waren, zijn er veel ten opzichte van de 29 CPE in Nederland tot en met week 36.[246] In de Nederlandse cijfers zijn grote CPE-uitbraken niet meegeteld, maar die waren er ook niet in de genoemde periode. Maar ook als we in de Belgische cijfers de grote uitbraken weglaten dan nog zijn de resterende 93 CPE in een land met een bevolking van 11 miljoen mensen een stuk meer dan 29 in een land met bijna 17 miljoen inwoners. Het ging in Nederland om 18 *Klebsiella pneumoniae*, 4 niet nader aangeduide *Enterobacteriaceae* en 7 *E. coli's*. In 12 van de 29 gevallen was het resistentiemechanisme een OXA-48, in 9 gevallen een NDM-1, in 5 gevallen een KPC, in 2 gevallen een IMP** en in 1 geval een VIM.

---

* Gegevens over de periode 1 januari 2008 tot 1 januari 2012 op verzoek van auteur gegenereerd door ISIS-AR op 9 juli 2012. Zie hoofdstuk 6, het kader op pagina 178-179.

** IMP staat voor imipenemase, een enzym dat resistent maakt voor imipenem, een van de meest gebruikte carbapenems.

Voorbode van de ondergang?

Professor Glupczynski bevestigt dat België te maken heeft met een 'snelle stijging' van het aantal carbapenemasen. Maar hij behoort niet tot de artsen-microbioloog die in de zich snel door de wereld verspreidende resistentiemechanismen de voorbode van de ondergang zien. 'Er zijn collega's die zeggen dat NDM staat voor "Apocalypse Now". Ik ben het daar niet mee eens. Hier kunnen we het oplossen. Ik zeg niet dat het makkelijk zal zijn, het is een groot probleem, maar als de wil om het op te lossen er is, dan kan het. En daarbij speelt na hygiëne, hygiëne en nog eens hygiëne, vooral een rol wat ik eerder over de ouderen heb gezegd. Maar in India is het een verloren zaak.' Glupczynski's Parijse collega Patrice Nordmann verwacht ook niet veel van India. 'Die hebben nog wel iets anders aan hun hoofd dan NDM. Zeshonderdvijftig miljoen mensen beschikken niet over een toilet. Een paar honderd miljoen hebben geen toegang tot gezondheidszorg. In India hebben ze miljoenen problemen. En nu waarschijnlijk ook nog eens NDM in hun ziekenhuizen voor medische toeristen. Om daar als brave westerlingen het woord te gaan verspreiden is misschien een sympathieke gedachte, maar het is irrealistisch en naïef. Wat wij moeten doen is hier die resistente bacteriën opsporen en dan de dragers ervan isoleren. En dat geldt in de eerste plaats voor de Britten. Want je vindt NDM overal waar er verbindingen zijn met het Indische subcontinent. Het is in de eerste plaats een probleem van het Commonwealth.' In november 2011 publiceerde het European Centre for Disease Prevention and Control (ECDC) een overzicht van de tot dan toe in de EU bevestigde gevallen van NDM-producerende *Enterobacteriaceae*.[247] Dat lijkt Nordmann gelijk te geven. In het Verenigd Koninkrijk waren tot dan 68 patiënten geteld met 96 bacteriestammen. Hoeveel patiënten een infectie kregen is onbekend. In tweederde van de gevallen ging het om *Klebsiella pneumoniae*. Behalve *Enterobacteriaceae* met NDM meldde het Verenigd Koninkrijk tussen 2008 en eind maart 2011 tien gevallen van een Acinetobacter met NDM. Duitsland meldde er daar zes van. Van de veertig Britse patiënten van wie het reisgedrag bekend was, waren er twintig kort voor besmetting in India geweest, vijf in Pakistan, één in Spanje en veertien hadden niet gereisd. In de rest van de Europese Unie waren tot november 2011 maar 38 patiënten gemeld met 39 bacteriestammen, waarvan ruim de helft een *Klebsiella pneumoniae*. Van hen hadden er vijftien een infectie opgelopen. Van de patiënten hadden er vijfentwintig binnen een maand voor het aantonen van de NDM in een buitenlands ziekenhuis gelegen. Dertien in India, drie in Pakistan, zes in een van de landen van het voormalige Joegoslavië en twee in Irak. Een van de besmette patiënten had een tijd in India gewoond. De eerste beschreven Nederlandse patiënt met NDM-1 was een zesenzestigjarige vrouw die na een hersenbloeding in Belgrado in het ziekenhuis was opgenomen.* Van daar werd ze op 27 augustus 2008 overgebracht naar de afdeling neurologie van het Medisch Spectrum Twente in Enschede. Van de vrouw was bekend dat ze drager was van MRSA, dus werd ze meteen bij opname geïsoleerd. Ze bleek ook een *Klebsiella pneumoniae* met ESBL bij zich te hebben. Op 15 oktober 2008 werd de vrouw uit het ziekenhuis ontslagen en naar een verpleeghuis overgeplaatst, waar de isolatiemaatregelen van kracht bleven. Tot maart 2009 bleven de kweken voor de *Klebsiella* met ESBL positief. Op 10 oktober 2008 werd in hetzelfde ziekenhuis een drieënzeventigjarige vrouw opgenomen op de longafdeling. Eind oktober werd bij een kweek een *Klebsiella* met ESBL aangetoond. Op 8 november werd de patiënte ontslagen. Op 25 juni 2010 werd ze opnieuw opgenomen met ernstige longklachten. Op 18 juli overleed ze. Ook de eerste patiënt overleed. Van beide hier beschreven patiënten werden door het Laboratorium voor Microbiologie

---

* Microbioloog Teysir Halabi van Labmicta in Enschede beschreef deze casus in een presentatie op de voorjaarsvergadering van de NVMM op 18 april 2012 in Arnhem. Een artikel erover verscheen in februari 2012 http://aac.asm.org/content/early/2012/02/07/AAC.00111-12.abstract.

in Twente en de Gelderse Achterhoek (Labmicta) in Enschede de *Klebsiella's* met ESBL getest op enzymen die ze resistent maken tegen carbapenems. Ze bleken onder meer het enzym NDM-1 te bevatten. Deze eerste Nederlandse casus van NDM-1 is waarschijnlijk tegelijk een van de eerst bekende gevallen van overdracht in een ziekenhuis van de ene patiënt op de andere. De gevonden bacteriestam met NDM-1 bleek verder nauw verwant met een stam die in 2011 was aangetoond bij een Belgische patiënt die met de bacterie was teruggekeerd uit een ziekenhuis in Podgorica in Montenegro.

'In India kunnen we niet tussenbeide komen', zegt Nordmann. We zitten in zijn krappe werkkamertje in het Hôpital Bicêtre, nabij Parijs. Het is niet helemaal de werkplek die je verwacht bij een internationaal gerenommeerde wetenschapper als Nordmann. Zijn laboratorium en de bijbehorende kantoren zitten verstopt in een doolhof van verouderde gebouwen. 'Landen die lid van de Europese Unie zijn zoals Griekenland kunnen we wel aanpakken. Daar, en trouwens niet alleen daar, moet een eind komen aan de overconsumptie van antibiotica.' Maar verder hanteert Nordmann, eigenlijk net als Glupczynski, een motto dat veel weg heeft van verbeter de wereld begin bij je zelf. 'Voor mij zijn de patiënten hier die een verhoogd risico lopen op infecties belangrijk. Patiënten die gereanimeerd zijn, patiënten op de IC, transplantatiepatiënten, patiënten met een aangetast immuunsysteem of mensen die een grote operatieve ingreep hebben gehad. Want voor hen kunnen we het verschil maken door te voorkomen dat ze besmet raken met zo'n multiresistente bacterie. En dan een infectie krijgen. Dat is onze plicht. We moeten op risicoafdelingen in het ziekenhuis patiënten screenen en dan de noodzakelijke maatregelen treffen. Voorlopig is het nog eenvoudig. En zelfs in één land kun je veel bereiken. Neem het voorbeeld van Nederland met MRSA. Dat is dankzij het gevoerde beleid al dertig jaar onder controle op een heel laag niveau. Al geloof ik dat het probleem van de veegerelateerde MRSA nu wat groter begint te worden.'

In Frankrijk dateert het eerste gemelde geval van resistentie voor carbapenems uit 2004.[248] Sindsdien hebben zich tot half mei 2012 in totaal 211 uitbraken en sporadische gevallen voorgedaan. De snelle toename begon in 2009. Dat jaar kwamen er tien meldingen binnen, in 2010 achtentwintig, en in 2011 honderdelf. In het eerste trimester van 2012 werden drieënvijftig uitbraken of sporadische gevallen gemeld waarbij in totaal 101 patiënten betrokken waren. In 2011 waren dat er in dezelfde periode van het jaar 29 met 51 patiënten. In het merendeel van de gevallen ging het om besmettingen met carbapenemresistente *Klebsiella pneumoniae*. Bijna 60 procent van de bacteriën had een OXA-48 bij zich. Ook KPC kwam regelmatig voor. Bij ruim tweederde van de meldingen is er sprake van een buitenlandse bron. In bijna 90 procent van die gevallen ging het om ziekenhuisopnames, in de eerste plaats in Marokko. Griekenland kwam als goede tweede uit de bus en India als derde.

Nordmann: 'Of patiënten die uit het buitenland worden overgebracht naar Europese ziekenhuizen wel altijd als zodanig geïdentificeerd worden, daar ben ik pessimistisch over. Dat gebeurt niet goed, of slecht. Dat zou moeten gebeuren op de dag dat zo'n patiënt wordt opgenomen. En verder moeten we hier in Europa eerst maar eens ons eigen straatje schoonvegen voor we het over anderen hebben. Als we tenminste op een serieuze manier met de problemen bezig willen gaan. Wat gebeurt er in Italië? Wat is er gaande in Griekenland? En in Spanje, maar vooral in Italië en Griekenland. Hoe kan het dat het resistentiepercentage voor antibiotica in de ziekenhuizen daar zo hoog is?' Nordmann wil ook het antwoord op de vraag die hij opwerpt wel geven: 'Drie dingen: er worden heel veel antibiotica voorgeschreven, de hygiënevoorschriften worden niet gevolgd en ze zoeken niet naar multiresistente bacteriën. Dat heeft te maken met culturele gewoonten. Ze besteden er weinig aandacht aan. In het algemeen is er binnen Europa een parallel tussen het niveau van de antibioticaresistentie in een land en de omvang van de schulden. Het heeft alles te maken met de mate van georganiseerdheid van de maatschappij. In het noorden van Europa: Zweden, Denemarken, Nederland, Duitsland ook, is de antibioticaresistentie veel lager dan in het zuiden van Europa waar de samenleving minder georganiseerd is. Antibioticaresistentie en schulden, dat is ongeveer dezelfde kaart. Wij hebben, zeker in Frankrijk, intensieve contacten met Griekenland. De meeste bacteriën die resistent zijn voor de belangrijkste antibiotica komen uit Griekenland. Het is een misvatting dat ze vooral uit India komen. Toeristen die in Griekse ziekenhuizen belanden nemen ze mee terug. Griekenland is een majeure risicofactor voor het oplopen van multiresistente bacteriën. En daar horen we de leden van het Europees Parlement niet vaak over. Zoals ze ook twintig jaar niet hebben gesproken over tekorten en schulden van om het even welk land. Het ontbreekt ze aan moed.' De Griekse statistieken geven Nordmann gelijk. In de tweede helft van 2010 waren op de IC's van de Griekse ziekenhuizen meer dan 60 procent van alle *Klebsiella pneumoniae*-isolaten uit bloedkweken resistent voor meropenem en imipenem, de twee belangrijkste antibiotica van de klasse der carbapenems. Op de chirurgische afdelingen lag dat percentage boven de vijfendertig en op de verpleegafdelingen nog altijd rond de dertig.[249]

Roeien met te korte riemen

In Piraeus probeert Olympia Zarkotou te doen wat ze kan. Ze wordt niet boos van alle kritiek die Griekenland krijgt. 'Het is de waarheid,' zegt ze, 'wij zijn het slechtste jongetje van de klas. Ik vind de aanpak van het ECDC en de Europese Unie goed. De waarheid mag geweten worden.' In haar eigen Tzaneio Ziekenhuis worden risicopatiënten bij opname gescreend op dragerschap van bacteriën die resistent zijn voor carbapenems. 'Zoals in Nederland gebeurt met de MRSA-screening. We moeten weten wat patiënten meebrengen. Dus patiënten die uit een verpleeghuis komen, of die net in een ander ziekenhuis hebben gelegen, Grieks of buitenlands, die screenen we. Daarmee hebben we het aantal infecties door *Klebsiella's* en Acinetobacter die resistent zijn tegen carbapenems terug kunnen dringen. In 2010 is het aantal infecties op de intensive care met ongeveer de helft gedaald. Dankzij de screening, het isoleren van besmette patiënten en het beter volgen van de hygiënevoorschriften. Iedereen let daar nu beter op.' Het Tzaneio Ziekenhuis kent ook antibioticastewards die het antibioticabeleid coördineren. 'Die adviseren om het gebruik van antibiotica af te wisselen. Drie maanden het ene middel en dan drie maanden een alternatief. Dan krijg je minder opbouw van resistentie. Dat beleid geeft tot nu toe heel goede resultaten.' Het voorzichtige begin dat in Griekenland gemaakt is met het terugdringen van de antibioticaresistentie – of in ieder geval met de poging de toename ervan te stoppen – staat zwaar onder druk door de financiële en economische crisis die het land heeft getroffen. Een van de grootste problemen bij de preventie en bestrijding van infectieziekten, zegt Zarkotou, is het tekort aan verpleegkundigen. 'We hebben zat dokters, maar veel te weinig verpleegkundigen. Dat maakt infectiepreventie bijna onmogelijk. Als een verpleegkundige de zorg heeft over te veel patiënten, dan komen hygiënemaatregelen onder druk te staan. Verpleegkundigen klagen daar ook over. Als je onder stress moet werken omdat je eigenlijk de zorg hebt voor te veel patiënten, dan vergeet je misschien dingen als handen wassen en nieuwe handschoenen aantrekken bij elke patiënt. En dan heb ik het er maar niet over dat we veel meer kamers nodig hebben dan waarover we nu beschikken om patiënten te kunnen isoleren.' Om het gebruik van antibiotica terug te dringen en, als het toch nodig is, ervoor te zorgen dat het op de juiste manier gebeurt, zijn antibioticastewards en adviseurs infectiepreventie van doorslaggevend belang, meent Zarkotou. 'In mijn ziekenhuis hebben we die en in veel ziekenhuizen in Athene ook wel, maar buiten de grote stad ligt dat heel anders. Daar hebben ze geen adviseurs infectiepreventie en nauwelijks microbiologen. Het HCDCP probeert daar wel verandering in te brengen, maar dat beschikt over veel te weinig geld. Er zijn werkgroepen gevormd met microbiologen, adviseurs infectiepreventie, artsen en verpleegkundigen. Die gingen minstens drie keer per jaar in de ziekenhuizen langs om daar te helpen en aanbevelingen te geven. Dat werkte prima. Maar in plaats van meer geld om dat programma verder te ontwikkelen, komt er minder geld. Al die dingen gaan dus minder of helemaal niet meer gebeuren. Gelukkig is er sinds 2010 wel al veel gebeurd. Alle ziekenhuizen hebben schriftelijke instructies gehad. Sinds november 2010 zijn er in veel steden trainingen gegeven. De surveillance loopt. Het belangrijkste, en ik denk ook het duurste, is wel gebeurd.'

In een gesprek met het persbureau Reuters luidde ECDC-directeur Marc Sprenger de noodklok over de toestand in Griekenland. Na een bezoek aan Griekenland waarschuwde hij dat de basale zorg in Griekenland in de knel komt door de aanhoudende bezuinigingen. Door geldgebrek kunnen sommige ziekenhuizen zelfs geen handschoenen, watten of katheters meer aanschaffen. Griekenland geeft ongeveer vijf miljard euro per jaar aan gezondheidszorg uit. Dat is vijf procent van het BNP. Het tekort is opgelopen tot zo'n twee miljard. Daarom – en om in aanmerking te komen voor Europese steun – wil de regering drastisch bezuinigen. Veel artsen en verpleegkundigen hebben hun baan verloren. De werkdruk voor het resterende medische personeel is daardoor heel hoog.[250]

Cynische lessen

Aan de andere kant van Europa maakt Karin Tegmark-Wisell zich druk over precies dezelfde dingen als Olympia Zarkotou. Maar vanuit een totaal ander en veel gunstiger perspectief. Tegmark-Wisell is hoofd van de afdeling antibioticaresistentie en infectiepreventie van het Smittskyddsinstitutet (SMI), het Zweedse Centrum voor infectieziektebestrijding. Dat is gevestigd in Solna, waar op loopafstand ook het beroemde academisch ziekenhuis van de Karolinska Universiteit en het hoofdkwartier van ECDC gevestigd zijn. Antibioticaresistentie is in Zweden geen groot probleem. Het gebruik is er relatief laag, de infectiepreventie is er op orde. 'Zweden steekt nu gunstig af bij veel andere landen, maar ook wij zien de dreiging voor de toekomst alarmerende proporties aannemen als het zo doorgaat. Nu kunnen we de problemen nog min of meer goed aan. Maar ook in Zweden worden wel degelijk individuele patiënten getroffen door de gevolgen van antibioticaresistentie. Het is nog geen probleem van de gezondheidszorg in zijn geheel. De vraag of we een heup wel moeten vervangen of een orgaan wel moeten transplanteren, omdat we een eventuele infectie misschien niet meer zouden kunnen behandelen, heeft zich nog niet aangediend. Maar zulke vragen stellen we wel aan de orde om politici en de publieke opinie te informeren. Want ook wij hebben te maken met import van zeer resistente bacteriën en we zien al vaker uitbraken dan vroeger. Maar die hebben niet zo'n impact als die in sommige andere landen.' Tegmark-Wisell haalt een voorbeeld uit Duitsland aan. 'In Essen hebben een tijdje geleden een aantal transplantatiepatiënten op een IC een ernstige infectie opgelopen door een *Klebsiella* met KPC. Vermoedelijk door een patiënt meegebracht uit Griekenland. Vijf van hen zijn overleden.* Het is heel cynisch wat ik nu ga zeggen, want het is triest dat er mensen gestorven zijn, maar heldere, concrete voorbeelden van waar we het eigenlijk over hebben kunnen helpen om het belang van infectiepreventie duidelijk te maken én om iedereen weer scherp te krijgen. En dat is nodig, want ook hier wordt

* In het universiteitsziekenhuis in Essen liepen tussen juli 2010 en januari 2011 vijf transplantatiepatiënten en twee kankerpatiënten eenzelfde *Klebsiella pneumoniae* met KPC-2 en VIM-1 op. Vijf van de zeven patiënten kregen een ernstige infectie door de bacterie. Alle vijf overleden. In vier gevallen was dat te wijten aan de bacterie. Dergelijke *Klebsiella's* zijn volgens de auteurs van een artikel over de uitbraak eerder alleen in Griekenland voorgekomen. Een van de overleden patiënten was kort voor zijn eerste opname in Essen in een Grieks ziekenhuis geweest en tussen de eerste opname en een heropname in opnieuw http://www.eurosurveillance.org/images/dynamic/EE/V16N33/art19944.pdf.

er bezuinigd op gezondheidszorg en dat maakt onze positie zwakker. De uitbraak in het Maasstad Ziekenhuis in Rotterdam hebben we ook gebruikt als voorbeeld in gesprekken met Zweedse politici. Net als een paar uitbraken in Frankrijk. Als zulke uitbraken zich in India of in Griekenland voordoen, dan is het voor de Zweedse bevolking moeilijk om zich daarin te verplaatsen. Wij zijn immers goed in infectiepreventie, wij hebben allerlei kwaliteitssystemen, onze microbiologische laboratoria functioneren prima. Maar als blijkt dat zoiets ook kan gebeuren in een land dat op ons lijkt, in een met ons verwante samenleving, dan levert dat een pedagogisch heel nuttig voorbeeld.'

Ook in Zweden concurreren ziekenhuizen om patiënten. Er zijn overheidsziekenhuizen en particuliere ziekenhuizen. 'Voor ziekenhuizen zijn transplantatiepatiënten natuurlijk ook gewoon business. Die wil je niet kwijtraken. Dus daar ligt een prikkel om misschien maar te zwijgen over resistente bacteriën die je in huis hebt. Ziekenhuisdirecteuren houden daarom misschien weleens gegevens voor zich. Met als gevolg dat hun ziekenhuizen mogelijk niet de beste aanpak kiezen. Het Smi wil natuurlijk alle gegevens wel hebben. Dat is weleens lastig, als ze die verbergen in plaats van aan ons te geven. Wij proberen samen te werken met ziekenhuizen, want we willen natuurlijk niet dat ze bang zijn om in onze databank te zitten. We laten dus ook zien hoeveel kweken van patiënten ze nemen. Hoe meer je er neemt hoe beter je werkt, maar ook hoe meer je vindt. We benadrukken dus ook de kwaliteit van het geleverde werk.' Ziekenhuizen die eerlijk rapporteren lopen het risico er slecht op te komen staan tegenover ziekenhuizen die gegevens achterhouden. Het befaamde Karolinska ziekenhuis meldde eerlijk dat er op de afdeling neonatologie overdracht had plaatsgevonden van ESBL's. 'Ik ben ervan overtuigd dat de media daaruit hebben geconcludeerd dat de Karolinska meer problemen met ESBL's heeft dan andere ziekenhuizen. Maar sommige ziekenhuizen rapporteren niet.' In Zweden zijn ziekenhuizen verplicht het te melden bij de

Inspectie als zich een bacteriële uitbraak voordoet. 'Ze moeten dat melden en dan de Inspectie vragen om een onderzoek in te stellen naar de uitbraak. Sommige ziekenhuizen laten dat na, omdat ze liever achterhouden dat er iets mis is gegaan. Ziekenhuizen die wel melden zijn daardoor extra kwetsbaar, maar ik ben ervan overtuigd dat zij op lange termijn de winnaars zullen zijn.'

Wat voor het SMI op het niveau van Zweden geldt, gaat voor het ECDC evenzeer op, maar dan op Europees niveau. 'Wij laten de lidstaten van de EU de getallen zien', vertelt ECDC-directeur Marc Sprenger, 'als ranking.' We zitten in zijn werkkamer in het voormalige blindeninstituut in Solna. En dan hopen we dat de nationale overheden gaan zien dat ze er misschien iets aan moeten gaan doen.' Het ECDC ontwikkelt daarvoor campagnes, bijvoorbeeld om verstandig antibiotica te gebruiken en om de ziekenhuishygiëne te bevorderen, die de lidstaten naar eigen inzicht kunnen vormgeven. 'Het is heel belangrijk dat het niet een ECDC-campagne is, maar dat ze daar hun eigen accenten aan kunnen geven. Anders werkt het niet.' Het ECDC probeert Griekenland, 'het land dat het meest worstelt met deze problemen', aldus Sprenger, individueel te helpen. 'Daar gaan we geregeld naartoe. We proberen een soort ondersteuning op maat te geven. Het heeft me positief verrast dat de Grieken daarom vroegen.' Het ECDC kan geen enkel land iets opleggen. De adviezen van de Europese infectieziektenbestrijders zijn in die zin vrijblijvend. 'Formele macht hebben we niet,' zegt Sprenger, 'maar die had ik vroeger bij het RIVM ook niet. Onze macht is erop gebaseerd dat we als ECDC een autoriteit zijn op dit vakgebied. Die autoriteit moet je altijd blijven opbouwen. Tegelijk moet je de lidstaten overtuigen van je autoriteit.'

8. EHEC en de plaats van de microbiologie

Op donderdag 19 mei 2011 krijgt het Robert Koch Institut (RKI) in Berlijn een melding uit Hamburg. Daar heeft zich in de eerste twee weken van mei een opvallend groot aantal gevallen voorgedaan van infecties door EHEC* met de gevaarlijke complicatie HUS. Een EHEC-infectie gaat gepaard met ernstige, bloederige diarree. Het bloeden wordt veroorzaakt door hemorragische colitis, een dikkedarmontsteking waarbij bloed vrijkomt. Bij een klein deel van die dikkedarminfecties treedt HUS** op, een acute vorm van nierfalen die levensbedreigende vormen kan aannemen. Drie kinderen tegelijk hadden HUS gekregen. EHEC-infecties worden meestal veroorzaakt door het eten van besmet voedsel, door het werken daarmee of door contact met besmette dieren. Dieren in de intensieve veeteelt zijn een belangrijk reservoir van EHEC. In Nederlandse slachthuizen bleek één op de tien runderen en één op de vijfentwintig schapen besmet te zijn met EHEC, waarbij het meestal om een veel vaker voorkomende en minder virulente bacteriestam ging dan die verantwoordelijk voor de uitbraak in Duitsland.[251] Een dag voor de melding uit Hamburg aan het RKI, op 18 mei, is er ook al een HUS-geval gemeld. Op 20 mei gaat een team van het RKI naar

---

* EHEC staat voor enterohemorragische *E. coli*. Enterohemorragisch betekent dat de betreffende *E. coli's* ernstige darminfecties kunnen veroorzaken die gepaard gaan met bloederige diarree. EHEC wordt ook STEC genoemd. Niet alle STEC kunnen bloederige diarree veroorzaken. STEC betekent: Shiga-Toxine-producerende *E. coli*. Shiga-toxine is een gifstof die de verocyten, de cellen van de darmwand, beschadigt. EHEC/STEC wordt daarom soms ook VTEC genoemd. De V in die afkorting staat voor Verocyto-Toxigene *E. coli*. Als de EHEC ook HUS veroorzaakt wordt de bacterie ook wel HUSEC genoemd, HUS veroorzakende *E. coli*. Alle mensen en zoogdieren hebben *E. coli* in hun darmflora die gewoonlijk onschuldig zijn.

** Het Hemolytisch Uremisch Syndroom (HUS) veroorzaakt vaak veel schade aan de nieren tot en met blijvend nierfalen en kan levensbedreigend zijn.

het academisch ziekenhuis in Hamburg en spreekt daar met zestig EHEC-patiënten. Min of meer onder de ogen van de specialisten van het RKI stijgt het aantal HUS-gevallen snel. Ook volwassenen krijgen HUS en dat is ongewoon. Op 23 mei krijgt het RKI weer drie meldingen van nieuwe HUS-gevallen. Een dag eerder al zijn de Europese gezondheidsautoriteiten op de hoogte gebracht van de EHEC-epidemie in Duitsland. Het Robert Koch Institut meldt alle landen van de EU, de Europese Commissie, de WHO en het European Center for Disease Prevention and Control (ECDC) dat zich in korte tijd ongeveer dertig gevallen van HUS hebben voorgedaan. Er wordt een crisiscentrum ingesteld bij het RKI en er worden extra maatregelen genomen om de surveillance te verbeteren. Het RKI moet per ommegaande informatie krijgen over elk HUS-geval en elke verdenking van HUS. Die gegevens moeten direct ingevoerd worden in een gecentraliseerde databank. De laboratoria moeten actief op zoek gaan naar EHEC. Hamburg blijkt het topje van de ijsberg te zijn. In heel Noord-Duitsland is het beeld hetzelfde: er zijn veel meer patiënten met bloederige diarree dan anders en vooral het aantal HUS-gevallen is een stuk hoger dan in andere jaren. Hoewel er al veel ziekenhuizen zijn met verschillende gevallen van EHEC en HUS, heeft tot dan toe kennelijk nog niemand het onderlinge verband gelegd.

Op 24 mei worden 47 nieuwe gevallen gemeld, op 25 mei 50, op 26 mei 100 en op 27 mei 116.[252] Ter vergelijking: in heel 2009 deden zich in de EU in negentien landen in totaal 257 gevallen van HUS voor.[253] Ook in de rest van Duitsland doen zich meer EHEC- en HUS-gevallen voor dan normaal, maar de epidemie concentreert zich in de Noord-Duitse deelstaten Hamburg, Nedersaksen, Bremen, Mecklenburg-Vorpommern en Sleeswijk-Holstein. De uitbraak woedt van 2 mei tot 25 juli 2011. In die drie maanden hebben 3.842 mensen een maagdarminfectie opgelopen door de bijzonder virulente EHEC-stam O104:H4. Het is de grootste EHEC-uitbraak ooit in Duitsland.

Van die bijna 4.000 mensen met een EHEC-infectie hebben er 855 HUS gekregen. En dat is de grootste HUS-epidemie die zich ooit heeft voorgedaan in de wereld. Ruim tweederde van de HUS-patiënten was vrouw, voor de EHEC lag het percentage vrouwen net onder de 60. In tegenstelling tot de EHEC-varianten die in eerdere jaren rondwaarden, trof de EHEC O104:H4 vooral volwassenen: 53 patiënten zijn overleden, van wie er 35 HUS hadden en 18 een maagdarminfectie. De omvang van de uitbraak is uitzonderlijk groot. In de vijf voorafgaande jaren deden zich in dezelfde periode gemiddeld 218 gevallen van maagdarminfecties door EHEC en 13 HUS-gevallen voor. In 2011 waren er 17 keer zo veel EHEC-infecties en 67 keer zo veel HUS-patiënten als in die voorgaande jaren.[254] Ook buiten Duitsland duiken patiënten op die besmet zijn met de Duitse uitbraakstam.

Al op 25 mei meldt Zweden negen HUS-patiënten die allemaal kort tevoren in Duitsland zijn geweest. Vijf van de patiënten behoren tot eenzelfde reisgezelschap van dertig personen dat van 8 tot 10 mei 2011 in Noord-Duitsland is geweest. Ook Nederland meldt eind mei, op het hoogtepunt van de uitbraak in Duitsland, een eerste patiënt, een eenenzeventigjarige vrouw. Uiteindelijk liepen elf Nederlanders een infectie op met de Duitse EHEC-stam. Bij vier van hen is die uitgelopen op HUS. In de rest van de Europese Unie kregen nog vijfenzestig mensen een EHEC-infectie door de Duitse uitbraakstam van wie er negenenveertig HUS kregen. Op 22 juli 2011 zijn bij het ECDC in Stockholm zesenzeventig patiënten bekend die een infectie hebben met de Duitse EHEC-uitbraakstam. Behalve in Zweden en Nederland, ook in Denemarken, Frankrijk, Noorwegen, Oostenrijk, Polen, Spanje, Tsjechië en het Verenigd Koninkrijk.[255] Een van die patiënten is overleden.

De eerste Nederlandse patiënt kwam op de locatie Hilversum van de Tergooi Ziekenhuizen op de Spoedeisende Hulp binnen met acute pijn links onder in de buik, buikkrampen en bloederige diarree. Verder was de eenenzeventigjarige vrouw misselijk en had ze enkele keren overgegeven. Ze gaf aan dat ze niet in het buitenland was geweest. De artsen in de Tergooi Ziekenhuizen stellen als diagnose een ischemische colitis, dat is een ontsteking van de dikke darm (mede) veroorzaakt door een probleem in de bloedtoevoer naar de darm. Na vijf dagen behandelen nam de bloederige diarree af, maar de buikkrampen hielden aan. Op de vijfde dag van de ziekenhuisopname bleek in het laboratorium dat de vrouw een acute nierinsufficiëntie* had. Daarop werd onder meer met dialyseren gestart. Na een maand had de nierfunctie van de vrouw zich volledig hersteld. Na doorvragen bleek dat ze enkele dagen voordat ze zich op de Spoedeisende Hulp had gemeld toch in Duitsland was geweest. In Lübeck, in Sleeswijk-Holstein.[256] De feceskweek die werd gemaakt leidde tot de vaststelling van een EHEC O104:H4, de virulente Duitse uitbraakstam. Het RIVM bevestigde dat onderzoeksresultaat.

Georganiseerde traagheid

De melding aan het Robert Koch Institut van het cluster van HUS- en EHEC-patiënten komt laat. De eerste patiënt dateert van 2 mei. De eerste melding kwam pas zestien dagen later. Artsen en laboratoria zijn verplicht EHEC- of HUS-gevallen binnen vierentwintig uur te melden aan de plaatselijke Gesundheitsämter, vergelijkbaar met de GGD in Nederland. Die controleert de meldingen en voert ze in een elektronische databank in. Alle casussen die voldoen aan door het RKI opgestelde criteria moeten vervolgens ten laatste op de derde werkdag van de week waarin ze bij de Gesundheitsämter binnenkomen, gemeld worden aan de gezondheidsautoriteiten van de deelstaat waar ze zich voordoen. Elke gemelde casus wordt dan opnieuw gevalideerd en binnen een week aan het RKI doorgegeven. Dat is om te voorkomen dat er dubbele of onjuiste meldingen

* Nierinsufficiëntie of nierfalen, niet of nauwelijks meer werken van de nieren.

gedaan worden. Die ingewikkelde procedure betekent dat het tot tweeënhalve week kan duren voor het RKI op de hoogte is van HUS-gevallen en dus ook van een mogelijke uitbraak.[257] Het personeelsgebrek bij de Gesundheitsämter maar ook bij de gezondheidsautoriteiten van de deelstaten vertraagde dat proces nog eens extra. Net als de problemen met verschillende ict-systemen bij de betrokken diensten. Deze vorm van georganiseerde traagheid heeft de Duitsers enorm parten gespeeld bij de aanpak van de EHEC-uitbraak van 2011. Op 11 mei 2012 vond er in de Universitätsklinikum in Münster een persconferentie plaats ter gelegenheid van de eerste verjaardag van de grote uitbraak. In Münster, omdat daar enkelen van de belangrijkste specialisten op het gebied van EHEC werkzaam zijn. De bacteriestam die in 2011 voor zo veel slachtoffers en economische schade zorgde is ook in Münster getypeerd. Maar andermaal met veel vertraging. Het eerste isolaat van de uitbraakstam kwam pas op 23 mei in Münster aan. Twee dagen later was de stam geïdentificeerd als O104:H4. 'Er bestaat in Duitsland geen verplichting om bacteriestammen naar het nationale referentielaboratorium te sturen', zegt professor Helge Karch, dé EHEC-specialist in Duitsland. Dat nationale referentielaboratorium is zijn eigen laboratorium in het academische ziekenhuis in Münster. Ik sprak Karch kort na de persconferentie. 'Er is nu discussie of we zo'n verplichting zouden moeten instellen. Ik heb deze O104:H4-stam helaas pas laat ter beschikking gekregen. Dat heeft één tot twee weken langer geduurd dan nodig. Als je eerder vast kunt stellen om wat voor type EHEC het precies gaat en ook of het bij de verschillende gevallen om dezelfde stam gaat, dan weet je sneller of je met een uitbraak te maken hebt of met geïsoleerde gevallen die zich gelijktijdig voordoen. En dan kun je natuurlijk ook eerder maatregelen nemen en krijg je minder patiënten. In dit geval was snelheid extra belangrijk, omdat deze bacteriestam zo erg ziekmakend was. En *E. coli* draag je altijd al heel makkelijk over omdat het darmbacteriën zijn. Het mooiste is als je de bacteriestam meteen krijgt, van de eerste patiënt. Maar daar heb je een goed functionerende microbiologie voor nodig die onderzoek en diagnostiek doet.' Karch vertelde verder dat er in de hele wereld tot dat moment een dozijn EHEC O104:H4-isolaten aangetroffen waren. 'Die hebben we in detail gekarakteriseerd. Allemaal lijken ze heel sterk op onze stam O104:H4. Maar die precieze stam was nergens in de wereld bekend tot de uitbraak vorig jaar in ons land.'

In een studie uit Zuid-Korea beschrijven onderzoekers in 2006 ook een geval van EHEC O104:H4[258] en ECDC-directeur-generaal Marc Sprenger zei in zijn presentatie dat er eerder in de Europese Unie twee keer melding was gemaakt van dit precieze type *E. coli*, in Frankrijk en in Finland.[259] Italiaanse onderzoekers ontdekten dat een identieke EHEC O104:H4 in augustus 2009 was aangetroffen bij een Italiaans meisje van negen jaar oud met HUS. De Italiaanse stam was voor 95 procent identiek met de Duitse. Het verschil was dat de Duitse stam ook ESBL-positief was en de Italiaanse niet. Volgens de Italiaanse onderzoekers heeft de EHEC O104:H4 eerder sporadisch infecties veroorzaakt bij Europese patiënten. In Duitsland in 2001[260], in Frankrijk in 2004 en in 2010 in Finland bij een patiënt met diarree die een reis naar Egypte had gemaakt.[261]

Levensgroot dilemma

Volledige zekerheid over de herkomst van de bacterie is er nog altijd niet. 'Maar er zijn zeer sterke epidemiologische aanwijzingen', zegt Karch, 'dat het om besmette kiemgroenten ging waarvan het zaad uit Egypte afkomstig was.' EHEC-uitbraken worden meestal veroorzaakt door de verontreiniging met fecale bacteriën van vlees en groenten die rauw of onvoldoende gegaard gegeten worden. Het duurde lang voor kiemgroenten in beeld kwamen als mogelijke bron, nadat eerst tomaten en komkommers ten onrechte aangewezen waren als besmettingsbron. Uit het epidemiologisch onderzoek van het RKI en andere instituten bleek dat er een relatie was tussen het eten van kiemgroenten en het risico op een EHEC-infectie. Eenenveertig clusters van ziektegevallen waren terug te voeren op evenzoveel restaurants en vergelijkbare plekken waar kiemgroenten verwerkt werden afkomstig van een bedrijf in Nedersaksen. Tussen 15 en 20 juni 2011 deed zich in Frankrijk ook een uitbraak voor van EHEC O104:H4. Ook hier was er een relatie met het eten van kiemgroenten, maar nu met in Frankrijk geteelde. De zaden die gebruikt waren door de Franse telers waren afkomstig van dezelfde Egyptische leverancier als het fenegriekzaad dat gebruikt werd door het bedrijf in Nedersaksen.[262] Op 30 juni 2011 maakte de Europese gezondheidsautoriteiten bekend dat fenegriekzaad uit Egypte ervan verdacht werd de bron te zijn van de EHEC-uitbraak. Dat was de zoveelste keer dat er een nieuwe bron voor de epidemie werd aangewezen. Op 25 mei, de dag dat professor Karch en zijn collega's de bacterie identificeerden, had het Robert Koch Institut gewaarschuwd voor het eten van tomaten, komkommer en sla. Een dag later werd door een laboratorium in Hamburg bekendgemaakt dat er EHEC was gevonden op Spaanse komkommers. Weer vijf dagen later bleek het niet om EHEC O104:H4 te gaan. Vervolgens werd er met de beschuldigende vinger naar rood vlees gewezen. Dat zou de besmettingsbron zijn. Op 5 juni wees de minister van Landbouw van Nedersaksen kiemgroenten van een bedrijf in Bienenbüttel in die deelstaat aan als mogelijke bron van de uitbraak. Twee dagen nadien waren die kiemgroenten toch niet besmet met EHEC. En weer drie dagen later bleek de gevreesde EHEC-stam weer wel op de kiemgroenten uit Bienenbüttel te zitten. Behalve het Robert Koch Institut bemoeiden de nationale ministers van Volksgezondheid en van Landbouw zich met de uitbraak, maar ook de ministers van de deelstaatsregeringen. De minister van Landbouw van Nedersaksen had de kiemgroenten uit Bienenbüttel als schuldige aangewezen zonder overleg met de federale regering of het RKI. Kort gezegd, het ontbrak aan regie bij de communicatie over de uitbraak. Dat zorgde voor veel onrust. Net als het telkens aanwijzen van andere bronnen van de epidemie.

'We krijgen meer kritiek in de pers dan we verdiend hebben', zegt Annette Jurke, plaatsvervangend hoofd van de afdeling infectiepreventie en hygiëne van het Landesinstitut für Gesundheit und Arbeit in de deelstaat Noordrijn-Westfalen. 'Het was zoeken naar een speld in een hooiberg. Er lag een enorme druk op iedereen. Journalisten probeerden ons te laten zeggen wat we juist niet wilden zeggen. Iedereen wilde weten waar het vandaan kwam. Er is veel kritiek gekomen, vooral uit Spanje, op het noemen van Spaanse komkommers als bron. Dat bleek niet te kloppen. Op die komkommers zat een andere EHEC-stam dan de stam die voor de epidemie zorgde. Maar er zat dus wél EHEC op. En dat mag gewoon niet. Van andere EHEC-typen kun je ook ziek worden. En kun je ook HUS krijgen. Als we gewacht hadden met de mededeling over de Spaanse komkommers en het was wel de uitbraakstam geweest, dan hadden we het ook niet goed gedaan. Bij ons krijgt de volksgezondheid voorrang op de economie, dus hebben we gewaarschuwd voor die Spaanse komkommers toen daar EHEC op bleek te zitten. Het is een klassiek dilemma: moet je omwille van de kans dat je economische schade veroorzaakt wachten met zo'n melding tot je honderd procent zekerheid hebt? Of moet je dat voor lief nemen om het risico voor de volksgezondheid zo klein mogelijk te maken? Ik kies voor het laatste, dat is mijn rol.' Ook Reinhard Burger, de baas van het Robert Koch Institut, verdedigde een jaar na de uitbraak de waarschuwingen die uitgegaan waren tegen tomaten, komkommers en sla. 'Mensen kregen niet alleen diarree, maar ze liepen ook schade aan hun nieren en neurologische aandoeningen op. En een deel van de besmette groep stierf aan de gevolgen van de infectie. Alles wat de verspreiding kon beperken was gerechtvaardigd', zei Burger eind april 2012 in een gesprek met Duitse media.[263]

De Duitse tuinbouwsector heeft volgens het Bauernverband 75 miljoen euro schade geleden door de EHEC-uitbraak.[264] Op 26 augustus 2011 meldde staatssecretaris Bleker van Landbouw in antwoord op Kamervragen dat de totale schade van de Nederlandse tuinbouwsector door de EHEC-uitbraak was opgelopen tot 242 miljoen euro.[265] Een paar maanden later liet LTO Glaskracht, de organisatie van glastuinders, weten dat de schade was opgelopen tot 315 miljoen waarvan de EU tot dan maar ruim 25 miljoen gecompenseerd had.[266] De Boerenbond in België schatte eind juni 2011 de schade voor de Belgische tuinbouwsector op 25 à 30 miljoen euro.

Bijna geen microbiologen

Om snel en adequaat te kunnen reageren op een uitbraak is microbiologie nodig. En daar wringt in Duitsland de schoen. Duitse ziekenhuizen hebben vooral sinds de eeuwwisseling massaal hun microbiologische laboratoria geoutsourcet. En hun microbiologen de laan uit gestuurd. In sommige deelstaten, zoals Noordrijn-Westfalen met 18 miljoen inwoners, bestaat er geen enkel laboratorium voor openbare gezondheidszorg meer. De gezondheidsautoriteiten moeten zich volledig verlaten op de diagnostiek en informatie van private laboratoria om besluiten te nemen die de volksgezondheid raken. 'Door de bezuinigingen op microbiologie bestaat de hele structuur voor preventie van infectieziekten feitelijk niet meer', zegt professor Alexander Friedrich, hoofd van de afdeling medische microbiologie en infectiepreventie van het UMC Groningen. Friedrich is Duitser en was tot najaar 2010 werkzaam in zijn vaderland. Hij is onder meer specialist op het gebied van EHEC. 'Hooguit 10 procent van de ongeveer 2.100 Duitse ziekenhuizen heeft nog arts-en-microbioloog in dienst. Nog minder ziekenhuizen hebben een eigen microbiologisch laboratorium. De helft van de academische ziekenhuizen heeft geen leerstoel voor hygiëne meer en grote academische ziekenhuizen zoals Aken hebben hun medische microbiologie naar een particulier lab geoutsourcet.' In totaal werken er in de Duitse ziekenhuizen nog geen driehonderd microbiologen waarvan er bovendien tientallen een managementfunctie hebben. Duitsland heeft ongeveer 82 miljoen inwoners[267], bijna vijf keer zo veel als

Nederland. Er zijn in Duitsland 502.000 ziekenhuisbedden[268], ongeveer twee keer meer per duizend inwoners dan in Nederland.* In Nederland werken bijna tweehonderdvijftig microbiologen. Van de eenennegentig zelfstandige Nederlandse ziekenhuizen** hebben er zesenzestig een eigen lab.[269] Voor de resterende wordt de medische microbiologie verzorgd vanuit laboratoria die voor verschillende ziekenhuizen in een regio werken. Met uitzondering van de laboratoria in de universitaire medische centra (UMC's) werken de laboratoria in het algemeen ook voor de eerstelijnszorg. In een aantal van de medisch microbiologische labs is specifieke kennis geconcentreerd. Dat geldt met name voor het RIVM, de laboratoria van de UMC's en enkele grotere perifere labs. Het RIVM heeft in het kader van de openbare gezondheidszorg de regie op het gebied van infectieziekten. Er is een netwerk opgezet van RIVM, GGD's en medisch microbiologische laboratoria waarmee de GGD's en een convenant hebben gesloten voor deze taken.

---

* In Duitsland zijn er 502.000 bedden voor bijna 82 miljoen mensen, dat is 6,1 bedden per duizend inwoners. Over het aantal bedden per duizend inwoners doen verschillende cijfers de ronde. In het achtergronddocument NVZ Brancherapport Ziekenhuizen Vergelijking Europa van 12 juli 2012 staat dat er in Nederland 2,8 bedden zijn per 1000 inwoners, tegen 5,7 in Duitsland en 4,2 in België. Het gaat hier om cijfers van de OESO. Op de eigen website meldt de NVZ ook dat er in Nederland 2,5 bedden per duizend inwoners zijn http://www.nvz-ziekenhuizen.nl/_library/3800/Samenvatting%20%20-%20gezonde%20zorg%20Brancherapport%202012.pdf (zie p. 17). Uit het antwoord van de Belgische minister van Volksgezondheid op een mondelinge vraag in de Belgische Senaat blijkt dat België in het najaar van 2010 vijf ziekenhuisbedden per duizend inwoners telde http://www.senate.be/www/?MIval=/Vragen/SchriftelijkeVraag&LEG=5&NR=199&LANG=nl.

** Die drieëntachtig algemene ziekenhuizen en acht academische hebben soms meer dan één locatie. Bovendien zijn er nog tweeëndertig categorale ziekenhuizen in Nederland zoals twee epilepsiecentra, het astmacentrum in Davos en het in kanker gespecialiseerde AvL/NKI http://www.dutchhospitaldata.nl/Bestanden/Documenten/Kengetallen_Nederlandse_Ziekenhuizen_2010.pdf.

Heupoperaties door een oogarts

Friedrichs verhaal komt haast ongeloofwaardig over. Het rijke Duitsland, dat niet op een paar centen kijkt als het om volksgezondheid gaat en dat wetenschappelijk niet bepaald achterloopt, ontbeert een degelijke structuur voor de preventie en de bestrijding van infectieziekten. Professor Jürgen Heesemann, de voorzitter van de Deutsche Gesellschaft für Hygiene und Mikrobiologie, is werkzaam aan het Max von Pettenkofer Institut van de Ludwig Maximilians Universität in München. 'De microbiologie maakt geen deel meer uit van de routine van de ziekenhuizen,' zegt hij, 'ze hebben het vaak helemaal niet meer in huis of in heel beperkte vorm. Door bezuinigingen.' Ziekenhuizen die hun laboratoria hebben opgedoekt zijn voor het microbiologische testwerk afhankelijk van grote commerciële labs. Annette Jurke: 'Laboratoria uitplaatsen is één ding. De grote labs zijn goedkoper en we willen ook niet dat de verzekeringspremies omhooggaan. Ik ken ook de verhalen dat ze in die grote labs lagere tarieven hanteren, maar dan meer tests uitvoeren. Als dat een manier is om hun omzet op te voeren, ben ik daar natuurlijk tegen. Maar ik denk dat we wel in toenemende mate op meer ziekteverwekkers tegelijk moeten gaan testen. Ik zie in de data steeds meer verschillende opduiken. Als ze om die reden meer testen, vind ik dat niet zo'n slechte ontwikkeling.' Isolaten van patiënten worden door het ziekenhuis ingestuurd en de laboratoria sturen de uitslag van hun testen en kweken terug. Dan is het aan de aanvrager om te bepalen wat te doen. Medisch-microbiologen hebben als belangrijke taak het geven van consulten aan behandelende artsen om te komen tot een optimale behandeling. Ze zijn opgeleid om de juiste maatregelen te nemen om een epidemie in te dammen of te voorkomen. Waar geen microbiologen meer werkzaam zijn, moeten de behandelende artsen het zelf uitzoeken. Die moeten dan bijvoorbeeld bepalen welke specifieke diagnostiek moet worden gedaan. Of beslissen of het nodig is een afdeling tijdelijk te sluiten vanwege de aanwezigheid van een bacterie. Ze moeten beslissen of de familieleden van een patiënt gescreend moeten worden. Of misschien ook de leden van de kegelclub waar die patiënt lid van is.

Een internist of een chirurg weet niet per se iets van infectieziekten. Zoals je van een oogarts niet verwacht dat hij ook heupoperaties doet, kun je van een internist niet verwachten dat hij opeens specialist is op het gebied van infectiepreventie. Althans niet van álle internisten. In Nederland bestaat er voor internisten de mogelijkheid om zich gedurende twee jaar verder te specialiseren in de behandeling van infectieziekten. 'In België en Duitsland bestaat zo'n opleiding bij mijn weten niet', zegt professor Inge Gyssens, zelf internist-infectioloog. 'In Duitsland werken wel een aantal internisten-infectioloog in sommige universitaire centra. Bij ons in Nederland is de samenwerking tussen internisten-infectioloog en artsen-microbioloog een van de sterke punten van de infectiepreventie. Internisten-infectioloog komen op alle afdelingen in het ziekenhuis bij patiënten met ernstige infectieziekten. Wij zijn gespecialiseerd in die infectieziekten maar we weten ook veel meer van microbiologie dan andere clinici. We vormen de brug tussen de kliniek en het laboratorium.' In sommige ziekenhuizen zoals het Erasmus MC in Rotterdam en het Academisch Ziekenhuis Maastricht maken internisten-infectioloog en artsen-microbioloog deel uit van één afdeling microbiologie en infectieziekten.

'Die geprivatiseerde labs zijn absoluut een probleem', zegt Heesemann. 'Ze werken voor lage tarieven, dus alles gaat heel snel. Ze geven geen consulten aan de behandelende artsen in de ziekenhuizen. Ze sturen uitslagen door, dat is alles. Met de EHEC-uitbraak heeft het ook voor vertraging gezorgd. Toen Helge Karch de stam had was het snel duidelijk om welk type het ging. In mijn ziekenhuis wisten we dat ook zo, toen we onze eerste patiënt binnenkregen. Maar toen was de uitbraak al meer dan twee weken aan de gang. Wij hebben alle ziekmakende *E. coli*-stammen in ons laboratorium in de ijskast liggen. Het Robert Koch Institut kan wel zeggen hoe ziekenhuizen te werk zouden moeten gaan, maar het heeft geen enkele macht. Ze kunnen niet ingrijpen. Elke deelstaat is zelf verantwoordelijk voor het infectieziektebeleid.' Annette Jurke, verantwoordelijk voor de infectiepreventie in Noordrijn-Westfalen, uit zich in haar kantoor in Münster in vergelijkbare zin: 'Ik ben er niet bij geweest in Noord-Duitsland, maar ik heb gehoord dat het ontbreken van microbiologen in de ziekenhuizen niet erg geholpen heeft bij de aanpak van de uitbraak. Op zichzelf is er niet per se iets tegen outsourcing van het microbiologisch lab. Maar als het betekent dat tegelijk ook de surveillance van resistente bacteriën en de kennis van hygiëne uitgeplaatst worden, dan is het wat anders. Als ik een ziekenhuis vraag hoeveel MRSA ze in huis hebben en ze moeten zeggen: dat moet je aan het laboratorium in pakweg Augsburg vragen, dan weet je dat ze te veel geoutsourcet hebben. Elk ziekenhuis moet de kennis in huis hebben om de resultaten van kweken en tests in de laboratoria te kunnen interpreteren. Deskundigen die in staat zijn goed samen te werken met zo'n lab, maar ook met de artsen in het ziekenhuis. We hebben in Duitsland heel veel ziekenhuizen. Veel te veel om overal een laboratorium te hebben. Daarom is het des te belangrijker dat we overal van die figuren hebben die deze spagaat tussen het lab en het ziekenhuis kunnen maken.'

Abstract of gedeeld probleem

Professor Alexander Mellmann, verbonden aan dezelfde vakgroep als Helge Karch, neemt zijn collega-artsen een beetje in bescherming. Het ging om een heel bijzondere EHEC-uitbraak omdat zo veel volwassenen getroffen werden, terwijl normaal vooral kinderen EHEC-infectie, en HUS krijgen. 'Om te beginnen moet je eraan denken dat volwassenen een EHEC-infectie kunnen krijgen. Dat is vrij zeldzaam. Kinderartsen zijn erop gespitst omdat die het vaak zien. Verder is het niet zo erg makkelijk om EHEC er tussen al die *E. coli's* die in de darmflora zitten uit te vissen. Maar weinig laboratoria doen dat, omdat het maar gedeeltelijk of helemaal niet vergoed wordt door de ziektekostenverzekeringen. En dan ben je er nog niet. Want het is niet genoeg om te weten dat een patiënt een EHEC-infectie of HUS heeft, je moet er ook achter komen door welk type EHEC die veroorzaakt is. Uitplaatsen van microbiologische labs en de microbiologen is een ander probleem. Voor zo'n groot laboratorium dat gevestigd is op een paar honderd kilometer afstand van het ziekenhuis dat een bacteriestam instuurt, is zo'n ziekteverwekkende bacterie een abstract probleem. Ze hebben er zelf natuurlijk geen last van. Dat is heel anders als een ziekenhuis een eigen laboratorium heeft. Dan is het een gedeeld probleem.' Reinhard Burger, de leider van het RKI, liet zich in het eerder geciteerde persgesprek ook uit over mogelijke verbeteringen in de aanpak van zo'n uitbraak. 'Het zou mooi zijn als we in de toekomst sneller op de hoogte gebracht worden. Daarom is het absoluut nodig dat EHEC-gevallen snel gemeld worden. Maar goede diagnostiek waarmee snel herkend kan worden dat dezelfde ziekteverwekker bij verschillende patiënten of op verschillende plaatsen optreedt, is even noodzakelijk.'[270]

Behalve de microbiologische labs in de ziekenhuizen zijn ook veel labs van de Duitse GGD gesloten. Ook het werk dat daar gedaan werd wordt nu gedaan door de commerciële labs, vaak op grote afstand van de patiënten. Omdat er nauwelijks meer regionale labs en ziekenhuislabs zijn, is de drempel voor huisartsen om monsters in te sturen van patiënten met bijvoorbeeld diarree hoger geworden. Niet vanwege de prijs van de commerciële labs – die werken juist goedkoper – maar omdat er geen laboratorium meer is in het lokale of regionale gezondheidsnetwerk. In Nederland sturen huisartsen isolaten in naar het plaatselijke huisartsen- of ziekenhuislab. Die korte lijnen zorgen ook voor snelle resultaten. Artsen kunnen makkelijk in contact treden met de microbiologen. Microbiologen van ziekenhuislabs hebben collegiaal overleg met de behandelend arts en zien desgewenst ook weleens zelf patiënten. En daarboven hangt dan de structuur van het Centrum voor Infectieziektebestrijding van het RIVM. 'Bij het Robert Koch Institut in Berlijn werken iets van duizend mensen', zegt Friedrich. 'Dat is een stuk minder dan bij het RIVM, waar geloof ik veertienhonderd mensen werken, terwijl ze ongeveer dezelfde taken hebben. Maar het RKI dan wel in een land met vijf keer zo veel inwoners. De adviezen die vanuit het RKI worden gegeven moeten in de deelstaten opgepakt worden. Daar wordt het beleid ingevuld door de gezondheidsautoriteiten van de deelstaat. De plaatselijke GGD's voeren het in de praktijk uit. Afgemeten aan de omvang van het RIVM zou het RKI verdeeld over het hele land dus zo'n zevenduizend medewerkers moeten hebben. En de paar mensen die in de deelstaten werken maken het verschil niet. In Noordrijn-Westfalen zijn ze met zijn vieren. En die hebben geen lab. Die kunnen alleen praten, rekenen, advies geven, e-mailen. En dan heb je er vijfenvijftig regionale GGD's. De grote daarvan, zoals Keulen en Düsseldorf hebben nog een eigen lab. Maar de andere niet meer. En er is in Noordrijn-Westfalen geen centraal lab zoals in Nederland het lab van het RIVM. Terwijl er meer mensen wonen dan in Nederland.'

Microbiologen wettelijk verplicht

Al voor de EHEC-uitbraak was door problemen met MRSA, ESBL's en andere voor antibiotica resistente bacteriën duidelijk geworden dat de infectieziektepreventie in Duitsland niet goed werkt. De Duitse Bondsdag heeft dat probleem onderkend. Op 20 maart 2011 hebben de regeringspartijen CDU/CSU en FPD een wetswijziging ingediend die de vierhonderd grootste Duitse ziekenhuizen met elk meer dan vierhonderd bedden wettelijk verplicht om vooral met het oog op infectiepreventie weer microbiologen in dienst te nemen.[271] In juli 2011 is de wet aangenomen.[272] In de wet staat dat de richtlijnen van het RKI* gevolgd moeten worden. Een van die richt-

* De Kommission für Krankenhaushygiene und Infektionsprävention (KRINKO) van het RKI vaardigt de richtlijnen uit.

lijnen bepaalt dat ziekenhuizen met meer dan vierhonderd bedden een arts-microbioloog in dienst moeten hebben.[273] In het wetsontwerp staat onder meer dat van de jaarlijks ruim 17 miljoen patiënten in Duitse ziekenhuizen er elk jaar 400.000 tot 600.000 een ziekenhuisinfectie oplopen, meestal met bacteriën die voor allerlei antibiotica resistent zijn. Naar schatting 7.500 tot 15.000 patiënten overlijden aan die infecties. 'Een deel van de infecties en sterfgevallen is door gepaste preventiemaatregelen te voorkomen', schrijven de fracties van de regeringspartijen CDU/CSU en FPD. En wat voor de bestrijding van infecties door ziekenhuisbacteriën geldt, geldt evenzeer voor de aanpak van buiten het ziekenhuis opgelopen infecties, aldus de Duitse regeringspartijen in hun wetsontwerp. Verschillende betrokken belangenverenigingen van infectiologen en artsen werkzaam in de publieke gezondheidszorg juichen de nieuwe wet toe, maar stellen in een gemeenschappelijke verklaring dat het aantal ziekenhuisinfecties per jaar minstens 700.000 bedraagt. En het aantal daarmee samenhangende doden minstens 30.000 per jaar.[274] Ze pleiten nadrukkelijk voor voldoende financiële middelen om de nieuwe taken ook waar te kunnen maken. Alexander Mellmann legt de vinger op een andere zere plek. 'De opbrengsten van preventie zijn niet zo makkelijk te vangen in bedragen. Wat levert het op als je verhindert dat iemand ziek wordt? Dat is heel moeilijk te becijferen. Niemand stelt het nut van autogordels ter discussie, terwijl de kans groot is dat mensen die rijden zonder gordel niets zal gebeuren. Het is lastig om uit te rekenen wat autogordels voor winst opleveren. Zo is het ook met infectiepreventie. Wat leveren investeringen daarin op? Het is onze taak om dat uit te leggen. Hier in Münster is de leiding van het academisch ziekenhuis overtuigd van het nut van investeren in preventie. Die onderkent dat preventie loont.'

Münster heeft in Duitsland de reputatie een van de laatste bastions van de medische microbiologie te zijn. De situatie daar, met een vakgroep die internationaal hoog in aanzien staat, is niet exemplarisch voor Duitsland. 'Veel instituten voor microbiologie en infectiepreventie zijn de afgelopen tijd inderdaad steeds kleiner geworden of gesloten', zegt Mellmann. 'Er zijn instituten samengevoegd, andere zijn geoutsourcet, het is op allerlei manieren gebeurd, maar het probleem blijft hetzelfde: als je de expertise eenmaal kwijt bent, dan kost het opnieuw opbouwen ervan veel meer geld dan het in stand houden ervan. In Münster hebben we dat probleem gelukkig niet, omdat de ziekenhuisleiding hier begrijpt dat het zin heeft om een afdeling microbiologie en infectiepreventie te hebben.' Mellmanns hoogste baas professor Norbert Roeder, de bestuursvoorzitter van de Universitätsklinikum Münster, onderstreepte dat op de persconferentie over de EHEC-uitbraak. Hij overlaadde er de microbiologen van zijn ziekenhuis met lof. 'Professor Karch en zijn team hebben hun werk heel goed gedaan. Ze hebben zich zeer competent getoond. Toen ze de bacteriestam eenmaal in hun bezit hadden, helaas heeft dat even geduurd, hebben ze die snel kunnen typeren. In Münster en omgeving is geen enkele patiënt tijdens de uitbraak aan een EHEC-infectie of aan HUS overleden. Deze EHEC-uitbraak heeft duidelijk gemaakt hoe belangrijk een nauwe samenwerking tussen de verzorging van patiënten en wetenschappelijk werk is. Ik ben blij en trots dat het met de EHEC-patiënten dankzij de uitstekende zorg in ons ziekenhuis nu zo goed gaat en dat het onderzoek van professor Karch en zijn team wereldwijde erkenning heeft gekregen.'

Ontwikkelingshulp

Volgens Alexander Friedrich van het UMC Groningen moeten er als gevolg van de nieuwe wet de komende tijd achthonderd tot twaalfhonderd microbiologen worden opgeleid in Duitsland. Maar daarvoor moeten eerst opleidingsplaatsen gecreëerd worden. 'Hier in Münster', zegt Mellmann, 'hebben we besloten een actieve bijdrage te leveren aan het oplossen van dit probleem. We hebben in het voorjaar van 2012 de Westfälischen Akademie für Krankenhaushygiene opgezet. We bieden jonge artsen opleidingsplaatsen aan op het gebied van infectiepreventie, medische microbiologie en ziekenhuishygiëne. We gaan niet de handen in onze schoot leggen en niets doen. Of dure mensen uit het buitenland inhuren. We gaan zelf onze eigen opvolgers opleiden.' Duitse microbiologen zijn overal in de wereld gaan werken, toen de afbraak van de microbiologie in de Duitse ziekenhuizen begon. 'Ik doe met enkele collega's aan ontwikkelingshulp in Duitsland', vertelt Friedrich. 'Wij gaan terug naar Duitse ziekenhuizen en doen daar het werk. Tegelijk proberen we mensen te vinden die we kunnen opleiden om het zelf te gaan doen. We proberen in de Euregio* een grensoverschrijdende academie op te zetten voor een postdoctorale opleiding microbiologie en infectiepreventie.' Ook Ron Hendrix, jarenlang arts-microbioloog bij LabMicta, het Laboratorium voor Microbiologie Twente Achterhoek in Enschede, doet aan ontwikkelingshulp in Duitsland. Hij is sinds 1 januari 2013 hoofd van het Laboratorium voor Infectieziekten in Groningen en is ook verbonden aan het UMCG waar hij zich bezighoudt met grensoverschrijdend onderzoek. 'Er is grote belangstelling voor onze manier van werken aan de andere kant van de grens. In april 2012 hadden we een Duitse minister voor Gezondheid over de vloer, uit Nedersaksen. Een maand later kwam de minister-president van Nedersaksen naar het UMC in Groningen. Beiden kwamen kijken hoe we in Nederland klinische microbiologie en infectiepreventie bedrijven. Microbiologie is op dit moment een exportproduct voor ons. Vanuit het UMCG leiden we in een groot Duits ziekenhuis anderhalf uur verderop een aantal mensen op.** En we adviseren ze van afstand. De Raad van Bestuur van dat ziekenhuis heeft door dat er geld te verdienen is met goede infec-

---

* De noordelijke Euregio Eems-Dollard omvat de Nederlandse provincies Groningen, Friesland, Drenthe en Overijssel en het noordwestelijke deel van de Duitse deelstaten Nedersaksen en Noordrijn-Westfalen.

** Het gaat om de Herford-ziekenhuisgroep met in totaal achthonderd bedden. Verder wordt een aantal ziekenhuizen in het Münsterland – de streek rond Münster – geadviseerd.

tiepreventie. Als wij hier een bloedkweek hebben gedaan voor een ziekenhuis* bellen we op om over de uitslag te praten. In Duitsland komt er een fax binnen, die dan ergens op een bureau ligt. Maar vanuit die laboratoria gaat niemand er actief mee de boer op. Wij zijn nu in een aantal ziekenhuizen een systeem op aan het bouwen waarin artsen vrijgesteld worden om dit werk te gaan doen, wij leiden ze op en zijn op de achtergrond aanwezig voor consulten als ze er zelf niet uitkomen. En we krijgen steeds meer aanvragen om dit soort werk in Duitsland te komen doen.' De microbiologische kennis schiet vaak schromelijk tekort. Verkeerde diagnostiek, verkeerde dosering van antibiotica, het is niet ongewoon. Het opnieuw opbouwen van een degelijke microbiologie in de Duitse ziekenhuizen gaat jaren duren. 'Dat probleem lossen we niet in tien jaar op, absoluut niet', zegt Hendrix. Alexander Friedrich hoopt dat in de ziekenhuizen in de grensregio het eerst weer goed opgeleide microbiologen komen te werken. 'In het grensgebied verzorgen we de patiënten gemeenschappelijk, over de grenzen heen. Daarom moet de kwaliteit van infectiepreventie echt zo snel mogelijk aan de Duitse kant van de grens op hetzelfde niveau komen.'

IGZ tegen uitplaatsing laboratoria en microbioloog

In Duitsland is intussen het inzicht gegroeid dat het outsourcen van microbiologische laboratoria en vooral van de artsen-microbioloog uit de ziekenhuizen een grote fout is geweest. De weg terug is weer ingeslagen, maar het zal nog geruime tijd duren voor de grootste Duitse ziekenhuizen weer goed werkende afdelingen medische microbiologie hebben. Nederland wordt internationaal benijd om de goede structuren voor infectiepreventie en -bestrijding waaronder het uitgebreide netwerk van medisch microbiologische labs. Veel ziekenhuizen hebben een eigen lab, daarnaast zijn er een

* Het gesprek met Ron Hendrix vond plaats in mei 2012 toen hij nog bij LabMicta werkte.

aantal regionale labs die voor verschillende ziekenhuizen werken. Die labs komen voor consultatie en advies in de ziekenhuizen die ze bedienen. De Inspectie voor de Gezondheidszorg was in een in november 2008 gepubliceerd rapport behoorlijk te spreken over de kwaliteit van de medisch microbiologische laboratoria (MML's) in Nederland.[275] De IGZ concludeerde dat 'de medisch microbiologische laboratoria in Nederland in het algemeen aan de voorwaarden voor verantwoorde zorg voldoen.' En: 'Infectiepreventie en antibioticabeleid zijn over het algemeen goed geregeld.' De Inspectie is vooral ingenomen met de rol van de microbiologen. 'De arts-microbioloog heeft een brugfunctie tussen laboratorium en kliniek en is medebehandelaar. Deze brugfunctie is onmisbaar voor een veilige patiëntenzorg en wordt in het algemeen naar tevredenheid vervuld.' Maar er is ook ruimte voor verbetering. 'De processen binnen de MML's zijn onvoldoende geformaliseerd en geborgd. MML's vormen nog geen volwaardig onderdeel van de infectieziektebestrijding in de openbare gezondheidszorg. Betere samenwerking is nodig tussen MML's, CIb en referentielaboratoria. Meer dan de helft van de MML's is niet geaccrediteerd. Medisch microbiologische diagnostiek door niet-MML's vormt mogelijk een risico.' In zijn aanbiedingsbrief bij het rapport schrijft toenmalig inspecteur-generaal Gerrit van der Wal: 'Recentelijk zijn in een beperkt aantal ziekenhuizen het opheffen van de functie arts-microbioloog en het uitplaatsen van de medisch microbiologische diagnostiek aan de orde geweest. Dit was het gevolg van discussies rond het efficiënter organiseren van laboratoriumdiagnostiek. Vanwege het grote belang van de brugfunctie van de arts-microbioloog tussen laboratorium en kliniek acht de inspectie dit niet aanvaardbaar. Door bemoeienis van de inspectie heeft dit geleid tot het handhaven van de status-quo.'

Toch staat die nu weer ter discussie. In december 2010 publiceerde het organisatieadviesbureau Plexus – nu KPMG Plexus – op verzoek van het ministerie van VWS een rapport over eerstelijnsdiagnostiek.[276] 'In vergelijking met veel van onze buurlanden', schrijven de auteurs van het Plexus-rapport, 'kent Nederland dan ook een zeer versnipperd laboratoriumlandschap, waardoor schaalvoordelen nauwelijks benut worden. Buitenlandse observatoren spreken van een "archaïsche structuur", waarbij de bedrijfsvoering sterk is achter geraakt bij de internationale ontwikkelingen. Omdat er in de diagnostiek in de eerste lijn en de ziekenhuizen tezamen 3 miljard euro* omgaat, is het belangrijk om dit onderwerp de aandacht te geven die het verdient.' Plexus bepleit het overbrengen van een groot deel van de diagnostiek naar de eerste lijn. Eerstelijns diagnostische centra (EDC) zouden het werk niet alleen veel goedkoper kunnen doen volgens Plexus, maar minstens een gelijke kwaliteit leveren of zelfs een hogere. Afhankelijk van de aannames komt Plexus tot besparingen variërend van 690 miljoen tot 1,14 miljard euro per jaar. Het Plexus-rapport kon op de warme interesse rekenen van de ambtelijke top van het ministerie van VWS. Dat voert gesprekken met grote commerciële laboratoria in Duitsland en Antwerpen om te zien of die een rol kunnen spelen in Nederland. 'De kunst zal zijn om de Nederlandse microbiologie ook in de toekomst te laten functioneren zoals die nu functioneert', zegt Edwin Boel, voorzitter van de Nederlandse Vereniging voor Medische Microbiologie en werkzaam in het UMC Utrecht. 'Vanuit het ministerie wordt er vooral gekeken naar de kosten van de medische microbiologie. Wat is de prijs van een laboratoriumuitslag? We zullen veel beter zichtbaar moeten maken wat we allemaal om die testuitslag heen doen als we de microbiologie overeind willen houden.'

* Het Plexus-onderzoek gaat over alle diagnostiek, niet alleen medisch microbiologische, maar bijvoorbeeld ook klinische chemie, fertiliteitsonderzoek, MRI-scans, röntgenfoto's, CT-scans etc. Volgens het Plexus-onderzoek werd er in 2010 voor 420 miljoen aan laboratoriumonderzoek aangevraagd door huisartsen. Dat laboratoriumonderzoek omvat behalve medische microbiologie (bacteriologie, virologie), ook klinische chemie (hematologie, endocrinologie).

Goedkoop wordt duurkoop

Boel en de NVMM vrezen een ontwikkeling zoals die in Duitsland heeft plaatsgevonden naar grote commerciële labs die het werk van de ziekenhuislabs overnemen. 'Als je er plat economisch naar kijkt en alleen naar die uitslag, dan zal het ongetwijfeld een stuk goedkoper kunnen. Maar ik voorspel dat het op macroniveau een stuk duurder zal worden als er ook in Nederland zo'n ontwikkeling komt als er in Duitsland geweest is. Dan komen we over vijf jaar of zo tot de conclusie dat we dat beter niet had kunnen doen. Maar krijg het dan maar weer eens goed georganiseerd. Zoals nu in Duitsland moet gebeuren. Om te voorkomen dat het die kant op gaat, zullen we zelf veel meer ons best moeten doen om duidelijk te maken wat dan die meerwaarde van ons werk is', stelt de NVMM-voorzitter. 'Je ziet allerlei laboratoria stappen ondernemen, erover nadenken. Vanuit het ministerie komen uitspraken van de ambtelijke top dat eerstelijnszorg dicht bij de patiënt moet gebeuren en daarin wordt de diagnostiek meegenomen. Van Halder* citeert geregeld uit het Plexus-rapport. Ik heb gehoord dat hij gesprekken heeft gevoerd met een aantal grote buitenlandse commerciële labs. Een aantal Duitse, een lab in Antwerpen. We weten nu dat het Australische Sonic zeer geïnteresseerd is in de Europese markt. Die hebben een groot commercieel lab in Antwerpen overgenomen en ze zijn aan het bouwen in Nijmegen.' In Nederland zijn er intussen ook verschillende grote, commerciële labs. 'Je hebt een groot huisartsenlab in Etten-Leur, maar er zijn er meer.' Maurine Leverstein-van Hall is eind 2011 overgestapt van het UMC Utrecht naar het Haagse Bronovo Ziekenhuis. 'De positie van de medische microbiologie is op dit moment niet zo goed. Alle ziekenhuizen moeten bezuinigen en op veel plekken leeft het idee dat je de kosten kunt reduceren door de microbiologische diagnostiek over te laten aan grote commerci-

---

* Leon van Halder, directeur-generaal cure, dat is de zorg gericht op genezing van patiënten.

ele labs. Door centralisatie ga je efficiënter werken, want je gaat je apparatuur veel beter benutten. Maar de medische microbiologie heeft drie functies, het gaat niet alleen maar over diagnostiek. In de eerste plaats is de microbioloog poortwachter. Je moet erop letten dat er geen onzinnige diagnostiek wordt aangevraagd. Maar ook dat er niet te weinig diagnostiek plaatsvindt. Dan moet je het werk in het lab doen, de diagnostiek, en het lab runnen. Maar je bent ook betrokken bij de patiëntenzorg. Ten slotte is de microbioloog verantwoordelijk voor de infectiepreventie. In de prijs van een kweek die in een ziekenhuislab wordt gedaan zijn al die taken opgenomen. In een commercieel lab vervallen alle functies behalve de pure diagnostiek. Daardoor wordt het uiteraard goedkoper. Maar ook slechter. Zie het percentage MRSA in Nederland en in Duitsland met zijn commerciële labs.* Daarbij verlies je ook inzicht in wat er in je regio gebeurt. Huisartsen sturen hun kweken naar het huisartsenlaboratorium in Etten-Leur of misschien wel naar Duitsland. Als wij dan in het ziekenhuis zo'n patiënt binnenkrijgen dan weten we niet wat die allemaal gehad heeft. Zowel regionaal als nationaal in ISIS-AR heb je die informatie niet meer. En je bouwt ook een vertraging in, want het kweekmateriaal moet reizen. Als er spoeddiagnostiek nodig is zijn korte lijnen met de arts die iets instuurt heel belangrijk. Dat werkt gewoon niet op grote afstand.'

---

* In Nederland en Denemarken lag het percentage MRSA in de ziekenhuizen in 2010 net boven de 1 procent. In Noorwegen en Zweden rond een 0,5 procent. In Duitsland op meer dan 20 procent. Net als in België http://ecdc.europa.eu/en/activities/surveillance/EARS-Net/database/Pages/table_reports.aspx.
Een vergelijking tussen Nederland en Noordrijn-Westfalen pakt nog gunstiger uit voor Nederland. In Nederland lag het percentage MRSA in bloedkweken op 0,9 procent. In Noordrijn-Westfalen was het tweeëndertig keer hoger http://www.plosone.org/article/info%3Adoi%2F10.1371%2Fjournal.pone.0042787.

Regionale samenwerking

'Veel huisartsen in de regio Leiden sturen hun kweken naar Etten-Leur', zegt Leverstein-van Hall. 'Vervolgens bellen ze microbiologen in de regio om te vragen wat ze met een uitslag moeten. Kennelijk zijn de microbiologen in Etten-Leur slecht bereikbaar en die kennen ze natuurlijk ook niet. Maar de microbiologen in Leiden weten dat niet, want die hebben de diagnostiek niet gedaan en ze worden er ook niet voor betaald. Dus ook dat werkt niet. Als wij een patiënt opnemen met een urineweginfectie die niet overgaat, dan is die patiënt bijna altijd een paar dagen eerder bij de huisarts geweest. Normaal laat die dan een kweek doen. Maar die is voor ons niet inzichtelijk als die in Etten-Leur gedaan is. Dan kunnen we die op zijn vroegst krijgen als de kweek helemaal klaar is, na vijf dagen. Maar hem even uit de stoof* halen om te kijken wat er gebeurt, dat gaat niet. En medisch specialisten nemen alleen adviezen over van mensen die ze kennen en van wie ze weten dat ze die kunnen vertrouwen, omdat ze al een vertrouwensrelatie hebben opgebouwd met hen.' Leverstein-van Hall is in het Bronovo Ziekenhuis meteen aan de slag gegaan met het tot stand brengen van intensieve samenwerking tussen een aantal kleinere labs in de regio. Als antwoord op de ontwikkeling naar het meer inschakelen van grote commerciële labs en de dreiging dat daardoor de microbiologische labs in de ziekenhuizen geoutsourcet zullen worden. De laboratoria van haar eigen Bronovo Ziekenhuis en het Diaconessenhuis Leiden zijn intussen samengevoegd. De gesprekken met het Rijnland Ziekenhuis in Leiderdorp zijn in augustus 2012 begonnen. 'Er is een ontwikkeling bezig naar steeds duurdere diagnostiek waar je ook steeds duurdere apparaten voor nodig hebt. Om die technieken toe te passen heb je een zeker volume nodig om het rendabel te maken en om te kunnen concurreren met die commerciële labs. Je

---

* In de stoof worden bacteriekweken gedaan bij een temperatuur van 37 graden Celsius, zodat bacteriën goed kunnen groeien.

moet genoeg aanvragen krijgen voor die diagnostiek. Verder blijven we die andere functies doen, de poortwachter, de infectiepreventie en het antibioticumbeleid. Dus de ziekenhuizen moeten hun eigen microbiologen houden die allemaal nauw met elkaar samenwerken. En het laboratorium moet dichtbij zijn. Dat zijn belangrijke voorwaarden. We zijn nu bezig om te kijken hoe we dat het beste kunnen organiseren.'

NVMM-voorzitter Boel is ervan overtuigd dat het uitplaatsen van laboratoria uit ziekenhuizen, en zeker het opheffen van de plekken van artsen-microbioloog, onverstandig is. 'Voor de medische microbiologie, dokters die zich actief bezighouden met patiëntenzorg vanuit de invalshoek van de infectieziekten, heb je een stevige positie nodig in het ziekenhuis. Dat kun je niet via de telefoon regelen. Je moet zichtbaar zijn in het ziekenhuis. En daar hoort eigenlijk wel een lab bij, maar het kan onder voorwaarden ook wel functioneren zonder. Het is niet echt een wetmatigheid dat er een lab moet zijn. Als vereniging zijn we daar ook over aan het nadenken. Welke randvoorwaarden zijn er om de medische microbiologie goed te laten functioneren. Het heeft bijvoorbeeld te maken met de grootte van het ziekenhuis. In Groningen heb je het Laboratorium voor Infectieziekten (LVI), één groot lab, dat werkt voor verschillende ziekenhuizen. Het LVI heeft in bijna al die ziekenhuizen een klein lab, juist vanwege die zichtbaarheid en de positie van de medische microbiologie binnen de ziekenhuizen.'

Wat krijg je terug voor je geld?

Binnen de NVMM houdt Gijs Ruijs, Boels voorganger als voorzitter, zich intensief bezig met de discussie over de concentratie van labs voor medische microbiologie. Ruijs is arts-microbioloog in de Isala Klinieken in Zwolle. 'Het is heel wonderlijk,' zegt Ruijs, 'als je een auto koopt kijk je wat je krijgt voor je geld. Niet alleen het geld telt, maar ook wat je ervoor terugkrijgt. In de discussie over de microbiologie mis ik die dimensie: wat levert het geld op dat je in de medische microbiologie steekt. Het is allemaal begonnen met ideeën van Van Halder. Voor zover ik kan inschatten zijn die gevoed door huisartsenlabs en dat heeft geresulteerd in een opdracht aan Mark Berg van Plexus. Daarin figureert ons vak als deel van een soort oersoep van laboratoriumbepalingen waarbij geen onderscheid wordt gemaakt tussen de medische microbiologie en de klinische chemie, hoewel dat twee volledig verschillende vakken zijn, met ieder hun eigen, verschillende dynamiek. Dan verbaas je je al dat iemand dat in zo'n rapport kan opschrijven en daarmee weg kan komen. Maar dat rapport is wel voor een deel woordelijk terechtgekomen in een publicatie van de Nederlandse Zorgautoriteit over de te volgen koers bij het betalen van de ondersteunende diagnostiek voor de huisartsen.[277] En ook de NZA, maar dat is die organisatie eigen, besteedt geen aandacht aan wat je krijgt voor het geld dat je uitgeeft aan microbiologie. Dat is op zijn zachtst gezegd opvallend. Ik mis in die hele discussie over centraliseren van labs de inhoud', zegt Ruijs. 'Die komt nergens aan bod. Grotere volumes zorgen voor lagere prijzen, maar je kunt geen bespreking van patiënten op de IC houden terwijl je een paar honderd kilometer verderop zit. Je moet goede relaties hebben met je collega's aan wie je soms moet vertellen dat ze een MRSA-probleem hebben en dat ze een opnamestop moeten invoeren. Dat kun je niet doen met een mailtje.' In januari 2012 hield Ruijs op de Boerhaave Leergangen een verhaal over centralisering van laboratoria. In de voorbereiding daarvan is hij met veel mensen gaan praten. 'Met mijn collega Thijs Tersmette van het St. Antonius Ziekenhuis in Nieuwegein heb ik allerlei buitenlandse labs bezocht. Het AML van Sonic Healthcare in Antwerpen, dat is het grootste commerciële lab in België, LabCo in Madrid[278], een groot lab van DR. Stein und Kollegen in Mönchengladbach.[279] We hebben gesproken met de algemeen directeur van het Lucas Ziekenhuis* in Winscho-

* De Ommelander Ziekenhuis Groep (OZG), locatie Lucas. De groep heeft verder nog de locatie Delfzicht in Delfzijl.

ten dat zijn lab voor klinische chemie ooit geoutsourcet heeft naar Synlab in Duitsland. Dat is mislukt omdat de gezondheidszorgsystemen in Duitsland en Nederland, en in dit geval in Winschoten en Leverkusen, volledig verschillend zijn. De professionele ondersteuning door Synlab schoot tekort. Dat laboratorium bedient met drie artsen-microbioloog honderdvijftig Duitse ziekenhuizen. Het werkte gewoon niet.' Vooral het bezoek aan het laboratorium van DR. Stein und Kollegen was een eyeopener. 'Op dat lab in Mönchengladbach vertelden ze me dat ze met vijf microbiologen tegen de zestig ziekenhuizen deden. In ons ziekenhuis in Zwolle zijn we met zijn drieën. We wandelden door het laboratorium en kwamen in de kamer waar apparaten stonden om bloedkweken te verwerken. Die kweken neem je af als je een zieke patiënt hebt en die worden dan verwerkt in zo'n apparaat. Zij hadden anderhalf keer zo veel staan als wij hier in de Isala Klinieken hebben staan. Het kan niet anders dan dat daar een enorme onderdiagnostiek plaatsvindt. Hoe kun je met vijf microbiologen in zestig ziekenhuizen intensivecarebesprekingen houden? Dat kan natuurlijk nooit. Wat je in Duitsland ziet is niet te vergelijken met het vak zoals wij dat hier kennen. Op geen enkele manier. En de keuzes die in Duitsland gemaakt zijn, hebben grote gevolgen gehad. Dat krijg je als je de discussie verengt tot geld alleen. En niet kijkt wat je terugkrijgt voor dat geld. Het was een preek voor eigen parochie bij de Boerhaave Leergangen. Maar er kwam wel discussie over waar het naartoe gaat. Meer samenwerking in grotere verbanden of niet, commerciëler werken misschien. Ik zie veel in regionale samenwerkingsverbanden die de ziekenhuizen overstijgen. En dat soort elementen komen uiteindelijk terecht in kwaliteitseisen waaraan een lab moet voldoen.'

Boter op het hoofd

Roel Coutinho is het hoofd van de infectieziektebestrijding in Nederland. Hij onderkent als geen ander het belang van de medische microbiologie en de plek die het vak nu heeft in de ziekenhuizen.

'Dit soort bewegingen om die labs uit te plaatsen en het werk in grote gecentraliseerde laboratoria te doen, hebben te maken met de neiging om het allemaal goedkoper te willen doen. De microbiologen hebben ook wel boter op hun hoofd, omdat ze op een gegeven moment tot de veelverdieners gingen behoren.* Dat schept een bepaald beeld dat niet goed is. En erg jammer. Want het vak zelf heeft echt grote waarde als je het in het ziekenhuis integreert, in nauwe relatie met behandelende specialismen. Als je ziet wat eraan komt op het gebied van antibioticaresistentie, dan is er des te meer reden om dat zo te houden en absoluut niet te veranderen. Maar er is een tegenbeweging die zegt: kan het misschien wat goedkoper. Ik ben ervan overtuigd dat dit echt een typisch voorbeeld is van penny wise, pound foolish. Maar microbiologen zullen zich zelf ook moeten realiseren dat je kwetsbaar wordt op het moment dat bekend is dat mensen heel erg veel geld verdienen zonder relatie met de hoeveelheid werk die ze verrichten. Dat geldt voor een aantal vrijgevestigde microbiologen, niet voor degenen die in dienstverband werken. Ik weet niet hoe het gaat aflopen. Maar ik weet wel dat het een hele slechte zaak zou zijn om de microbiologie uit ziekenhuizen te halen en uit te besteden aan van die grote commerciële labs. Dat zou grote schade kunnen aanrichten. Dan zie je weer de bezwaren van de privatisering. In de gezondheidszorg heeft dat dit soort wonderlijke bijeffecten die niet altijd even vrolijk stemmen. Ik denk dat de verantwoordelijkheid van de medisch microbioloog

---

* Bij de invoering van het DBC-systeem in 2005 stegen de inkomens van veel vrijgevestigde microbiologen en andere ondersteunende specialisten als radiologen, anesthesiologen en klinisch chemici sterk. Dat was een gevolg van een weeffout in het DBC-systeem. In elke DBC, dat staat voor diagnosebehandelcombinatie, werden alle mogelijke kostenposten opgenomen samenhangend met die diagnose. Bij heel veel diagnoses is het goed denkbaar dat er bijvoorbeeld een bloed- of urinekweek gemaakt wordt. Daarom zat in die DBC's dan standaard een vergoeding voor zo'n kweek. Ongeacht of die wel of niet werd gedaan. In 2010 is er een correctie doorgevoerd op het systeem.

in de toekomst alleen maar toe gaat nemen. Die wordt niet minder, die neemt toe. Goed functionerende microbiologie wordt steeds belangrijker.'

De beroepsgroep van de medisch microbiologen heeft lange tijd problemen gekend, vertelt Coutinho. 'Als je kijkt hoe moeilijk het is geweest om hoogleraren medische microbiologie te vinden in Nederland, daar was echt sprake van een kwaliteitsprobleem. Er zijn te weinig mensen opgeleid. Misschien verdienden mensen in de periferie te veel om geïnteresseerd te zijn in een hoogleraarschap. Maar op veel plaatsen zijn er problemen mee geweest. Er zijn relatief veel hoogleraren medische microbiologie afkomstig uit het buitenland. Dat heeft toch echt te maken met een kwaliteitsprobleem en met de beroepsgroep zelf. Die moet ook de hand in eigen boezem steken.' De CIb-directeur is enthousiast over de nieuwe aanwas van medisch microbiologen. 'Bij de jonge generatie zitten hele goede mensen, die heel anders met hun vak omgaan. Die niet alleen maar productie willen draaien en veel geld verdienen, maar die geïnteresseerd zijn in de inhoud van het vak. Meer op *public health* gericht, op wetenschappelijk onderzoek. Dat is een ontwikkeling die je in de hele medische wetenschap wel ziet. Ze zijn ook veel meer geneigd in loondienst te werken. Medisch specialisten horen in loondienst te werken. Die vrijgevestigde maatschappen zijn volkomen uit de tijd. Specialisten zijn een onderdeeltje van het geheel. Ze kunnen alleen maar functioneren dankzij allerhande ondersteunende specialisten en hulppersoneel, die allemaal net zo belangrijk zijn. De tijd dat een medisch specialist een zelfstandig functionerende entiteit was is allang voorbij.'

Medische microbiologie voorwaarde voor goede zorg

Hoofdinspecteur voor de Gezondheidszorg Jan van Wijngaarden deelt Coutinho's kritiek op de grootverdieners onder de microbiologen, die in zijn ogen hun vak absoluut geen dienst hebben bewezen. Maar hij is wel van plan alles te doen wat in zijn vermogen ligt om ervoor te zorgen dat de medische microbiologie haar huidige plek in de Nederlandse gezondheidszorg behoudt. 'Het systeem dat we in Nederland hebben met artsen die zich gespecialiseerd hebben in de medische microbiologie, die dus verstand hebben van de laboratoriumkant en de micro-organismen bewaken zodat het niet uit de hand loopt, maar ook medebehandelaar van de patiënten zijn, dat systeem is een belangrijk goed. De Inspectie vindt de aanwezigheid van medisch microbiologen in het ziekenhuis een voorwaarde voor verantwoorde zorg. Anders gezegd: als een ziekenhuis het wil afschaffen dan zullen we daartegen optreden. Daar hebben we ook een aantal keren op geïntervenieerd de afgelopen jaren. Er waren ziekenhuizen die de medische microbiologie de deur uit wilden doen. Toen hebben wij gezegd: Dat kan niet. Tot nu toe hebben we het kunnen volhouden, maar met de toenemende druk om het allemaal goedkoper te doen is het maar de vraag hoelang ons dat nog lukt. Als we iedereen tegen ons krijgen en het om heel veel geld gaat, dan dreigen we dit te verliezen. Dat zou ertoe kunnen leiden dat we een uniek systeem kwijtraken, dat bovendien des te harder nodig is in de huidige omstandigheden van groeiende resistentieproblematiek. Ik maak me er werkelijk zorgen over of jij en ik als we tachtig zijn nog behandeld kunnen worden voor een simpele urineweginfectie.' De Inspectie krijgt steun van de grootste zorgverzekeraar van het land. Achmea stelt bij de contractonderhandelingen met de ziekenhuizen voor 2013 voor het eerst eisen aan de infectiepreventie in die ziekenhuizen. 'Dat is een rechtstreeks gevolg van de *Klebsiella*-uitbraak in het Maasstad Ziekenhuis', vertelt Achmea-woordvoerder Christine Rompa. Achmea is de dominante zorgverzekeraar in Rotterdam. De eisen die Achmea stelt grijpen terug op het rapport van de commissie-Lemstra. Ziekenhuizen moeten de richtlijn BRMO* in 2013 implementeren en hun afdelingen

* Bijzonder Resistente Micro-Organismen.

microbiologie en infectiepreventie integreren. Zolang dat laatste nog niet gebeurd is moet de arts-microbioloog leidinggeven aan de adviseurs infectiepreventie. Ziekenhuizen moeten in 2013 gaan deelnemen aan ISIS-AR. Deelname daaraan is soms lastig. Computersystemen die al in gebruik waren toen ISIS-AR in 2008 in gebruik werd genomen, kunnen er vaak niet mee communiceren. Zo heeft bijvoorbeeld het VUmc pas sinds eind 2011 een computersysteem dat aangesloten kan worden op ISIS-AR. Daarmee was men in de zomer van 2012 nog steeds bezig. Overigens, als alle Nederlandse ziekenhuislaboratoria aangesloten zouden zijn op het systeem, dan zou aan de kant van het RIVM dat het systeem beheert weleens een capaciteitsprobleem kunnen ontstaan. Verder moeten de ziekenhuizen meedoen aan PREZIES*, de landelijke registratie van het vóórkomen van infecties. Daarnaast wil Achmea ook dat de ziekenhuizen deelnemen aan PREZIES voor vijf specifieke aandoeningen waaronder in ieder geval knie- en heupvervangingen. Voor elk van die aandoeningen moeten de ziekenhuizen vooraf een risico-inschatting maken. Rompa: 'We focussen in 2013 op knieën en heupen. Daarbij gaat het om een groot volume aan operaties. Er gaat veel geld in om en het is een grote operatie met een hoog infectierisico. Bovendien gaan ze door de vergrijzing alleen maar vaker voorkomen.' Vooral de eisen die gesteld worden over deelname aan PREZIES gaan veel werk vragen van de microbiologische laboratoria in de ziekenhuizen. Maar dat de verzekeraar eisen stelt aan de kwaliteit van de infectiepreventie in de ziekenhuizen is een steun in de rug voor de medische microbiologie.

Advies aan de minister

De Inspectie houdt in een in de tweede helft van 2012 geschreven advies aan de minister van VWS over de rol van de medische micro-

* Preventie Ziekenhuisinfecties door Surveillance.

biologie vast aan haar eerder geuite opvatting. 'We zeggen daarin dat we het onverantwoord vinden als er in een ziekenhuis geen medisch microbioloog is. Onverantwoord', herhaalt Van Wijngaarden met klem. 'Die stellingname van de Inspectie verdient brede steun.'
Paul Huijts is directeur-generaal Volksgezondheid op het ministerie van VWS. 'Die discussie over het outsourcen en centraliseren van de medische microbiologie is niet door ons gestart', zegt hij. 'Dat komt bij de ziekenhuizen vandaan. Het is aan de IGZ om grenzen te stellen als de primaire zorg in gevaar komt. Het outsourcen van een laboratorium voor medische microbiologie vooronderstelt wat ons betreft wel dat een ziekenhuis de microbiologische kennis in huis houdt. Dus mensen die snappen wat ze lezen als ze een laboratoriumuitslag terugkrijgen en die binnen het ziekenhuis de positie hebben om de noodzakelijke maatregelen te kunnen treffen. Wij hebben strikt genomen geen opvatting over het outsourcen van laboratoria, over waar de tests gedaan worden. Maar een goede infectiepreventie in de ziekenhuizen moet gewaarborgd zijn. En daar ziet de IGZ op toe.'

Hoofdinspecteur Van Wijngaarden van de IGZ uit meer wensen in zijn advies aan minister Schippers. 'We vragen de minister ook om te laten onderzoeken hoe de positie van de medisch microbiologen financieel geborgd kan worden. Hoe moet je het financieel zo regelen dat die medisch microbiologen ook aan de ziekenhuizen verbonden kunnen blijven, inclusief het borgen van de publieke taak. Want uitbraken van multiresistente bacteriën in het ziekenhuis hebben ook buiten het ziekenhuis consequenties. Als we de ziekenhuizen zo lang mogelijk vrij willen houden van hele gevaarlijke micro-organismen, dan zullen we alle zeilen bij moeten zetten. En dan zullen we de aanwezige expertise, die vrij uniek is in de wereld, hard nodig hebben. Juist op dit moment is het onverantwoord om daar risico's mee te nemen. Je hebt deskundigen nodig die kunnen kijken wat er het ziekenhuis binnenkomt, hoe het zich verspreidt, wat het betekent voor de patiënten. Die ook de bacteriestammen kunnen typeren en het gezag hebben om de infectiepreventie goed te doen. En die in staat zijn om wat er in het ziekenhuis gebeurt door te vertalen naar buiten het ziekenhuis en dus ook oog hebben voor de volksgezondheidsaspecten. Je hebt specialisten nodig die zo veel gezag hebben dat er naar hen geluisterd wordt. Voor al die dingen moeten er medisch microbiologen aan de ziekenhuizen verbonden blijven.' De Inspectie werkt nauw samen met Roel Coutinho bij het formuleren van heldere eisen die op het gebied van infectiepreventie aan ziekenhuizen gesteld worden. 'Monitoren wat er het ziekenhuis binnenkomt, vaststellen als er sprake is van verspreiding, de richtlijnen van de Werkgroep Infectiepreventie (WIP) moeten nauwlettend gevolgd worden als manier om de verspreiding van micro-organismen maximaal tegen te gaan. En we willen dat er zorgvuldiger met het gebruik van antibiotica wordt omgegaan. Die drie samen moeten de ziekenhuizen zo lang mogelijk vrij houden van de ellende die er nu aankomt en die alleen maar groter wordt.'

Antimicrobial stewardship

Van Wijngaarden heeft eind oktober 2011 zelf de Stichting Werkgroep Antibioticabeleid om advies gevraagd. Op het SWAB-symposium maakte voorzitter Jan Prins van de organisatie de grote lijnen van het advies aan Van Wijngaarden bekend.[280] Centraal daarin staan een nieuwe richtlijn die regels geeft voor een restrictief antibioticabeleid en het verplicht instellen van *antimicrobial stewardship.* Verder is meer aandacht voor (hand)hygiëne dringende noodzaak. De richtlijn voor restrictief antibioticabeleid moet gaan over wanneer welke klasse antibiotica ingezet moet worden en geldt zowel voor de eerste- als voor de tweedelijnszorg. Afhankelijk van het gekozen antibioticum worden meer eisen gesteld aan motivering, onder meer aan de indicatiestelling en noodzakelijke diagnostiek. Dat is van belang wil men vaker gericht een antibioticum kunnen geven in plaats van het voor te schrijven op empirische basis. De

SWAB wil ook dat er een blauwdruk komt voor de ontwikkeling van richtlijnen voor de antimicrobiële behandeling van infectieziekten. Toekomstige richtlijnen van alle beroepsgroepen waarin antibiotica voorkomen moeten daaraan voldoen. Ten slotte: het voorschrijven van de belangrijkste antibiotica mag maar door een beperkt aantal specialisten gebeuren. 'Ook niet elke internist kan alle chemo voorschrijven', aldus Prins. Elk ziekenhuis moet een zogeheten A-team krijgen met daarin ten minste een internist-infectioloog, een arts-microbioloog, een ziekenhuisapotheker en een of meer gespecialiseerde verpleegkundigen. Dat team moet zeggenschap krijgen over het antibioticabeleid in het ziekenhuis en over wat verder samenhangt met infectiepreventie. Het *antimicrobial stewardship*-programma moet leiden tot een standaardisering van wat in veel ziekenhuizen al gedaan wordt door antibioticacommissies of door afdelingen microbiologie of infectiepreventie. Elk ziekenhuis zou aan de standaard die zo ontstaat moeten voldoen. De SWAB ontleent belangrijke elementen van haar voorstellen aan buitenlandse voorbeelden die bewezen effect hebben.[281] Het A-team wordt geacht goed samen te werken met al bestaande commissies infectiepreventie en antibiotica. Het team heeft als taak het gebruik van antibiotica en het vóórkomen van resistentie te monitoren en te melden aan de landelijke surveillancesystemen. En – cruciaal – de Raad van Bestuur van een ziekenhuis moet zijn A-team passende bevoegdheden en budgetten geven. De SWAB wil dat de maatregelen in 2014 in alle ziekenhuizen zijn ingevoerd.* Van Wijngaarden is blij met de aanbevelingen van de SWAB. Die hebben een plaats gekregen in zijn advies aan de minister. Daarin brak hij een lans voor het in stand houden van het Nederlandse systeem van infectiepreventie. En voor de microbiologen. 'Medisch microbiologen zijn echt onmisbaar. Het beste bewijs is vorig jaar in Duitsland geleverd. Die

* Zie voor meer over het SWAB-advies het slothoofdstuk van dit boek.

hebben het laten versloffen met de infectiepreventie. Dat bleek wel tijdens de EHEC-uitbraak.'

In dat Nederlandse systeem van infectiepreventie spelen de Stichting Werkgroep Antibiotica Beleid (SWAB) en de Werkgroep Infectiepreventie (WIP) een cruciale rol. Ze maken de richtlijnen en de SWAB monitort het antibioticagebruik en het vóórkomen van resistentie. Beide organisaties draaien vooral op de bijdragen om niet van artsen-microbioloog, deskundigen infectiepreventie en internisten-infectioloog. Gijs Ruijs, arts-microbioloog in de Isala Klinieken in Zwolle, is voorzitter van de Regieraad van de WIP. De WIP heeft intussen honderdvijftig richtlijnen opgesteld en die moeten allemaal in de lucht gehouden worden, zegt Ruijs. 'We moeten de WIP professionaliseren om het proces van totstandkoming van nieuwe richtlijnen en het onderhoud van de bestaande blijvend mogelijk te maken. De financiering die we nu via het Centrum voor Infectieziektebestrijding krijgen van het ministerie van VWS schiet schromelijk tekort. Om een voorbeeld te geven: de richtlijn over behandeling van een delirium die volgens de regels van de kunst tot stand is gekomen, heeft meer dan 400.000 euro gekost. Dat is meer dan de hele jaarbegroting van de WIP! Als we aankloppen bij de Nederlandse Vereniging van Ziekenhuizen, die bij uitstek de doelgroep is van onze door iedereen geroemde richtlijnen, dan constateren we tot onze verbijstering dat die elke financiële betrokkenheid afwijzen. Dat zet het voortbestaan van de WIP op het spel. En voor de SWAB geldt hetzelfde. Het zijn allebei gemeenschapsvoorzieningen zou je kunnen zeggen, maar de bijbehorende financiering is er niet.'

De ene EHEC-uitbraak is de andere niet

De EHEC-uitbraak in Duitsland in 2011 was bijzonder door het zeer ziekmakende karakter van de bacteriestam O104:H4. Die stam wordt nog steeds aangetroffen in Duitsland. Net als de al veel langer voorkomende en minder ziekmakende EHEC O157:H7 'Maar', zei professor Helge Karch me half mei 2012, 'dit jaar heeft de O104:H4 geen nieuwe gevallen van HUS meer veroorzaakt. Hij heeft zijn virulentie verloren lijkt het. Waarschijnlijk door een mutatie die hem in dit geval minder gevaarlijk heeft gemaakt voor de mens.' In een normaal jaar heeft Duitsland ongeveer duizend EHEC-gevallen waarvan zestig tot zeventig tot HUS leiden.* In 2011 werden veruit de meeste gevallen veroorzaakt door die ene virulente O104:H4-stam. In andere jaren is vooral EHEC O157:H7 de boosdoener. Die stam veroorzaakt tweederde van alle EHEC-infecties in Duitsland en komt in de hele wereld voor. 'EHEC O157 komt nergens ter wereld zo veel voor als in Schotland', zegt Mark Woolhouse, hoogleraar aan de universiteit van Edinburgh. Woolhouse was een van de sprekers op het driejaarlijkse wereldcongres over EHEC dat van 7 tot 9 mei 2012 plaatsvond in Amsterdam. 'Koeien zijn een heel belangrijk reservoir. Waar vee is vind je mensen met EHEC en EHEC-infecties. De bacteriën moeten een deel van hun leven slijten buiten de darmen van koeien. Het lijkt erop dat EHEC goed gedijt in het koele en natte Schotse klimaat. Een tweede verklaring zou kunnen zijn dat er heel veel direct contact is tussen mensen en vee. Schotland kent veel kleine boerenbedrijven en de Schotten wandelen en trekken veel in de omgeving van die koeien. Dat is in de Verenigde Staten bijvoorbeeld heel anders. De meeste Amerikanen komen nooit in contact met koeien of ander vee. Amerikaanse boerderijen zijn heel groot. Dat zijn industriële bedrijven waar geen mensen komen die er niet werken.' De industriële werkwijze in de VS biedt geen bescherming tegen EHEC-uitbraken. In april en mei 2012 bijvoorbeeld was er een uitbraak die mensen in zes staten trof. Het ging om een EHEC O145. Veertien mensen raakten geïnfecteerd, drie werden opgenomen in het ziekenhuis, één kind overleed aan de gevolgen van de infec-

---

* Per 31 oktober 2012 bedroeg het aantal gevallen van EHEC in Duitsland 1.245. In 2011 lag het na tien maanden op 4.607. Het aantal HUS-gevallen was op 31 oktober 2012 opgelopen tot 57 tegen 863 een jaar eerder.

tie. Op de VTEC 2012, de grote wereldwijde conferentie over EHEC, werd de ene uitbraak na de andere beschreven. In Nieuw-Zeeland, Argentinië, Zwitserland, Frankrijk, de VS, Duitsland, Japan, Engeland, Canada, Noorwegen, Italië, Australië, Ierland, Schotland, Oostenrijk en nog veel andere landen. Bronnen: meestal rauw vlees en rauwe groenten.

Filet américain

België kreeg in juni 2012 ook met een uitbraak te maken. In de provincie Limburg liepen vierentwintig mensen een EHEC-infectie op, vier van hen ontwikkelden HUS. Alle gevallen hielden verband met het eten van filet américain, rauw vlees dus. Jaarlijks doen zich in België ongeveer vijftig infecties voor veroorzaakt door EHEC O157.[282] Filet américain is ook in Nederland al vaker de veroorzaker geweest van een EHEC-uitbraak. Van de eerste landelijke uitbraak zelfs die met voedsel geassocieerd is en die in september en oktober 2005 plaatsvond. Eenentwintig patiënten hadden een bevestigde EHEC-infectie, nog eens elf andere waarschijnlijk ook. Driekwart van de bevestigde patiënten at kort voor de ziekteverschijnselen filet américain.[283] Rauwe producten in zijn algemeenheid, vlees, groenten, maar bijvoorbeeld ook ongepasteuriseerde melk, zijn geregeld bron van EHEC-besmettingen en -infecties. In het tweede nummer van de jaargang 2007 van het Vlaams Infectieziektebulletin wordt een kleine uitbraak beschreven.[284] Twee tienermeisjes uit een gezin van zes liepen in juni 2006 op een vakantieboerderij in Wuustwezel een EHEC-infectie op die bij een van beide uitdraaide op HUS. De twee meisjes hadden geholpen bij het verzorgen van dieren, speelden in de stallen en hadden verse melk gedronken. In een stal werd *E. coli* O157:H7 aangetoond. Goed een jaar later, in oktober 2007, kregen twaalf mensen een EHEC-infectie na het eten van een roomijs van een ijsboerderij bij Mol. Vijf van hen kregen HUS. De in het ijs gevonden bacteriën werd ook gevonden in de kalverstallen. Het ijs werd bereid met gepasteuriseerde melk. Het is waarschijnlijk achteraf besmet door iemand die zowel betrokken was bij het ijs maken als bij ander werk op de boerderij.[285]

In 2007 liepen 109 mensen in Nederland een EHEC-infectie op. In 80 procent van de gevallen ging het om EHEC O157. Negen patiënten ontwikkelden HUS van wie er één overleed. Eenenveertig patiënten waren terug te voeren op een landelijke uitbraak veroorzaakt door sla waarop EHEC zat. Ook de incidentele patiënten hadden vaak rauwkost gegeten net voor ze ziek werden of rauw vlees en dan met name filet américain.[286] In december 2008 en januari 2009 liepen twintig mensen een infectie door EHEC O157 op, van wie er één HUS ontwikkelde. Opnieuw was filet américain de meest waarschijnlijke bron. Naast deze uitbraak waren er nog achtendertig incidentele gevallen van een infectie met EHEC O157. Veertig procent van de geïnfecteerden belandde in het ziekenhuis. Daarnaast kregen eenenvijftig patiënten een infectie door een ander EHEC-type. Van die groep werd 10 procent opgenomen in het ziekenhuis.[287] In 2010 nam het aantal mensen met EHEC in Nederland met de helft toe ten opzichte van 2009. Tweeënvijftig mensen kregen een infectie door EHEC O157. De helft van hen werd in het ziekenhuis opgenomen en drie kinderen ontwikkelden HUS. Nog eens eenentachtig patiënten kregen een infectie door een ander type EHEC. Van hen werden er eenentwintig opgenomen in het ziekenhuis en kreeg één kind HUS. Ook in 2010 was filet américain de voornaamste risicofactor, naast rauw en ongaar vlees in het algemeen.[288] In 2011 steeg het aantal besmettingen met EHEC weer, nu met 65 procent tot 656 gevallen.

Goede tests, slechte cijfers

In het Infectieziektebulletin van oktober 2012[289] meldde het RIVM dat er in 2012 tot en met week 36 al 603 EHEC-infecties gemeld waren tegen 391 in dezelfde periode van 2011. Die sterke groei is niet wat het lijkt. Er is een meldingsplicht voor EHEC-infecties en ze worden door het RIVM geregistreerd. Maar de cijfers raken steeds meer vervuild door het toepassen van moderne diagnostiek, legt Wilfried van Pelt uit. Hij is een van de EHEC-specialisten van het RIVM. 'Steeds meer laboratoria gebruiken snelle PCR-testen en die worden vaak al ingezet als iemand met een rommelende darm bij de dokter komt. Zo'n test vertelt alleen maar of iemand een EHEC bij zich heeft. Niet of er ook sprake is van een infectie en om welke type EHEC het gaat. Daarvoor moet je een kweek doen, maar dat kost veel meer tijd en dus geld en daarom wordt het vaak achterwege gelaten. En dan melden laboratoria op basis van een positieve PCR-test. Ze melden dus ook dragerschap van EHEC. Ik weet niet in hoeveel van die gemelde gevallen het om een infectie gaat. De GGD's moeten al die meldingen natrekken. Dat is veel werk en in sommige regio's doen ze dat al niet meer. Daar reageren ze alleen op meldingen op basis van kweken. Eigenlijk zijn we bezig de surveillance te ruïneren met die PCR-testen. Het is één grote chaos op dit moment. We weten niet welke meldingen klinisch relevant zijn en welke niet. Er zijn microbiologische labs die alleen een PCR uitvoeren als er op het aanvraagformulier een heldere klinische indicatie staat. Maar er zijn er ook die wel testen als die indicatie ontbreekt.' Van Pelts collega Ingrid Friesema schat dat maar in 30 procent van de gevallen na een PCR-test een kweek wordt gedaan. 'Die PCR wordt steeds meer gebruikt en is op een bepaalde manier eigenlijk te gevoelig. Je krijgt te veel niet relevante informatie.' Sinds de EHEC-surveillance in 1999 van start is gegaan is de EHEC O157, de meest verspreide ziekmakende stam, ongeveer in constante hoeveelheid aanwezig.[290] 'Met af en toe een piekje,' zegt Friesema, 'daar hebben we nu* ook mee te maken.' Een werkgroep met onder meer onderzoekers van het RIVM en artsen-microbioloog van laboratoria door het hele land pleit ervoor om behalve een PCR-test op EHEC ook onderzoek te doen naar de virulentie van de gevonden bacteriën. Naar het type

* Het gesprek met Friesema vond plaats op 23 juli 2012.

EHEC dus. De surveillance zou zich dan in de toekomst kunnen gaan richten op die typen EHEC die HUS kunnen veroorzaken.[291]

Van de ruim zeshonderd tot september 2012 geturfde EHEC-meldingen gaat het in minstens één geval om een zeer ernstige infectie veroorzaakt door een EHEC O104:H4 die tevens ESBL-positief was. De stam was identiek aan de Duitse uitbraakstam. Tegelijk gaat het ook om een uitzonderlijk geval. De patiënt werd half maart 2012 opgenomen met een ernstige ontsteking van de dikke darm, een verminderd aantal bloedplaatjes in zijn bloed en nierfunctiestoornissen. Die beide laatste symptomen wijzen op HUS. De patiënt was niet kortgeleden in het buitenland geweest. Uit onderzoek kwamen twee mogelijke bronnen naar voren. De man kocht veel verse exotische kruiden. De Nieuwe Voedsel- en Waren Autoriteit is daarop in de winkels waar de man gewoonlijk die kruiden kocht ook kruiden gaan halen. Vier monsters van muntbladeren bevatten EHEC en in drie gevallen ging het om een EHEC O104. Genetisch waren de drie monsters net iets anders dan de Duitse uitbraakstam. De NVWA had na de uitbraak in Duitsland in mei en juni 2011 geen voedselproducten meer aangetroffen met EHEC. De munt was afkomstig uit Marokko. Een van de Nederlandse importeurs had de partij muntbladeren in Nederland bewaterd met oppervlaktewater uit een open bassin. De tweede mogelijke bron van de besmetting is veel waarschijnlijker. De patiënt was werkzaam als schoonmaker in een gebouwencomplex met daarin ook een laboratorium waar onderzoek gedaan werd met de Duitse EHEC O104:H4-stam. De man maakte niet schoon in het laboratorium en zou dus in principe niet in aanraking moeten kunnen komen met de bacteriestam. In het lab wordt onderzocht of de veiligheidsvoorschriften wel altijd worden nageleefd. 'Deze stam is zeer besmettelijk', legt EHEC-specialist Alexander Friedrich uit. 'Er zijn minder dan honderd bacteriën nodig om besmet te raken. Onderzoek moet je dus in een heel veilig laboratorium doen, een BSL3**-lab. Zo'n lab heeft een eigen toegang, is volledig afgescheiden, je moet er je kleding wisselen bij binnenkomst en vertrek en het afval wordt er geïnactiveerd* voordat het uit het lab weggaat. Maar in Nederland hebben we te weinig van die labs en daarom gebeurt het EHEC-onderzoek in labs met het veiligheidsniveau BSL2. En dat is met zo'n hoog pathogene stam risicovol voor de mensen die het werk doen in die labs. Die kunnen als ze met die feces met EHEC in de weer zijn besmet raken en dus ook HUS oplopen.' Friedrich heeft het UMC Groningen ervan overtuigd dat er zo'n modern BSL3**-lab moet komen. Tot het er is laat hij het EHEC-onderzoek doen in een lab dat wel aan de veiligheidseisen voldoet, maar eigenlijk te klein is om al het EHEC- en ander BSL3-onderzoek in te doen.

Hoop op medicijn tegen EHEC-infectie

Bij al het minder goede nieuws over EHEC is er ook een lichtpuntje. En misschien wel veel meer dan dat. In mei 2012 werden in de Amsterdamse RAI op het driejaarlijkse wereldcongres over EHEC de eerste onderzoeksresultaten gepresenteerd van het SHIGATEC-onderzoek.[292] Het Canadese biotechnologiebedrijf Thallion heeft een middel ontwikkeld dat beoogt de gifstoffen van de EHEC-bacterie uit te schakelen. Het middel dat Shigamabs heet, neutraliseert de werking van die gifstoffen, de shigatoxinen 1 en 2, en blokkeert daarmee de ontwikkeling van HUS. Bij dieren is het middel werkzaam. In een fase 1-trial bleken gezonde volwassenen het middel goed te verdragen. In Amsterdam werden de resultaten gepresenteerd van een gerandomiseerde dubbelblinde** fase 2-trial met controlegroep. De Duitse hoogleraren en EHEC-specialisten Helge Karch en Alexander Mellmann uit Münster zijn beiden

---

* Dat gebeurt met behulp van een autoclaaf, een drukvat waarin alle bacteriën met behulp van stoom van 120 graden Celsius gedood worden.

** Gerandomiseerd betekent dat het lot bepaalt welke patiënten in welke onderzoeksgroep ingedeeld worden. Dubbelblind betekent dat noch de onderzoekers noch de patiënten weten wie wat krijgt.

nauw betrokken bij het onderzoek, waaraan patiënten deelnamen van zestien kinderafdelingen van ziekenhuizen in Argentinië, Chili en Peru.[293] In die landen komen EHEC-infecties en HUS veelvuldig voor. Argentinië is wat dat betreft koploper in de wereld, met gemiddeld vier- tot vijfhonderd HUS-gevallen per jaar. Dat hoge aantal hangt vermoedelijk samen met de grote vleesconsumptie in het land. 'Ons medicijn werkt heel simpel', vertelt Didier Reymond, vicebestuursvoorzitter van Thallion. 'Patiënten krijgen eenmalig een uur lang een infuus waarmee het wordt toegediend. Het werkingsprincipe van het middel is dat het de keten van gebeurtenissen onderbreekt. Iemand loopt een EHEC op, die hecht zich aan de darmwand, gaat zich vermeerderen en shigatoxines produceren. Die vallen de nieren aan en kunnen HUS veroorzaken. Door de shigatoxines uit te schakelen, voorkomen we die escalatie.' In de drie Zuid-Amerikaanse landen zijn drie groepen gevormd van elk vijftien kinderen tussen zes maanden en achttien jaar oud: een groep kreeg standaardzorg en een placebo, de beide andere groepen standaardzorg en het nieuwe geneesmiddel in een lage of een iets hogere dosering. Alle kinderen hadden bloederige diarree en EHEC O157 en/of shigatoxinen in hun bloed. Uiteindelijk ontwikkelden twee kinderen HUS, één in de placebogroep en één in de groep die de hogere dosering kreeg. Geen van de kinderen die het nieuwe middel toegediend kregen had last van bijwerkingen. De bijwerkingen die optraden deden zich in alle drie de patiëntengroepen voor. 'We hebben nu aangetoond dat ons middel niet alleen veilig is voor gezonde volwassenen maar ook voor de doelgroep, kinderen* met een EHEC-infectie. Nu moet nog worden aangetoond dat het werkt. De resultaten tot nu toe zien er veelbelovend uit. Die stemmen echt optimistisch, maar er is een veel groter onderzoek

* Traditioneel komen ernstige EHEC-infecties en HUS vooral voor bij jonge kinderen en ouderen. Bij de Duitse uitbraak was dat anders. Daar werden vooral volwassenen slachtoffer van.

nodig om vast te stellen of ons middel echt effectief is. Mij hoor je nu nog niet zeggen dat Shigamabs werkt. Maar het is het enige middel dat getest wordt dat probeert om het gif van de EHEC uit te schakelen. Als dat lukt zetten we een grote stap voor de patiënten.'

Het opzetten van een grote fase 3-trial om de werking van het middel aan te tonen is op zichzelf al een enorme uitdaging. Reymond: 'In absolute zin zijn er maar weinig HUS-patiënten. Het grootste probleem is om aan genoeg patiënten te komen die deelnemen aan het onderzoek. We denken nu na over de opzet van zo'n uitgebreid onderzoek. Dat gaan we zeker niet alleen in Latijns-Amerika doen, maar waarschijnlijk ook in Europa en de Verenigde Staten.'

9. Achter de cijfers kijken

Nederland gebruikt de minste antibiotica van de Europese Unie. En Nederland gebruikt ook de meeste antibiotica van de EU. Tot voor heel kort waren deze beide mededelingen waar. In de humane geneeskunde staat Nederland al jaren in de top van het klassement van landen die het minst gebruikmaken van antibiotica.* In de veterinaire sector was het precies omgekeerd. Nederland voerde jarenlang de lijst van grootverbruikers aan. Daar is sinds een paar jaar verandering in gekomen, maar ook nu staat Nederland nog in de bovenste regionen van dit klassement. Het massale gebruik van antibiotica in de intensieve veeteelt doet de gunstige effecten van het terughoudende gebruik bij mensen voor een deel teniet. Nederlands vee krijgt op grote schaal preventief antibiotica toegediend. Om te voorkomen dat de dieren ziek worden. Bovendien stimuleren antibiotica de groei van de dieren. Tot 2006 werden ook voor mensen belangrijke antibiotica in heel Europa op grote schaal gebruikt als groeibevorderaars. In dat jaar werd er Europese regelgeving van kracht die dat verbood. Prompt daalde het gebruik van antibiotica als groeibevorderaar sterk. Maar het therapeutisch gebruik ervan nam even hard toe. Dieren kregen vanaf dat moment massaal preventief antibiotica toegediend.** En als er dieren ziek zijn, worden niet alleen die zieke dieren behandeld maar krijgen alle dieren in de stal antibiotica. Dat heet koppelbehandeling.*** De eerlijkheid gebiedt om erbij te zeggen dat de vleesprijzen zo laag zijn dat boe-

* Het laagste gebruik van antibiotica is natuurlijk niet automatisch het beste. Er bestaat ook onderbehandeling.

** Zie verder hoofdstuk 5.

*** Een koppel is een groep dieren die op een bepaald moment is aangekomen op een veehouderijbedrijf en daar als groep wordt gehouden.

ren zich nauwelijks zieke dieren kunnen permitteren. Dat werkt het onjuiste gebruik en het misbruik van antibiotica in de hand. Maar dat geldt overal en toch is het veterinaire gebruik van antibiotica in Nederland veel hoger dan in de meeste andere landen van de Europese Unie. Data over het gebruik van antibiotica in de veeteelt worden binnen de Europese Unie nog maar heel kort centraal verzameld. In april 2010 begon het European Medicines Agency (EMA) daar op verzoek van de Europese Commissie mee. In die maand ging het ESVAC-project van start. ESVAC staat voor European Surveillance of Veterinary Antimicrobial Consumption.[294] Ruim een jaar later publiceerde het EMA een eerste rapport met gegevens over de verkoop van antibiotica voor veterinair gebruik in negen landen in de periode 2005 tot en met 2009. Negen landen omdat er niet meer EU-lidstaten cijfers konden leveren over een aantal opeenvolgende jaren. In het rapport staan absolute cijfers over de hoeveelheid antibiotica die volgens de farmaceutische bedrijven binnen de veterinaire sector verkocht is, maar ook cijfers gecorrigeerd voor de geschatte omvang van de veestapel in de betrokken landen. 'Eigenlijk zou je ook nog moeten corrigeren voor diersoorten,' zegt veterinair microbioloog professor Dik Mevius, 'dan pas worden de cijfers echt vergelijkbaar. Maar voorlopig zijn dit de beste gegevens die we hebben.' Mevius is verbonden aan het Centraal Veterinair Instituut van de Wageningen Universiteit en aan de faculteit diergeneeskunde van de Universiteit Utrecht. Hij is sinds voorjaar 2011 voorzitter van de Stichting Diergeneesmiddelenautoriteit, die onder meer normen opstelt voor het gebruik van antibiotica in de veterinaire sector. In het eerste ESVAC-rapport[295] staat Nederland er gekleurd op. In 2005 gaven de Franse boeren nog net wat meer antibiotica aan hun vee, maar vanaf 2006 waren de Nederlandse boeren de koplopers. Gecorrigeerd voor de omvang van de veestapel gaven de boeren in Nederland hun vee ruim drie keer zo veel antibiotica als hun Deense collega's. Terwijl ook Denemarken bij uitstek een land met intensieve veeteelt is. Zweedse boeren gebruikten acht keer minder antibiotica dan de Nederlandse veehouders. Ook de Britse boeren deden het met tweeënhalf keer minder antibiotica. Erkende grootverbruikers als de Tsjechen en de Zwitsers gebruiken ruim de helft minder antibiotica dan de Nederlanders. Alleen de Fransen en de Belgen[296] steken de Nederlanders naar de kroon, maar ook die gebruikten in 2009 zo'n 15 en 10 procent* minder antibiotica dan de Nederlandse veehouders. Het tweede ESVAC-rapport gaf een voor Nederland iets gunstiger beeld. Om te beginnen daalde het veterinaire antibioticagebruik in 2010. Bovendien geeft het tweede ESVAC-rapport cijfers van negentien EU-lidstaten waaronder nu ook Hongarije, Spanje, België en Portugal die allemaal meer antibiotica aan hun vee gaven dan Nederland. Nederland gebruikt na deze vier nieuwkomers in het ESVAC-rapport de meeste antibiotica afgezet tegen de omvang van de veestapel.[297]

Dat veelvuldige antibioticagebruik in de Nederlandse intensieve veehouderij heeft te maken met de hoge veedichtheid in Nederland. Ongeveer 1 op de 12 varkens en 1 op de 22 koeien in de Europese Unie worden in Nederland gehouden.[298] Voor vleeskuikens is zo'n Europees cijfer niet te vinden. Het CBS heeft wel cijfers over het aantal geslachte vleeskuikens. Dat waren er in 2011 ruim 490 miljoen.[299] Vleeskuikens worden na zes weken geslacht. Het houden van zo veel dieren in een kleine ruimte verhoogt de kans op

* In België daalde het totale veterinaire antibioticagebruik in 2010 ten opzichte van 2009 licht van 304 ton naar 299,3 ton. Rekening houdend met de omvang van de veestapel komt dat neer op ongeveer 10 procent minder dan in Nederland. http://www.belvetsac.ugent.be/pages/home/BelvetSAC_report_2010%20finaal.pdf. In 2011 daalde het totale volume in de veterinaire sector gebruikte antibiotica in België minimaal met 0,1 procent naar 299 ton. Door de scherpe daling van het antibioticagebruik in Nederland gebruikt België in verhouding nu veel meer antibiotica in de veterinaire sector. Het gebruik van enkele antibiotica die voor mensen van kritisch belang zijn nam fors toe. Cefalosporinen met 8,8 procent, quinolonen met 2,8 procent en macroliden met 16,3 procent. Van die antibiotica zijn de doseringen bovendien veel lager. http://www.belvetsac.ugent.be/pages/home/BelvetSAC_report_2011%20finaal.pdf.

uitbraken van allerlei dierziekten die met antibiotica bestreden worden en is dus een stimulans om dan maar preventief antibiotica toe te dienen. Met als welkom bijeffect dat het de groei van de dieren bevordert.

Rapport-Swann

Zweden was het eerste land dat iets probeerde te doen aan onnodig antibioticagebruik. 'Wij hebben het eerst aangepakt bij de dieren', vertelt Christina Greko. Zij is als hoogleraar verbonden aan het Statens Veterinärmedicinska Anstalt (SVA), het Zweedse nationaal veterinair instituut, waar ze zich vooral bezighoudt met antibioticagebruik en -resistentie. 'Pas daarna is er in de humane geneeskunde systematisch aandacht voor gekomen. Aan de veterinaire kant is het in beweging gezet door het verbod op het gebruik van antibiotica als groeibevorderaars. Dat was al in 1986. Pas twintig jaar later is dat verbod er in de Europese Unie gekomen en daarbij heeft Zweden een belangrijke rol gespeeld. Toen wij in 1995 lid werden van de EU waren er twee opties: of wij brachten onze wetgeving in overeenstemming met de Europese, of de EU paste haar wetgeving aan de onze aan. Dat laatste is gebeurd. Bij het Zweedse verbod speelde het rapport-Swann uit 1969 een belangrijke rol.* Kern van het rapport-Swann was dat antibiotica die voor therapeutische doeleinden bij mensen gebruikt worden, niet ingezet moeten worden als groeibevorderaars. Dat leidde ertoe dat in Europa een aantal antibiotica inderdaad niet meer als groeibevorderaars gegeven werden. Er ontstond een discussie in Zweden naar aanleiding van het rapport-Swann. Er kwam een onderzoekscommissie die als zo vaak niet met duidelijke uitspraken kwam en voorstelde om geen verbod uit te vaardigen, maar de regels wat strenger te maken. Al-

---

* Een in 1968 door de Britse ministers van Landbouw en van Volksgezondheid ingestelde commissie onder voorzitterschap van professor Swann kreeg de opdracht onderzoek te doen naar het gebruik van antibiotica in de veeteelt.

leen hield het publieke debat niet op. Dat ging hand in hand met een ander debat, over additieven in voedsel. De E-nummers, zeg maar.* Milieubescherming en dierenwelzijn werden grote thema's in die dagen. Die hele mix van thema's vergrootte de druk om iets te doen aan de toestand in wat veel mensen zagen als dierfabrieken. Journalisten speelden daar een grote rol bij. In 1982 beloofden de boerenorganisaties minder antibiotica te gaan gebruiken en dierziekten te gaan voorkomen in plaats van te genezen. Maar dat was niet voldoende om de publieke opinie tevreden te stellen. Daarom zijn we toen statistieken bij gaan houden over het antibioticagebruik. Prompt opende een van de grootste Zweedse kranten met de kop "Dertig ton antibiotica naar gezonde dieren". Dat deed het debat weer oplaaien en zorgde ervoor dat er in 1986 een verbod kwam op het gebruik van antibiotica als groeibevorderaar. Intussen is het antibioticagebruik gedaald naar 14 ton per jaar. In Zweden hebben wij snel afscheid genomen van antibiotica als groeibevorderaars en ook het medisch gebruik beperkt.'

Het Deense model

Anders dan in Zweden is de intensieve veeteelt in Denemarken net als in Nederland en in mindere mate ook België een zeer belangrijke bedrijfstak. De Denen hebben wel veel meer ruimte ter beschikking dan wij. Op een grondgebied dat een paar procent groter is dan dat van Nederland wonen ruim drie keer minder mensen. De 5,5 miljoen Denen delen hun land ook met minder vee dan de Nederlanders.[300] De 11 miljoen Belgen doen het met 40 procent minder vierkante kilometers dan de Denen, maar ook met eenderde minder vee.[301] Die veel grotere beschikbare ruimte betekent niet dat de Deense boeren hun vee allemaal in de wei laten lopen. Net als in

* Stoffen die aan levensmiddelen toegevoegd mogen worden zoals kleurstoffen, conserveermiddelen en smaakversterkers krijgen van de Europese Unie een E-nummer.

Nederland en België wordt er vooral aan intensieve veeteelt gedaan. Denemarken is veruit de grootste exporteur van varkensvlees in Europa. Bijna een kwart van alle varkens wordt door Denemarken geëxporteerd. Nederland neemt circa 13 procent van de Europese varkensexport voor haar rekening en België ongeveer 10 procent.[302] Varkenshouderij is dus big business in Denemarken. Maar anders dan de Nederlandse en de Belgische boeren zien de Deense boeren kans om hun bedrijven te runnen met veel minder gebruik van antibiotica. Dat was niet altijd zo. Ook in Denemarken werd er in de intensieve veeteelt lange tijd kwistig met antibiotica omgegaan. Vooral begin jaren negentig van de vorige eeuw nam het antibioticagebruik in de Deense varkenshouderij sterk toe. Dat ging gepaard met het steeds vaker optreden van infecties door bacteriën die voor verschillende antibiotica resistent waren. Het gebruik van het antibioticum avoparcine* als groeibevorderaar zorgde ervoor dat er steeds vaker VRE werden aangetroffen. VRE zijn enterokokken die resistent zijn geworden voor het antibioticum vancomycine. VRE kunnen voor ernstig verzwakte patiënten gevaarlijk zijn.** Dat bracht de Deense regering ertoe in te grijpen. In 1994 zetten de Denen een fundamentele stap. Nieuwe wetgeving maakte het voor dierenartsen financieel zo onaantrekkelijk om hun eigen apotheek te drijven dat er een eind kwam aan de jarenlange praktijk dat dierenartsen niet alleen medicijnen voorschreven, maar die vervolgens ook leverden aan de boerenbedrijven. Gemiddeld haalden Deense dierenartsen destijds een kwart van hun inkomen uit de verkoop van medicijnen. Feitelijk ging het om een kleine groep dierenartsen die tegelijk apotheker waren, maar dat waren wel de dierenartsen die de grootste veehouderijen als klant hadden. De nieuwe wet legde de winst die dierenartsen mochten maken op de doorverkoop

---

* Zie hoofdstuk 5.

** Een groot aantal Nederlandse ziekenhuizen kampte in 2012 met VRE-uitbraken. Zie hoofdstuk 5.

van medicijnen aan banden en beperkte ook de hoeveelheid medicijnen die ze mochten verkopen. Bovendien werd het standaard preventief gebruik van antibiotica verboden. De maatregelen hadden een verbluffend resultaat. Het geregistreerde gebruik van antibiotica in de intensieve veeteelt daalde met 40 procent. In de jaren daarna werd een begin gemaakt met het verbieden van antibiotica als groeibevorderaars en met het aan banden leggen van het gebruik in de veeteelt van de voor mensen belangrijkste antibiotica.[303]

'Als dierenartsen een groot deel van hun inkomen verwerven door antibiotica en andere medicijnen voor te schrijven,' zegt Annette Cleveland Nielsen, 'dan zullen ze eerder geneigd zijn veel voor te schrijven. Het lijkt me een menselijk trekje om te proberen je inkomen te verhogen.' Cleveland Nielsen is hoofd van de afdeling diergeneeskundig advies op het Deense ministerie van Voedsel, Landbouw en Visserij. Zij is al jaren nauw betrokken bij de ontwikkeling en de uitvoering van het Deense antibioticabeleid voor de intensieve veeteelt. 'Om het inkomensverlies van de veeartsen te compenseren hebben we een systeem ingevoerd waarbij ze contracten sluiten met de boeren. De dierenartsen zijn meer gezondheidsadviseurs geworden. En daarvoor worden ze betaald. De tarieven voor consulten zijn hoger geworden. Als ze medicijnen voorschrijven, dan moeten de boeren die bij een apotheek halen. Er wordt nauwkeurig bijgehouden wat dierenartsen voorschrijven en waarom.' Alle dierenartsen worden om het jaar gecontroleerd. 'We hebben er vierhonderd die bij de voedselproductie betrokken zijn. Elk jaar gaan we bij tweehonderd langs en controleren we alles.' Cleveland Nielsens dienst controleert niet alleen de activiteiten van de dierenartsen, maar ook die van de veehouders. 'Als we merken dat boeren geregeld nieuwe dierenartsen laten komen dan controleren we extra en vragen beide partijen waarom dat gebeurt. Dat kan er bijvoorbeeld mee te maken hebben dat boeren willen dat veeartsen meer antibiotica voorschrijven. Maar tot nu toe werken die contracten goed en zien we maar heel weinig dat er gewisseld wordt van dierenarts om oneigenlijke redenen.' Cleveland Nielsen zegt dat grotere bedrijven doorgaans veiliger zijn. 'Die hebben betere methoden voor ziektepreventie, ook omdat ze economisch sterker zijn. Ze werken met vaste leveranciers en kopers, dat verkleint de risico's. Op bedrijven die meer leveranciers van biggen hebben komt meer ziekte voor en worden meer antibiotica gebruikt. Grote bedrijven hebben zo veel dieren dat ze zelf vrachtwagens vullen die naar het slachthuis gaan. Dan kunnen die dieren onderweg niet besmet raken door contact met dieren van andere bedrijven.

Frank Møller Aarestrup is hoogleraar aan de Technische Universiteit Kopenhagen. Hij is een van de architecten van het Deense beleid. Behalve adviseur van de regering in Kopenhagen is hij ook adviseur van de Europese Commissie en de Wereldgezondheidsorganisatie WHO. Het zal niet verbazen dat Møller Aarestrup er weinig begrip voor op kan brengen dat in Nederland de veearts nog altijd tegelijk apotheker is.* 'Dat moet je niet willen. Het is een perverse prikkel die zorgt voor onnodig gebruik van antibiotica en andere middelen.' Het zogeheten Deense model wordt breed gedragen. Ook directeur Nikolaj Nørgaard van het Videncenter for Svineproduktion, een kennisinstituut voor de varkenshouderij, is er een warm voorstander van. 'En dat zeg ik op basis van de ervaringen die we hier opgedaan hebben.' De cijfers spreken boekdelen. Het radicaal verminderen van het antibioticagebruik heeft de Deense varkenshouderij geen kwaad gedaan. Integendeel. Na een korte periode waarin de biggensterfte toenam, omdat boeren nog niet precies wisten hoe ze zonder het preventief toedienen van antibiotica hun biggen gezond moesten houden, is het de sector juist beter ver-

* Toch is volgens de veterinaire microbiologische experts Jaap Wagenaar van de Universiteit Utrecht en zijn Deense collega Henrik Wegener van het Danish Institute for Food and Veterinary Research in Søborg, juist de situatie in de Scandinavische landen de uitzondering. Elders verkopen dierenartsen zelf de medicijnen die ze voorschrijven.

gaan dan voor de invoering van het Deense model. De opbrengsten gingen omhoog. De totale productie van varkens in Denemarken is tussen 1992 en 2008 met bijna de helft toegenomen. In diezelfde periode daalde het antibioticagebruik van de varkens met iets meer dan de helft. Het percentage resistente bacteriën in varkens en vleeskuikens daalde scherp van tussen de zestig en honderd naar een niveau onder de twintig. De gezondheid van de dieren werd – behalve in de eerste fase na invoering van het Deense model – niet beïnvloed door het sterk verminderde antibioticagebruik. Het aantal biggen per zeug nam juist toe en er stierven minder kuikens dan voor de beperking van het antibioticagebruik.[304]

Berenschot gelooft er niet in

De vraag dringt zich op: waar wacht Nederland op om het Deense model over te nemen? In 2009 kreeg Berenschot van toenmalig minister Gerda Verburg van Landbouw de opdracht te onderzoeken of Nederland het dierenartsen ook onmogelijk moest maken de geneesmiddelen die ze voorschreven zelf te leveren. De aanleiding daarvoor was de sterke toename van het vóórkomen van de MRSA-bacterie op veehouderijen. Niet alleen de varkens droegen steeds vaker de voor meticilline resistente *Staphylococcus aureus* bij zich, ook de boeren, hun gezinsleden en hun personeel bleken in toenemende mate drager te zijn van MRSA. Dat leidde ertoe dat zij alleen met allerlei extra maatregelen welkom waren in ziekenhuizen, die als de dood zijn voor het binnenhalen van MRSA of andere (multi) resistente bacteriën.* De groei van de MRSA-problematiek heeft alles te maken met overmatig gebruik van antibiotica. En dat wordt onder meer in de hand gewerkt door het belang van geneesmiddelenverkoop voor de omzet van de dierenartsenpraktijken. De verschillen tussen de praktijken zijn groot, maar medicijnenverkoop

---

* Voor varkenshouders en hun gezinsleden gelden isolatiemaatregelen tot blijkt dat ze niet besmet zijn met MRSA. Zie ook verderop in dit hoofdstuk.

draagt voor tussen de 30 en 75 procent bij aan de omzet van de dierenartsen. De minister stuurde begin maart 2010 het rapport van Berenschot aan de Kamer. Ondanks hun eigen beschrijving van het succes van het Deense model hebben de onderzoekers van Berenschot maar weinig fiducie in de ontkoppeling van de rol van veearts en apotheker in Nederland.[305] Ze signaleren vooral alle mogelijke bezwaren tegen ontkoppeling die in Denemarken al goeddeels opgelost zijn. Die zou er mogelijk wél voor zorgen dat de dierenartsen minder snel geneigd zouden zijn antibiotica voor te schrijven, omdat ze er zelf niets extra's meer aan verdienen, maar in de praktijk hoeft dat nog niet te leiden tot een lager gebruik van antibiotica. De ontkoppeling verandert namelijk niets, aldus Berenschot, aan de positie van de dierenarts ten opzichte van de boeren. Die blijft er een van opdrachtnemer en opdrachtgever in een vrije markt. De druk op de veearts om antibiotica voor te schrijven blijft even groot. En wil een dierenarts niet doen wat een veehouder vraagt, dan kan de boer zo overstappen naar een ander. Dat maakt de positie van de dierenarts er niet makkelijker op, zeker niet die van veeartsen met maar één of enkele heel grote veehouders als klant. De almaar verdergaande schaalvergroting in de intensieve veeteelt maakt de positie van de veeartsen wat dat betreft steeds moeilijker. De onderzoekers zien nog veel meer nadelen kleven aan het aanbrengen van een knip tussen veearts en apotheker. De inkomens van de dierenartsen zouden fiks dalen door het wegvallen van de medicijnverkoop. Dat zou gecompenseerd moeten worden met het verhogen van de prijzen voor consulten en dat zou ertoe kunnen leiden dat boeren minder gebruik gaan maken van de diensten van veeartsen. Bovendien blijven antibiotica voor boeren een aantrekkelijk middel om hun bedrijf rendabel te houden. Ze zijn relatief goedkoop en dat is belangrijk op de vleesmarkt, waar de wereldwijde concurrentie de prijzen onder grote druk zet. Veehouders zullen dus naar wegen zoeken om hun vee toch preventief antibiotica te geven, vreest Berenschot. Ze zullen op zoek gaan naar antibiotica in het illegale circuit die ze zonder tussenkomst van de dierenarts kopen en toedienen. Internet maakt dat heel makkelijk.

Voor een succesvolle ontkoppeling zijn volgens Berenschot een reeks aanvullende maatregelen nodig: het inzichtelijk maken van het voorschrijfgedrag van dierenartsen en het toediengedrag van boeren, toezicht en handhaving op illegale toediening zonder recept van een veearts en introductie van apotheken en toezicht daarop. 'Sommige van de genoemde maatregelen om neveneffecten te reguleren', schrijven de onderzoekers van Berenschot, 'lijken ook op zichzelf (zonder ontkoppeling) bij te kunnen dragen aan het verminderen van het antibioticagebruik. Dat geldt in ieder geval voor de maatregelen die bijdragen aan het transparant maken van het voorschrijfgedrag en het antibioticumgebruik en voor de maatregelen die de positie van de dierenarts in de keten versterken. Daarmee kan ook de poortwachterfunctie (die ook van belang zal zijn voor eventuele nieuwe dierziekten en bacteriën met risico's voor de volksgezondheid) van de dierenarts beter gewaarborgd worden.' Uiteindelijk beantwoordt Berenschot de vraag of ontkoppeling van de functies van dierenarts en apotheker het antibioticagebruik in de intensieve veeteelt zal verminderen negatief. Berenschot mikt op het in kaart brengen van het antibioticagebruik en het nauwkeurig monitoren van zowel het voorschrijfgedrag van veeartsen als het antibioticagebruik op de veehouderijen. Daarmee sloten de onderzoekers onder meer aan bij een plan van de Koninklijke Nederlandse Maatschappij voor Diergeneeskunde (KNMvD) om een Veterinaire Diergeneesmiddelen Autoriteit in te stellen. Concreet stelde Berenschot voor de aandacht in de eerste plaats te richten op de dierenartsen die het meeste voorschrijven. 'Naar schatting schrijft minder dan 5 procent van de Nederlandse dierenartsenpraktijken meer dan 80 procent van het totale volume aan antibiotica voor. Dit zijn de gespecialiseerde dierenartsen die zich richten op de intensieve veehouderij, en daarmee veruit de meeste dieren bedienen.'[306]

Taskforce Antibioticaresistentie Dierhouderij

Toenmalig minister Verburg van Landbouw nam de conclusies van Berenschot over. 'Ik heb de in het rapport beschreven gevolgen en effecten van ontkoppeling grondig bestudeerd', schreef ze de Kamer op 8 maart 2010 in de aanbiedingsbrief bij het rapport-Berenschot. 'Er kleven forse nadelen aan een dergelijke stap, met name op het gebied van de administratieve en handhavingslasten.' De minister gaf er de voorkeur aan eerst maar eens te zien of initiatieven van de dierenartsenorganisatie KNMvD op korte termijn tot resultaat zouden leiden. 'Ik wil ontkoppeling echter niet geheel uitsluiten voor het geval de aanpak die veehouderijsectoren en KNMvD gezamenlijk in gang hebben gezet, onvoldoende resultaat blijkt te geven. Ik verwacht dat veehouderijsectoren en dierenartsen gezamenlijk zorgdragen voor een geïntegreerde registratie van antibioticumgebruik in de diverse sectoren. Ik verwacht eveneens dat veehouderij en dierenartsen effectief vorm geven aan een vermindering van het antibioticumgebruik van in eerste instantie 20 procent. Indien onvoldoende resultaat wordt geboekt bij het terugdringen van het antibioticagebruik zal ik alsnog over moeten gaan tot zwaarder ingrijpen.'[307] Verburg had al eerder met de dierenartsen afgesproken dat het antibioticumgebruik eind 2011 20 procent lager moest liggen dan in 2009 toen er 518 ton antibiotica afgezet was in de intensieve veehouderij. Een maand later, op 9 april 2010, stuurde Verburg, nu samen met haar toenmalige collega van Volksgezondheid Ab Klink, weer een brief naar de Kamer over antibioticaresistentie en -gebruik. Die brief kwam er naar aanleiding van een deskundigenberaad van het RIVM en een daaruit voortvloeiend advies over de volksgezondheidsrisico's van ESBL-producerende bacteriën. Het deskundigenberaad vond plaats op 31 maart 2010, tweeënhalve week nadat de NOS de inhoud onthuld had van een notitie aan de ministers van landbouw en Volksgezondheid over de ESBL-problematiek.* In deze tweede brief[308] in korte tijd over het veterinaire antibioticagebruik eisten de ministers dat er eind 2013 minstens de helft minder antibiotica gebruikt wordt dan in 2009. De Taskforce Antibioticaresistentie Dierhouderij moest daartoe voorstellen doen.** Ruim een half jaar later kwam de taskforce met een aantal voorstellen waaronder de eerder genoemde halvering van het antibioticagebruik in 2013 ten opzichte van 2009. Verder stelde de taskforce voor om een Diergeneesmiddelenautoriteit op te zetten die normen voor een goed antibioticabeleid moet formuleren en een systeem moet opzetten om het voorschrijfgedrag van dierenartsen en het antibioticagebruik op de veehouderijen inzichtelijk te maken.[309]

Die Stichting Diergeneesmiddelenautoriteit (SDa) kwam er in het voorjaar van 2011. Het expertpanel dat het werk doet bestaat uit de arts-microbioloog professor Johan Mouton, hoofd van de sectie bacteriologie van het UMC St Radboud in Nijmegen, professor Dick Heederik, epidemioloog aan de Universiteit Utrecht en professor Dik Mevius, veterinair microbioloog aan het Centraal Veterinair Instituut van Wageningen Universiteit. Het SDa-bestuur staat onder voorzitterschap van Jos Werner. Het eerste wapenfeit van de SDa was de publicatie van een aantal richtlijnen in de zomer van 2011.[310] Die richtlijnen bevatten streefwaarden voor verantwoord antibioti-

---

* Voor het hele verhaal over de ESBL-notitie aan de ministers, zie hoofdstuk 6.

** In 2008 stelde minister Verburg van LNV de Taskforce Antibioticaresistentie Dierhouderij in onder voorzitterschap van CDA-coryfee en oud-bestuursvoorzitter van het UMC St Radboud Jos Werner. In de taskforce waren vertegenwoordigers van alle diersectoren opgenomen. Het convenant over een vermindering van het antibioticagebruik met 20 procent was een initiatief van de taskforce. Voorzitter Jos Werner kwam in het voorjaar van 2011 in opspraak toen *NRC Handelsblad* ontdekte dat hij zijn voorzitterschap van de taskforce combineerde met een commissariaat bij het farmaceutische bedrijf Merck dat een grote tak voor diergeneeskunde heeft http://www.nrc.nl/nieuws/2011/04/11/dierenartsen-erkennen-financieel-belang-toediening-antibiotica/. Uit het *NRC Handelsblad*-artikel bleek eens te meer dat dierenartsen een groot financieel belang hebben bij het voorschrijven van geneesmiddelen.

cagebruik. 'Het streefgetal is een gemiddeld cijfer', zei Dik Mevius destijds.[311] 'Het antibioticagebruik op de bedrijven verschilt enorm. Er zijn er die heel weinig gebruiken. Daar hoeft natuurlijk niet veel te gebeuren. We hebben een signaleringswaarde vastgesteld en een actiewaarde. Boeren die met hun antibioticagebruik boven de actiewaarde zitten, moeten daar meteen wat aan gaan doen. En daar zien wij ook op toe. De signaleringswaarde verplicht niet tot het verminderen van het gebruik. Maar voor boeren die daar boven zitten met hun antibioticagebruik zou die signalering wel een trigger moeten zijn om daar eens goed naar te kijken. In eerste instantie richten we ons op de grootverbruikers en de grootvoorschrijvers.' Door die te dwingen het antibioticagebruik te verlagen daalt het gemiddelde gebruik. 'Dat is geen reden voor de andere veehouders en dierenartsen om met de armen over elkaar te gaan zitten. Maar bij de grootverbruikers en grootvoorschrijvers kun je snel resultaat boeken. Waar veel gebruikt wordt kun je makkelijk minderen. Bovendien verminder je dan het risico voor de volksgezondheid zo snel mogelijk.' Over sanctiemogelijkheden beschikte de SDa niet. Mevius vond dat jammer. 'Voor dierenartsen zou het denk ik heel goed zijn als wij daarin een rol zouden hebben. Als wij als SDa grootvoorschrijvers ter verantwoording zouden kunnen roepen. Dat zou ik wel willen.'

In juni 2012 publiceerde het Landbouw Economisch Instituut (LEI) cijfers over de totale verkoop in 2011 van antibiotica voor dieren.[312] Die bleek met bijna eenderde gedaald van 495 ton in 2009 naar 455 ton in 2010 en verder naar 338 ton in 2011, een daling van tegen de 32 procent. De sector had met de overheid een daling van 20 procent afgesproken. In november 2012 kwam het LEI met de verkoopcijfers over het eerste half jaar van 2012. Op basis daarvan voorspelt het instituut een verdere daling van de totale verkoop van veterinaire antibiotica tot 244 ton eind 2012, een daling van 51 procent ten opzichte van 2009. Daarmee zou de doelstelling van een halvering van het antibioticagebruik al een jaar eerder gehaald zijn dan afgesproken[313]. Maar dat totale verkoopcijfer – gebaseerd op door de brancheverenigíng van veterinaire farmacie FIDIN verstrekte cijfers – geeft geen inzicht in het eigenlijke gebruik van antibiotica. Een vleeskuiken weegt 1 kilo, een vleesvarken 70 kilo en een zeug 220 kilo. Daarbij horen zeer verschillende doseringen antibiotica. Uit de verkoopcijfers is niet op te maken hoeveel antibiotica dieren op individuele bedrijven krijgen. Bovendien gelden per antibioticum zeer uiteenlopende doseringen. Boeren die in plaats van een antibioticum dat in hoge doseringen gegeven moet worden een middel gaan gebruiken waarvan veel lagere doseringen volstaan, gebruiken wel minder kilo's antibiotica maar geven hun dieren niet per se minder werkzame stof.

Om het probleem van die weinigzeggende cijfers te omzeilen heeft de SDa in 2012 voor het eerst zelf gegevens verzameld over het gebruik van antibiotica in de verschillende takken van de veehouderij. De diersectoren dragen er sinds 2011 zorg voor dat boeren het antibioticagebruik op hun bedrijven registreren. De rundveesector is daar pas in 2012 mee begonnen. Maar voor vleeskalveren, varkens en vleeskuikens kon het SDa beschikken over de gegevens over 2011 van nagenoeg alle bedrijven. Eind juni 2012, twee weken na publicatie van de LEI-cijfers over 2011, publiceerde de SDa een eerste rapport met gedetailleerde cijfers over het antibioticagebruik in de intensieve veeteelt in Nederland.[314] Niet in tonnen per sector, maar in kilo's per bedrijf. 'We hebben eigenlijk achter de cijfers over de totale verkoop gekeken', legt Mevius uit. 'In alle diersectoren varieert het gebruik van antibiotica per bedrijf sterk. En in alle sectoren is er een groep bedrijven die ver afwijkt van het gemiddelde en grote hoeveelheden antibiotica gebruikt.' Per sector wordt door de SDa onderscheid gemaakt tussen de verschillende categorieën bedrijven. In de kalversector zijn er bijvoorbeeld startbedrijven die de kalveren maar korte tijd opfokken voor ze op een ander bedrijf afgemest worden. Jonge dieren zijn bevattelijker voor infecties en krijgen dus meer antibiotica dan de oudere dieren op de afmestbedrijven.

Afhankelijk van de diersector geven de grootverbruikers hun vee vier tot vijftien keer meer antibiotica dan het gemiddelde. Dat hoge gebruik is niet te verklaren door de gezondheidstoestand van de dieren. Tegelijk zijn er ook bedrijven die nauwelijks antibiotica gebruiken. 'Aanvankelijk wilden we de 10 procent grootste gebruikers als eerste aanpakken', zegt Mevius. 'Maar we zijn geschrokken van deze cijfers en hebben besloten dat uit te breiden tot de 25 procent grootste verbruikers.' Dierhouders die te veel antibiotica gebruiken worden gemeld aan de betreffende sector. Veelgebruikers worden door de sector benaderd voor het maken en uitvoeren van een plan om het gebruik van antibiotica te verminderen. Werken boeren daar niet aan mee, dan kan de SDa ervoor zorgen dat de producten van die bedrijven zoals melk niet meer worden afgenomen. De SDa kan de gegevens ook doorgeven aan de NVWA (de Nieuwe Voedsel- en Waren Autoriteit) die dan een onderzoek kan beginnen en boetes kan opleggen. Voor dierenartsen werkt het net zo. Eerst krijgen ze de kans om in overleg met hun eigen sector hun voorschrijfgedrag aan te passen. Doen ze dat niet, dan kan de SDa de een-op-eencontracten tussen die dierenartsen en boeren ontbinden. In de toekomst kunnen de dierenartsen ook tuchtrechtelijk aangepakt worden. In mei 2012 had de SDa al een nieuwe aanpak aangekondigd om de dierenartsen op te sporen die verantwoordelijk zijn voor het grootverbruik op een deel van de bedrijven.[315]

In België werd begin 2012 de Vzw* Antimicrobial Consumption and Resistance in Animals (AMCRA) opgericht.[316] AMCRA is een kenniscentrum dat het antibioticagebruik en het vóórkomen van resistentie in de veterinaire sector in België in kaart wil brengen. Met die cijfers in de hand wil AMCRA aanbevelingen formuleren om tot een ver-

* Vereniging zonder winstoogmerk.

mindering van het antibioticagebruik in de Belgische veehouderij te komen. AMCRA wil, net als de SDa in Nederland dat heeft gedaan, het antibioticagebruik gaan meten op het niveau van de individuele veehouders en dierenartsen. Vervolgens zullen de grootverbruikers en de grootvoorschrijvers 'begeleid worden naar een verminderd gebruik'.[317]

Illegale antibiotica

Zowel de FIDIN-cijfers over de verkoop van antibiotica voor de veterinaire sector als de cijfers uit het SDa-rapport van juni 2012 geven alleen de geregistreerde verkoop en het geregistreerde gebruik van antibiotica weer. Ze zeggen per definitie niets over het illegale gebruik van antibiotica. Het staat vast dat er een illegaal circuit voor antibiotica bestaat in de veterinaire sector. Maar over de omvang ervan valt weinig met zekerheid te zeggen. De omvang van de partijen die de laatste tijd in beslag zijn genomen doet evenwel vermoeden dat er heel wat antibiotica omgaan in het illegale circuit. Voorjaar 2011 nam de Inlichtingen- en Opsporingsdienst (IOD) van de Nieuwe Voedsel- en Waren Autoriteit (NVWA) bij doorzoekingen van zes woningen en zes bedrijven in de provincies Groningen en Overijssel duizenden kilo's illegale antibiotica in beslag.[318] De antibiotica werden geleverd aan pluimveehouders. In eerste instantie werden twee aanhoudingen verricht, later kwamen daar nog drie bij. Op 1 juni 2012 kwam die zaak aan de orde in een Kamerbrief over antibioticagebruik in de veehouderij van staatssecretaris Bleker van Landbouw en minister Schippers van VWS.[319] 'Met een gecompliceerd opsporingsonderzoek in 2010 en 2011 in Noordoost-Nederland is door de NVWA een grootschalig netwerk van illegaal gebruik van antibiotica (grondstoffen) vastgesteld. Hierbij waren geen dierenartsen betrokken. Bij het onderzoek zijn 4.000 kilo illegale diergeneesmiddelen in beslag genomen en inmiddels vernietigd.

Het wederrechtelijk verkregen voordeel bedroeg 779 k*. Extrapolatie van de bevindingen in een van de betrokken postcodegebieden suggereert dat 45 procent van de vleeskuikenhouders in dat gebied zich schuldig maakte aan niet-gekanaliseerd gebruik van antibiotica. Veehouders kregen illegaal antibiotica aangeleverd en dienden deze naar eigen inzicht en behoefte toe, zonder tussenkomst van een dierenarts. Het strafrechtelijk onderzoek is inmiddels gaande. Uit een analyse van antibioticumgebruik bij vleeskuikens door de NVWA blijkt dat de omvang van georganiseerd illegaal gebruik van antibiotica in de vleeskuikenhouderij op landelijke schaal moeilijk te bepalen is.'

Bij het begin van het proces in deze zaak half januari 2013 bleek dat het Openbaar Ministerie zwaar inzette. Justitie wil de zes verdachten veroordeeld krijgen voor het in gevaar brengen van de volksgezondheid. Daar staat maximaal vijftien jaar celstraf op. De zes zouden zich schuldig hebben gemaakt aan het in bezit hebben, verpakken en afleveren van niet-geregistreerde geneesmiddelen. Ook worden ze beschuldigd van het plegen van valsheid in geschrifte en deelname aan een criminele organisatie. Uiteindelijk ging het volgens het OM om het verhandelen van 3,5 ton illegale antibiotica die geïmporteerd zijn vanuit China en India en waarschijnlijk via Polen naar ons land gekomen zijn. In 2011 werd in de hele Nederlandse pluimveesector ongeveer 35 ton antibiotica legaal gebruikt. De inhoudelijke behandeling van de zaak zou ergens in het voorjaar van 2013 beginnen.

Eind juli 2012 nam de IOD van de NVWA een tweede grote partij illegale antibiotica in beslag.[320] Deze keer legden de rechercheurs van de NVWA na een tip uit België de hand op 1.000 kilo van het antibioticum virginiamycine. De illegale antibiotica werden aangetroffen op een overslagbedrijf in de provincie Noord-Brabant. De

---

* 779k staat voor 779.000 euro.

NVWA gaat ervan uit dat de partij antibiotica bestemd was om als groeibevorderaar te verwerken in veevoer. Duizend kilo antibiotica zouden genoeg zijn om een miljoen kilo veevoer te 'verrijken'. Tegelijk met de inbeslagname in Brabant werd net aan de andere kant van de grens in het Belgische Meer ook 1.000 kilo illegale virginiamycine aangetroffen.[321] Het middel is sinds 1998 in de Europese Unie verboden als toevoeging aan diervoeders. In enkele landen buiten de EU is het niet verboden. Daarom is doorvoer van het middel wel toegestaan, mits die tevoren aangemeld is bij de autoriteiten. Na de ophef in Nederland begin voorjaar 2010 over ESBL's in kippen, ontstond er in België – en dan vooral in Vlaanderen – een vergelijkbare beweging. Daarbij kwam het eind maart 2010 tot invallen in twintig kippenbroeierijen* na een tip uit Nederland over het gebruik van ceftiofur in een Nederlandse kippenbroeierij met een zusterbedrijf in België.[322] Ceftiofur is een voor mensen zeer belangrijk antibioticum van de groep der cefalosporinen dat niet meer gebruikt mag worden voor de behandeling van pluimvee. Op drie van de twintig Belgische broeierijen werd ceftiofur aangetroffen. De eendagskuikens werden met ceftiofur in sprayvorm bespoten. Op vier broeierijen werden andere illegale antibiotica gevonden. Een van de zeven betrapte bedrijven waartegen proces-verbaal werd opgemaakt was Aveve, een bedrijf dat nauw verbonden is met de Vlaamse Boerenbond. Ook bij steekproefsgewijze douaneacties op luchthavens worden geregeld antibiotica aangetroffen in zendingen illegale medicijnen. Internet maakt het voor particulieren maar ook voor handelaren of boeren mogelijk om zo ongeveer elk gewenst medicijn langs illegale weg te bestellen.

* Op een broeierij worden broedeieren machinaal uitgebroed. De vrouwelijke eendagskuikens worden van de broeierijen naar opfokbedrijven gebracht.

In de hele wereld toegelaten

Ook als er van illegaal gebruik van ceftiofur in Nederland en België geen sprake is, dan nog is het mogelijk dat dit antibioticum in kippenvlees zit, legt Dik Mevius uit: 'Je hebt een pluimveeproductiepiramide. De overgrootouderdieren, dat zijn de zuivere lijnen. Er zijn eigenlijk maar twee grote rassen in de wereld, Cobb en Ross, en daarnaast heb je nog Hubbard. Die overgrootouderdieren worden in vrij kleine aantallen geproduceerd op tamelijk kleine bedrijven in Amerika en Engeland. Die komen als broedeieren of als eendagskuikens onder andere naar Nederlandse bedrijven waar grootouderdieren worden geproduceerd. En dat zijn de ouders van de ouderdieren waaruit de vleeskuikens en de legkippen komen. Wereldwijd werden in dat hele productieproces zeer veel cefalosporinen gebruikt. In Nederland na maart 2010 niet meer. Ik heb daar destijds heel veel aandacht aan gegeven en toen is dat sprayen met ceftiofur gestopt. Ik kan natuurlijk niet overal kijken, maar dat zegt de sector. Dat sprayen gebeurde bij de vleeskuikens. Maar met uitzondering van de Europese Unie is het gebruik van cefalosporinen in de hele wereld toegelaten om vroege sterfte van kuikens te voorkomen. Dat gebeurt bij eendagskuikens vaak samen met een vaccin tegen de ziekte van Marek, een chronische virale infectie bij legkippen.* Vleeskuikens ontwikkelen geen Marek, die leven daarvoor te kort. Je kunt dat vaccin en de antibiotica ook toedienen nog voor de kuikens geboren zijn door het op dag 18 van het broedproces te injecteren in het ei.' Die zogenoemde in-ovo-vaccinatie is een vorm van *off-label*-gebruik** die in de Europese Unie verboden is en die de Amerikaanse Food and Drug Administration (FDA) nu ook niet meer wil.

* De ziekte van Marek wordt ook wel Marekse verlamming genoemd. Het virus tast organen zoals zenuwbanen, ogen, huid en ingewanden aan. Meestal gebeurt dat net voor kippen gaan leggen of als ze net aan de leg zijn.

** *Off-label*-gebruik is volgens de website van het College ter Beoordeling van Geneesmiddelen 'het voorschrijven van een geneesmiddel voor een indicatie (toepassing) waar het middel niet voor is geregistreerd'.

'Je injecteert het vaccin tegen de ziekte van Marek dan in een steriel ei', legt Mevius uit. 'Daar ontstaat een gaatje in en dan worden er standaard antibiotica meegegeven. In januari 2012 verbood de FDA deze vorm van off-label-gebruik van cefalosporinen.[323] Voornaamste reden daarvoor was de angst dat via de voedselketen resistentie voor deze belangrijke klasse antibiotica onder mensen verspreid wordt. Deense onderzoekers houden het gebruik van cefalosporinen in de productiepiramide zoals Mevius die beschrijft, voor een deel verantwoordelijk voor de toename van het aantal ESBL's op kippenvlees. Het toegenomen gebruik van breedspectrumantibiotica in de veterinaire sector heeft daar vermoedelijk ook aan bijgedragen. Nadat eerder al bijna de helft van al het geïmporteerde kippenvlees in Denemarken ESBL's bleek te bevatten, is nu voor het eerst vastgesteld dat het er met het Deense kippenvlees niet veel beter uitziet. Bijna één op de twee Deense kipfiletjes bevat ook ESBL, blijkt uit de editie 2011 van het jaarlijkse Danmap-rapport.[324]

Makkelijk en onvermijdelijk

Mevius denkt dat de omvang en de werkwijze van de pluimveebedrijven de drempels voor het illegale gebruik van antibiotica in zekere zin lager maken. 'Pluimveehouders zijn hele grote ondernemers', zegt hij. 'Die bedrijven hebben vaak vertakkingen in het buitenland. Het zou kunnen zijn dat sommige pluimveehouders zelf antibiotica binnenhalen. Het zou kunnen zijn dat sommige dierenartsen dat doen. Er kunnen interacties zijn. Ik denk zelf dat illegaal gebruik niet de grootste bijdrage aan het probleem levert. Maar mensen die echt kwaad willen, hoeven niet veel moeite te doen. Je kunt via internet zo antibiotica uit China laten komen. Daar kun je alle middelen die je wilt gewoon bestellen. Hoe vaak dat gebeurt is moeilijk te schatten. Het is onvermijdelijk dat er hier en daar illegaal gebruikt wordt. Zeker nu er meer transparantie gevraagd wordt over het antibioticagebruik, zijn er mensen die niet echt minder willen gebruiken of dat niet denken te kunnen. Die zullen naar wegen zoeken om illegaal antibiotica te gebruiken. Dat is het gevaar van alles gaan registreren. Dan creëer je tegelijk ook de behoefte aan illegale wegen.' Over de omvang van het illegale circuit heeft Mevius geen idee. 'Het is allemaal anekdotisch. Je hoorde vroeger verhalen over transporteurs die kuikens naar Tsjechië brachten en met een lading antibiotica terugkwamen. Dat soort praktijken gebeuren. Daar wordt nu wel veel meer op gecontroleerd. Vroeger leverden boerderijen met de kuikens antibiotica mee. Dat deden ze vanwege claims. Ze gaven een kwaliteitsgarantie, en uitval boven een bepaald percentage in de eerste tien dagen werd geclaimd bij de leverancier van de kuikens. Tegenwoordig geven ze een kuikenpaspoort mee waarin informatie staat over de ouderdieren, andere partijen kuikens uit die ouderdieren, informatie over ziekteverwekkers die gevonden zijn, zodat men gericht kan behandelen. Maar helemaal sluitend is het systeem niet, want in Nederland is er geen ketenregie. Iedere laag werkt voor zich. De broeierij, de vermeerderaar, de kuikenmester, de slachter, ze werken allemaal voor zich. In Denemarken is die regie er wel. Daar kun je alle gegevens van het hele productieproces inzien. Het kuikenpaspoort is een poging om tot een integratie van dat proces te komen, maar het is toch eigenlijk een beetje een doekje voor het bloeden dat niet echt goed werkt. We moeten hier naar zo'n zelfde systeem toe als in Denemarken.'

Ook Mevius' Zweedse collega Christina Greko kan weinig zeggen over de omvang van het illegale antibioticacircuit in haar land. 'Jaren geleden is er in een vakblad eens een poging gedaan om de zwarte markt voor antibiotica in Europa in kaart te brengen. Toen liep het van land tot land sterk uiteen met als algemene trend dat in de noordelijke landen het illegale gebruik lager is dan in de zuidelijke landen. Maar ik denk dat je ook een grijze markt hebt die veel omvangrijker is. Waar legale producten via alternatieve kanalen afgezet worden. In Zweden is het toegestaan om op beperkte schaal geneesmiddelen te importeren, bijvoorbeeld voor je hond. Maar dat mag je niet doen voor je varkensboerderij. Het kopen van antibiotica via internet is in Zweden helemaal verboden.' Ook in Denemarken is weinig bekend over de omvang van het illegale gebruik van antibiotica. 'Onze indruk is dat het om een klein probleem gaat in Denemarken', zegt Frank Møller Aarestrup. 'Wij hebben geen toegang tot de boerderijen. Ik zit op de universiteit. Wij zijn geen opsporingsdienst. De Voedsel- en Waren Autoriteit wel, maar die kondigt zijn bezoeken aan boerderijen normaal gesproken aan. Het valt natuurlijk niet mee om een paar ton antibiotica te verbergen, maar het is ook niet beslist onmogelijk. Het staat vast dat er een illegale markt is voor antibiotica. Net als voor pesticiden. Of voor drugs. Maar ik denk niet dat die illegale markt groot is. En dat baseer ik op het feit dat Denemarken een heel klein land is, met een beperkt aantal grote boeren. Die kennen elkaar allemaal. Het zou niet lang verborgen blijven als een boer illegaal antibiotica zou gebruiken. Dat zou via het roddelcircuit bekend worden. Een van de geruchten die rond gaat is dat het illegaal antibioticagebruik dat er is, het werk is van Nederlandse boeren. Tegenwoordig zijn er aardig wat Nederlandse boeren in Denemarken. Misschien hebben die slechte gewoontes meegebracht. Die Nederlanders doen het heel goed hier. Ze brengen veel kennis mee. Maar er gaan dus ook die geruchten dat ze op een verkeerde manier antibiotica gebruiken. Ik kan niet zeggen of het waar is.' Zoals er Nederlandse boeren naar Denemarken komen omdat de boerderijen en de grond er goedkoper zijn dan in eigen land, zo gaan er Deense boeren om dezelfde reden naar Polen en Oekraïne en zetten daar grote varkenshouderijen op.

De globalisering van de voedsel(on)veiligheid

'Er is een wereldwijd verkeer van mensen, dieren en vlees', zegt Aarestrup. 'Denemarken exporteert 90 procent van alle geproduceerde varkens. Van het varkensvlees dat we zelf eten is geloof ik 60 procent import. Dat klinkt onlogisch, maar dat is nu eenmaal globalisering. Als je vandaag de dag zalm eet in Denemarken dan is de kans groot dat die zalm in Noorwegen gekweekt is, vervolgens naar Vietnam gestuurd is, daar tot zalmfilet verwerkt en verpakt is en ten slotte weer terug hierheen gestuurd is. Dan is het dus de wereld rond geweest voor het op ons bord ligt. Dat is ook globalisering. Het heeft te maken met de goedkope arbeid in Vietnam. Daarom probeer ik ook altijd te benadrukken dat het om een wereldwijd probleem gaat. Als boeren in Nederland veel antibiotica gebruiken voor hun dieren is dat niet alleen een probleem voor de Nederlanders, maar ook voor de rest van de wereld. Dus moeten wij in Denemarken ook iets te zeggen hebben over wat er in Nederland gebeurt. Jullie zijn Europees kampioen van het antibioticagebruik. Dat heeft gevolgen voor Nederland, maar ook voor alle andere EU-landen. Die moeten daar dus enige vorm van zeggenschap over hebben. Het grijpt in ons dagelijks leven in. Noorwegen en Zweden gebruiken heel weinig antibiotica. Denemarken brengt het er ook heel goed af. Wij exporteren voedselveiligheid, we importeren problemen met voedsel uit andere landen.'

Begin 2010 bleek nog eens dat het kwistige Nederlandse antibioticagebruik negatieve economische gevolgen kan krijgen. Het Zweedse dagblad *Aftonbladet* meldde op 15 februari 2010 dat Servera, een van de grootste Zweedse groothandels, de verkoop van uit Brazilië geïmporteerde kip stopzette.[325] Een dag eerder had de krant de resultaten gepubliceerd van een test met zestien geïmporteerde kippen die *Aftonbladet* samen met de Zweedse Voedsel en Waren Autoriteit had georganiseerd. Vijf van de zestien kippen bleken besmet te zijn met antibioticaresistente darmbacteriën. De kippen waren afkomstig uit Nederland, Brazilië en Argentinië. De meeste kippen die Zweden importeert gaan naar grote keukens in scholen en ziekenhuizen. De Zweedse minister van Landbouw Eskil Erlandsson noemde het ernstig dat er in Zweden besmet vlees geïmporteerd werd. Dat de importkippen vooral terechtkwamen in openbare keukens maakte de zaak in zijn ogen nog ernstiger. 'We serveren dagelijks drie miljoen maaltijden in openbare keukens', aldus de minister. 'Het is belangrijk dat die goed en gezond zijn en daarom moeten we eisen stellen aan de levensmiddelen die we inkopen.' De minister kreeg bijval van de grootste consumentenorganisatie van het land, die een verbod eiste op het preventief gebruik van antibiotica in de veeteelt. En zo zijn er meer voorbeelden van mogelijke problemen met voedselveiligheid door de aanwezigheid van antibioticaresistente bacteriën of sporen van antibiotica.

Eind mei 2012 maakten onderzoekers van de universiteit van Almería bekend dat zij in poedermelk voor baby's en in babyvoeding met vlees sporen hadden aangetroffen van veterinaire geneesmiddelen waaronder antibiotica.[326] Het ging weliswaar om minimale hoeveelheden, maar, zei onderzoeksleider professor Antonia Garrido, 'het laat zien hoe nodig het is om dit soort producten te controleren om de voedselveiligheid te kunnen garanderen.' Italiaanse onderzoekers publiceerden op het Europese microbiologencongres ECCMID 2012 een studie naar het vóórkomen van MRSA in mozzarella, de rauwe buffelkaas die veel gebruikt wordt in de Italiaanse keuken. In de periode 2008-2009 namen de onderzoekers 630 monsters. Daarvan bevatten er 110 *Staphylococcus aureus* en 2 daarvan waren resistent voor het antibioticum meticilline. 'Dit resultaat is zorgwekkend', schrijven de onderzoekers, 'omdat overdracht van MRSA naar mensen via voedsel kan gaan door het eten van ongekookt voedsel zoals zuivelproducten.'[327]

In een studie uitgevoerd tussen 2009 en 2011 in zestien Nederlandse ziekenhuizen bleek dat het eten van kip een risicofactor is voor MRSA-dragerschap bij mensen van wie geen klassieke risicofactoren bekend zijn. Traditioneel behoort een recente opname in een buitenlands ziekenhuis of contact met varkens of kalveren tot de belangrijke risicofactoren.[328] Het was de eerste keer dat werd vastgesteld dat kip eten ook een risico is voor het oplopen van MRSA.

Eerder was door verschillende andere Nederlandse onderzoeksgroepen wel vastgesteld dat de meeste kip in Nederlandse winkels ESBL's bevat en dat die naar alle waarschijnlijkheid via de voedselketen in mensen terechtkomen. Ook in andere vleessoorten werden ESBL's aangetroffen, maar in veel kleinere hoeveelheden dan in kip, zodat niet vast te stellen is of de dieren de ESBL-producerende bacteriën in het slachthuis hebben opgelopen of dat ze al dragers waren.[329] 'Mensen kunnen inderdaad ESBL's binnenkrijgen via het klaarmaken of eten van kip,' bevestigt Dik Mevius, 'maar dat is niet de enige manier. Het verklaart maar een deel van het ESBL-probleem. Want lang niet alle ESBL's die we bij mensen aantreffen komen genetisch overeen met de typen die we bij kippen vinden.' Een studie die onderzoekers van het VUmc begin september 2012 op een congres in de Verenigde Staten presenteerden bevestigt dat. Het betrof een onderzoek naar het aantal ESBL-positieve mensen in de gewone bevolking. Bij de ESBL-dragers ging het in één op de zeven gevallen om een ESBL-type dat ook frequent bij kip voorkomt. Andere studies van onder meer Maurine Leverstein-van Hall komen tot vergelijkbare resultaten.*

Regeringen moeten verantwoordelijkheid nemen

Een probleem met voedselveiligheid in één land is heel vaak een probleem in alle landen en zou dus ook op wereldschaal aangepakt moeten worden, vindt Frank Møller Aarestrup. 'Als we ervoor zouden kunnen zorgen dat de standaarden in Vietnam hetzelfde zijn als hier, dus dat die zalm waar ik eerder over sprak daar onder dezelfde voorwaarden en omstandigheden gefileerd en verpakt wordt als wij dat hier doen, dan is er geen probleem meer. Maar dat lukt tot nu toe niet. Traditioneel is voedselveiligheid een verantwoordelijkheid van individuele landen. Dat moet anders, want zo'n aanpak

* Zie ook hoofdstuk 6.

van voedselveiligheid staat los van de werkelijkheid. De primaire productie van voedsel vindt in het ene land plaats, in een tweede wordt het verwerkt en voor consumptie geschikt gemaakt en de problemen met de voedselveiligheid ontstaan in een derde land. We hebben instituties nodig die regels uitvaardigen die overal gelden. Die zijn er eigenlijk al, zoals de European Food Safety Authority (EFSA)[330] en de Codex Alimentarius Commission* die wereldwijde normen opstelt voor voedselveiligheid. Het grootste probleem is de onwil van nationale regeringen om hun verantwoordelijkheid te nemen en te erkennen dat ze deel uitmaken van een geglobaliseerde wereld. Met name in opkomende economieën en ontwikkelingslanden, waar de primaire en secundaire productie vaak plaatsvindt en waar de risico's voor voedselveiligheid veel groter zijn, is dat een probleem. We moeten mensen veel meer kennis bijbrengen over mogelijke oplossingen en het eens worden over wat goed is voor iedereen. En als dat te lang duurt of niet lukt, kun je de kaart trekken van: als je niet voldoet aan deze veiligheidseisen, dan importeren we jullie voedselproducten niet meer. Dat dreigement is een goede stok achter de deur. In India hoor je weleens zeggen: waarom zouden we praten over voedselveiligheid? Misschien moet het er wel over gaan hoe we ervoor zorgen dat iedereen te eten heeft. Natuurlijk, dat moet ook. Maar je moet niet nalaten over voedselveiligheid te praten omdat er nog een ander probleem is met voedsel, namelijk een tekort.' Het mag onhaalbaar en weinig realistisch klinken, maar dat is geen reden om het niet te proberen, vindt Aarestrup. 'Politici moeten een evenwichtige manier vinden om het over al die thema's tegelijk te hebben. Dat is hun verantwoordelijkheid.

---

* De Codex Alimentarius Commission (Codex) is een internationaal forum van 185 landen en één organisatie (Europese Unie). Het ontwikkelt internationale normen voor voedselproducten om de volksgezondheid te beschermen en de eerlijkheid van de voedselhandel te bevorderen. De Codex is een VN-organisatie, onder de vlag van zowel de FAO (Internationale Voedsel- en Landbouworganisatie) als de WHO (Wereldgezondheidsorganisatie). http://www.codexalimentarius.org/.

Als dat niet lukt, mag dat geen reden zijn om af te wijken van onze Europese standaarden voor voedselveiligheid. Het is níét oneerlijk om tegen landen te zeggen: als jullie je producten naar ons willen exporteren, dan moeten ze voldoen aan onze veiligheidsstandaarden. Ze kunnen er ook voor kiezen om alleen voor de lokale markt te produceren en hun eigen veiligheidseisen te stellen. In Denemarken en de rest van de EU mogen restaurants rauw vlees op hun kaart zetten. In de VS mag dat niet. Die zijn veel banger voor EHEC. En het heeft ook te maken met de claimcultuur. Als iemand in de VS in een restaurant iets oploopt, dan wordt de restauranteigenaar al snel voor de rechter gesleept. Dat gaat daar heel makkelijk. De standaards voor voedselveiligheid in de VS en Europa zijn niet echt verschillend. Maar de manier waarop ermee om wordt gegaan dus wel. Nederlandse maatjesharing heeft ook bepaalde risico's. Ik kan me voorstellen dat er landen zijn die niet willen dat er daar maatjesharing op de markt komt. Jullie willen dat wel. Prima. Als wij varkensvlees naar de VS willen exporteren moet dat aan allerlei eisen voldoen. Niet alle Deense slachthuizen kunnen dat. Vlees dat daarvandaan komt is dus niet geschikt voor export naar de VS, maar kan bijvoorbeeld wel naar Duitsland. Dat is allemaal niet in tegenspraak met het opstellen en respecteren van wereldwijde standaards voor voedselveiligheid waaraan iedereen zich moet houden die voedsel wil exporteren. Het is ook een manier om ervoor te zorgen dat ontwikkelingslanden die nu bezig zijn hun productie te industrialiseren niet weer dezelfde fouten gaan maken als wij in het verleden gemaakt hebben.'

Goed fout

Toen ze op die dag in 2003 weggingen uit het UMC St Radboud in Nijmegen met hun tweejarige, zieke dochtertje Eveline en dat eens goed op zich in lieten werken beseften Eric en Ine van den Heuvel vrij snel dat ze eigenlijk al een tijd goed fout bezig waren. Zonder het te weten. Hun dochtertje moest voor de tweede keer een openhartoperatie ondergaan, maar bleek drager te zijn van de MRSA-bacterie. Daar zijn ziekenhuizen doodsbenauwd voor. Als een ziekenhuis de bacterie binnen heeft kost het veel inspanning en geld om die er weer uit te krijgen. Maar MRSA is vooral heel gevaarlijk voor kwetsbare patiënten. De noodzakelijke operatie kon dus niet doorgaan. De artsen hadden Eveline en haar ouders net als iedere andere drager van *Staphylococcus aureus* geadviseerd eerst te proberen van de bacterie af te komen door dekolonisatie* om postoperatieve wondinfecties te voorkomen. Uiteindelijk is Eveline wel geopereerd. In februari 2004, anderhalf jaar na haar eerste openhartoperatie, was haar toestand zo verslechterd dat die levensbedreigend werd. Na de operatie is ze wekenlang geïsoleerd verpleegd. Bezoekers mochten alleen in speciale kleding bij haar. De Van den Heuvels hadden aanvankelijk geen idee hoe hun dochtertje MRSA opgelopen kon hebben. De link met de eigen varkenshouderij in Nistelrode vlak bij Oss hadden ze niet gelegd. Die werd pas duidelijk toen in een studiegroep van varkensboeren die bij de Van den Heuvels thuis bij elkaar kwam, 730 keer vaker MRSA bleek voor te komen dan in de gewone bevolking. Dat ook vier van de vijf gezinsleden MRSA-drager bleken te zijn, zegt niet zo veel. Dat is bij meer dan de helft van alle MRSA-patiënten het geval. Ze hadden de MRSA opgelopen op het bedrijf. Arts-microbioloog Andreas Voss uit Nijmegen ontdekte dit eerste in Nederland bekend geworden geval van veegerelateerde MRSA** bij een mens. 'In diezelfde periode bleken er op drie verschillende plekken in Nederland gelijksoortige incidenten te zijn en is er allerlei onderzoek gestart', vertelt professor Jan Kluytmans in een congresbundel verschenen ter gelegenheid van de Europese Antibio-

---

* Dekolonisatie houdt in dat de besmette persoon zich met een desinfecterende zeep wast en zijn of haar neusgaten behandelt met een speciale antibioticazalf. Dit wordt gedurende minimaal vijf dagen gedaan. Hierna worden er opnieuw kweken afgenomen om te kijken of de behandeling effect heeft gehad.

** De ziekenhuis-MRSA is veel ziekmakender dan de veegerelateerde MRSA. De laatste veroorzaakt minder infecties en minder ernstige.

ticadag 2011.[331] De Stichting Werkgroep Antibioticabeleid (SWAB) en het RIVM organiseerden die dag een congres over antibioticagebruik en resistentie bij dieren en mensen. 'Het bleken niet alleen varkens maar ook vleeskalveren die hoge percentages MRSA-dragerschap vertoonden.' Intussen is er veel meer duidelijk geworden over veegerelateerde MRSA, aldus Kluytmans in de eerder genoemde bundel. 'We weten dat boeren en dierenartsen vaak MRSA-dragers zijn, bij hun gezinsleden zijn deze percentages al veel lager en mensen die kortdurend de stal in lopen zijn ook maar kortdurend drager.'* Bij alle antwoorden zijn er ook nieuwe vragen gerezen. Zo zijn er steeds meer gevallen van veegerelateerde MRSA bij mensen die nooit contact hebben met vee. Kluytmans noemt het voorbeeld van een oudere vrouw in een verzorgingshuis die veegerelateerde MRSA bleek te hebben, maar bij wie geen enkel verband te vinden was met dieren. Het is van groot belang om te weten hoe die vrouw MRSA heeft opgelopen, omdat MRSA-dragerschap onder de gewone bevolking een bedreiging kan vormen voor het succesvolle MRSA-beleid in Nederland. Dat is erop gebaseerd dat risicogroepen – patiënten die recentelijk in een buitenlands ziekenhuis zijn geweest en boeren en hun naasten – zorgvuldig gescreend worden vóór opname. In het Amphia Ziekenhuis in Breda kost het MRSA-beleid volgens Jan Kluytmans per opname 5,54 euro. Maar het levert per opname 10,11 euro op aan uitgespaarde kosten en het scheelt meer dan vijftien mensenlevens per jaar.[332] Naarmate MRSA zich meer verspreidt onder de gewone bevolking dreigt het screeningsbeleid steeds meer zijn nut te verliezen, omdat die gewone bevolking met dit beleid doorgaans niet in beeld komt. Ze voldoen niet aan de criteria voor risicogroepen die gescreend worden. In een tweejarige studie naar het vóórkomen van MRSA in zeventien Nederlandse ziekenhuizen werden 1.023 gevallen van MRSA aangetoond. In nagenoeg 60 procent van de gevallen

* Van alle varkenshouders is 65 procent besmet met MRSA, van de dierenartsen ongeveer 50 procent, van de gewone bevolking minder dan 0,1 procent.

was de besmetting verlopen via contact met vee. In bijna 15 procent van de gevallen ging het om de klassieke risicofactoren als recente opname in een buitenlands ziekenhuis. In ruim een kwart van de gevallen was de bron van de besmetting niet te achterhalen. Opmerkelijk genoeg was er in 22 procent van die gevallen met onbekende bron sprake van veegerelateerde MRSA, hoewel er dus geen contact met vee vastgesteld kon worden. De veegerelateerde MRSA komt niet alleen bij varkens en kalveren voor, maar ook bij pluimvee. Vijftien procent van het consumptievlees in Nederland bevat MRSA. Mogelijk speelt dat een rol bij de besmetting van mensen bij wie geen sprake is van andere risicofactoren.[333]

Goede bacteriën

De Van den Heuvels gebruikten zoals zo menig varkensboer veel antibiotica, maar waren niet op de hoogte van de risico's die dat mee kon brengen voor hun gezondheid. Wat Eveline overkwam en wat ze in de periode daarna ontdekten over de gevaren van overvloedig antibioticagebruik, was voor hen aanleiding om het roer radicaal om te gooien. Het bedrijf dat Eric van den Heuvel runt is een vermeerderingsbedrijf met vijfhonderd zeugen die op jaarbasis zo'n vijftienduizend biggen geven. Geen groot bedrijf voor Nederlandse begrippen, maar met zijn broer Ton heeft Van den Heuvel in Duitsland een vermeerderingsbedrijf met achttienhonderd zeugen en in Tsjechië een bedrijf met vijftienduizend vleesvarkens. In eerste instantie hebben de Van den Heuvels ervoor gezorgd dat de hygiëne in de stallen maximaal werd. Bijvoorbeeld door minder te slepen met voerbakken en andere voorwerpen die ze bij de verzorging van hun dieren gebruiken. Voor elke diergroep worden aparte kleren gebruikt. De biggen van verschillende zeugen worden niet meer gemengd en voor elke worp biggen worden nieuwe naalden gebruikt om ijzer toe te dienen. Omdat ze leerden dat antibiotica niet helpen tegen virussen stopten ze met het toedienen van antibiotica aan dieren met varkensgriep. Die kregen alleen nog maar aspirinepoeder. En medicinaal voer, waardoorheen antibiotica gemengd zijn, was ook uit den boze. Dat pakket maatregelen zorgde voor een daling van het antibioticagebruik met meer dan helft. Dat was in 2009. Vervolgens zijn de Van den Heuvels op grote schaal probiotica* gaan gebruiken. Ze maken ermee schoon, voegen probiotica aan het drinkwater toe om het waterleidingsysteem probiotisch te reinigen en schoon te houden en sprayen ermee in de stallen. Daardoor ontstond een heel ander klimaat in de stallen: met vooral goede bacteriën in plaats van de ziekteverwekkers. Resultaat: in 2011 lag het antibioticagebruik op hun bedrijf 95 procent lager dan in 2008. En de verdiensten geven geen reden tot klagen volgens Van den Heuvel. Het kan dus, intensieve veeteelt bedrijven met veel minder antibiotica. Er zijn meer varkensboeren zoals de Van den Heuvels. En er zijn intussen ook intensieve pluimveehouders die het (nagenoeg) zonder antibiotica doen. Dat is de weg die we op moeten gaan, vindt Jan Kluytmans. 'Een halvering van het antibioticagebruik in de veeteelt is natuurlijk een mooi begin en de sector lijkt goed op weg te zijn,' zegt hij, 'maar we moeten naar een veel grotere reductie van het gebruik. Ik denk wel met 90 procent of zo.' In een interview met het kwartaalblad *Wageningen World* van het vierde kwartaal 2011 gaat hij nog een stap verder. 'Idealiter moeten we toe naar een veehouderij zonder antibiotica, Wageningen heeft de kennis om zo'n duurzame veehouderij te realiseren, met vaccins tegen dierziekten, beter veevoer en betere huisvesting. Gelukkig ziet de veehouderijsector dat zelf inmiddels ook in.' Maar daarnaast zal de consument meer voor vlees moeten betalen, want de huidige veehouderij met zijn lage marges kan die duurzaamheidsslag niet maken.

---

* Sinds 2002 wordt doorgaans een door de Wereldgezondheidsorganisatie WHO en de Voedsel- en Landbouworganisatie FAO opgestelde definitie van probiotica gehanteerd. Probiotica zijn levende micro-organismen die, mits in de juiste hoeveelheden toegediend, een gunstig effect hebben op de ontvanger http://www.who.int/foodsafety/fs_management/en/probiotic_guidelines.pdf zie pagina 8.

Reserveren voor mensen

Kluytmans maakte deel uit de van de commissie van de Gezondheidsraad die op 31 augustus 2011 het rapport *Antibiotica in de veeteelt en resistente bacteriën bij mensen* publiceerde.[334] Daarin werd een topdrie gepresenteerd van resistente bacteriën waarbij een 'mogelijk oorzakelijk verband' gelegd wordt met antibioticagebruik in de intensieve veeteelt. Het rapport noemde vancomycine resistente enterokokken (VRE), meticilline resistente *Staphylococcus aureus* (MRSA) en Extended Spectrum Bèta-Lactamase (ESBL) producerende bacteriën. 'De problemen met VRE en MRSA', schrijft de Gezondheidsraad, 'spelen vooral binnen ziekenhuizen en worden onder controle gehouden met een programma van intensieve infectieziektebestrijding, bij MRSA betiteld als *search and destroy*-beleid (opsporing van dragers, isolatie van de patiënt en uitroeiing van het dragerschap). Het verband tussen antibioticagebruik in de veehouderij en het optreden van VRE in ziekenhuizen is niet zo duidelijk als jaren geleden werd gedacht. De veegerelateerde MRSA is in ziekenhuizen nog goed te controleren, maar lijkt nu ook in de algemene bevolking voor te komen. Het grootste probleem zijn de ESBL-producerende bacteriën. Deze bacteriën rukken snel op en beperken zich niet alleen tot de ziekenhuizen maar komen ook daarbuiten voor, vooral als veroorzaker van slecht behandelbare urineweginfecties. Hoewel niet exact is vast te stellen hoe groot de bijdrage is die de dierhouderij levert aan de verspreiding van resistentie door ESBL, vormen de ESBL-producerende bacteriën volgens de commissie op dit moment en in de nabije toekomst vanuit de dierhouderij het grootste microbiële risico voor de volksgezondheid.'

De Gezondheidsraad deed verschillende aanbevelingen. Sommige voor de korte termijn, andere met het oog op de wat verder verwijderde toekomst. Zo stelde de raad dat antibiotica die als laatste middel worden ingezet tegen menselijke infecties veroorzaakt door ESBL-producerende bacteriën, daarvoor gereserveerd moeten worden. De commissie van de Gezondheidsraad bepleit daarom het nog nieuwe antibioticum tigecycline* niet toe te laten op de veterinaire markt en het gebruik van carbapenem-antibiotica voor diergeneeskundige toepassing te ontmoedigen.** Op langere termijn moet een alternatief gevonden worden voor gebruik van colistine in de diergeneeskunde. Een verbod op korte termijn is niet haalbaar, omdat colistine het middel van eerste keus is bij de behandeling van bepaalde dierziekten.

De Gezondheidsraad wil ook een verbod op het gebruik van cefalosporinen van de derde en vierde generatie voor de groepsbehandeling van dieren. 'Er zijn namelijk aanwijzingen dat de inzet van deze middelen bij koppelbehandeling het ontstaan van ESBL-producerende bacteriën heeft bevorderd. Daarnaast beveelt de commissie aan om het gebruik van derde en vierde generatie cefalosporinen te verbieden bij het zogeheten droogzetten van koeien (het stoppen van de melkafgifte). Om de resistentie daadwerkelijk terug te dringen zouden op langere termijn alle bèta-lactam-antibiotica voor preventief en systematisch gebruik in de dierhouderij moeten worden uitgesloten. Therapeutisch gebruik voor individuele dieren op basis van goede diagnostiek zal in uitzonderingsgevallen mogelijk moeten blijven. Wel zal dan strikt de hand moeten worden gehouden aan de richtlijnen die de professie hiervoor ontwikkelt. Gebeurt dat niet, dan komt naar het oordeel van de commissie een algemeen verbod in aanmerking.' De commissie van de Gezondheidsraad stelt ook voor om alle nieuwe antibiotica en alle bestaande antibiotica die niet meer of nog niet in de intensieve veeteelt

* Als een bacterie resistent is voor antibiotica van de klasse der carbapenems dan blijven er nog twee middelen over om in te zetten: tigecycline en colistine.

** Als er voor een bepaalde aandoening bij een bepaalde diersoort geen geregistreerd middel voorhanden is, moet een dierenarts handelen volgens een beslisboom, de zogeheten cascaderegeling, die ertoe kan leiden dat hij of zij een voor mensen geregistreerd geneesmiddel inzet. De Gezondheidsraad wil die regeling aanscherpen.

gebruikt worden, te reserveren voor mensen.* De dierhouderij mag in de toekomst een aantal andere antibiotica** alleen nog volgens professionele richtlijnen gebruiken bij individuele dieren als eerst een goede diagnose is gesteld. De raad gunt de boeren wat tijd om deze veranderingen door te voeren omdat anders mogelijk de bestrijding van infecties bij dieren in het gedrang zou kunnen komen, maar wil wel dat de boeren snel beginnen met de aanpassingen. Zo niet, dan vindt de Gezondheidsraad ook hier een algemeen verbod op het gebruik van de middelen een passende maatregel. 'Bij het beperken van het gebruik van antibiotica in de dierhouderij is handhaving van de afspraken in de ogen van de commissie cruciaal: duidelijk moet zijn welke instantie de naleving controleert en bevoegd is overtredingen te bestraffen. Goede en transparante registratie van het antibioticumgebruik in de dierhouderij is daarbij onmisbaar.'

Een paar dagen na het advies van de Gezondheidsraad verscheen er een soortgelijk rapport van de commissie-Van Doorn.[335] Die had in opdracht van de provincie Noord-Brabant een onderzoek gedaan naar de toekomst van de intensieve veeteelt. Voorzitter Daan van Doorn is voormalig topman van de VION, de grootste vleesverwerker van Nederland. Van Doorn cum suis bepleiten net als de Gezondheidsraad een verbod op het preventief gebruik van antibiotica in de veeteelt.*** De commissie-Van Doorn wil ook een zwarte lijst opstellen van voor mensen cruciale antibiotica die in de veehouderij niet meer gebruikt mogen worden. De noodzakelijke maatregelen moeten afgedwongen worden in de voedselketen. Nutreco, Nederlands grootste leverancier van veevoer, ondersteunt de aanpak die

* De commissie rekent daartoe naast het al in het kader van de ESBL-producerende bacteriën genoemde tigecycline verschillende glycopeptiden (onder meer vancomycine), daptomycine, oxazolidinonen (linezolid) en mupirocine.

** Fluorquinolonen, aminoglycosiden, bèta-lactam-antibiotica en colistine.

*** Zie ook hoofdstuk 6.

Van Doorn schetst. Marktleider Albert Heijn en nog zestien andere supermarktketens onderschrijven het strenge antibioticabeleid. Dat maakt het in principe mogelijk om de kosten van een restrictief antibioticabeleid door te berekenen aan de klanten. Overigens is het zeer de vraag of dat daadwerkelijk gebeurt. Of dat de kosten door de boeren gedragen zullen moeten worden. Begin september 2012 liet marktleider AH weten eenzijdig besloten te hebben om haar leveranciers in het vervolg 2 procent minder te betalen voor geleverde producten. Met het zo uitgespaarde geld wilde AH de uitbreiding van het aantal winkels financieren. Pas na een demonstratie voor het hoofdkantoor van AH van boze boeren die vreesden de prijsdaling doorberekend te krijgen van de groothandel, besloot AH haar plannen te vertragen.[336] Het supermarktconcern koos er bovendien voor om ouderwets te gaan polderen. Samen met LTO Nederland gaat Albert Heijn een rondetafeloverleg organiseren over de verhouding tussen de supermarkten en de boeren en tuinders. Ook consumenten-, dierenrechten- en milieuorganisaties zouden uitgenodigd worden. Albert Heijn en LTO lieten zich leiden door het voorbeeld van de commissie-Van Doorn. Die zorgde ervoor dat zevenentwintig betrokken partijen* op 1 september 2011 het zogeheten Verbond van Den Bosch tekenden. Daarin beloven ze dat in 2020 alle vlees in de supermarkt antibioticavrij zal zijn.[337] Belangrijke partijen als Natuur en Milieu, de Dierenbescherming en de Brabantse Milieufederatie hebben zich niet aangesloten bij het Verbond van Den Bosch omdat het de megastallen niet afschaft en niets zegt over het aantal megastallen dat mag blijven bestaan. Het is nog afwachten wat het akkoord in de praktijk gaat opleveren.

---

* Het gaat om supermarktketens, slachterijen, boerenorganisaties en mengvoederleveranciers.

10. Dweilen met de kraan open en andere oplossingen

In een deel van de wereld is men er al een tijdje van doordrongen dat de bestrijding van antibioticaresistentie een urgent probleem is. Sinds kort begint dat bewustzijn ook door te dringen in landen als India en China. In oktober 2011 vond in New Delhi het 1st Global Forum on Bacterial Infections plaats met vierhonderd deelnemers uit veertig landen. Professor Ramanan Laxminarayan was een van de organisatoren van de conferentie. Hij is econoom en directeur van het Center for Disease Dynamics, Economics & Policy (CDDEP) in Washington D.C. en New Delhi.[338] 'Uit de belangstelling en de betrokkenheid die zowel de Indiase deelnemers als het Indiase ministerie van Gezondheidszorg en Gezinszaken toonden, leid ik af dat de meeste mensen die op dit gebied werken, ook al zijn het er dan misschien niet zo veel, onze zorgen delen. We hebben organisaties als GARP* nodig omdat onderwerpen die samenhangen met antibioticaresistentie niet op de prioriteitenlijstjes staan van landen met lage of middeninkomens.' Het CDDEP stelt zich ten doel met onderzoek betere beleidskeuzes mogelijk te maken voor de gezondheidszorg. Laxminarayan doceert aan Princeton University en is vicevoorzitter van de Public Health Foundation of India (PHFI). 'Vergeleken met Europa is de aandacht voor antibioticaresistentie en daarmee verbonden onderwerpen in India gering', zegt Laxmi-

* Het Global Antibiotic Resistance Partnership (GARP) is een van de initiatieven van het CDDEP http://www.cddep.org/projects/global_antibiotic_resistance_partnership. GARP probeert realistische beleidsmaatregelen op te stellen voor landen met lage inkomens en lage middeninkomens volgens de definitie van de Wereldbank. In 2011 was het inkomen in landen met lage inkomens 1.025 dollar of minder per hoofd van de bevolking en in landen met lage middeninkomens lag het tussen de 1.026 en de 4.035 dollar. Zie voor GARP ook hoofdstuk 7.

narayan. 'India kent bijvoorbeeld geen beleid voor het gebruik van antibiotica in de veeteelt. In de humane gezondheidszorg bestaat er op een aantal punten wel goed beleid, maar vaak is dat niet up-to-date en niet goed gereglementeerd.' De negatieve publiciteit voortvloeiend uit de ontdekking van de carbapenemase NDM-1* heeft uiteindelijk een heilzaam effect gehad, meent Laxminarayan. 'Men is zowel bezorgd over de biologische dreiging die NDM-1 betekent als over de afname van het medisch toerisme die er het gevolg van zou kunnen zijn. De angst voor NDM-1 heeft de Indiase regering aangezet tot positieve stappen.' Zo stelde de regering in 2010 een taskforce in om een landelijk antibioticabeleid op te zetten. Die ging voortvarend aan de slag maar moest een jaar later machteloos toezien hoe federaal minister van Volksgezondheid Ghulam Nabi Azad weigerde de aanbeveling van de experts over te nemen om over de toonbank verkoop van belangrijke antibiotica als carbapenems te verbieden. Azad was bang dat daarmee een groot deel van de plattelandsbevolking geen toegang meer zou hebben tot die middelen. Met alle gevolgen van dien.[339] Maar daarmee was het laatste woord niet gezegd en misschien is dát wel waar Laxminarayan op doelt als hij zegt dat er in India iets aan het veranderen is.

Ook minister Edith Schippers van Volksgezondheid merkte dat toen ze begin mei 2012 een bezoek van een week aan India bracht. In een gesprek met haar ambtgenoot Ghulam Nabi Azad maakte Schippers afspraken over samenwerking op drie terreinen, blijkt uit een verslag van haar werkbezoek. 'Vanuit de rondetafelbijeenkomst over infectieziekten** en door minister Azad is de noodzaak

---

* Carbapenemasen zijn enzymen die de werking van antibiotica van de klasse der carbapenems neutraliseren. NDM-1, New Delhi metallo-bèta-lactamase is er daar een van. De Indiase regering reageerde woedend op de naamgeving van het enzym. Zie daarover hoofdstuk 2. Voor meer over carbapenemasen, zie hoofdstuk 7.

** De Public Health Foundation of India (PHFI) organiseerde tijdens het werkbezoek van Schippers een rondetafel met partners uit de wetenschap en van de WHO. Op de agenda stonden de noodzaak van goede surveillance, de minstens even

naar voren gebracht meer kennis te hebben over surveillance en het thans Europese EARSS-programma*, dat zijn oorsprong kent in het RIVM. In de tweede plaats memoreerde minister Azad de 'New Delhi Call to Action on Preserving the Power of Antibiotics' van 11 oktober 2012 en vroeg hij om steun voor deze problematiek vanuit Nederland.' Prompt nodigde Schippers haar ambtgenoot daarop uit voor een topontmoeting in Amsterdam op 3 oktober 2012 over verstandig medicijngebruik waar het onder veel meer ook over antibioticaresistentie ging. Daar ontbrak minister Azad op het appel, maar daags na de topbijeenkomst bracht hij een bezoek aan Den Haag. Tijdens zijn ontmoeting met minister Schippers stond antibioticagebruik en -resistentie weer op de agenda.

Het door het CDDEP en het PHFI georganiseerde 1st Global Forum on Bacterial Infections kreeg een klein jaar later een vervolg. Op 24 augustus 2012 organiseerde een aantal medisch-wetenschappelijke verenigingen uit India in het Hyatt Regency Hotel in Chennai, een stad in het zuidoosten van het land, een workshop met de veelbelovende naam A Roadmap to Tackle the Challenge of Antimicrobial Resistance. De bijeenkomst vond plaats daags voor de tweede jaarvergadering van de Indiase Clinical Infectious Diseases Society (CIDS). Experts uit India, de Verenigde Staten, Europa en Oceanië namen deel aan de gesprekken, waarin ervaringen met het terugdringen van antibioticagebruik en het bestrijden van antibioticaresistentie aan de orde kwamen. Er werd niet alleen aandacht besteed aan de medische aspecten van het onderwerp, maar het ging bijvoorbeeld ook over de

---

noodzakelijke samenwerking tussen de humane en de veterinaire sector, antibioticaresistentie, de bestrijding van infectieziekten en de ontwikkeling van vaccins.

* EARSS is het European Antimicrobial Resistance Surveillance System waarbij ruim dertig landen zijn aangesloten. In 2009 is de naam veranderd in European Antimicrobial Resistance Surveillance Network (EARS-Net). Ongeveer negenhonderd publieke gezondheidszorg laboratoria leveren data aan EARS-Net. De laboratoria bedienen samen veertienhonderd ziekenhuizen en circa honderd miljoen Europese burgers.

noodzaak om het aantal microbiologische labs in India te vergroten. De rol van zowel de medische vaktijdschriften als de publieksmedia bij het vergroten van de kennis over antibioticaresistentie werd er besproken. En het ging er over het paal en perk stellen aan de over de toonbank verkoop van antibiotica, zonder dat er recepten aan te pas komen. 'De Indiërs worden wakker', reageerde professor Christina Vandenbroucke-Grauls bij het zien van de aankondiging van de bijeenkomst in Chennai. Professor Herman Goossens, hoofd van de afdeling medische microbiologie van het Universitair Ziekenhuis Antwerpen, was een van de Europese sprekers in Chennai. Hij is gematigd optimistisch. 'Er begint daar heel voorzichtig wel iets te gebeuren', zegt hij. 'Maar het is buitengewoon ingewikkeld om dingen te veranderen in India. Met de Indiërs alleen maar om de oren te slaan dat ze het slecht doen, komen we er in ieder geval niet. De initiatieven die nu zijn genomen door vooral de internist Abdul Ghafur zijn nog heel broos. Het is echt een grote verdienste dat hij erin geslaagd is in Chennai voor het eerst alle wetenschappelijke verenigingen van chirurgen, internisten, intensivisten, microbiologen, noem maar op, bij elkaar te brengen om over antibioticagebruik en -resistentie te praten. Ik heb daar uitleg gegeven over wat wij in Europa doen en ik heb een oproep gedaan: ik heb ze gevraagd volgend jaar mee te gaan doen met de antibioticadag die wij in Europa jaarlijks in november organiseren. Ik heb mijn twijfels of dat gaat lukken, maar ze stonden niet onwelwillend tegenover het idee.'

Declaration of Chennai

Goossens heeft tijdens zijn verblijf in India veel contacten gelegd. Hij gaat in 2013 naar een congres waar vele duizenden artsen komen en zal daar een presentatie geven over de Europese aanpak van de antibioticaresistentie. 'Ik probeer heel omzichtig te werk te gaan want je kunt de initiatieven die nu lopen zo kapotmaken. Ghafur heeft na het congres in Chennai een Declaration of Chennai opgesteld die aan een aantal wetenschappelijke tijdschriften is aangeboden. Het zou helpen als die gepubliceerd werd.' Goossens legt uit dat het Indiase gezondheidssysteem geheel gedreven wordt door winst. 'Dat is hun businessmodel. Aan de ene kant is dat lastig want infectiepreventie kost in eerste instantie geld. Aan de andere kant zijn ze juist vanwege de winstgerichtheid erg bang voor resistentie omdat het medisch toerisme daaronder zou kunnen lijden. Dat biedt misschien mogelijkheden.' Goossens probeert gegevens te verzamelen over de situatie in India. 'Ik heb nu heel voorzichtig een eerste stap gezet: ik ga met de Indiërs in vijf kinderziekenhuizen het antibioticagebruik registreren. Vervolgens wil ik ze confronteren met hun eigen gegevens. Maar het is op eieren lopen.'

Anderhalve week na de bijeenkomst in Chennai ging er een brief van de hoogste Indiase autoriteit op het gebied van geneesmiddelenbeleid naar minister Azad. Daarin kondigde Drug Controller General Singh aan dat hij op korte termijn beperkingen gaat stellen aan de verkoop van tweeënnegentig verschillende antibiotica.[340] De nieuwe maatregelen zouden het onmogelijk moeten maken dat de geneesmiddelen nog verkocht worden als er geen doktersrecept voor wordt ingeleverd. Overigens mocht een flink aantal antibiotica al uitsluitend op vertoon van een recept verkocht worden. Onder de tweeënnegentig zijn maar liefst vijfenvijftig verschillende merken carbapenems.* In buurland Pakistan zijn er zes verschillende merken carbapenems te koop, in de Verenigde Staten maar vijf. Op de verpakkingen van de tweeënnegentig middelen moet bovendien duidelijk zichtbaar een rood label afgedrukt worden met een waarschuwing dat het betreffende middel alleen op doktersvoorschrift gebruikt mag worden en dat het dus verboden is om het zonder recept te kopen. Op 27 oktober 2012 stuurde Abdul Ghafur vanuit Chennai een mail naar zijn netwerk van collega's in de hele wereld.

---

* Feitelijk zijn er vier verschillende carbapenems: meropenem, imipenem, ertapenem en doripenem, de nieuwste en duurste. In India zijn er van die vier middelen samen vijfenvijftig verschillende merken op de markt.

Het onderwerp was 'Yes we are on our way'. In bijlage stuurde hij een advertentie over verstandig antibioticagebruik mee die het Indiase ministerie van Gezondheid in alle belangrijke kranten had geplaatst. Met als kop 'Stop Unnecessary Antibiotics Usage'. Een absolute première in de Indiase geschiedenis.

In China ook

Ook in China neemt de aandacht voor antibioticaresistentie en -gebruik toe. Toen minister Schippers van Volksgezondheid in de vroege herfst van 2012 een bezoek bracht aan China was het een van de gespreksonderwerpen.[341] Paul Huijts, directeur-generaal Volksgezondheid op het ministerie van VWS, was met de minister mee op haar tweedaagse bezoek aan Beijing. En vergezelde haar begin mei 2012 ook naar India. 'Wij vinden het verhogen van het bewustzijn over antibioticaresistentie en over het juiste gebruik van antibiotica heel belangrijk. Niet alleen Nederland is daar trouwens mee bezig, maar bijvoorbeeld ook de EU en de WHO. Je weet met dit soort onderwerpen nooit wie het vuurtje aansteekt, maar wij doen in ieder geval hard ons best. En er komt steeds meer respons op. Het gaat crescendo en dat is nodig om tot doorbraken te komen. In China herkent de minister van Volksgezondheid meteen wat we zeggen. Die is thuis in de problematiek en vindt het ook een onderwerp waar we iets mee moeten. Ik vind dat een interessante ontwikkeling. Er is steeds meer een consensus dat dit een probleem is dat zowel over toepassing gaat, verkeerd toepassen eigenlijk, en over het ontwikkelen van middelen. Er zit wel beweging in de laatste jaren.' Huijts observatie klinkt hoopgevend. Maar dat China zich nu begint te interesseren voor antibioticaresistentie laat onverlet dat China ook het land is waar zo ongeveer elk denkbaar medicijn via internet te bestellen is. En die middelen zijn niet altijd van de beste kwaliteit, vaak bevatten ze veel te weinig werkzame stof. In het geval van antibiotica zijn ze dan niet alleen niet werkzaam, maar vergroten ook nog eens de resistentieproblematiek. 'De geneesmiddelenindustrie en de farmaceutische industrie, die actieve ingrediënten maakt, zijn in China gigantisch', zegt Huijts. 'Een groot deel van onze reguliere import komt uit China, en een ander groot deel trouwens uit India. Dat is ook de reden dat we actief met die landen betrokken zijn. Europa in brede zin, maar ook Nederland als groot importland. Daarbij gelden twee lijnen: we pogen er op allerlei manieren aan bij te dragen dat hun eigen kwaliteitssystemen matchen met wat we in Europa op dat gebied hebben. De Amerikanen doen precies hetzelfde. Daarmee probeer je te garanderen dat wat Europa binnenkomt aan onze standaarden voldoet, want aan het witte poedertje zelf kun je het niet zien. Daarnaast heb je internet en illegale importen. Dat is een buitengewoon ingewikkeld probleem op vele terreinen en een worsteling voor alle overheden. Via internet is er een bloeiende handel in van alles en nog wat. Af en toe onderschept de douane wat, maar de vraag is hoe je de verkoop via internet van dingen die je niet acceptabel vindt kunt tegenhouden. Dat speelt ook op andere terreinen. We zetten stevig in op de kwaliteit van de reguliere import. Die stromen zijn nog altijd ontzettend veel groter dan de illegale en je wilt dat die van Europese kwaliteit zijn. En dat kunnen ze maken in China. Daar is geen enkele twijfel over. Daarvoor wisselen we kennis uit via inspecteurs, zijn er gemeenschappelijke controles en lopen er aan beide kanten inspecteurs mee. We proberen uitwisselingen tot stand te brengen zodat we tot eenzelfde werkwijze komen. Het is veel effectiever om vroeg in het proces te interveniëren dan in de Rotterdamse haven te gaan zoeken naar spullen die niet aan onze kwaliteitseisen voldoen.'

Het bezoek van Schippers aan China viel samen met de berichten over de ontdekking van een nieuw coronavirus* dat herinneringen oproept aan het Sars-virus dat precies tien jaar geleden in China op-

---

* Coronavirussen veroorzaken veelal verkoudheid of aandoeningen van de luchtwegen. SARS is een coronavirus. De meeste coronavirussen zijn voor mensen tamelijk onschuldig.

dook. Toen kwamen de Chinezen pas heel laat met informatie over het virus op de proppen. Nu was dat anders. 'Op de tweede dag van ons bezoek kregen we op onze blackberry's berichten binnen over dat nieuwe virus. De Chinezen kregen tegelijk dezelfde meldingen. Bij de lunch hadden we het er al over.' Misschien dat die minder krampachtige manier van reageren ook wel wat te maken heeft met de samenwerking die er de afgelopen tijd is geweest tussen het Chinese Center for Disease Control (CDC) en het RIVM. 'Het RIVM', vertelt Huijts, 'werkt samen met het Chinese CDC op het punt van surveillance. Het RIVM heeft de laatste tien jaar heel veel bijgedragen aan kennisopbouw in China over surveillance. RIVM'ers hebben in het laboratorium zij aan zij gestaan met hun Chinese collega's, ze hebben technieken uitgewisseld en nog veel meer. Niet alleen het RIVM is op die manier actief geweest in China, maar ook de WHO. En het is een vrij intensief samenwerkingsverband geweest.' Ook het UMC Groningen is actief in China. Samen met het Chinese CDC hebben de Groningse hoogleraren Alexander Friedrich en Hajo Grundmann een workshop gegeven over het genetisch typeren van MRSA-stammen. En ze hebben een uitwisselingsprogramma opgezet voor studenten van de Rijksuniversiteit Groningen en de Beijing University.

Net als ze deed met de Indiase minister nodigde Schippers ook haar Chinese counterpart uit naar Amsterdam te komen voor de ministeriële top over verantwoord medicijngebruik. 'Helaas viel de top precies in een van de twee vakantieweken die China telt,' vertelt minister Schippers aan het slot ervan, 'dus de Chinezen waren afwezig. Maar mijn collega heeft wel een schriftelijke bijdrage geleverd. Ze zijn er echt mee bezig.'

In een *Report on the management of clinical use of antimicrobials in China* doet minister van Volksgezondheid Chen Zhu kort verslag van de maatregelen die China de laatste tijd heeft genomen om het antibioticagebruik in te dammen. Het ministerie van Gezondheidszorg vaardigde een aantal nieuwe reglementen uit die in april 2012 uitmondden in een managementsysteem voor het gebruik van antibiotica in het ziekenhuis. 'Deze methode bood meer inzicht in de keus, het voorschrijven en het klinisch gebruik van antibiotica, in de surveillance en vroegtijdige signalering van resistentie en in de inzet en het onthouden van antibiotica in zorginstellingen.' Verder heeft minister Chen Zhu richtlijnen laten opstellen voor het gebruik van antibiotica in ziekenhuizen en zijn er drie surveillancenetwerken opgezet: voor het gebruik van antibiotica, voor het vóórkomen van antibioticaresistentie en voor verantwoord medicijngebruik. Uit een onderzoek dat eind 2011 werd gehouden in 430 Chinese ziekenhuizen bleek ten aanzien van het gebruik van antibiotica volgens minister Chen Zhu een 'duidelijke verbetering op drie punten': de controlesystemen in de ziekenhuizen zijn verbeterd; het antibioticagebruik in de ziekenhuizen en erbuiten is gedaald en ook de doseringen zijn lager geworden, terwijl het preventieve gebruik rond operaties verminderd is maar wel adequater is geworden; ten slotte zijn hierdoor de medicijnkosten gedaald met een 0,5 procent per jaar voor poliklinische patiënten en met ruim 2 procent voor klinische patiënten.

Het belang van de toenemende Chinese en Indiase bewustwording dat antibioticaresistentie een groot probleem is kan nauwelijks overschat worden. Door de omvang van de bevolking heeft verkeerd gebruik van antibiotica in die landen verstrekkende gevolgen voor de rest van de wereld. Aan het slot van de ministersconferentie in Amsterdam op 3 oktober verwoordde oud-Europees commissaris van Gezondheid en Consumentenbescherming David Byrne het zo: 'Als er ergens in de wereld een lek is, lekt het in de rest van de wereld ook.' En als dat in een land is waar eenvijfde of eenzesde deel van de totale wereldbevolking woont, zou je daaraan toe kunnen voegen, dan lekt het hard.

Schippers vroeg in haar openingsspeech op de ministersconferentie over verstandig medicijngebruik veel aandacht voor antibioticagebruik en -resistentie. 'Vooral op het gebied van antibiotica is het van het grootste belang dat we tot een strikt internationaal beleid komen. Antibiotica worden tegenwoordig al te vaak op een onverantwoordelijke wijze voorgeschreven aan mensen, maar ook – en dat is eveneens belangrijk – in de intensieve veeteelt. Als minister ben ik naar heel wat landen geweest en ik heb geconstateerd dat dit echt een wereldwijd probleem is. In al die landen zijn mensen bezig om te proberen dit probleem op te lossen, maar internationale samenwerking is cruciaal bij deze urgente problematiek.' Schippers riep op tot een internationaal debat met als inzet een veel selectiever gebruik van antibiotica. Om ervoor te zorgen dat antibiotica nergens meer verstrekt worden zonder doktersrecept en dat dokters de middelen alleen voorschrijven als dat echt nodig is. En dat het massale gebruik in de intensieve veeteelt ophoudt. 'Onverantwoordelijk gebruik van antibiotica betekent niet alleen verspilling, het is gewoon gevaarlijk voor de menselijke gezondheid. Bacteriën worden steeds resistenter en dat kan grote problemen veroorzaken. Wat gaan we doen als de beschikbare antibiotica onwerkzaam zijn geworden en er geen nieuwe antibiotica ontwikkeld worden? Voor die vraag willen we nooit gesteld worden. Daarom roep ik u allemaal op om de recentst ontwikkelde "laatste toevlucht"-antibiotica alleen te gebruiken in gevallen waar dat van het uiterste belang is. Dit betekent dat we de nieuwste generatie antibiotica zeer terughoudend moeten gebruiken, alleen als er geen andere opties zijn. Dat is van cruciaal belang voor onze toekomstige veiligheid.' Schippers benadrukte dat een klein land als Nederland niet bij machte is om de problemen met antibioticaresistentie alleen op te lossen. Dat kan uitsluitend, zei ze, door internationale samenwerking en dan niet alleen tussen overheden, maar ook met de wetenschap en het bedrijfsleven. De Europese Unie heeft daarin onlangs enkele stappen gezet. Op 17 november 2011 publiceerde de Europese Commissie een 'Action plan against the rising threats from Antimicrobial Resistance'.[342]

Het plan van aanpak van de Europese Commissie omvat twaalf maatregelen, eerlijk verdeeld over de humane en de veterinaire sector. De belangrijkste twee zijn het aan banden leggen van het antibioticagebruik in de veeteelt en het verminderen en verbeteren van het gebruik bij mensen. Behalve strengere regels voor het gebruik van antibiotica bij dieren wil de EC ook een strengere handhaving van die regels, en beleid om infecties bij dieren vaker te voorkomen. Dan hoeven er helemaal geen antibiotica te worden gebruikt. De Commissie wil ook dat de preventie en bestrijding van infecties in zorginstellingen versterkt worden, zodat de verspreiding ervan zo veel mogelijk voorkomen wordt. Verder moet er een systematische monitoring komen van het antibioticagebruik en van het vóórkomen van resistentie. Het gemak waarmee antibioticaresistentie verspreid wordt door het reisgedrag van mensen en het transport van goederen, noopt volgens de Europese bestuurders tot internationale samenwerking. Ten slotte moet de ontwikkeling van nieuwe antibiotica of alternatieve behandelingen, zowel voor mensen als dieren, worden gestimuleerd. Dat kan bijvoorbeeld door samenwerking tussen overheden, bedrijfsleven en wetenschappers, maar ook door stimulansen te geven aan onderzoek en innovatie.

Aanbevelingen van Kopenhagen

De Europese Commissie borduurt met haar actieplan voort op eerdere initiatieven die met name de Scandinavische landen namen. Denemarken organiseerde in september 1998 als voorzitter van de Europese Unie een eerste top over het gebruik van antibiotica en het ontstaan van resistentie. De conferentie leidde tot de *Copenhagen Recommendations*.[343] De auteurs van het conferentieverslag waren Vibeke Thamdrup Rosdahl, divisiehoofd bij het Statens Serum Institut en Knud Børge Pedersen, de directeur van het Danish Veterinary Laboratory. De humane en de veterinaire sector werkten in Denemarken dus al heel vroeg samen. De zeven 'Aanbevelingen van Kopenhagen' zijn nog altijd hoogst actueel en in de kern identiek aan de voorstellen uit het plan van aanpak van de Europese Commissie dat dertien jaar later verscheen.

- De Europese Unie en de lidstaten moeten erkennen dat antimicrobiële* resistentie een groot probleem is in Europa en de hele wereld.
- Farmaceutische bedrijven dienen aangemoedigd te worden om nieuwe antimicrobiële middelen te ontwikkelen, maar die zullen in de naaste toekomst de problemen niet oplossen.
- De Europese Unie en de lidstaten moeten een Europees surveillancesysteem opzetten voor antimicrobiële resistentie.
- De Europese Unie en de lidstaten moeten data verzamelen over het voorschrijven en gebruiken van antimicrobiële middelen.
- De Europese Unie en de lidstaten moeten aanmoedigen dat een omvangrijke reeks maatregelen genomen worden ter bevordering van verstandig gebruik van antimicrobiële middelen.
- De Europese Unie, lidstaten en nationale onderzoeksinstituten moeten van gecoördineerd onderzoek naar antimicrobiële resistentie een topprioriteit maken.
- Er moet een manier gevonden worden om de voortgang van deze aanbevelingen en voorstellen te monitoren.

In de jaren daarna gaven ook Slovenië, Frankrijk en Tsjechië tijdens hun voorzitterschappen van de Europese Unie aandacht aan de toenemende antibioticaresistentie. Daarbij ging het vooral om infectieziektebestrijding, patiëntveiligheid, verantwoord gebruik van antibiotica en het verhogen van het bewustzijn over antibioticagebruik en -resistentie.

Het Belgische voorzitterschap van de EU liet zich in de tweede

* Antimicrobiële middelen zijn antibiotica, maar ook antivirale middelen, antiparasitaire middelen en antischimmelmiddelen.

helft van 2001 ook niet onbetuigd. Het in 1999 opgerichte Belgian Antibiotic Policy Coordination Committee (BAPCOC), waarvan professor Herman Goossens vicevoorzitter is, organiseerde een conferentie over gepast gebruik van antimicrobiële middelen. Daaruit vloeide een Europese aanbeveling voort over verantwoord gebruik van antimicrobiële middelen in de humane geneeskunde én een netwerk om het gebruik van antibiotica in de Europese Unie te monitoren. Goossens was nauw betrokken bij het tot stand komen van zowel de aanbeveling als het project European Surveillance of Antimicrobial Consumption (ESAC), waarvan hij nu de coördinator is. Hij is een enthousiast pleitbezorger van het systeem van roulerend voorzitterschap. 'Dat werkt aanstekelijk voor het maken van beleid', zegt hij. 'Zo'n Europees plan van aanpak is belangrijk, al was het maar omdat de Europese Commissie het onderwerp zo onder de aandacht houdt. De bedoeling is ook dat de lidstaten op afzienbare termijn verslag uitbrengen van wat ze dan met de aanbevelingen gedaan hebben. Dan worden ze geconfronteerd met elkaars cijfers. Dat we met zevenentwintig landen om de tafel zitten en die cijfers bekijken, en soms een beetje scheef bekijken, dat heeft zijn effect niet gemist. Ik denk dat het heel goed werkt om de cijfers naast elkaar te leggen en de landen met de vinger te wijzen waar het verkeerd gaat. Waarom zijn wij in 2000 in België met de campagnes begonnen en gaf Frank Vandenbroucke* ons daar geld voor? Dat was omdat hij de Europese cijfers zag. Hij zag dat België destijds drie tot vijf keer meer antibiotica voorschreef dan Nederland. Daar was hij verbolgen over, hij vond dat dat niet kon. Hij

* De sociaal-democraat Frank Vandenbroucke (1955) was in de regering-Verhofstadt I (1999-2003) minister van Sociale Zaken en Pensioenen. Voor en na die tijd was hij vele jaren Kamerlid, gemeenteraadslid, Vlaams parlementslid, senator en minister van onder meer Buitenlandse Zaken, Sociale Zaken, Werk en vicepremier. Tegenwoordig is hij minister van Staat en hoogleraar aan de universiteiten van Leuven en Amsterdam.

vond dat onverantwoord. En waarom heeft Kouchner* twee jaar later hetzelfde gedaan? Omdat hij ook de cijfers zag en boos was dat Frankrijk veel meer antibiotica gebruikte dan de buurlanden. Die vond dat al even onverantwoord. Daarom vind ik dat Europa het eigenlijk heel goed gedaan heeft. En zo'n plan van aanpak is daarbij belangrijk. Dat zorgt voor aandacht, het maakt middelen vrij. De ministers moeten straks vertellen wat ze gedaan hebben met het plan. Het is geen wetgeving, dus niet afdwingbaar, maar de ambtenaren moeten dus wel met gegevens komen en daarvoor gaan ze overleggen met de experts. Het gaat van boven naar beneden en dan terug van beneden naar boven. Dan moet die minister in de Raad van Ministers zijn rapport overleggen en dan werkt het toch wel heel beschuldigend als je land er slecht op staat. In dat hele spel zijn de experts zeer belangrijk en op dat vlak heb ik kritiek op een aantal van mijn collega's. Door de aanpak van de Europese Commissie en dankzij dat roterende voorzitterschap kunnen de experts een heel belangrijke rol gaan spelen. Bij toerbeurt in de verschillende landen kunnen mijn collega's en ik bijsturen. Ik heb daar in België heel veel tijd in gestoken. En mijn Franse collega's hebben precies hetzelfde gedaan. Waarom loopt het in Italië niet zo goed? Omdat daar – en dat geldt ook voor andere Zuid-Europese landen zoals Griekenland, Spanje en Portugal – de banden tussen artsen en de farmaceutische industrie veel nauwer zijn dan in Midden- en Noord-Europa. Artsen daar zijn daardoor minder geneigd om samen met de overheid een campagne op te zetten om het antibioticagebruik terug te dringen, terwijl het gebruik in die landen juist het hoogst is. Ik heb geen harde bewijzen, maar dit zijn wel de verhalen die ik hoor. En

* Bernard Kouchner was onder de socialistische premier Lionel Jospin in 2001 en 2002 minister van Volksgezondheid. Dat was hij in 1988 (staatssecretaris) en 1992 ook al geweest. Kouchner is een van de oprichters van Médecins sans Frontières (Artsen zonder Grenzen). In 2007 werd hij minister van Buitenlandse Zaken onder de rechtse premier François Fillon.

een aantal andere collega's zit in het lab en ze doen hun ding zonder veel oog voor de klinische praktijk. Die ontdekken nog eens een resistentiegen en publiceren daarover in een mooi tijdschrift. Maar wat heb je daaraan voor het beleid? Helemaal niets. Als expert krijg je als jouw land EU-voorzitter is de kans om te wegen op het beleid. Dat lukt in landen waar een nauwe samenwerking met de overheid wordt gezocht. In Engeland zie je dat, in Frankrijk nu, in Zweden, in Denemarken, in Nederland, zeker aan de humane kant.' En, Goossens laat het ongenoemd, in België dus.

Bijzondere geneesmiddelen

Op 1 juli 2009 was het de beurt aan Zweden om het voorzitterschap van de Europese Unie te bekleden. Minister voor Gezondheidszorg en Sociale Zaken Göran Hägglund maakte van antibioticaresistentie een prioriteit tijdens het Zweedse voorzitterschap. Op 17 september 2009 organiseerde de Zweedse regering in Stockholm de conferentie Innovative Incentives for Effective Antibacterials, waarop experts uit de wetenschap, de industrie en de overheid overlegden over manieren om de industrie aan te zetten tot de productie van nieuwe antibiotica. De deelnemers kwamen uit Europa – vooral de Scandinavische landen, Nederland en Engeland waren goed vertegenwoordigd – en de Verenigde Staten. Het slotdocument van de bijeenkomst stelt: 'De Zweedse regering maakt zich zorgen over het toenemend vóórkomen van multiresistente bacteriën dat een grote bedreiging vormt voor de menselijke gezondheid en aanzienlijke ziektelast en sterfte veroorzaakt in Europa en de rest van de wereld. Dit gaat gepaard met hoge kosten voor de samenleving. Bovendien zouden een aantal ingewikkelde ingrepen die we nu als gewoon beschouwen, zoals chirurgie, kankerbehandelingen, transplantaties en neonatale zorg, weleens onmogelijk kunnen worden als er geen werkzame antibiotica meer beschikbaar zijn. Er zal langs natuurlijke weg resistentie ontstaan als gevolg van het gebruik en misbruik van antibiotica. Gedurende enkele decennia zijn er regelmatig nieuwe klassen van werkzame antibiotica ontwikkeld, maar de laatste veertig jaar zijn er nog maar twee nieuwe klassen op de markt gekomen. Dit is grotendeels te wijten aan een tekortkoming van de markt, want antibacteriële middelen leveren minder winst op dan geneesmiddelen voor andere indicaties.' Aan het slot van het Zweedse voorzitterschap, in december 2009, besloot de Raad van ministers van Volksgezondheid op initiatief van de Zweden om de Europese Commissie om een actieplan te vragen om de ontwikkeling van nieuwe antibiotica te stimuleren.* 'Tussen de lidstaten bestond tijdens die vergadering politieke overeenstemming dat er iets moest gebeuren', vertelt een hoge ambtenaar die nauw bij de onderhandelingen betrokken was en anoniem wil blijven. 'Maar een reeks lidstaten, waaronder een belangrijke als Frankrijk, wilde absoluut niet dat het extra geld ging kosten. Een aantal ministers van Financiën vond al dat er te veel geld naar volksgezondheid gaat. Zij wilden niet dat er door een antibioticaplan nog meer geld naartoe gaat. Onder aanvoering van Frankrijk wilden ze dat ook absoluut expliciet opnemen in de conclusies van de Raadsvergadering. Maar wel een oplossing willen voor het probleem strookt niet met dat het niets extra's mag kosten. Uiteindelijk is het op zo'n manier op papier gezet dat er toch wel wat ruimte voor extra uitgaven in zat.'

Dat de animo om nieuwe antibiotica te ontwikkelen al jaren niet erg groot is heeft alles te maken met de bijzondere aard van die geneesmiddelen. Antibiotica worden ontwikkeld om vervolgens zo min mogelijk te gebruiken. Hoe minder een nieuw werkzaam antibioticum ingezet wordt, hoe langer het duurt voor er resistentie tegen ontstaat. Op die manier kan de wereld er zo lang mogelijk profijt van hebben vóórdat die onvermijdelijke ontwikkeling zich voltrekt. Voor de industrie is dat een weinig aantrekkelijk perspec-

* Dat is het plan van aanpak geworden dat op 17 november 2011 gepresenteerd is.

tief: jarenlang onderzoek aan een middel dat algauw honderden miljoenen kost en dat dan maar mondjesmaat gebruikt wordt. Als een patiënt antibiotica krijgt voorgeschreven dan is de kuur bovendien van korte duur. En het antibioticum geneest de ziekte waaraan de patiënt lijdt. Dat biedt veel minder mogelijkheden om winst mee te maken dan middelen voor chronische aandoeningen. Van de vijftien belangrijkste farmaceutische bedrijven in de wereld houden er nog maar vijf zich bezig met onderzoek naar antibiotica. 'Er wordt inderdaad minder onderzoek gedaan naar de ontwikkeling van antibiotica dan tien of twintig jaar geleden', zei Paul Miller me eind juni 2010. Miller is hoofd research antibacteriële middelen bij Pfizer. 'Toch zijn de grootste farmaceutische bedrijven nog altijd actief betrokken bij de ontwikkeling van nieuwe antibiotica. Maar door de omvangrijke onderzoeksinspanningen in de industrie als geheel is de pijplijn voor nieuwe antibiotica niet erg gevuld. Ze leveren minder op dan veel andere medicijnen en pas veel later. Dus zijn er niet veel echt nieuwe moleculen in ontwikkeling. De laatste tijd is daar wel hernieuwde aandacht voor binnen de bedrijfstak door de problemen met bacteriën die in toenemende mate multiresistent zijn door bijvoorbeeld ESBL's.'* Farmaceuten die overwegen te investeren in onderzoek naar nieuwe antibiotica zijn zich zeer bewust van de ongelukkige consequentie die vastzit aan een eventueel succes. Als ze erin slagen een nieuw, beloftevol antibioticum te ontwikkelen en op de markt te brengen, dan moet dat pas gebruikt worden als het niet anders kan. Om de werking ervan zo lang mogelijk veilig te stellen.

---

* Extended Spectrum Bèta-Lactamase (ESBL) zijn enzymen die door bacteriën aangemaakt worden en die ze resistent maken tegen een groot aantal bèta-lactam-antibiotica. Een bacterie met ESBL is nog wel gevoelig voor antibiotica van de klasse der carbapenems.

De prijs van de waarde

'De industrie erkent het nut van goed antibioticabeleid', zegt Miller. 'We zijn ons ervan bewust dat de verkoop van antibiotica op een andere manier verloopt dan de meeste andere geneesmiddelen. Normaal ga je er als bedrijf van uit dat je een middel een paar jaar na toelating overal kunt verkopen en dat het dan ook gaat lopen. Bij antibiotica werkt het anders. Dan verkoop je aanvankelijk heel weinig omdat het nieuwe antibioticum reservemiddel is. Op een gegeven moment neemt de resistentie tegen andere middelen zo toe dat artsen het gaan voorschrijven. Dan stijgt de verkoop van het nieuwe middel. Als dat gebeurt voordat een middel uit patent loopt en in generieke varianten op de markt komt, dan komt het met de verdiensten wel goed. Maar het is een heel ander verdienmodel dan met andere geneesmiddelen. Niet alle bedrijven kunnen of willen wachten op hun verdiensten.' De relatief lage verkoopprijs van antibiotica is ook al geen extra stimulans om flink te investeren in de ontwikkeling ervan. 'Antibiotica zouden best wat duurder mogen worden', zei Paul Miller. 'De maatschappelijke waarde van antibiotica zou verdisconteerd moeten worden in de prijs ervan.' Ook een hoge Europese ambtenaar die een sleutelrol speelde bij het uitwerken van het plan van aanpak van de Europese Commissie is die mening toegedaan. 'De prijs van antibiotica staat niet in verhouding tot het belang en het effect van het middel', zegt hij. 'Ik denk dat ook de farmaceutische bedrijven oprecht bezorgd zijn, dat hun ethisch besef echt is. Zij zien ook dat de mechanismen van de industrie zelf en de regelgeving oplossingen bemoeilijken. Maar de farmaceuten gaan alleen verder met onderzoek, of herstarten hun onderzoekslijn, als er een duidelijk perspectief is. Dat moeten wij bieden en dan nemen zij hun verantwoordelijkheid wel.'

John Rex, vicepresident en hoofd antimicrobiële research bij AstraZeneca, is het roerend met hem eens. 'Wij zijn ervan overtuigd dat als de echte waarde van antibiotica onderkend wordt, dat het dan mogelijk is een manier te vinden om een goede prijs vast te stellen voor antibiotica én verantwoord gebruik van antibiotica aan te moedigen. Zodat bedrijven redelijke winsten kunnen behalen en weer op dit gebied actief willen worden. Antibiotica zijn genezend, ze redden levens, ze geven je je leven terug, ze geven je nog vele productieve jaren.' Directeur Michel Dutrée van Nefarma, de vereniging innovatieve geneesmiddelen Nederland, is het eens met Miller en Rex dat antibiotica te goedkoop zijn. 'De laatste paar antibiotica die ontwikkeld zijn, werden voor het prijsniveau ingedeeld bij de oude middelen. Om de simpele reden dat ze anders niet vergoed zouden worden vanuit de zorgverzekeringen. Voor sommige bedrijven is dat reden geweest om hun researchlijnen maar te sluiten. En die kun je niet zomaar weer opstarten. In Nederland zou je kunnen overwegen om antibiotica onder een zelfde regime te brengen als weesgeneesmiddelen.* Die zijn heel duur omdat ze maar zo weinig gebruikt worden. Voor nieuwe antibiotica zou je net zo'n soort constructie kunnen bedenken: beperkt gebruik maar dan wel een hogere prijs.' Jan Kluytmans vertelt dat er ook gesproken wordt over 'een belastingheffing om antibiotica duur te maken. Dat zou ook in de veesector goed werken. De opbrengsten daarvan kun je dan gebruiken om duurzaamheidsaspecten meer aandacht te geven.'

Rex citeert wat cijfers uit een studie van Brad Spellberg en anderen die in 2008 in een supplement van *Clinical Infectious Diseases* verscheen.[344] AstraZeneca en andere farmaceuten financierden het onderzoek dat eraan ten grondslag lag.[345] Bij mensen onder de dertig jaar met longontsteking reduceren antibiotica de sterfte van 12 naar 1 procent. In de groep van dertig- tot negenenvijftigjarigen met longontsteking verminderen antibiotica de sterfte van 32 naar

---

* Weesgeneesmiddelen zijn medicijnen tegen heel zeldzame ziekten. Behalve de speciale voorwaarden voor toelating op de markt die gelden voor weesgeneesmiddelen, is er ook een afzonderlijk financieringssysteem in het leven geroepen. Nederlandse ziekenhuizen waar patiënten met de betreffende aandoeningen behandeld worden, krijgen extra budget voor deze vaak peperdure middelen.

5 procent en bij de groep zestigplussers zelfs van 62 naar 17 procent. 'En dat allemaal met een korte kuur', zegt Rex. 'Het is belangrijk om te beseffen dat je farmaceutische bedrijven niet kunt dwingen om antibiotica te ontwikkelen. Je moet ervoor zorgen dat ze dat willen. Beloon dus innovatie en doe dat bij voorkeur vroeg in het ontwikkelingsproces. Door bijvoorbeeld voor research en ontwikkeling van antibiotica een zelfde soort regels op te stellen als voor de ontwikkeling van weesgeneesmiddelen.* Verder zou je kunnen denken aan het verlengen van patenten, belastingvoordelen, leningen tegen gunstige voorwaarden en onderzoekssubsidies.' Een aantal van Rex' voorstellen is afkomstig uit een rapport dat onderzoekers van de London School of Economics opstelden voor het Zweedse EU-voorzitterschap.[346] Rex maakt zich grote zorgen over de toenemende resistentie van sommige bacteriën voor alle of vrijwel alle beschikbare antibiotica. 'Het is een enorm groot probleem. Het is een crisis die langzaam is opgekomen. Iedereen, overal ter wereld kan op elk moment getroffen worden.' De toekomst ziet er volgens Rex donker uit als de farmaceutische industrie niet snel nieuwe antibiotica gaat ontwikkelen. 'Ik hoop dat we die toekomst nooit zullen beleven, want het is er een waarin niemand van ons wil leven. Zonder werkzame antibiotica zijn heel veel dingen niet mogelijk. Moderne geneeskunde bestaat bij de gratie van antibiotica die werken. Je kunt geen nieuwe heup krijgen, geen te vroeg geboren baby'tje verzorgen of kanker behandelen zonder werkzame antibiotica. Als het zo ver komt dat de huidige antibiotica nog minder werkzaam worden dan ze nu al zijn, dan belanden we in een heel ingewikkelde situatie. Dat wil ik niet meemaken.' Ik sprak Rex in

* Voor weesgeneesmiddelen gelden bijzondere voorwaarden voor klinische trials, omdat er wereldwijd maar heel weinig patiënten zijn. Er kan bovendien vrijwel nooit een gerandomiseerde, dubbelblinde trial plaatsvinden omdat de patiënten geen potentieel werkend middel onthouden kan worden, want er zijn geen alternatieve middelen. Weesgeneesmiddelen worden eerst voorwaardelijk op de markt toegelaten.

de vroege zomer van 2010 in de Engelse vestiging van multinational AstraZeneca in Alderley Park, midden in het glooiende landschap van Cheshire net ten zuiden van Manchester. John Rex is in 2003 bij AstraZeneca in dienst getreden. Daarvoor werkte hij in de Verenigde Staten als arts en hoogleraar. AstraZeneca's toponderzoeker was niet erg optimistisch gestemd. Hij vreest een terugkeer naar de tijd van vóór de uitvinding van penicilline en antibiotica. 'Voor sommige patiënten zijn er zo weinig mogelijkheden dat we oude middelen met ernstige bijwerkingen moeten gebruiken. Daarmee wil niemand behandeld worden. Er is in de Europese Unie de afgelopen jaren een onderzoek uitgevoerd.* Daarin ging het over duizenden doden per jaar door bacteriële infecties die niet te bestrijden zijn door resistentie voor antibiotica.' Bijna twee jaar later kreeg Rex bijval van de hoogste gezondheidsautoriteit WHO-baas Margaret Chan. Op de conferentie *Combatting antimicrobial resistance* die het Deense voorzitterschap van de EU in Kopenhagen organiseerde op 14 en 15 maart 2012 waarschuwde zij de wereld voor de komst van het post-antibioticatijdperk waarin het gedaan is met de moderne geneeskunde en waarin mensen weer kunnen sterven aan een keelontsteking of een urineweginfectie.[347]

Ingewikkelde omstandigheden

Rex lichtte in het gesprek dat ik met hem had ook toe waarom er maar heel weinig nieuwe antibiotica ontwikkeld worden. 'Er spelen drie factoren. De eerste is wetenschappelijk. Het is heel ingewikkeld om nieuwe antibiotica te ontdekken. Het is makkelijk dingen te vinden die bacteriën doden: stoom, vuur en bleekmiddel werken

* Uit onderzoek dat de European Medicines Agency (EMA) van de Europese Unie in 2009 publiceerde blijkt dat er jaarlijks minstens 25.000 mensen sterven door toedoen van voor antibiotica resistente bacteriën. De jaarlijkse kosten van antibioticaresistentie in de EU worden becijferd op ten minste 1,5 miljard euro http://www.ema.europa.eu/docs/en_GB/document_library/Report/2009/11/WC500008770.pdf.

heel goed. De truc is iets te vinden dat de bacteriën doodt en mensen niet schaadt. Antibiotica zijn ongewoon in de zin dat het doel van het middel is iets te doden dat leeft. Alleen voor kankermedicijnen geldt hetzelfde. Als je nieuwe antibiotica probeert te vinden, dan zoek je chemicaliën met zeer speciale eigenschappen.

De tweede is de regelgeving. Bij antibiotica kunnen we niet op basis van placebo-onderzoek werken. Het is niet ethisch om mensen met een infectie aan een onderzoek te laten meedoen waarin ze een placebo krijgen. Of een middel waarvan we denken dat het niet werkt. In zo'n geval moet ik een nieuw medicijn aanbieden en als alternatief een medicijn waarvan ik denk dat het ook werkt. Dat leidt tot een vicieuze cirkel: de enige patiënten die we kunnen bestuderen, zijn patiënten met bacteriën die wel reageren op antibiotica. Paradoxaal genoeg kunnen we mensen met de resistente bacteriën die we eigenlijk willen bestuderen, niet mee laten doen aan een gewoon klinisch onderzoek met proefpersonen. Dit is een heel groot probleem dat we moeten oplossen met de gezondheidsautoriteiten in de hele wereld.

De derde factor is de economische. Omdat patiënten maar heel kort antibiotica gebruiken en omdat antibiotica een kwaal volledig genezen, valt er voor bedrijven doorgaans minder winst te behalen dan met andere geneesmiddelen. Het is heel duur om antibiotica te ontwikkelen. Het duurt tien tot vijftien jaar en kost misschien wel een miljard dollar* om een nieuw medicijn te ontwikkelen. De winst die het oplevert is minder dan je zou willen, misschien niet eens genoeg om de kosten te dekken.'

Paul Huijts, directeur-generaal Volksgezondheid op het ministerie van vws, onderschrijft de analyse van Rex. 'Het ontwikkelen

---

* Een miljard dollar of euro is een bedrag dat vaak door de industrie wordt genoemd als het gaat om de ontwikkelingskosten van nieuwe medicijnen, antibiotica en andere. Het is volstrekt onduidelijk of dat ook de werkelijke kosten van de ontwikkeling van een medicijn zijn.

van nieuwe antibiotica is puur economisch gezien een rampzalige businesscase', zegt hij. 'Nieuwe antibiotica maak je om ze zo lang mogelijk op de plank te houden. Dat geeft een economisch perspectief dat niet te verkopen is aan aandeelhouders. Daar kan ik me wel iets bij voorstellen. Dat kun je onethisch vinden, maar in de echte mensenwereld is zo'n gedachtegang wel te volgen. Met als gevolg dat je nog maar heel weinig farmaceuten ziet die wel doorgaan met onderzoek naar nieuwe antibiotica. AstraZeneca en GlaxoSmithKline doen dat nog. Kennelijk beschouwt de Raad van Bestuur van die bedrijven dat als een maatschappelijke verantwoordelijkheid, hoewel ze weten dat ze het er misschien niet uit gaan halen.' Huijts kiest voor een pragmatische opstelling. 'Als dat de marktsituatie is, dan moet je niet alleen maar tegen bedrijven zeggen: het is een schande dat jullie geen antibiotica ontwikkelen. Langzamerhand ontstaat een soort collectief probleem. We willen met zijn allen iets, er is behoefte aan een collectief product. Maar niemand voelt individueel de prikkel om dat te gaan maken. Dan moet je dus kijken naar nieuwe wegen om ervoor te zorgen dat het er komt. Dan kom je algauw uit in Europa.'

Zweedse voortrekkersrol

De eerste stappen op die nieuwe wegen werden in september 2009 in Stockholm gezet op de eerder genoemde conferentie *Innovative Incentives for Effective Antibacterials* die Zweden als voorzitter van de Europese Unie organiseerde. Precies een jaar later vond in Uppsala, een uur rijden ten noorden van Stockholm, een volgende conferentie plaats. Wetenschappers, artsen, belangrijke vertegenwoordigers van de farmaceutische industrie en van internationale organisaties en hoge ambtenaren uit enkele tientallen landen kwamen naar Uppsala om oplossingen te zoeken voor het groeiende probleem van de multiresistentie van bacteriën voor antibiotica. De bijeenkomst werd begin september 2010 op verzoek van de Zweedse regering georganiseerd door ReAct – Action on Antibiotic Resistance.[348] Dat is een onafhankelijk internationaal netwerk dat probeert wereldwijde initiatieven van de grond te krijgen om iets te doen aan antibioticaresistentie. Het secretariaat van ReAct is gevestigd aan de universiteit van Uppsala. De organisatie wordt gefinancierd door het Zweedse ministerie van Volksgezondheid en Sociale Zaken, door de universiteit van Uppsala en vooral door de Styrelsen för Internationellt Utvecklingssamarbete, het Zweedse agentschap voor internationale ontwikkelingssamenwerking. Na drie dagen kwamen de bijna tweehonderd aanwezige experts die uit de hele wereld afkomstig waren, met een advies. Overheden moeten de farmaceutische industrie financieel gaan ondersteunen bij de ontwikkeling van nieuwe antibiotica. Maar het maken van nieuwe antibiotica is onvoldoende om de problemen op te lossen. Het verstandiger gebruiken van de nu beschikbare middelen is minstens zo belangrijk. Het is niet de bedoeling van de experts dat farmaceutische bedrijven vooraf honderden miljoenen euro's krijgen om onderzoek te gaan doen naar nieuwe antibiotica. Maar het zal ook niet om steun achteraf gaan op basis van no cure, no pay. De aanwezige topmensen en andere vertegenwoordigers van farmaceutische bedrijven lieten er geen misverstand over bestaan dat van zo'n aanpak onvoldoende stimulans zou uitgaan. De financiële ondersteuning zou een mengvorm moeten worden van fiscale maatregelen, onderzoekssubsidies en beloning voor de ontwikkeling van een nieuw middel. Ook vormen van gegarandeerde afzet – overheden die contracten tekenen om een nieuw antibioticum in te kopen – zouden een rol kunnen spelen. Zo'n zelfde model is heel succesvol geweest bij de ontwikkeling van nieuwe geneesmiddelen tegen malaria en hiv.[349] De essentie van de plannen is dat de industrie voor het terugverdienen van de ontwikkelingskosten van antibiotica niet afhankelijk is van de verkoop van die geneesmiddelen. Dat werkt onnodig gebruik en misbruik in de hand. En dat zorgt er weer voor dat bacteriën sneller ongevoelig worden voor antibiotica. De industrie probeert tot nu toe zo snel mogelijk geld te verdienen aan antibiotica, in ieder geval vóór er op grote schaal resistentie ontstaat voor een middel, want dan verliest het zijn waarde. Dat proces gaat gepaard met tamelijk agressieve marketing van antibiotica – vooral in minder ontwikkelde landen – en stimuleert het onnodige gebruik ervan en dus het ontstaan van resistentie.

Professor Inge Gyssens, internist-infectioloog aan het Jessa Ziekenhuis in Hasselt, hoogleraar aan de universiteit daar en als onderzoeker verbonden aan het UMC St Radboud in Nijmegen, was destijds aanwezig in Uppsala. In 2008 riep ze in een artikel in *Clinical Microbiology and Infection* al op tot zo'n aanpak.[350] 'Als je een model zou kunnen ontwikkelen waarin de industrie beloond wordt voor het ontwikkelen van een kostbaar antibioticum dat voor de juiste indicaties gebruikt wordt, dan zou het er heel anders uitzien. Daarvoor moet geld op tafel komen en moet er samenwerking tot stand komen tussen alle betrokken partijen. Dit onderwerp moet boven aan de agenda komen te staan.' De industrie zou dan volgens Gyssens wel weer mogelijkheden zien om geld te verdienen aan antibiotica. En dat is van groot belang. 'Zo hebben we het georganiseerd: commerciële bedrijven beslissen of dit soort middelen ontwikkeld worden.' Gyssens denkt dat er eerst en vooral een mentaliteitsverandering moet komen. 'Werkzame antibiotica zijn een collectief goed. Vergelijk het met het recht op schoon water. Zo zou er ook een recht op werkende antibiotica moeten zijn. Vroeger vond iedereen dat vervuiling erbij hoorde in ons soort samenlevingen. Tot de publieke opinie veranderde en zei dat het zo niet langer meer kon. Het is de hoogste tijd voor een vergelijkbare mentaliteitsverandering over antibiotica. Die is wel aan de gang, maar de vraag is of het snel genoeg gaat.'

Er zijn in 2012 wel een aantal nieuwe initiatieven genomen die de bewustwording over antibioticaresistentie beogen te vergroten en de aanpak ervan te bespoedigen. In april 2012 werd in Frankrijk de World Alliance against Antibiotic Resistance opgericht. Bij de WAAR zijn intussen honderden artsen en wetenschappers en tientallen wetenschappelijke verenigingen uit de humane en de veterinaire sector aangesloten, afkomstig uit tientallen landen in de hele wereld. De wetenschappelijke adviesraad van WAAR bestaat uit tachtig vooraanstaande medisch specialisten uit eenenveertig landen. De eerste patiënten en consumentenorganisaties hebben zich ook al aangesloten bij WAAR. De leden van de organisatie gaan proberen de gezondheidsautoriteiten en politici in hun landen ervan te doordringen dat het tijd is voor stringente maatregelen om antibioticaresistentie terug te dringen en de nog werkzame antibiotica te behouden. Antibiotica moeten een speciale status krijgen met bijbehorende regelgeving. De overheid moet onderzoek naar nieuwe antibiotica faciliteren. Er moet meer werk gemaakt worden van infectiepreventie, in de eerste plaats door het verbeteren van de handhygiëne van artsen en verpleegkundigen. Maar ook door onderwijsprogramma's voor zowel werkers in de gezondheidszorg als het grote publiek.[351] Half november 2012 publiceerden vijfentwintig Amerikaanse medische organisaties een gezamenlijke verklaring over antibioticaresistentie van vergelijkbare strekking.[352]

Verpleeghuizen als reservoir van resistentie

Johan Mouton is hoogleraar farmacokinetiek en farmacodynamiek van antimicrobiële middelen aan het UMC St Radboud in Nijmegen. Hij is arts-microbioloog en hoofd van de sectie bacteriologie van de afdeling medische microbiologie in het Nijmeegse universitaire ziekenhuis. Mouton is secretaris van de Stichting Werkgroep Antibioticabeleid (SWAB) en leidde in Uppsala een van de werkgroepen die voorstellen moesten uitwerken om de productie van nieuwe antibiotica uit het slop te trekken. 'Een van de sprekers waarschuwde voor een terugkeer naar de medische Middeleeuwen. Dat is het doemscenario. Maar nu al kunnen we patiënten met verminderde weerstand geregeld niet optimaal behandelen omdat ze infecties oplopen door multiresistente bacteriën. Net als te vroeg geboren baby's en patiënten die een transplantatie ondergaan of een kunstheup krijgen of zo. Daarom is het zo belangrijk dat er nieuwe antibiotica ontwikkeld worden én dat we de antibiotica die er nu zijn behouden door die verstandig te gebruiken.' Mouton vertelt dat het bij slecht behandelbare patiënten nog al eens gaat om patiënten uit verpleeghuizen bij wie het intraveneus toedienen van antibiotica geen optie is. 'Dan heb je geen middelen meer om bijvoorbeeld een eenvoudige urineweginfectie te bestrijden. Die kan dan langdurig aanhouden, soms spontaan genezen en soms helemaal niet genezen.' Moutons collega-hoogleraar aan het UMC St Radboud Andreas Voss wijst daar ook op. 'Verpleeghuizen zijn een grote bron van resistente bacteriën', zegt de van oorsprong Duitse arts-microbioloog die ook in het Canisius Wilhelmina Ziekenhuis in Nijmegen werkt. 'Doorgaans wordt er pas als de tweede of derde therapie met antibiotica een urineweginfectie niet geneest een kweek gemaakt. Het lijkt te duur om alles te kweken. Maar misschien is het toch beter om meer te kweken, want door blind antibiotica voor te schrijven is er fiks geselecteerd op bepaalde resistentiemechanismen.' Sinds een jaar of vijf besteedt Voss veel tijd aan het vergroten van de kennis en het bewustzijn over antibioticaresistentie binnen verpleeghuizen. Het infectiepreventiebeleid is volgens Voss in de ziekenhuizen in Nederland over het algemeen goed opgetuigd. In de verpleeghuizen was het een ander verhaal, zegt hij. Daar was nog maar in beperkte mate sprake van infectiepreventiebeleid. 'We werken hier in de buurt met zevenentwintig verpleeghuizen samen. Aanvankelijk stelden ze zich terughoudend op. Ze zeiden vaak: wij zijn geen ziekenhuizen. Maar de zorgzwaarte van bewoners van verpleeghuizen wordt steeds groter. Wat infectiepreventie betreft staan veel verpleeghuizen nog aan het begin, maar er zijn er inmiddels ook enkele die zelfs een eigen deskundige infectiepreventie in dienst hebben.' Voss' samenwerking met de verpleeghuizen gebeurt in het kader van het Euregio-project EuroSafety dat in de hele grensregio met Duitsland is uitgerold. Het aantal infecties door resistente bacteriën in verpleeghuizen ligt rond de 10 procent. De helft van alle infecties zijn urineweginfecties, die vaak veroorzaakt worden door ESBL-producerende bacteriën. Veel bewoners van verpleeghuizen zijn incontinent. 'De kwaliteit van het incontinentiemateriaal dat gebruikt wordt en de frequentie van het wisselen ervan spelen een belangrijke rol bij het ontstaan of juist voorkomen van infecties', zegt Voss. Er zijn vaak goede protocollen en goede wil, maar soms worden incontinentieluiers mogelijk te lang of fout gebruikt. En intussen zijn ESBL's een groot therapeutisch probleem in verpleeghuizen.' Als infecties veroorzaakt worden door bacteriën die ESBL's produceren, dan zijn de patiënten aangewezen op antibiotica die alleen per infuus toegediend kunnen worden. 'Maar verpleeghuisartsen dienen eigenlijk nooit intraveneus antibiotica toe', zegt Voss. 'Daarvoor moeten de patiënten naar het ziekenhuis. Dat brengt extra kosten met zich mee en geeft extra kans op transmissie van de resistente bacterie naar andere patiënten. We hebben tegenwoordig teams die uit kunnen rukken om patiënten thuis intraveneus antibiotica te geven. Dat zou er ook moeten komen voor verpleeghuizen.'

Er zijn weinig harde gegevens beschikbaar over het vóórkomen van zorggerelateerde infecties in verpleeghuizen. Verpleeghuizen kunnen sinds 2009 deelnemen aan PREZIES, het prevalentieonderzoek naar zorginfecties. Omdat er zo weinig kweken afgenomen worden is er nauwelijks informatie beschikbaar over het vóórkomen van (multi)resistente micro-organismen. In oktober 2012 verscheen een eerste rapportage[353] over de periode maart 2009 tot en met april 2012. Tien verpleeghuizen met in totaal 26 verschillende locaties hebben in die periode deelgenomen. Dat is maar een fractie van het totaal aantal van zevenhonderd verpleeghuislocaties waar ongeveer 65.000 mensen verblijven. Daarnaast zijn er ook nog zo'n 1.300 verzorgingshuizen waar zo'n 100.000 mensen wonen.[354] In oktober 2011 waren de cijfers van 10 locaties bekend, in april 2012 was dat opgelopen tot 23. In de drie jaar van de registratie woonden er ruim 6.000 verschillende mensen in deze verpleeghuizen. Net iets meer dan 4 procent van de cliënten had een zorggerelateerde infectie. Behalve de eerste rapportage van PREZIES-gegevens verscheen er eind augustus 2012 nog een studie naar het vóórkomen van zorggerelateerde infecties in tien verpleeghuizen met ruim veertienhonderd bewoners.[355] Uit die studie, verricht in mei en juni 2010 in het kader van de Europese HALT*-studie, bleek dat 2,8 procent van de bewoners een zorggerelateerde infectie had opgelopen. Belgisch onderzoek uit 2010 in het kader van de HALT-studie in 111 verpleeghuizen leverde vergelijkbare resultaten op: 2,9 procent van de bewoners had één of meer zorggerelateerde infecties.[356]

Trials goedkoper maken

Het ontwikkelen van een antibioticum kost volgens Mouton gemiddeld een jaar of vijftien. Het leeuwendeel van de kosten wordt gemaakt in de laatste vier jaar daarvan als de trials met patiënten plaatsvinden. In een fase 1-trial wordt op gezonde vrijwilligers getest hoe een geneesmiddel zich in het menselijk lichaam gedraagt en in welke mate het toxisch is. In de fase 2-trial gaat het om het vinden van de juiste dosering. De fase 3-trial moet de werkzaamheid van een middel in grote groepen patiënten aantonen. Die studies vinden doorgaans plaats in verschillende landen en ziekenhuizen en zijn kostbaar. 'Dat proces zou je kunnen proberen te versnellen door de relatie tussen dosering en effectiviteit bij muizen te onderzoeken. Daarna kunnen we met de kennis die we tegenwoordig hebben, voorspellen hoe het bij mensen zal werken. Dan zou je de fase 2 en 3 van het onderzoek bij mensen kunnen combineren. Dat versnelt het proces en maakt het goedkoper omdat je minder patiënten nodig hebt. Vervolgens zou je een bedrijf een voorwaar-

* HALT staat voor Healthcare associated infections in long-term-carefacilities.

delijke toelating kunnen geven om een middel op de markt te brengen. Onder strikte voorwaarde dat de eerste twee jaar de toxiciteit van het nieuwe middel en het ontstaan van resistentie scherp gecontroleerd worden.' Pfizers Paul Miller hamert ook op het belang van heldere en werkbare regels voor klinische trials. 'De eisen die gesteld worden door de gezondheidsautoriteiten veranderen soms terwijl de studie al loopt. Het goede nieuws is dat er constructieve gesprekken plaatsvinden met de autoriteiten om daar verandering in te brengen. De regels voor trials worden wat soepeler. Dat is voor de industrie van groot belang.'

De Zweedse arts-microbioloog Andreas Heddini was een van de organisatoren van de conferentie in Uppsala en destijds directeur van ReAct. 'In de hele wereld schrijven artsen op grote schaal antibiotica voor,' zei hij me, 'ook als dat helemaal niet nodig is. Vaak kiezen ze voor breedspectrumantibiotica die nog het best te vergelijken zijn met een schot hagel of met spervuur. Terwijl ze, als het gebruik van antibiotica nodig is, gericht zouden moeten schieten met een smalspectrumantibioticum dat precies de bacterie aanvalt die voor de ziekteverschijnselen zorgt. Dat komt omdat artsen antibiotica doorgaans empirisch voorschrijven, op grond van hun ervaring. We behandelen meestal wat we denken dat patiënten hebben, zonder vast te stellen of ze dat ook daadwerkelijk hebben', aldus Heddini. 'Door verkeerd voorschrijven van antibiotica dragen artsen er zelf veel aan bij dat ze steeds vaker met bijna lege handen staan als ze patiënten moeten behandelen met ernstige infecties veroorzaakt door multiresistente bacteriën.' Daarom moet het verbeteren van de diagnostiek volgens de experts een ander speerpunt zijn. Zodat veel sneller vastgesteld kan worden wat voor infectie een patiënt heeft dan nu mogelijk is met een kweek in een laboratorium. Er komen steeds meer van dat soort snelle diagnostische tests op de markt die vooralsnog tamelijk duur zijn. Bovendien is de specificiteit ervan soms een probleem waardoor er na de test alsnog een kweek gedaan moet worden.

Juist gebruik

'Acute bronchitis wordt bijna overal ter wereld standaard behandeld met antibiotica', zei Herman Goossens me in Uppsala. 'Dat gaat om miljoenen en miljoenen patiënten. Maar er is nauwelijks onderzoek gedaan naar het effect daarvan. We weten gewoon niet of dat wel altijd nodig is. Door dat in klinisch onderzoek vast te stellen zou je heel veel onnodig gebruik van antibiotica kunnen stoppen. Daar zou ik geld aan besteden in plaats van dat aan de industrie te geven voor de ontwikkeling van nieuwe antibiotica.* Laten we eerst maar eens uitzoeken hoe we de beschikbare middelen op de juiste manier moeten gebruiken. Anders ontstaat er voor nieuwe middelen binnen de kortste keren ook weer resistentie.' Goossens was in Uppsala zo'n beetje de enige die niets voelde voor het sponsoren van de industrie om de farmaceuten aan te zetten tot het ontwikkelen van nieuwe antibiotica.** Voor Andreas Heddini hoef je het één niet te laten om het andere te doen. 'Om het klimaatprobleem het hoofd te bieden beperken we ons ook niet tot de reductie van de CO_2-uitstoot alleen. We ontwikkelen ook nieuwe technologieën. Precies zo moeten we het doen met antibioticaresistentie. Aan de ene kant de beschikbare middelen op de juiste manier gebruiken, aan de andere kant nieuwe ontwikkelen die we zo veel mogelijk in reserve houden.'

Een van de werkgroepen op de conferentie in Uppsala werkte voorstellen uit voor rationeel gebruik van de nu bestaande antibiotica. Dat zou in de eerste plaats volgens de regels moeten gebeuren. Op doktersrecept dus en niet over de toonbank van drogisterijen of apotheken zoals in bijvoorbeeld Spanje en Griekenland de gewoon-

---

* Goossens is met dergelijk onderzoek bezig.

** Na een bezoek aan India in de herfst van 2011 veranderde Goossens van mening. Wat hij daar zag overtuigde hem ervan dat alle middelen gebruikt moeten worden om de problemen aan te pakken. Als financiële stimulering van de industrie kan bijdragen aan de ontwikkeling van nieuwe antibiotica, dan moet dat maar. Zie verder hoofdstuk 2.

ste zaak van de wereld is, hoewel EU-regels dat eigenlijk verbieden. Verder is het cruciaal dat artsen zich houden aan hun eigen beroepsregels en terughoudend omgaan met antibiotica. Geen antibiotica dus voor een fikse verkoudheid of een lichte keelontsteking, maar alleen als het niet anders kan. Professor Jesús Rodriguez Baño van het universitair ziekenhuis Virgen Macarena in Sevilla wijst met de beschuldigende vinger naar de studie geneeskunde aan de Spaanse universiteiten. 'In de opleiding wordt niet genoeg nadruk gelegd op het vermijden van onnodig gebruik van antibiotica. Het ontbreekt ons ook aan een traditie om behandeling even uit te stellen in die gevallen waar dat een optie is. Het is een defensieve vorm van de geneeskunst bedrijven om snel antibiotica te geven. Misschien zijn artsen in de eerstelijnszorg in mijn land en sommige andere landen te druk. En patiënten hebben veel te hoge verwachtingen van antibiotica. Er is te weinig kennis over bij het publiek. Ze weten bijvoorbeeld vaak niet dat antibiotica niet helpen tegen virusinfecties.' De grote financiële crisis die Spanje treft maakt het er niet gemakkelijker op. Rodriguez Baño vreest extra bezuinigingen die ertoe zouden kunnen leiden dat er nog meer microbiologische laboratoria uit ziekenhuizen verdwijnen* dan al gebeurd is en er verdere inkrimping plaatsvindt van de medische en verpleegkundige staf in ziekenhuizen. Hij vreest ook voor verdere beperking van de budgetten voor research** en vertraging bij de invoering van betere diagnostische technieken die van groot belang zijn voor het kiezen van de juiste antibiotica. De Spaanse hoogleraar microbiologie bepleit een multidisciplinaire aanpak die gaat van controle en beperking van het antibioticagebruik in de veeteelt, via actieve surveillance en verplichte rapportage van multiresistente micro-organismen tot verbeterde water- en voedselveiligheid. Verder wil hij *antibiotic*

---

* Zie voor dit onderwerp hoofdstuk 8.

** Die zijn volgens Rodriguez Baño onlangs al met een kwart verminderd.

*stewardship** invoeren in de eerstelijnszorg, in ziekenhuizen en in instellingen voor langdurige zorg. 'En er moeten daar meer deskundigen infectiepreventie komen en hoge standaards voor infectiepreventie.'

Griekse toestanden

Rodriguez Baño's Griekse collega Olympia Zarkotou is microbioloog in het Tzaneio Ziekenhuis in Piraeus. De Griekse problemen zijn van vergelijkbare aard al zijn ze nog groter dan de Spaanse. En dat geldt zowel voor de financiële crisis als voor de resistentieproblematiek. 'In de eerste plaats', zegt Zarkotou, 'moeten we ons concentreren op surveillance om een goed beeld te krijgen van de situatie. Want als je niet zoekt dan heb je geen idee van de omvang van het probleem. Dan moet het verplicht worden infecties door resistente bacteriën te rapporteren. En er moet een eenduidige, centraal gestuurde aanpak komen voor surveillance, voor infectiepreventie en voor het behandelen van patiënten met een infectie door een multiresistente bacterie.' De Griekse cijfers over multiresistente *Klebsiella's* zijn dramatisch. In 2011 maakte meer dan de helft van alle *Klebsiella pneumoniae*-isolaten die een infectie veroorzaakten ESBL's en carbapenems aan, waardoor ze voor veel antibiotica resistent waren.[357] Zarkotou is daarom voorstander van een beleid zoals in Nederland gevoerd wordt met MRSA. In haar eigen ziekenhuis test ze patiënten uit risicogroepen bij hun opname op dragerschap van multiresistente *Klebsiella's*. In de praktijk doet ze dat met alle patiënten die uit verpleeghuizen of uit andere Griekse ziekenhuizen komen en buitenlanders. Dat leidt tot een daling van het aantal infecties door *Klebsiella's*.**

---

* *Antibiotic stewardship* betekent dat een zorginstelling een consistent en samenhangend beleid heeft met richtlijnen voor het bewust en verantwoord omgaan met antibiotica.

** Zie verder hoofdstuk 7.

Professor Ramanan Laxminarayan van het Global Antibiotic Resistance Partnership wijst ook op het belang van het juiste gebruik van antibiotica.* 'In delen van Azië, maar ook in Afrika en lage-inkomenslanden in de rest van de wereld zie je veel te hoog gebruik van antibiotica bestaan naast het geen toegang hebben tot antibiotica. Ik denk dat we die problemen gelijktijdig kunnen oplossen, omdat we daarvoor verschillende strategieën en actoren nodig hebben.' Overmatig gebruik van antibiotica komt volgens Laxminarayan veelvuldig voor in ziekenhuizen door de verkeerde en irrationele doseringen van de middelen, het te vaak voorschrijven ervan en de verkeerde duur van de voorschriften.** Om dat aan te pakken denkt Laxminarayan aan het reguleren van de vrije verkoop van vooral de meer geavanceerde antibiotica, het opstellen van een lijst van cruciale geneesmiddelen, voorlichtingscampagnes voor het publiek, het vaker gebruiken van diagnostische tests vóór een antibioticum wordt voorgeschreven en het opbouwen van de noodzakelijke infrastructuur daarvoor in de ziekenhuizen en, niet in de laatste plaats, aan het trainen van apothekers om ervoor te zorgen dat die eerstelijnsantibiotica op de juiste manier leveren en geen krachtiger antibiotica verkopen zonder recept. 'Gebrek aan toegang tot antibiotica staat voor een groter probleem', zegt hij. 'Dat is exemplarisch voor onvoldoende toegang tot betaalbare gezondheidszorg. Sociaal-economische beperkingen en afstand tot de dichtstbijzijnde gezondheidspost beperken, samen met de beschikbaarheid van medische professionals, de mogelijkheden van patiën-

* Laxminarayan is geen arts maar gezondheidseconoom. Hij is veelvuldig betrokken bij multidisciplinair onderzoek naar verkeerd en overmatig antibioticagebruik.
** Uit een in 2009 gepubliceerde studie van the Cochrane Collaboration blijkt dat antibiotica in de helft van de gevallen op irrationele gronden voorgeschreven worden. De onderzoekers hebben in hun studie 66 onderzoeken, vooral Amerikaanse en Britse, beoordeeld http://onlinelibrary.wiley.com/doi/10.1002/14651858.CD003543.pub2/abstract;jsessionid=559FDC81D20CBB23F6636EA63D9BCB5E.d02t03.

ten om de hulp te zoeken die ze nodig hebben.' Laxminarayan heeft ook een paar aanbevelingen: 'Een vermindering van betalingen uit eigen zak – in India 80 procent tegen maar 20 procent betalingen door de overheid. Zorg ervoor dat alle apotheken volledig bevoorraad zijn met alle medicijnen van de lijst met cruciale geneesmiddelen.* Subsidieer medicijngebruik om het betaalbaar te maken.' Voor de directeur van GARP is de betaalbaarheid van antibiotica en andere geneesmiddelen en dus de toegang tot gezondheidszorg een kernvraagstuk. 'Dat is evident. Jaarlijks sterft er een miljoen kinderen aan longontsteking. In ziekenhuizen in de hele wereld, en soms onder de gewone bevolking ook, zie je overmatig gebruik en resistentie. Soms zou je haast zeggen dat resistentie een luxeprobleem is, als nog zo veel mensen in de wereld helemaal geen antibiotica kunnen krijgen. Maar dat is bepaald niet waar. Als we niets doen aan de resistentieproblematiek, dan raken we de antibiotica kwijt nog voor we de kans hebben gekregen om de miljoenen patiënten te behandelen die ze nodig hebben. Trouwens, de armen zijn de eerste slachtoffers van antibioticaresistentie, want die zijn het minst in staat om zich dure tweedelijnsantibiotica te veroorloven.'

Wie denkt dat onjuist gebruik van antibiotica een ver-van-ons-bedshow is, vergist zich deerlijk. Ina Willemsen, deskundige infectiepreventie in het Amphia Ziekenhuis in Breda, promoveerde in de herfst van 2010 aan het VUmc op een onderzoek naar verbetering van het antibioticagebruik.[358] Zij constateerde dat bijna 5 procent van alle patiënten die in Nederlandse ziekenhuizen antibiotica krijgt, die onterecht voorgeschreven gekregen heeft. Per dag krijgt ongeveer één op de drie patiënten antibiotica. Willemsen deed haar onderzoek in achttien ziekenhuizen. In ziekenhuizen die zorgvuldiger omgaan met het gebruik van antibiotica is het aantal resistente bacteriën

* De Essential Drugs List van de WHO http://www.who.int/medicines/publications/essentialmedicines/en/index.html.

lager. Willemsen toonde ook aan dat scholing, heldere richtlijnen en terughoudend antibioticabeleid invloed hebben op het gebruik van antibiotica en het ontstaan van resistentie. Er waren grote verschillen tussen de ziekenhuizen onderling. Het slechtst presterende ziekenhuis gaf in 30 procent van de gevallen patiënten ten onrechte antibiotica.

Farmaceutische industrie

De Europese Commissie heeft de uitkomsten van de conferentie in Uppsala gebruikt als belangrijke input voor het actieplan van november 2011 om antibioticaresistentie te bestrijden. Ook TATFAR, de in 2009 opgerichte gecombineerd Europees-Amerikaanse Transatlantic Taskforce on Antimicrobial Resistance, is aan de slag gegaan met de voorstellen. In 2011 publiceerde TATFAR zeventien aanbevelingen op drie terreinen: gepast gebruik van antibiotica in de humane en de veterinaire sector, preventie van infecties door resistente bacteriën en strategieën om de ontwikkeling van nieuwe antibiotica te stimuleren.[359] Een van de meer interessante voorstellen van TATFAR is het vergemakkelijken van de klinische trials voor nieuwe antibiotica door het harmoniseren van de Amerikaanse en Europese regels daarvoor. Daardoor zou met een en hetzelfde onderzoeksprogramma toegang tot zowel de Europese als de Amerikaanse markt verkregen kunnen worden. De European Federation of Pharmaceutical Industries and Associations (EFPIA) is een belangrijke partner van de Europese Commissie voor de uitvoering van het op 17 november 2011 in Brussel gepresenteerde 'Action Plan against the rising threats from Antimicrobial Resistance'. EFPIA-directeur Richard Bergström die half 2011 aantrad en afkomstig is van de Zweedse farmaceutische brancheorganisatie LIF, was een van de sprekers bij de presentatie van het plan. 'De constatering dat er maar weinig in de pijplijn zit klopt', zei Bergström. 'Met een handvol middelen houdt het wel op. Voor ons was de gebrekkige werking van de markt het probleem. Commercieel was het niet meer interessant om antibiotica te ontwikkelen. De oplossing daarvan is ingewikkeld, maar in de plannen van de Europese Commissie zit een deel van de oplossing.' Bergström legde uit dat een deel van het probleem zit in de strenge toelatingsregels. Een grotere kans op toelating op de markt zou de bedrijfsrisico's vanzelfsprekend flink verminderen. Bergström kondigde ook een bijzonder initiatief aan. 'Er zijn heel veel bacteriën', zei hij, 'die gemaakt zijn om te overleven. Alleen redden bedrijven het niet om daar het hoofd aan te bieden. We moeten onze kennis samenbrengen en ook de onderzoeken die we gestopt hebben. In de fundamentele fase van het onderzoek, dus lang voor een middel eventueel op de markt komt, moeten we onze kennis delen. We moeten onze research delen en samen producten ontwikkelen. En ook samen de fase 2- en 3-trials* doen. Op die manier kunnen we de risico's die we lopen delen. Als de Europese Commissie meebetaalt aan ons onderzoek, dan zou de bevolking ook moeten delen in de eventuele opbrengst ervan. We moeten zorgen dat er een nieuwe pijplijn komt die voor tientallen jaren gevuld is, want bacteriën gaan gewoon door met wat ze altijd doen.' Dit model om de kennis en de infrastructuur voor research van de verschillende farmaceutische bedrijven bijeen te brengen om nieuwe antibiotica te ontwikkelen is een idee van EFPIA-voorzitter Sir Andrew Witty, de grote baas van GlaxoSmithKline. 'Delen van kennis is heel belangrijk', zegt Michel Dutrée van Nefarma. 'De farmaceutische bedrijven zijn al bezig met het opzetten van zo'n open infrastructuur voor het fundamentele onderzoek. De industrie, de overheid en researchinstituten zoeken nu samen naar een nieuw werkingsmechanisme. Tot nu toe zijn antibiotica erop gericht bac-

* In een fase 2-trial wordt gekeken of een medicijn werkt en welke dosis daarvoor nodig is. In een fase 3-trial wordt het effect van een nieuw geneesmiddel vergeleken met dat van de bestaande standaardbehandeling of een placebo Fase 4-trials vinden plaats na toelating van een geneesmiddel en zijn bedoeld om bij grote patiëntengroepen verder onderzoek te doen naar veiligheid en effectiviteit.

teriën te doden. Maar je zou ook een antibioticum kunnen ontwikkelen met een heel ander aangrijpingsmechanisme. Bijvoorbeeld een mechanisme dat ervoor zorgt dat een bacterie die zichzelf gaat veranderen door een resistentiemechanisme te verwerven, zichzelf ook automatisch vernietigt. Je zou ook kunnen denken aan het ontwikkelen van bacteriofagen, dat zijn virussen die bacteriën doden.* Probleem daarbij is dat je nooit weet hoe een virus kan gaan muteren en dus ook niet of je het virus in de hand kunt houden.'

Bergström riep bij de presentatie van het Europese plan van aanpak verder op tot het sluiten van een contract om nieuwe antibiotica zo lang mogelijk te bewaren en niet te gebruiken. 'In ons deel van de wereld lukt dat misschien wel, maar hoe controleer je dat in India, waar recepten nauwelijks bestaan en waar mensen toch toegang moeten hebben tot antibiotica? Er is nog heel veel te regelen, maar laten we wel nu beginnen. Onze industrie is klaar voor een vorm van samenwerking zoals we die nog nooit gezien hebben.' Een paar weken later borduurde Richard Bergström daarop voort in een lezing die de EFPIA organiseerde. 'De pijplijn is vrijwel leeg en daarom hebben we een paar weken terug samen met de Europese Commissie een nieuw publiek-privaat partnerschap opgezet dat zijn weerga niet kent. De bedrijven gaan als het goed is alles bij elkaar brengen wat ze hebben en gaan medefinanciering krijgen voor trials en nog veel meer.'[360] De CEO's van de bij EFPIA aangesloten farmaceutische bedrijven constateren volgens Bergström ook tekortkomingen. 'Zij vrezen dat de collectieve inspanning van onze bedrijfstak achterblijft bij de collectieve behoefte van Europa en van de wereld. En dat is iets waarover we meer serieus de discussie moeten beginnen.' Bergström gaf ook precies aan waar de schoen wringt: bij de aandeelhouders. 'Ondanks het kleinere aantal nieuwe producten dat jaarlijks op de markt komt, is de kwaliteit van de

* Volgens professor Inge Gyssens gebeurt dat bijvoorbeeld in Georgië al.

producten díé erbij komen nog steeds heel hoog. Ik daag degenen uit die zeggen dat er een innovatiecrisis is. Onze crisis is dat we per molecuul te veel betalen. Dat is wat de investeerders zeggen. Deel de 100 miljard aan researchgelden door het aantal moleculen en u begrijpt dat het per stuk te duur is.'

Licenties kopen

Bergströms landgenoot Mats Ulfendahl is algemeen secretaris voor Farmacie en Gezondheid van de Zweedse Onderzoeksraad. Ook hij was in Brussel aanwezig bij de presentatie van de plannen van de Europese Commissie. 'Antibioticaresistentie is een bedreiging voor onze gezondheid', zei hij. 'We moeten nu overstappen van het beschrijven van het probleem naar het er iets aan doen. Want het is de hoogste tijd. We moeten anders gaan denken dan we gewend zijn en de ambities veel hoger leggen dan we gewoon zijn. We moeten doelen stellen. En vervolgens een manier vinden om ze te verwezenlijken. Onder meer met gemeenschappelijk Europees onderzoek. Er zijn enorme bedragen nodig voor onderzoek en elk bedrijf heeft maar een beperkt budget. Het is veel efficiënter om budgetten samen te voegen en samen te werken.' Een paar maanden nadien sprak ik Mats Ulfendahl op de zetel van de Vetenskapsrådet, de Raad voor de Wetenschap, vlak bij het Centraal Station in Stockholm. Ulfendahl schetste een helder beeld van de Zweedse situatie. 'Het bewustzijn van de problematiek van antibioticaresistentie is hoog, de kennis ervan goed en het probleem klein. Dat maakt het in ons land op een bepaalde manier meteen ook minder geloofwaardig als we spreken over een groot probleem. De kwestie is: hoe krijg je over het voetlicht dat die veel grotere problemen met antibioticaresistentie in de meeste andere landen ook óns probleem zijn?' Ulfendahl is blij met het Europese plan van aanpak en vooral met het initiatief om tot een gezamenlijk optrekken van bedrijven, overheden en wetenschap te komen. Maar hij maakt ook tal van kanttekeningen. 'Iedereen erkent de ernst van de situatie en is het erover eens dat we iets moeten doen. Precies daarom is er gekozen voor een gemeenschappelijk programma. Maar voorlopig wordt er alleen nog maar gepraat. Ik geloof absoluut dat dit een goed idee is, nu moet het vertaald worden in praktische stappen. Als wetenschapper sta ik wel enigszins sceptisch tegenover de farmaceutische industrie, maar om antibiotica te maken hebben we ze toch echt nodig. De industrie zegt dat ze daar geen geld mee kunnen verdienen. Ik vind dat een nogal boude bewering, maar we kunnen niet zonder hen. Wij willen een klinisch probleem oplossen, zij willen winst maken. Dat is het vertrekpunt. Sommige van de voorstellen die ze doen lijken eigenlijk ondenkbaar: minder strenge trials, subsidies die hun uiteindelijk winst moeten opleveren. Maar, zoveel is wel duidelijk, als de ontwikkeling van nieuwe antibiotica niet winstgevend genoeg is, dan zetten ze in op een andere kaart. We hebben dus geen keus.' Ulfendahl legt uit dat de grote farmaceuten hun research steeds vaker 'outsourcen'. 'AstraZeneca heeft zijn researchafdelingen in Zweden en Canada onlangs gesloten', zegt hij. 'Die hebben nu een soort virtuele researchafdeling. Ze scannen voortdurend alles wat er gebeurt en kopen licenties om middelen die ontwikkeld zijn door kleine biotechbedrijven op de markt te brengen. Maar dat kunnen wij ook. Laat de overheid die licenties maar kopen van spin-offbedrijfjes van de universiteiten. En dan de farmaceutische bedrijven het recht geven die middelen te commercialiseren. Dan houden we er zelf ook nog iets aan over. Ik vind dat het niet zo kan zijn dat de industrie winst gaat maken met een product dat de belastingbetalers helemaal gaan betalen. Hier in Zweden zijn we veel te passief in dit soort zaken. De industrie is heel slim bezig. Die bezuinigt op de onderzoekskosten en scout dan door anderen gefinancierde ontdekkingen. En voor de klinische trials krijgen ze medefinanciering. We hebben ze nodig, dat is zeker. Maar zij hebben ons ook nodig. Goede banden met de openbare gezondheidszorg zijn voor de bedrijven onontbeerlijk voor het opzetten van trials. Voor het ontwikkelen van antibiotica, maar ook van alle andere medicijnen.'

Paul Huijts denkt ook dat samenwerking tussen overheid, wetenschap en industrie de enige weg is naar het ontwikkelen van nieuwe antibiotica. En hij heeft daar minder mitsen en maren bij dan Ulfendahl. 'In Nederland', zegt de directeur-generaal Volksgezondheid van het ministerie van VWS, 'hebben wij als overheid geen miljarden aan belastinggeld liggen. Voor de wetenschap is het echt veel te duur om zelf dit soort middelen te ontwikkelen. Geneesmiddelenontwikkeling is te duur voor de publieke wetenschap. Die kan de eerste basis leggen, maar de wetenschappelijke testen bij mensen zijn gewoon veel te duur. Dus leggen we botje bij botje. Dan beland je bij de EU, die een flink onderzoeksprogramma heeft. AstraZeneca en GlaxoSmithKline hebben binnen dat kaderprogramma een onderzoek gedaan van 224 miljoen, waarvan grofweg de helft, 109 miljoen, door de EU betaald is. Dit moet je echt van de collectieve middelen doen van de EU, daar kun je zo'n incentive mee geven. Nederland blijft op die weg zitten, want alleen kun je dat niet. Als je nou op allerlei terreinen met collectieve middelen innovatie stimuleert, dan vind ik het nog niet zo raar om dat ook hiermee te doen. Het is onvermijdelijk op deze markt dat we kiezen voor een publiek-private samenwerking. En dat moet internationaal, want Nederland kan dat niet alleen. We hebben hiervoor niet eens een eigen industrie. Het kader waarbinnen wij wat massa kunnen maken is de EU. En je hebt de industrie nodig want ontwikkelingskosten van medicijnen zijn zo hoog dat we dat niet voor onze rekening kunnen nemen aan de publieke kant.'

Verspreiding van resistentie

Ulfendahl denkt dat de industrie dankzij de nieuwe afspraken met de EU werkelijk geïnteresseerd is in het ontwikkelen van nieuwe antibiotica. 'Ze willen geld verdienen natuurlijk, maar ik geloof dat ze zich toch ook verantwoordelijk voelen. Farmaceuten hebben ook kinderen en oude ouders die zwak zijn, misschien zijn ze daarom uiteindelijk bereid genoegen te nemen met minder winst.' De vraag is natuurlijk of aandeelhouders daartoe ook bereid zijn of dat Ulfendahl naïef is. Tegelijk waarschuwt hij ook dat we ons niet te veel illusies moeten maken. 'Wat we hier in Noord-Europa doen maakt door al dat reizen niet zo veel uit. Antibioticaresistentie is een wereldwijd probleem. Dat is wel een beangstigende gedachte. Met onze open grenzen zijn er geen mogelijkheden om de verspreiding van resistentie tegen te gaan. Maar we zouden wel minder voedsel en vee door de hele wereld kunnen transporteren. Dat zou helpen.'

De Deense Jenny Dahl-Knudsen is verbonden aan de universiteit van Kopenhagen en werkzaam als arts-microbioloog in het Hvidovre Hospital in de gelijknamige voorstad van Kopenhagen. 'Als er in een Aziatisch land problemen zijn met een bepaalde ziekte, dan zie ik die hier in Denemarken terug in de Aziatische gemeenschap', zegt ze. 'Dat geldt ook voor infectieziekten. Ik bedoel het niet stigmatiserend, het is de feitelijke situatie. Bij onze patiënten zijn er nogal wat van Pakistaanse origine. Veel van die Pakistani reizen naar hun land van herkomst, ontvangen familie en krijgen voedsel opgestuurd uit Pakistan. Op die manier krijgen wij multiresistente bacteriën binnen in het ziekenhuis. Of mensen gaan naar Griekenland of Spanje voor vruchtbaarheidsbehandelingen of naar India voor plastische chirurgie. Als we weten dat patiënten die in ons ziekenhuis worden opgenomen buiten Scandinavië en Nederland in een ziekenhuis geweest zijn, dan isoleren we hen. Net als de Libische slachtoffers van de burgeroorlog die we begin 2012 verpleegd hebben. Die zaten vol resistente bacteriën. Hetzelfde geldt voor jonge Denen die in Thailand op vakantie zijn geweest en voor de Deense soldaten die uitgezonden zijn naar Afghanistan. Maar als mensen in Denemarken wonen doen we niets. Dus we vragen Deense Pakistani niet structureel of ze onlangs in Pakistan zijn geweest. Het zou goed zijn om standaard wel te vragen of mensen net op reis geweest zijn. Dan zou je hen tijdelijk in isolatie kunnen opnemen, totdat je testresultaten hebt.'

De eerste patiënt met carbapenem-resistentie die in de Isala Klinieken in Zwolle opdook, vertelt microbioloog Gijs Ruys, was een Turkse Zwollenaar die op vakantie in zijn land van herkomst een herseninfarct had gekregen en daarmee in een Turks ziekenhuis was opgenomen. 'Na ontslag uit ons ziekenhuis is die man naar een verpleeghuis gegaan. Wij hebben gemeld wat voor multiresistente bacterie hij bij zich had, maar in verpleeghuizen maken ze zelden kweken.' Het Nederlandse systeem van terughoudend antibioticagebruik, goede surveillance en goede diagnostiek voldoet nog steeds uitstekend, zegt Ron Hendrix, hoofd van het Laboratorium voor Infectieziekten in Groningen. 'Maar de problemen worden steeds groter. KPC's* zijn hier nu nog heel zeldzaam, maar die komen eraan. In India en Pakistan komen ze heel vaak voor. In het oosten van de Verenigde Staten en Israël zijn ze ook enorm prevalent. Die gaan dus ook hierheen komen.' Op het symposium in Utrecht waar de Stichting Werkgroep Antibiotica Beleid (SWAB) op 21 juni 2012 de nieuwe cijfers publiceerde over het gebruik van antibiotica en het vóórkomen van resistentie in zowel de humane als de veterinaire sector, verwees de Utrechtse microbioloog James Cohen Stuart daar ook naar. 'Het CBS schat dat in 2010 zo'n 380.000 Nederlanders een reis hebben gemaakt naar het Verre Oosten. Er zijn dus grote aantallen besmettingen.' Het was al bekend dat veel reizigers in landen in het Verre Oosten besmet raken met bacteriën die ESBL's produceren.** Zo'n besmetting kan grote gevolgen krijgen. De Israëlische professor Yehuda Carmeli, in 2012 winnaar van de SWAB-Award, gaf op het symposium een helder voorbeeld uit zijn eigen persoonlijke omgeving. 'Een zwangere jonge vrouw uit mijn familie kwam op de spoedeisende hulp terecht met koorts. Ze bleek een ESBL-producerende bacterie bij zich te hebben die haar ziek maakte. Dat leidde tot ernstige complicaties waarmee ze zes weken op de intensive care

---

* KPC, *Klebsiella pneumoniae carbapenemase*, een enzym dat bacteriën resistent maakt voor alle carbapenem-antibiotica en dat in een aantal varianten voorkomt.
** Zie daarvoor hoofdstuk 1 en hoofdstuk 7.

heeft gelegen. Gevaarlijk voor moeder en kind, vervelend en heel kostbaar.'

Veelbelovend molecuul

Vóór de nieuwe publiek-private samenwerking bij de ontwikkeling van antibiotica vruchten af gaat werpen, zijn we al snel minstens tien jaar verder. In de tussentijd komt er vrijwel geen enkel antibioticum met een nieuw werkingsmechanisme op de markt. Zeker niet tegen gramnegatieve bacteriën. Begin augustus 2010 publiceerde GlaxoSmithKline een veelbelovend persbericht[361] over een mogelijk nieuw antibioticum. Gelijktijdig verscheen een artikel in *Nature*.[362] Het nieuwe molecuul zou de werking van een enzym blokkeren en dat is onmisbaar voor de reproductie van bacteriën.* Antibiotica van de klasse der (fluor)quinolonen blokkeerden hetzelfde enzym, maar veel bacteriën zijn intussen resistent voor (fluor)quinolonen. In potentie zou het nieuwe middel zowel werkzaam kunnen zijn tegen grampositieve bacteriën als MRSA als, nog veel belangrijker, tegen gramnegatieve bacteriën zoals *E. coli*, *Klebsiella*, *Pseudomonas* en *Acinetobacter*. Ruim twee jaar later is er op de website van GlaxoSmithKline nog niets anders te vinden over het middel dan het persbericht van augustus 2010. De Wellcome Trust, een charitatieve instelling**, en de Amerikaanse overheid co-financierden de ontwikkeling van het potentiële nieuwe antibioticum. Voor zover bekend zijn er nog geen dieronderzoeken of klinische trials bij mensen aangevraagd voor het nieuwe molecuul van GlaxoSmithKline.

Van alle grote farmaceuten doet AstraZeneca misschien nog wel

---

* Het gaat om het molecuul GSK 299423 dat de werking van het enzym topoisomerase zou blokkeren.

** De Wellcome Trust is in 1936 opgericht om het vermogen te beheren van de Amerikaanse farmaceut Sir Henry Wellcome. De Wellcome Trust ondersteunt medische research en is na de Bill & Melinda Gates Foundation de grootste in zijn soort met een beschikbaar vermogen van ongeveer 14 miljard pond http://www.wellcome.ac.uk/Investments/index.htm.

het meest aan research naar antibiotica. Eind augustus 2012 kreeg het bedrijf toestemming van de Europese Commissie om een nieuw antibioticum op de markt te brengen[363], nadat dit middel eerder positief beoordeeld was door de European Medicines Agency.[364] Het gaat om ceftarolinefosamil, een intraveneus toe te dienen cefalosporine dat ontwikkeld is door Forest Laboratories Inc. AstraZeneca heeft de licentie gekocht om het middel op de markt te brengen en er verder mee te ontwikkelen, behalve voor de Verenigde Staten, Canada en Japan. Het nieuwe antibioticum is vooral bedoeld voor volwassen patiënten met ernstige huidinfecties of een longontsteking opgelopen buiten zorginstellingen. Het middel is actief tegen grampositieve bacteriën als de *Staphylococcus aureus*, met inbegrip van de tegen meticilline resistente vorm daarvan (MRSA). Dat maakt het tot een potentieel belangrijk middel, omdat in de Europese Unie gemiddeld ongeveer 20 procent van alle infecties veroorzaakt door een *Staphylococcus aureus* MRSA-infecties betreft.[365] In 2005 stierven in de Verenigde Staten 19.000 mensen door een MRSA-infectie.[366] Aan de andere kant zat de wereld niet echt te wachten op een middel tegen MRSA. Er zijn nog een aantal antibiotica voorhanden die werkzaam zijn tegen MRSA-infecties.*

De Zweeds-Britse farmaceut** is ook bezig met de ontwikkeling van ceftazidime/avibactam, een middel tegen gramnegatieve bacteriën dat nu in de fase 3 klinische studies is beland.[367] 'Avibactam is een nieuwe bèta-lactamase-inhibitor*** die aan oudere antibiotica

---

* Professor Inge Gyssens noemt vancomycine, teicoplanin, linezolid, daptomycine en telavancin. Tegen veegerelateerde MRSA helpen ook een aantal oude antibiotica zoals cotrimoxazol, clindamycine en doxycycline.

** AstraZeneca ontstond in 1999 door een fusie van het Zweedse Astra AB en het Britse Zeneca Group PLC.

*** Bèta-lactamases zijn enzymen die bacteriën resistent maken tegen antibiotica van de klasse der bèta-lactams, zoals penicillines, cefalosporinen en carbapenems. Een bèta-lactamase-inhibitor is een remmer van die enzymen die verhindert dat ze bacteriën resistent maken. Zo'n inhibitor heeft ook zelf een antibacteriële werking, maar die is doorgaans gering.

zoals ceftazidime of imipenem wordt toegevoegd', zegt professor Inge Gyssens. 'Maar er gebeurt wel iets op onderzoeksgebied, AstraZeneca is bezig met een grotere observationele studie, de Reach-studie. Ze hebben retrospectief vierduizend patiënten ingesloten. De helft met *community acquired*-longontsteking, de andere helft met huid- en wekedeleninfecties.* Zo'n studie om meer te weten te komen over hoe de kenmerken van potentiële patiënten er precies uitzien is nooit eerder door een bedrijf gedaan.' De eerste resultaten van de studie werden op de ECCMID 2012 in Londen gepresenteerd. Bij ruim eenderde van alle patiënten met een buiten het ziekenhuis opgelopen longontsteking moest het aanvankelijk ingestelde, empirische antibioticaregime veranderd worden.[368] Bij huid- en wekedeleninfecties moest in bijna de helft van alle gevallen een ander antibioticum voorgeschreven worden dan aanvankelijk gegeven werd. Er waren grote verschillen tussen de landen onderling.[369] In Nederland moest de behandeling in eenderde van de gevallen aangepast worden, in Italië bij maar liefst 55 procent van alle huid- en wekedeleninfecties. De onderzoekers analyseerden voor beide soorten infecties data van 128 respectievelijk 129 ziekenhuizen in tien verschillende Europese landen. Intussen loopt er een vervolgstudie die meer gegevens moet opleveren over waarom er van antibiotica veranderd werd. Daarbij gaat het er vooral om of het nieuw gekozen antibioticum een smalspectrummiddel kon zijn of juist een breedspectrumantibioticum moest worden en of de verandering van het middel voortvloeide uit resistentie of uit het falen van de oorspronkelijke therapie.

Gyssens vertelt dat er in 2009 dertien middelen tegen grampositieve bacteriën in de klinische fase van ontwikkeling waren. Voor drie van die middelen is toelating gevraagd en een ervan is inmiddels toegelaten. Met de zes middelen tegen gramnegatieve bacteriën

* Wekedeleninfecties zijn infecties van het weefsel net onder de huid.

waaraan gewerkt wordt is het nog niet zo ver. Voor een van die middelen loopt dus sinds juni 2012 een fase 3-trial.

Dan maar oude antibiotica?

Op het SWAB-symposium 2012 hield Gyssens een bijdrage met de intrigerende titel *Forgotten antibiotics*. Vergeten antibiotica? Zijn die er dan? Het was zomaar een ideetje van Gyssens geweest dat ze opwierp in een gesprek met haar Deense collega Niels Frimodt Møller van de universiteit van Kopenhagen en het Statens Serum Institutet, het Deense RIVM. Al een paar decennia komen er nauwelijks nieuwe antibiotica op de markt, maar zijn er eigenlijk nog oude middelen die vergeten zijn, bijvoorbeeld omdat er later nieuwe, betere middelen op de markt kwamen? Gyssens en Frimodt Møller besloten het samen met een aantal collega's uit te zoeken. Ze raadpleegden via hun internationale netwerk ziekenhuisapothekers, microbiologen en infectiologen in 38 verschillende landen waaronder de EU-lidstaten, de Verenigde Staten, Canada en Australië. Het leidde tot tamelijk verbluffende ontdekkingen die ook gepubliceerd werden in *Clinical Infectious Diseases*.[370] Colistine, een van de twee resterende middelen om bacteriën te bestrijden die resistent zijn voor antibiotica van de klasse der carbapenems, was maar in 25 van de 38 landen verkrijgbaar. 'Maar 14 van de 33 door ons als belangrijkste gekwalificeerde antibiotica zijn in Nederland toegelaten. In België zijn het er vijftien. Aztreonam bijvoorbeeld, een monobactam, is een middel dat bij sepsis een goed alternatief is voor patiënten die allergisch zijn voor bèta-lactam-antibiotica. Maar het is slechts in de helft van die 38 landen verkrijgbaar en niet in Nederland. Die allergie komt nog weleens voor bij hematologiepatiënten die een verminderde weerstand hebben. Het monobactammolecuul is net even anders dan de bèta-lactam-antibiotica. Toen ik nog in het Erasmus MC werkte hadden we elke maand wel zo'n patiënt. Maar die markt was zo klein dat aztreonam op een gegeven moment niet meer te krijgen was. De Richtlijncommissie van de SWAB wilde het middel in een behandelrichtlijn opnemen, maar dat kon niet omdat het niet meer eenvoudig verkrijgbaar is. In België is ertapenem niet verkrijgbaar. Dat is een carbapenem-antibioticum dat heel duur is. Soms wordt dat voor Belgische patiënten in Nederland aangeschaft, maar dan moeten ze het wel zelf betalen. België is een van de twee landen waar temocilline te koop is. Er zijn aanwijzingen dat temocilline bruikbaar zou kunnen zijn bij urineweginfecties veroorzaakt door ESBL-producerende *E. coli's*. Maar het middel is in Nederland niet geregistreerd. En tussen al die 38 landen bestaan vergelijkbare verschillen in wat er aan antibiotica op de markt is.' Hoe het met al dan niet beschikbare antibiotica zit in de ontwikkelingslanden of in Zuidoost-Azië weten we nog veel minder, zegt Gyssens. 'Misschien hebben we hier wel een reservearsenaal bij de hand. Moeten we al die middelen overal laten registreren? Er is nog veel onderzoek nodig. Ook naar of er in de veterinaire* of plantensector nog middelen zijn die ook bruikbaar zijn voor mensen.' Gyssens' Nijmeegse collega Johan Mouton ging in een bijdrage op ECCMID 2012 in Londen in op goed gebruik van oude antibiotica.[371] Hij waarschuwde dat antibiotica die dertig jaar of nog langer geleden op de markt gekomen zijn, niet aan dezelfde strenge toelatingseisen hebben hoeven voldoen als die tegenwoordig gelden. Verder wordt er doorgaans weinig ruchtbaarheid gegeven aan nieuwe data die bekend worden over zo'n oud middel. Terwijl nieuwe inzichten over bijvoorbeeld dosering van een middel cruciaal zijn. Het oude middel colistine bijvoorbeeld is lang nauwelijks gebruikt vanwege de toxiciteit ervan. Maar die lijkt bij

---

* Onderzoekers uit Engeland, Zwitserland en de Verenigde Staten publiceerden in juni 2012 een studie in de *Proceedings of the National Academy of Sciences* over apramycine, een in de veterinaire sector gebruikt antibioticum, dat mogelijk gebruikt zou kunnen worden als bacteriën resistent zijn tegen (breedspectrum) aminoglycoside antibiotica http://www.pnas.org/content/109/27/10984. Voor het zover is moet eerst nog onderzoek met mensen gedaan worden.

de juiste dosering nu toch enigszins mee te vallen.*

Thuis in Berchem praat Inge Gyssens verder over haar speurtocht naar oude antibiotica en de mogelijkheden om die als het ware te recyclen. 'Veel van die oude middelen zijn niet overal geregistreerd door marktkrachten. Je had heel goed werkende middelen die in bijvoorbeeld de Scandinavische landen en Nederland nooit gebruikt werden omdat daar geen resistentieprobleem bestond. Soms zijn ze daardoor niet eens geregistreerd. In andere gevallen zijn ze wel ooit geregistreerd, maar nooit op de markt gekomen.' Het eerder genoemde voorbeeld ertapenem is ook sprekend. In Nederland is het op de markt, in België niet. Het is een krachtig carbapenem met een lange werking. 'Je kunt volstaan met het een keer per dag te geven met een soort injectiespuit. Andere carbapenems moet je drie of vier keer daags per infuus toedienen. Ertapenem wordt alleen gebruikt bij ernstige infecties die je langdurig moet behandelen. Voordeel is dat je patiënten naar huis kunt sturen en dagelijks laten komen voor hun medicijn. In België vond men het niet nodig het te registreren. Die andere carbapenems waren beschikbaar en er bestaat geen traditie van ambulante behandeling als dat kan. Ik ken één geval van een patiënt die ertapenem wilde en het zelf betaald heeft. Dat kostte hem voor zijn behandeling zo'n 500 euro. Andere patiënten – die geen ertapenem kregen omdat het niet verzekerd is en ze het zelf niet wilden betalen – lagen drie weken in het ziekenhuis. Kosten per dag waarschijnlijk evenveel als die ene patiënt voor zijn ertapenem betaalde. Maar de ziektekostenverzekering wilde er niet van horen.' Gyssens komt met nog een voorbeeld, mecillinam, een middel van de Deense farmaceut Leo Pharma dat noch in Nederland noch in België geregistreerd is en dat maar in twee landen verkrijgbaar is. 'Niels Frimodt Møller heeft ontdekt dat het in muizen een heel goed middel is tegen ESBL-infecties. Maar ja, vroeger

---

* Zie hoofdstuk 2.

waren er geen ESBL's dus hadden we het niet nodig. Nu is dit middel in sommige landen geregistreerd, dus dat lijkt makkelijk. Maar dat is het niet. In vitro is het veelbelovend, maar er is nog nauwelijks dieronderzoek gedaan en al helemaal geen trials met mensen. Die gaan er ook niet meer komen. Er zit geen patent meer op, dus de industrie heeft echt geen interesse meer om daar dure trials voor op te zetten.' Er is inmiddels wel een Europese subsidie beschikbaar gekomen voor verder onderzoek naar enkele oudere antibiotica.[372] Professor Gyssens signaleert nog een ander fenomeen. 'Je ziet nog weleens dat een bepaald middel tijdelijk of langdurig niet goed leverbaar is, maar een duurder alternatief wel. Dat levert dan een ideale situatie om als het ware een soort marktonderzoek te doen. Ik weet niet of er iemand is die zo perfide denkt, ik wil ook niemand beschuldigen, maar het pakt wel op die manier uit.'

Langetermijndoelstellingen

Nieuwe antibiotica, oude antibiotica, het vraagt allemaal nog veel onderzoek en dus veel geld en tijd. Zoals ook alle andere oplossingen die aangevoerd worden niet één-twee-drie gerealiseerd kunnen worden. Verantwoord antibioticagebruik is een prachtig streven, maar geen doel dat op korte termijn binnen handbereik is. In sommige westerse landen zoals de Scandinavische landen en Nederland is het misschien nog wel een realistische doelstelling. Maar in veel andere Europese landen is het antibioticagebruik nog altijd torenhoog. Ter gelegenheid van de Europese Antibioticadag publiceerde het ECDC in november 2012 nieuwe cijfers. Griekenland gebruikte in 2010 nog altijd drieënhalf keer zo veel antibiotica als Estland, Litouwen* en Nederland. België, Frankrijk en Italië ongeveer twee-

---

* Litouwen gebruikt *over all* relatief weinig antibiotica maar is wel koploper in het gebruik van de krachtige carbapenems van de achttien landen die daarover data hebben verstrekt aan ECDC. Litouwen schrijft drie keer meer carbapenems voor dan Nederland.

enhalf keer zo veel.[373] In India en China, op het Afrikaanse continent, in grote delen van Latijns-Amerika, in Oost-Europa, maar ook in de Verenigde Staten is het een doel dat heel ver verwijderd is van de realiteit zoals die nu is. De totaal verschillende redenen die daaraan ten grondslag liggen maken een wereldwijde aanpak van het probleem bijna bij voorbaat kansloos. India bijvoorbeeld, met zijn extreem rijke bovenlaag en kolossale arme bevolking, kampt met overmatig antibioticagebruik én met onvoldoende toegang tot antibiotica. Maar ook met een ontstellend gebrek aan toiletten, riolering en afvalwatersystemen. In Afrika gaat het vooral om onvoldoende beschikbaarheid van antibiotica voor mensen die het nodig hebben door de grote armoede. En ook om gebrek aan sanitaire voorzieningen. In de Verenigde Staten gaat het weer veel meer om onverstandig gebruik van antibiotica bij mens en dier. Onderzoek dat in november 2012 gepubliceerd werd wees uit dat in de afvalwaterzuiveringsinstallaties in verschillende staten in de VS MRSA rijkelijk aanwezig was aan het begin van het zuiveringsproces.[374] In Nederland concentreren de problemen met antibioticagebruik zich eerst en vooral in de veterinaire sector. In België worden zowel in de humane als de veterinaire sector te veel antibiotica gebruikt. In Griekenland en Spanje is verstrekking van antibiotica zonder recept het grootste probleem. Onverantwoord antibioticagebruik – en dus ook antibioticaresistentie – is een veelkoppig monster. En al die koppen moeten op een andere manier tegemoet getreden worden. Hoe weerbarstig de materie is blijkt misschien wel het beste uit de eeuwigdurende strijd om de hygiëne in de ziekenhuizen te verbeteren.

Handen wassen

Hygiëne, en dan vooral handhygiëne, is de moeder aller verbeterpunten van het infectiepreventiebeleid in ziekenhuizen. Alexander Friedrich komt met een fraaie metafoor om het belang van goede hygiëne te onderstrepen: 'De antibiotica zijn de motor van de resistentie, slechte hygiëne is het kopieerapparaat ervan', zegt hij. Friedrich doelt met die uitspraak niet eens zozeer op het ontbreken van waterleidingen en riolen, als wel op de slechte handhygiëne van artsen en verpleegkundigen. 'Hoe meer antibiotica gebruikt worden in een ziekenhuis en hoe slechter de handhygiëne er is, hoe gemakkelijker resistente bacteriën zich kunnen verspreiden en hoe meer patiënten moeilijk behandelbare infecties zullen krijgen.'

In het voorjaar van 2010 was ik op de ECCMID, het grote jaarlijkse congres van de Europese Vereniging voor Medische Microbiologie en Infectieziekten waar deelnemers uit de hele wereld elkaar treffen. Dat jaar in het internationale congrescentrum in Wenen. Ik kwam een beetje vroeg aan in een zaal voor een van de sessies die ik wilde volgen. De voorgaande was nog in volle gang. Ver over de honderd geleerde dames en heren uit alle windstreken bleken in gesprek over de noodzaak om veel vaker hun handen te wassen. Op dat moment dacht ik: hebben ze niets beters te doen? Intussen weet ik wel beter. Er is nooit genoeg aandacht voor handhygiëne. Scholing en training over nut en noodzaak van handhygiëne helpen onmiskenbaar. Gezondheidswetenschapper Agnes van den Hoogen stelde dat vast in haar promotieonderzoek aan het UMC Utrecht. Van den Hoogen deed haar onderzoek op de neonatale intensive care van het UMC waar ze als gespecialiseerd verpleegkundige werkte. Ze gaf onderwijs aan alle medewerkers over goede handhygiëne en koppelde dat aan het geven van informatie over het aantal ziekenhuisinfecties op de afdeling. Verder hing ze op prominente en goed zichtbare plaatsen op de afdeling posters op om te attenderen op het belang van goede handhygiëne. Ten slotte plaatste ze een film over het onderwerp op het bureaublad van alle computers op de afdeling. Van den Hoogens aanpak leidde tot een duidelijke verbetering van het toepassen van handhygiëne van 23 procent vóór haar interventie tot 50 procent erna. Maar, constateert ze, 'een resultaat van 50 procent is te laag en vereist verdere verbetering.'[375] Toch heeft het er alle schijn van dat in veruit de meeste ziekenhuizen van Nederland – en niet alleen daar – die correcte handhygiëne in 50 procent van de gevallen bij lange na niet gehaald wordt.

Voorjaar 2012 promoveerde gedragswetenschapper Vicki Erasmus aan het Erasmus MC op een onderzoek naar het naleven van hygiënevoorschriften.[376] Haar onderzoeksresultaten zijn schokkend: artsen en verpleegkundigen wassen hun handen maar in 20 procent van de situaties waarin dat voorgeschreven is. Erasmus stelde dat vast in een observationele studie die bestond uit een representatieve steekproef van 24 Nederlandse ziekenhuizen, met deelname van de IC en chirurgische verpleegafdeling. In opleidingsziekenhuizen werden hygiënevoorschriften het slechtst nageleefd. De handhygiene was op de IC lager dan op de chirurgische verpleegafdelingen en ook lager vóór contact met de patiënt dan erna. Artsen en verpleegkundigen hielden zich even slecht aan de regels. Erasmus heeft ook een systematische review gedaan van 96 eerder gepubliceerde studies over het naleven van handhygiënevoorschriften. Uit die studies blijkt dat in gemiddeld 40 procent van de gevallen de regels nageleefd worden. Op de IC gebeurde dat duidelijk minder dan op andere afdelingen en deze review laat een duidelijk verschil in naleving zien tussen artsen (32 procent) en verpleegkundigen (48 procent). Ook manieren om de gebrekkige hygiëne te verbeteren kwamen aan bod in Erasmus' studie. De kennis van de richtlijnen over hygiëne moet vergroot worden en de sociale cultuur van het ziekenhuis en de afdelingen daarbinnen is van groot belang. Voor verpleegkundigen geldt bovendien dat de materialen die zij nodig hebben makkelijk bereikbaar moeten zijn en dat het voor hen praktisch mogelijk moet zijn om zich voortdurend aan de hygiënevoorschriften te houden.

Een goede structuur voor infectiepreventie en hygiëne begint met genoeg verpleegkundigen, zegt Alexander Friedrich. 'In Nederland hebben we op de intensive care maximaal 1,5 tot 2 patiënten per verpleegkundige. In Duitsland zijn dat er ongeveer 3,5. Twee keer zo veel dus! Hoe wil je dat verpleegkundigen zich aan de regels voor handhygiëne houden, als er niet genoeg handen aan het bed zijn? Dit fenomeen van *overcrowding* en *understaffing* speelt op veel plaatsen een grote rol.'

Eind september 2012 hield Vicki Erasmus een inleiding op een bijeenkomst in Leiden over de implementatie van de kernrichtlijnen voor infectiepreventie. Dat was twee weken nadat de NOS gemeld had dat het niet goed gaat met het terugdringen van het aantal postoperatieve wondinfecties in Nederland onder meer door de gebrekkige hygiëne in ziekenhuizen.[377] En een paar dagen nadat *Zembla* dat nog eens heel duidelijk had gemaakt door in drie ziekenhuizen met een verborgen camera te filmen en meedogenloos vast te leggen hoe daar een loopje werd genomen met basale hygiënevoorschriften zoals het wel wassen van de handen en het niet dragen van sieraden.[378] Internist infectioloog en emeritus hoogleraar Peterhans van den Broek, oud-voorzitter van de Werkgroep Infectiepreventie, leidde de discussie in Leiden. 'Ze weten het wel, maar ze doen het niet', zei hij over de artsen en verpleegkundigen die in *Zembla* getoond werden en hun collega's die daaraan ontsnapt waren. Professor Christina Vandenbroucke-Grauls van het VUmc vertelde hoe zij tijdens haar opleiding had geleerd zich aan de hygiëneregels te houden. 'Toen ik met een aantal medestudenten voor het eerst op de OK kwam in het universitair ziekenhuis in Leuven waar ik werd opgeleid, kregen we daar eerst een preek van een stevige mevrouw die hoofd van de OK was. Die vertelde ons hoe het daar toeging. "Als jullie je daar niet aan houden, dan kom je er niet meer in", zei ze. Denk maar niet dat het in ons opkwam om iets te doen wat niet mocht.' Inge Gyssens vult aan: 'In de operatiekamers valt het op heel veel plaatsen al wel mee. Men moet zich omkleden, een masker dragen en handschoenen om steriel te werken tijdens de operatie. Het is veel meer een probleem op de "gewone" afdelingen waar artsen en verpleegkundigen voor onderzoek of verzorging zó met de handen aan patiënten zitten.' Vicki Erasmus pleitte ervoor om in de opleidingen voor artsen en verpleegkundigen veel meer aandacht te geven aan het belang van goede hygiëne. Want dat gebeurt nu ternauwernood.

In oktober 2012 publiceerde de Werkgroep Infectiepreventie de herziene versie van de richtlijn handhygiëne.[379] Nu nog zorgen voor de naleving ervan. Want zolang er in Nederland en in de rest van de wereld in zorginstellingen een loopje genomen wordt met de hygiëne, zolang het antibioticagebruik voor verbetering vatbaar blijft, zolang in de veeteelt nog altijd overmatig antibiotica gebruikt worden, zolang er geen nieuwe antibiotica bij komen, zo lang blijft het bestrijden van antibioticaresistentie vooral dweilen met de kraan open.

Nawoord

Er is geen leuker werk dan het schrijven van een boek. Toen ik er aan het eind van de zomer avond aan avond druk mee was, droomde ik een keer dat ik dat zei. Nu schrijf ik het hier zwart op wit. Televisie, radio, schrijven voor een website, krant, week- of maandblad, het is allemaal mooi werk, maar het haalt het niet bij het maken van een boek. Grondige research doen, gesprekken voeren met vele tientallen vaak gepassioneerde vakmensen, het was een fascinerende bezigheid en één groot plezier. Net als het uiteindelijke schrijven. Ik hoop dat de lezer dat plezier herkent en mijn fascinatie met het onderwerp gaat delen. Als ik er dan ook nog in slaag iets van de urgentie van het onderwerp over te brengen, is *Het einde van de antibiotica* een succes.

Ik heb veel hulp gehad bij het maken van dit boek. De hoofdredactie en de binnenlandleiding van de NOS hebben mij de ruimte gegeven om me grondig te verdiepen in het onderwerp antibioticaresistentie én om er een boek over te schrijven. Een lange reeks wetenschappers en anderen uit binnen- en buitenland heeft vaak veel tijd genomen om me te woord te staan. Met velen van hen is een soms intensieve mailuitwisseling tot stand gekomen. Geen moeite was ze te veel om mij onduidelijkheden uit te leggen of aanvullende vragen te beantwoorden. Ik heb een flink aantal meelezers gehad die alle of een deel van de teksten van commentaar hebben voorzien. Daar heb ik veel baat bij gehad. Uiteraard ben ik als enige verantwoordelijk voor de inhoud van dit boek.

Ik wil hier vier namen noemen van mensen die ik, zonder anderen tekort te doen, in het bijzonder wil bedanken voor hun hulp als meelezers, als vraagbaken en als gidsen door de wondere wereld van de antibioticaresistentie: Christina Vandenbroucke-Grauls, Jan

Kluytmans, Inge Gyssens en Alexander Friedrich, zonder jullie was het niet gelukt. Hetzelfde geldt voor mijn naasten, mijn vrouw en kinderen, die het eens te meer een tijd met een deeltijdpartner en -vader hebben moeten doen.

Rinke van den Brink, Amsterdam, februari 2013

Eindnoten

De eindnoten zijn eveneens te vinden op www.degeus.nl.

1 Zie http://nos.nl/artikel/333923-microbiologen-maasstad-voor-tuchtrechter.html
2 http://ccforum.com/content/16/1/R22
3 http://www.rijksoverheid.nl/ministeries/vws/documenten-en-publicaties/kamerstukken/2011/10/11/beantwoording-kamervragen-esbl-producerende-bacterien.html
4 http://www.cdc.gov/mrsa/pdf/InvasiveMRSA_JAMA2007.pdf
5 http://www.ons.gov.uk/ons/dcp171778_276956.pdf
6 http://www.nsih.be/download/nursing_homes/Statusrapport_V14.pdf
7 http://ecdc.europa.eu/en/publications/Publications/0801_COR_Executive_Science_Update.pdf
8 http://www.rijksoverheid.nl/ministeries/vws/documenten-en-publicaties/kamerstukken/2011/10/11/beantwoording-kamervragen-esbl-producerende-bacterien.html
9 http://www.plosone.org/article/info%3Adoi%2F10.1371%2Fjournal.pone.0042787
10 http://www.gesetze-im-internet.de/bundesrecht/ifsg/gesamt.pdf zie § 3, 8, 23 en http://www.rki.de/DE/Content/Service/Presse/Pressemitteilungen/2008/18_2008.html
11 http://www.rki.de/DE/Content/Infekt/Krankenhaushygiene/Nosokomiale_Infektionen/H_Berichte/Artikel_Noso_NRZ.pdf?__blob=publicationFile
12 http://www.aerzte-oegd.de/pdf/stellungnahmen/krankenhaushygienegesetz.pdf
13 http://www.rki.de/DE/Content/Infekt/EpidBull/Archiv/2012/Ausgaben/26_12.pdf?__blob=publicationFile

14 http://statline.cbs.nl/StatWeb/publication/?DM=SLNL&PA=71862ned&D1=0-1,3,5,7-8&D2=1-2&D3=l&D4=0,15-18&D5=0&D6=0,4,9,14,19,24,28-29&HDR=T,G1&STB=G2,G4,G3,G5&VW=T

15 http://www.rivm.nl/dsresource?objectid=rivmp:54068&type=org&disposition=inline

16 http://sirm.nl/downloads/82_120712%20NVZ%20Ziekenhuiszorg%20Europa%20-%20Achtergronddocument.pdf

17 https://kce.fgov.be/sites/default/files/page_documents/d20091027303.pdf

18 http://cid.oxfordjournals.org/content/early/2011/11/24/cid.cir889.extract

19 http://www.wetenschap24.nl/programmas/labyrint/labyrint-tv/2012/oktober/TBC.html

20 http://www.health.belgium.be/internet2Prd/groups/public/@public/@shc/documents/ie2divers/19074512_nl.pdf

21 http://www.ecdc.europa.eu/en/eaad/Documents/EAAD-2011-Summary-Antimicrobial-Consumption-data.pdf

22 http://www.ecdc.europa.eu/en/eaad/Documents/EAAD-2011-Summary-Antimicrobial-Resistance-data.pdf

23 http://ecdc.europa.eu/en/eaad/Documents/ESAC-Net-summary-antibiotic-consumption.pdf

24 http://wwwnc.cdc.gov/eid/article/17/7/11-0209_article.htm

25 http://pubs.acs.org/doi/abs/10.1021/es901221x

26 http://www.rivm.nl/bibliotheek/rapporten/703719031.pdf en http://edepot.wur.nl/196936

27 http://registration.akm.ch/einsicht.php?XNABSTRACT_ID=126430&XNSPRACHE_ID=2&XNKONGRESS_ID=136&XNMASKEN_ID=900 en http://nos.nl/artikel/234011-vumc-vindt-esbls-in-rauwe-groenten.html

28 http://jac.oxfordjournals.org/content/66/4/855

29 http://www.nsih.be/download/MREA/MREA_2010_2/MREA1002_NL.pdf

30 http://www.rijksoverheid.nl/ministeries/vws/documenten-en-publicaties/kamerstukken/2011/10/11/beantwoording-kamervragen-esbl-producerende-bacterien.html
31 http://ecdc.europa.eu/en/publications/Publications/0909_TER_The_Bacterial_Challenge_Time_to_React.pdf
32 http://www.reactgroup.org/uploads/publications/presentations/opening-session-zulfiqar-bhutta.pdf
33 http://www.tufts.edu/med/apua/consumers/personal_home_5_1451036133.pdf Zie ook hoofdstuk 3, 'De menselijke en de economische kosten'.
34 http://www.blackwellpublishing.com/eccmid20/abstract.asp?id=83547
35 http://www.independent.co.uk/news/science/antibiotics-losing-the-fight-against-deadly-bacteria-2356583.html
36 http://www.plosone.org/article/info%3Adoi%2F10.1371%2Fjournal.pone.0034953
37 http://www.nature.com/nature/journal/v477/n7365/full/nature10388.html
38 http://pubs.acs.org/doi/abs/10.1021/es901221x
39 http://www.rivm.nl/bibliotheek/rapporten/703719071.pdf
40 http://www.ncbi.nlm.nih.gov/pubmed/21252273
41 http://prospectjournal.org/2011/10/04/wartime-drugs/
42 http://www.bmj.com/content/334/suppl_1/s17
43 http://www.pidpa.be/nl/overwater/verhaal/geschiedenis.htm
44 http://www.citg.tudelft.nl/fileadmin/Faculteit/CiTG/Over_de_faculteit/Afdelingen/Afdeling_watermanagement/Secties/gezondheidstechniek/Over_water/Boeken/doc/AfvalwaterzuiveringInNederland.pdf
45 http://www.riool.info/publiek/pages/showPage.do?itemid=2278 Zie ook het filmpje over de geschiedenis van de riolering en waterzuivering in Nederland.
46 http://users.telenet.be/denbrabo/artikels/algruien.htm
47 http://www.etopia.be/IMG/pdf/pash.pdf

48 http://www.uvcw.be/no_index/publications-online/82-2.pdf
49 Cijfers uit: *Inzameling, transport en behandeling van afvalwater in Nederland; situatie per 31 december 2008*, Directoraat-Generaal Water/Directoraat-Generaal Milieubeheer, 2010, p. 16.
50 http://www.unc.edu/courses/2007spring/envr/890/003/readings/SanitationPragmatismWorks_BMJ_2007.pdf
51 http://www.leeftijdenwerk.be/html/pdf/devos_levensverwachting.pdf
52 http://www.source.irc.nl/page/32503
53 http://www.bmj.com/content/334/suppl_1/s17
54 De Wereldbank hanteert deze categorieën. In 2011 was het inkomen in landen met lage inkomens 1.025 dollar of minder per hoofd van de bevolking en in landen met lage middeninkomens lag het tussen 1.026 en 4.035 dollar.
55 http://www.dcp2.org/pubs/GBD
56 http://whqlibdoc.who.int/publications/2012/9789241503365_eng.pdf
57 http://tweets.redanalysis.org/tweets/213159665519964160
58 http://www.infectieziektebulletin.be/defaultSubsite.aspx?id=30405#.UI1mzMX8J7A
59 http://www.ecdc.europa.eu/en/eaad/Documents/EARS-Net-summary-antibiotic-resistance.pdf
60 http://www.ecdc.europa.eu/en/eaad/Documents/EARS-Net-summary-antibiotic-resistance.pdf
61 http://www.ncbi.nlm.nih.gov/pubmed/22467668
62 http://mobile.businessweek.com/news/2012-06-10/kidney-damaging-drug-seen-attacking-spread-of-superbugs-health
63 http://www.ncbi.nlm.nih.gov/pmc/articles/PMC2786356/
64 http://www.thelancet.com/journals/laninf/article/PIIS1473-3099%2810%2970143-2/fulltext
65 http://registration.akm.ch/einsicht.php?XNABSTRACT_ID=146582&XNSPRACHE_ID=2&XNKONGRESS_ID=161&XNMASKEN_ID=900

66 http://registration.akm.ch/einsicht.php?XNABSTRACT_
ID=145510&XNSPRACHE_ID=2&XNKONGRESS_
ID=161&XNMASKEN_ID=900

67 http://www.ecdc.europa.eu/en/eaad/Pages/Patient-Stories-Story.
aspx#paolo

68 http://www.nsih.be/download/MDR/NewDelhi_fiche_alert_
V5_FR.pdf

69 http://www.cddep.org/tools/burden_antibiotic_resistance_in-
dian_neonates

70 http://www.reactgroup.org/uploads/publications/presentations/
opening-session-zulfiqar-bhutta.pdf

71 http://www.ecdc.europa.eu/en/publications/Publications/0909_
TER_The_Bacterial_Challenge_Time_to_React.pdf

72 http://www.plosmedicine.org/article/
info%3Adoi%2F10.1371%2Fjournal.pmed.1001104

73 http://www.tufts.edu/med/apua/research/completed_pro-
jects_4_3378722343.pdf

74 http://haicontroversies.blogspot.nl/2012/06/worth-thousand-word-
sat-least.html?utm_source=feedburner&utm_medium=feed&utm_
campaign=Feed:+ControversiesInHospitalInfectionPrevention+(Co
ntroversies+in+Hospital+Infection+Prevention)

75 http://www.reactgroup.org/uploads/publications/react-publicati-
ons/ReAct-facts-burden-of-antibiotic-resistance-May-2012.pdf

76 http://www.prezies.nl/zkh/prev/ref_cijfers/Referentiecijfers%20
Prevalentie%20tm%20maart%202012.pdf

77 http://www.rivm.nl/Bibliotheek/Algemeen_Actueel/Uitgaven/
Infectieziekten_Bulletin/Archief_jaargangen/Jaargang_21_2010/
Nummers_jaargang_21/September_2010/Inhoud_septem-
ber_2010/Trend_in_prevalentie_van_ziekenhuisinfecties_in_Ne-
derland_2007_2009

78 http://www.nvz-ziekenhuizen.nl/_library/478/NVZ%20branche-
rapport%202011%20'zorg%20op%20doorreis'.pdf

79 http://www.rijksbegroting.nl/2012/voorbereiding/
begroting,kst160371_8.html

80 https://kce.fgov.be/sites/default/files/page_documents/d20091027303.pdf
81 http://www.maasstadziekenhuis.nl/dsresource?type=pdf&objectid=prd01:51160&versionid=&subobjectname
82 http://www.desan.nl/net/DoSearch/Search.aspx
83 http://www.deloitte.com/view/nl_NL/nl/branches/gezondheidszorg/854d5b709c5c7310VgnVCM3000001c56f00aRCRD.htm
84 http://www.desan.nl/net/DoSearch/Search.aspx
85 http://www.maasstadziekenhuis.nl/dsresource?objectid=8750&type=org
86 http://nos.nl/artikel/244894-maasstad-ziekenhuis-faalt-bij-aanpak-resistentie.html
87 http://www.rijksoverheid.nl/documenten-en-publicaties/rapporten/2011/11/02/tussenrapportage-klebsiella-uitbraak-in-maasstad-ziekenhuis-vermijdbaar.html
88 http://nos.nl/artikel/250081-21-doden-met-resistente-bacterie-rotterdam.html
89 http://www.rivm.nl/dsresource?objectid=rivmp:46410&type=org&disposition=inline
90 http://nos.nl/artikel/255447-maasstad-negeerde-regels-bacterien.html
91 http://www.maasstadziekenhuis.nl/Informatie_over_het_ziekenhuis/Nieuwsarchief/Informatiepagina_over_de_multiresistente_bacterie_Klebsiella_Oxa_48/Nieuwsberichten/Verzameling_nieuwsberichten_multiresistente_bacterie/Maasstad_Ziekenhuis_oneens_met_berichtgeving_NOS
92 http://www.ncbi.nlm.nih.gov/sites/entrez?cmd=Retrieve&db=PubMed&list_uids=14693513&dopt=Abstract
93 http://www.ncbi.nlm.nih.gov/pmc/articles/PMC3088266/?tool=pubmed
94 http://nos.nl/video/255674-dit-weten-we-al-150-jaar.html
95 http://nos.nl/artikel/257549-opnieuw-besmette-patienten-rotterdam-overleden.html

96 http://nos.nl/artikel/257654-maasstad-onder-verscherpt-toezicht.html

97 http://nos.nl/artikel/258005-maasstad-ziekenhuis-stelt-supervisor-aan.html

98 http://www.elsevier.nl/web/Artikel/171763/Ziekenhuis-Niet-om-de-eigen-eer.htm

99 http://nos.nl/artikel/263139-directeur-maasstad-moet-gouden-handdruk-inleveren.html

100 http://nos.nl/artikel/269314-maasstad-3-doden-door-bacterie.html

101 http://igz.nl/zoeken/document.aspx?doc=Klebsiella-uitbraak+in+Maasstad&docid=4007&URL

102 http://nos.nl/artikel/309421-maasstad-ziekenhuis-onderschatte-bacterie.html

103 http://www.igz.nl/Images/2012-01-25%20Rapport%20Falen%20infectiepreventie%20in%20het%20Maastad%20Ziekenhuis%20verwijtbaar_tcm294-327180.pdf

104 http://nos.nl/artikel/333923-microbiologen-maasstad-voor-tuchtrechter.html

105 http://www.eursafety.eu/pdf/maasstad.pdf

106 http://www.vhig.nl/actueel/congres_info/congres_historie/2012_presentaties/2012_maasstad.pdf

107 Geciteerd in http://www.igz.nl/Images/2012-01-25%20Rapport%20Falen%20infectiepreventie%20in%20het%20Maastad%20Ziekenhuis%20verwijtbaar_tcm294-327180.pdf

108 http://www.nvvm-online.nl/downloads/KNVM-NVMM_Congress2012_Announcement2_20120315.pdf

109 http://nos.nl/artikel/257589-operatie-geslaagd-patient-overleden.html

110 http://www.plosone.org/article/info%3Adoi%2F10.1371%2Fjournal.pone.0035002 en voor de animatie: http://nos.nl/video/368171-hoe-een-ziekenhuisbacterie-zich-in-engeland-verspreidde.html

111 http://www.mrsa-net.nl/nl/publiek/mrsa-algemeen/wat-is-mrsa/70-wat-zijn-de-ziekteverschijnselen-van-mrsa
112 http://www.ploscompbiol.org/article/info%3Adoi%2F10.1371%2Fjournal.pcbi.1000715
113 http://www.ntvg.nl/publicatie/vancomycineresistente-enterokokken-nederland/volledig
114 http://www.ncbi.nlm.nih.gov/pmc/articles/PMC230116/?tool=pubmed
115 http://www.ntvg.nl/publicatie/epidemische-verheffing-van-verscheidene-genotypen-van-vancomycineresistente-enterococcus-/volledig
116 http://www.eurosurveillance.org/ViewArticle.aspx?ArticleId=19620
117 Cijfers uit Swedres 2010, A report on Swedish Antibiotic Utilisation an Resistance in Human Medicine, http://www.smittskyddsinstitutet.se/upload/Publikationer/swedres-2010.pdf
118 http://www.rivm.nl/Bibliotheek/Algemeen_Actueel/Nieuwsberichten/2012/Advies_deskundigen_over_VRE_bacterie
119 http://www.antoniusziekenhuis.nl/patienten/nieuws/nieuwsoverzicht/vreupdate_16nov
120 http://jac.oxfordjournals.org/content/46/1/146.full
121 http://www.gezondheidsraad.nl/nl/adviezen/antimicrobi-le-groeibevorderaars
122 http://jac.oxfordjournals.org/content/46/1/146.full
123 http://www.wip.nl/free_content/Richtlijnen/BRMO.pdf
124 http://www.ntvg.nl/publicatie/vancomycineresistente-enterokokken-nederland/volledig
125 http://www.ncbi.nlm.nih.gov/pmc/articles/PMC228116/pdf/331121.pdf
126 http://medischcontact.artsennet.nl/Nieuws-26/archief-6/Tijdschriftartikel/03742/De-melaatsen-van-de-nieuwe-eeuw.htm
127 http://www.cdc.gov/HAI/settings/lab/vrsa_lab_search_containment.html

128 http://jcm.asm.org/content/43/1/179.full

129 http://www.biomedcentral.com/1471-2334/6/156

130 http://www.ecdc.europa.eu/en/activities/surveillance/ears-net/documents/2008_earss_annual_report.pdf

131 http://courses.missouristate.edu/ChrisBarnhart/bio121/readings/vancomycin%20resistant%20staph%202003.pdf;http://news.sciencemag.org/sciencenow/2003/12/01-03.html

132 http://www.eursafety.eu/pdf/maasstad.pdf

133 http://www.ecdc.europa.eu/en/publications/Publications/1111_TER_Risk-assessment-NDM.pdf

134 http://www.nvmm.nl/laboratoria

135 http://www.rijksoverheid.nl/documenten-en-publicaties/rapporten/2010/03/08/wat-zijn-de-effecten-van-het-ontkoppelen-van-voorschrijven-en-verhandelen-van-diergeneesmiddelen-door-de-dierenarts.html

136 http://nos.nl/artikel/141773-antibiotica-veeteelt-ter-discussie.html

137 http://www.rijksoverheid.nl/documenten-en-publicaties/kamerstukken/2010/03/08/aanbieding-rapport-berenschot.html

138 http://contentid.omroep.nl/f9ba44db804bda70aeedf6a8520e7d1a/4ffd85e5/nos/docs/130310_notitie.pdf Op 9 april 2010 stuurden de ministers Klink en Verburg een brief naar de Tweede Kamer naar aanleiding van de ESBL-notitie van Maurine Leverstein-van Hall: http://www.rijksoverheid.nl/documenten-en-publicaties/kamerstukken/2010/04/09/deskundigenberaad-rivm-en-reductie-antibioticumgebruik.html

139 http://nos.nl/artikel/143567-rivm-zorgen-over-resistente-bacterie.html

140 http://www.rijksoverheid.nl/documenten-en-publicaties/kamerstukken/2010/04/09/deskundigenberaad-rivm-en-reductie-antibioticumgebruik.html

141 http://registration.akm.ch/2010eccmid_einsicht.php?XNABSTRACT_ID=103118&XNSPRACHE_ID=2&XNKONGRESS_ID=114&XNMASKEN_ID=900

142 http://www.blackwellpublishing.com/eccmid20/abstract.asp?id=83357
143 http://www.blackwellpublishing.com/eccmid20/abstract.asp?id=83545
144 http://www.cddep.org/sites/cddep.org/files/publication_files/sa_full.pdf?issuusl=ignore
145 http://www.cddep.org/sites/cddep.org/files/publication_files/kenya_full_report_web.pdf?issuusl=ignore
146 'Surveillance des bactéries aux antibiotiques dans les hôpitaux belges: Rapport annuel 2011. IPH/EPI Reports Nr. 2012-024'. Deze Franstalige en ook de Nederlandstalige versie komen beschikbaar op http://www.nsih.be/home/home_fr.asp en http://www.nsih.be/home/home_nl.asp
147 http://www.blackwellpublishing.com/eccmid20/abstract.asp?id=83407
148 http://registration.akm.ch/2010eccmid_einsicht.php?XNABSTRACT_ID=104926&XNSPRACHE_ID=2&XNKONGRESS_ID=114&XNMASKEN_ID=900
149 http://www.blackwellpublishing.com/eccmid20/abstract.asp?id=83460
150 http://www.sciencedirect.com/science/article/pii/S1369527406001342
151 http://www.blackwellpublishing.com/eccmid20/abstract.asp?id=84415
152 http://www.ncbi.nlm.nih.gov/pubmed/22757622
153 http://www.eccmidabstracts.com/abstract.asp?id=91527
154 http://www.ncbi.nlm.nih.gov/pubmed/19919536
155 Zie abstract PRV11 op p. 138 in de pdf DGHM 2012 http://www.sciencedirect.com/science/journal/14384221/302/supp/S1
156 http://www.ecdc.europa.eu/en/eaad/Documents/EAAD-2011-Summary-Antimicrobial-Resistance-data.pdf
157 http://www.ecdc.europa.eu/en/eaad/Documents/EARS-Net-summary-antibiotic-resistance.pdf

158 http://www.ncbi.nlm.nih.gov/pubmed/21463397
159 http://nos.nl/artikel/187040-eerste-dode-door-esblbacterie.html
160 http://nos.nl/artikel/269354-al-het-vlees-vanaf-2020-duurzaam.html
161 http://nos.nl/artikel/129689-qkoorts-hoe-boerenbelangen-het-lang-wonnen-van-volksgezondheid.html Een deel van de linkjes werkt helaas niet meer. Bij het opnieuw inrichten van de internetsites van de overheid zijn sommige stukken zoekgeraakt. Ook op de NOS-site zijn sommige linkjes in het ongerede geraakt. In het feitenrelaas van de Evaluatiecommissie Q-koorts zijn veel verwijzingen naar die ontbrekende documenten te vinden: http://www.combron.nl/wp-content/uploads/2011/09/EXTRA-BIJLAGEN-Rapport-Evaluatiecommissie-Q-koorts_November-2010.pdf
162 http://content1c.omroep.nl/94cb0e7b9b0fe745de07e8c05a76ebdf/50a19061/nos/docs/q-koorts/LNV_%20rivm_001.pdf
163 http://www.general-files.com/download/source/gs5a0a599ah32i0
164 http://www.rijksoverheid.nl/documenten-en-publicaties/kamerstukken/2009/12/10/q-koorts-kamerbrief-9-december-2009.html
165 http://www.rivm.nl/Onderwerpen/Ziekten_Aandoeningen/Q/Q_koorts
166 http://www.seo.nl/uploads/media/2011-15_Economische_gevolgen_van_de_uitbraak_van_Q-koorts.pdf
167 http://www.lto.nl/media/default.aspx/emma/org/10371435/schaderapport.pdf
168 http://www.nationaleombudsman.nl/sites/default/files/rapport_2012-100_webversie_0.pdf
169 http://www.rijksoverheid.nl/documenten-en-publicaties/kamerstukken/2012/06/26/kabinetsreactie-op-rapport-nationale-ombudsman-over-q-koorts.html
170 http://nieuwsuur.nl/onderwerp/383557-ministerie-verzweeg-besmetting-qkoorts.html

171 http://www.rivm.nl/bibliotheek/rapporten/330214002.pdf
172 http://www.onehealthinitiative.com/
173 http://www.uu.nl/NL/Actueel/Pages/OratieRoelCoutinho.aspx
174 http://www.nature.com/nature/journal/v451/n7181/full/natu-
re06536.html
175 http://cel.webofknowledge.com/InboundService.do?SID=N2In
DIam3G7OO1210lJ&product=CEL&UT=A1995RK57800007&
SrcApp=literatum&Init=Yes&action=retrieve&Func=Frame&cu
stomersID=atyponcel&SrcAuth=atyponcel&IsProductCode=Yes
&mode=FullRecord
176 http://www.rivm.nl/bibliotheek/rapporten/330214002.pdf
177 http://www.wageningenur.nl/upload/cb26d2a4-990b-44b3-b466-
1b2041150338_Dierikx%20121011_Symposium_ESBL_final_corr.pdf
178 http://www.wageningenur.nl/upload/21aadc53-80a8-4a98-8f91-
cd2dd2d4b5d1_Dohmen%20ESBLs%20in%20varkens.pdf
179 http://www.uu.nl/faculty/veterinarymedicine/NL/Actueel/
nieuwsfaculteit/Pages/Toename-ESBL%E2%80%99s-bij-mens-
en-dier-zorgwekkend-en-effect-maatregelen-nog-niet-in-te-schat-
ten.aspx
180 http://online.liebertpub.com/doi/abs/10.1089/fpd.2011.1078?url_
ver=Z39.88-2003&rfr_id=ori:rid:crossref.org&rfr_dat=cr_
pub%3dpubmed
181 http://wwwnc.cdc.gov/eid/article/18/3/11-1099_article.htm
182 http://www.ncbi.nlm.nih.gov/sites/entrez?cmd=Retrieve&db=Pu
bMed&list_uids=12456300&dopt=Abstract
183 http://www.sciencedirect.com/science/article/pii/
S1286457903000492
184 http://www.idsociety.org/Tom_Dukes/
185 http://www.nvmm.nl/system/files/Antibiotic%20use%20and%20
resistance%20in%20Asia%20A%20delicate%20balance%20Wert-
heim%20190411.pdf
186 http://www.ncbi.nlm.nih.gov/pmc/articles/
PMC3294509/?tool=pubmed

187 http://onlinelibrary.wiley.com/doi/10.1111/j.1600-0463.2012.02879.x/abstract

188 http://www.idsociety.org/Templates/nonavigation.aspx?Pageid=12884901901&id=32212258927

189 http://www.cdc.gov/mmwr/preview/mmwrhtml/mm5924a5.htm

190 http://ssjournals.com/index.php/ijbar/article/view/337/pdf en http://articles.timesofindia.indiatimes.com/2011-04-17/special-report/29427597_1_medical-tourism-private-hospitals-ndm

191 http://www.cddep.org/sites/cddep.org/files/publication_files/VN_Report_web_1.pdf?issuusl=ignore

192 [PPT] Vietnam ppt, 340kb – World Health Organization amnews.vnanet.vn/politics-laws/Talking%20Law/204859/counterfeit-drugs-challenge-pharma-industry.html

193 http://www.intellasia.net/vietnam-second-in-southeast-asia-in-counterfeit-drugs-84776

194 http://www.who.int/mediacentre/factsheets/fs275/en/index.html

195 http://www.biomedcentral.com/content/pdf/1471-2334-10-203.pdf

196 http://www.nvmm.nl/system/files/Antibiotic%20use%20and%20resistance%20in%20Asia%20A%20delicate%20balance%20Wertheim%20190411.pdf

197 amnews.vnanet.vn/politics-laws/Talking%20Law/204859/counterfeit-drugs-challenge-pharma-industry.html

198 http://www.farmaactueel.nl/nieuws/10-02-2012/2039/lichte-toename-aantal-apotheken

199 http://www.fagg-afmps.be/nl/binaries/Pharmacies%2020120_5_tcm290-177355.pdf

200 http://www.ncbi.nlm.nih.gov/pubmed/14729760 Data in dit onderzoek gaan tot en met 2001. Sindsdien is het antibioticagebruik met ongeveer 10 procent gestegen van 10 naar ruim 11 defined daily doses per 1.000 inwoners.

201 http://www.ecdc.europa.eu/en/eaad/Documents/ESAC-Net-summary-antibiotic-consumption.pdf

202 http://www.nvmm.nl/system/files/Antibiotic%20use%20and%20resistance%20in%20Asia%20A%20delicate%20balance%20Wertheim%20190411.pdf

203 www.vwa.nl/txmpub/files/?p_file_id=39802

204 http://www.blackwellpublishing.com/eccmid20/abstract.asp?id=83547

205 http://aac.asm.org/content/54/9/3564

206 http://registration.akm.ch/einsicht.php?XNABSTRACT_ID=143150&XNSPRACHE_ID=2&XNKONGRESS_ID=161&XNMASKEN_ID=900

207 http://www.ncbi.nlm.nih.gov/pubmed/21497065

208 http://www.slideshare.net/tensennolte/b-diederen Presentatie gegeven door Bram Diederen op 23 mei 2012 tijdens een masterclass Outbreakmanagement van multiresistente bacteriën op IC's.

209 http://onlinelibrary.wiley.com/doi/10.1111/j.1469-0691.2012.03969.x/abstract

210 http://www.ecdc.europa.eu/en/eaad/documents/eaad-2011-summary-antimicrobial-consumption-data.pdf

211 http://www.ecdc.europa.eu/en/eaad/Documents/EAAD-2011-Summary-Antimicrobial-Resistance-data.pdf

212 http://www.ecdc.europa.eu/en/eaad/Documents/ESAC-Net-summary-antibiotic-consumption.pdf

213 http://euobserver.com/851/113841

214 http://www.nvz-ziekenhuizen.nl/_library/3800/Samenvatting%20%20-%20gezonde%20zorg%20Brancherapport%202012.pdf Zie p. 17.

215 http://www.senate.be/www/?MIval=/Vragen/SchriftelijkeVraag&LEG=5&NR=199&LANG=nl

216 http://www2.keelpno.gr/blog/?p=1140&lang=en

217 http://pib.nic.in/newsite/erelease.aspx?relid=64691

218 http://www.bbc.co.uk/news/world-south-asia-10954890

219 http://www.cddep.org/sites/cddep.org/files/publication_files/India-report-web.pdf

220 http://www.thelancet.com/journals/laninf/article/PIIS1473-3099(11)70059-7/fulltext

221 http://www.cddep.org/sites/cddep.org/files/carbapenems_in_india_updated.png

222 Deze cijfers over de westerse uitgaven aan gezondheidszorg zijn afkomstig van de OESO. http://translate.googleusercontent.com/translate_c?hl=nl&langpair=en%7Cnl&rurl=translate.google.nl&u=http://www.oecd-ilibrary.org/sites/hlthxp-total-table-2012-1-en/index.html%3Bjsessionid%3D2k9i9s24ls4f6.delta%3FcontentType%3D/ns/StatisticalPublication,/ns/KeyTable%26itemId%3D/content/table/20758480-table1%26containerItemId%3D/content/tablecollection/20758480%26accessItemIds%3D%26mimeType%3Dtext/html&usg=ALkJrhjqoiofv_kgK3iEciKC-oz9sJr91A

223 http://www.theindiaeconomyreview.org/Article.aspx?aid=63&mid=4

224 http://www.jidc.org/index.php/journal/article/viewFile/467/266

225 http://www.who.int/dg/speeches/2012/amr_20120314/en/index.html

226 http://www.radiobremen.de/politik/dossiers/krankenhauskeime/krankenhauskeime100.html

227 http://www.weser-kurier.de/Artikel/Bremen/Vermischtes/Hygiene-Skandal/544801/Fraktionen-fordern-%22maximale-Transparenz%22.html#

228 http://www.berlin.de/special/gesundheit-und-beauty/nachrichten/2777486-211-darmkeiminfektionen-verschwiegen-bussgel.html

229 http://www.mdr.de/sachsen/leipzig/weiterhin-kpc100.html

230 http://www.gpk.de/downloadp/STIKO_2011_Bulletin32_110815_Nachweis_von_Carbapenemasen_im_Jahr_2010.pdf

231 http://www.statistik.sachsen.de/html/466.htm

232 http://m.welt.de/article.do?id=gesundheit/article106421548/Experten-untersuchen-Keime-an-Leipziger-Uniklinik&cid=gesundheit&li=1&emvcc=-3

233 http://www.ncbi.nlm.nih.gov/pmc/articles/PMC90438/?tool=pubmed
234 http://www.ncbi.nlm.nih.gov/pmc/articles/PMC1168646/?tool=pubmed
235 http://www.cdc.gov/mmwr/preview/mmwrhtml/mm5810a4.htm
236 http://www.researchgate.net/publication/46576989_Quantifying_interhospital_patient_sharing_as_a_mechanism_for_infectious_disease_spread
237 http://jama.ama-assn.org/cgi/content/full/300/24/2911; http://aac.asm.org/content/52/3/1028.full ; http://cid.oxfordjournals.org/content/52/7/848.full.pdf+html
238 http://jama.ama-assn.org/cgi/content/full/300/24/2911
239 http://www.rivm.nl/dsresource?objectid=rivmp:195320&type=org&disposition=inline&ns_nc=1
240 http://www.nsih.be/download/MDR/CARBA_KLEBS/KPC_fiche_alert_V8_NL.pdf
241 http://www.health.belgium.be/internet2Prd/groups/public/@public/@shc/documents/ie2divers/19074512_nl.pdf
242 http://www.zorg-en-gezondheid.be/uploadedFiles/Zorg_en_Gezondheid/Nieuws/2012/CPE_personf_12072012.pdf
243 https://www.wiv-isp.be/news/Pages/NL_Ziekenhuihuisbacterien_MRSA.aspx
244 http://www.aznikolaas.be/index.asp?menu_id=1_1
245 http://www.sint-maarten.be/Algemene-ziekenhuizen/AZ-Sint-Maarten.html
246 http://www.rivm.nl/dsresource?objectid=rivmp:188275&type=org&disposition=inline
247 http://www.ecdc.europa.eu/en/publications/Publications/1111_TER_Risk-assessment-NDM.pdf
248 http://www.invs.sante.fr/Dossiers-thematiques/Maladies-infectieuses/Infections-associees-aux-soins/Surveillance-des-infections-associees-aux-soins-IAS/Enterobacteries-productrices-de-

carbapenemases-EPC/Episodes-impliquant-des-enterobacteries-productrices-de-carbapenemases-en-France.-Situation-epidemiologique-du-18-mai-2012

249 http://www.mednet.gr/whonet/ Kies Cumulative results, July-december 2010, Klebsiella pneumoniae, blood isolates om de hier geciteerde cijfers terug te vinden.

250 http://www.reuters.com/article/2012/12/04/us-greece-austerity-disease-idUSBRE8B30NR20121204

251 http://www.rivm.nl/Onderwerpen/Ziekten_Aandoeningen/E/Escherichia_coli_E_coli/STEC_EHEC/Verspreiding_en_frequentie

252 http://www.rki.de/DE/Content/Infekt/EpidBull/Archiv/2011/Ausgaben/25_11.pdf?__blob=publicationFile

253 http://ecdc.europa.eu/en/aboutus/organisation/Director%20Speeches/201109_MarcSprenger_STEC_ICAAC.pdf

254 Cijfers uit Abschlussbericht zum EHEC/HUS-Ausbruch. http://www.rki.de/DE/Content/InfAZ/E/EHEC/EHEC-Abschlussbericht.html?nn=2386228

255 http://ec.europa.eu/food/food/docs/prevention_of_STEC_ECDC_EFSA_110603_nl.pdf

256 http://www.ntvg.nl/publicatie/Een-pati%C3%ABnt-met-hemolytisch-uremisch-syndroom-en-infectie-met-enterohemorragische-ltigtEscherichia-c

257 http://www.rki.de/DE/Content/Infekt/EpidBull/Archiv/2011/Ausgaben/25_11.html;jsessionid=06615FF2322D272E2B168FA5D26581A3.2_cid290?nn=2386228

258 http://synapse.koreamed.org/DOIx.php?id=10.3349/ymj.2006.47.3.437

259 http://ecdc.europa.eu/en/aboutus/organisation/Director%20Speeches/201109_MarcSprenger_STEC_ICAAC.pdf

260 http://www.thelancet.com/journals/laninf/article/PIIS1473-3099(11)70165-7/abstract

261 http://wwwnc.cdc.gov/eid/article/17/10/pdfs/11-1072.pdf
262 http://www.rki.de/DE/Content/InfAZ/E/EHEC/EHEC-Abschlussbericht.html?nn=2386228
263 http://www.freiepresse.de/NACHRICHTEN/PANORAMA/RKI-Chef-EHEC-Risiko-wird-es-immer-geben-artikel7975456.php
264 http://www.news.de/wirtschaft/855203572/bauernverband-ehec-schaeden-bei-75-millionen-euro/1/
265 http://www.rijksoverheid.nl/documenten-en-publicaties/kamerstukken/2011/08/26/beantwoording-kamervagen-schadebedragen-voor-nederlandse-teelt-en-handel-ivm-ehec-uitbraak.html
266 http://www.lto.nl/nl/25222722-Glastuinbouw.html?path=12102279/10761407
267 http://www.statistik-portal.de/Statistik-Portal/de_zs01_bund.asp
268 http://www.dkgev.de/dkg.php/cat/5/title/Statistik
269 http://www.nvmm.nl/laboratoria
270 http://www.freiepresse.de/NACHRICHTEN/PANORAMA/RKI-Chef-EHEC-Risiko-wird-es-immer-geben-artikel7975456.php
271 http://www.bmg.bund.de/fileadmin/dateien/Downloads/Gesetze_und_Verordnungen/Laufende_Verfahren/I/110316_Kabinettvorlage_Entwurf_Infektionsschutzgesetzt_.pdf
272 http://www.gesetze-im-internet.de/bundesrecht/ifsg/gesamt.pdf
273 http://edoc.rki.de/documents/rki_ab/reNAjm2Z2qm82/PDF/27ZtlaS9sosxU.pdf
274 http://www.aerzte-oegd.de/pdf/stellungnahmen/krankenhaushygienegesetz.pdf
275 http://www.igz.nl/actueel/nieuws/zorgmedischmicrobiologischelaboratoriaverantwoord.aspx?sgURI=tcm:294-47500-4&nodeJump=4
276 http://www.plexus.nl/uploads/PDF/Plexus%20rapportage%20VWS%20BC%201elijnsdiagnostiek%20-%20december%202010.pdf

277 http://www.nza.nl/104107/139830/465987/Advies_eerstelijnsdiagnostiek.pdf

278 http://www.labco.eu/labco/easysite/investors/our-labs

279 http://www.labor-stein.de/

280 http://www.swab.nl/swab/cms3.nsf/uploads/5FD2BE2700E8B433C1257A680028D9F0/$FILE/visiedoc%20SWAB%20vs%2021%20junifinal.pdf

281 http://cid.oxfordjournals.org/content/44/2/159.full

282 http://www.favv-afsca.be/persberichten/_documents/2012-07-02_zorg-en-gezondheid_nl.pdf

283 http://www.eurosurveillance.org/ViewArticle.aspx?ArticleId=636

284 http://www.infectieziektebulletin.be/uploadedFiles/Infectieziektebulletin/2007/60_2007_2/E.coli.O157_2007_60_1_Van.den.Branden.D.pdf?n=2551

285 http://www.infectieziektebulletin.be/defaultsubsite.aspx?id=16888

286 http://www.rivm.nl/dsresource?objectid=rivmp:55412&type=org&disposition=inline#page=17

287 http://www.rivm.nl/Bibliotheek/Algemeen_Actueel/Uitgaven/Infectieziekten_Bulletin/Jaargang_22_2011/Februari_2011/Inhoud_februari_2011/Intensieve_surveillance_van_STEC_in_Nederland_2009

288 http://www.rivm.nl/Bibliotheek/Algemeen_Actueel/Uitgaven/Infectieziekten_Bulletin/Jaargang_22_2011/December_2011/Inhoud_december_2011/Intensieve_surveillance_van_STEC_in_Nederland_in_2010

289 http://www.rivm.nl/dsresource?objectid=rivmp:187484&type=org&disposition=inline

290 http://www.rivm.nl/dsresource?objectid=rivmp:188807&type=org&disposition=inline Zie p. 10 en 12.

291 http://www.rivm.nl/Bibliotheek/Algemeen_Actueel/Uitgaven/Infectieziekten_Bulletin/Jaargang_23/Mei_2012/Inhoud_mei_2012/Gebrek_aan_uniformiteit_bij_meldingen_van_Shigatoxineproducerende_Escherichia_coli_en_Shigella_aan_en_door_GGDen

292 http://www.thallion.com/en/news-events/press-release.php?id=125
293 http://www.thallion.com/docs/publications/31.IDSA2011.pdf
294 http://www.ema.europa.eu/ema/index.jsp?curl=pages/regulation/document_listing/document_listing_000302.jsp&mid=WC0b01ac058015300
295 http://www.ema.europa.eu/docs/en_GB/document_library/Report/2011/09/WC500112309.pdf
296 http://www.fagg-afmps.be/nl/binaries/finaal%20belvetsac%20rapport%202010_tcm290-160406.pdf
297 http://www.ema.europa.eu/docs/en_GB/document_library/Report/2012/10/WC500133532.pdf Zie p. 15, 18 en 19.
298 http://www3.lei.wur.nl/ltc/Classificatie.aspx, Europese Unie, Agrarische productie, Veestapel.
299 http://statline.cbs.nl/StatWeb/publication/?VW=T&DM=SLNL&PA=7123slac&D1=a&D2=13-16&D3=285&HD=120418-1446&HDR=G1&STB=T,G2
300 http://www.ema.europa.eu/docs/en_GB/document_library/Report/2012/10/WC500133532.pdf Zie p. 15.
301 http://www.ema.europa.eu/docs/en_GB/document_library/Report/2012/10/WC500133532.pdf Zie p. 15.
302 http://www.lei.dlo.nl/publicaties/PDF/2010/2010-016.pdf
303 Deze passage over de Deense beleidswijziging is gebaseerd op een onderzoek dat Berenschot heeft gedaan naar de wenselijkheid van een vergelijkbare beleidswijziging in Nederland. http://www.rijksoverheid.nl/documenten-en-publicaties/rapporten/2010/03/08/wat-zijn-de-effecten-van-het-ontkoppelen-van-voorschrijven-en-verhandelen-van-diergeneesmiddelen-door-de-dierenarts.html
304 http://www.feedstuffs.com/Media/MediaManager/danish_letter_to_congress.pdf
305 http://www.rijksoverheid.nl/documenten-en-publicaties/kamerstukken/2010/03/08/aanbieding-rapport-berenschot.html

306 http://www.rijksoverheid.nl/documenten-en-publicaties/rappor-
ten/2010/03/08/wat-zijn-de-effecten-van-het-ontkoppelen-van-
voorschrijven-en-verhandelen-van-diergeneesmiddelen-door-de-
dierenarts.html

307 http://www.rijksoverheid.nl/documenten-en-publicaties/kamer-
stukken/2010/03/08/aanbieding-rapport-berenschot.html

308 http://www.rijksoverheid.nl/documenten-en-publicaties/ka-
merstukken/2010/04/09/deskundigenberaad-rivm-en-reductie-
antibioticumgebruik.html

309 http://www.commissiewerner.nl/Nota%20Commissie%20Wer-
ner.pdf

310 http://www.autoriteitdiergeneesmiddelen.nl/Userfiles/persbe-
richt-sda-streefwaarden-1-juli.pdf

311 http://nos.nl/artikel/252639-normen-voor-antibiotica-voor-die-
ren.html

312 http://www.lei.dlo.nl/wever.internet/MARAN/report%20Veteri-
nary%20antibiotic%20usage.pdf

313 http//www.wageningenur.nl/nl/Expertises-Dienstverlening/
Onderzoeksinstituten/lei/show/Veterinair-antibioticagebruik-
historische-laag.htm

314 http://www.autoriteitdiergeneesmiddelen.nl/Userfiles/rappor-
tage--sda-expertpanel-dataanalyse-2011-en-benchmarkindicato-
ren-2012.pdf

315 http://www.autoriteitdiergeneesmiddelen.nl/Userfiles/2e-signale-
ring-sda-10-mei-2012-def.pdf

316 http://www.amcra.be/

317 http://www.amcra.be/nl/persbericht-amcra-het-kader-van-de-
european-antibiotic-awareness-day-18-november-2012

318 http://www.vwa.nl/actueel/nieuws/nieuwsbericht/2012208

319 http://www.rijksoverheid.nl/documenten-en-publicaties/kamer-
stukken/2012/06/01/kamerbrief-over-antibioticagebruik-veehou-
derij.html

320 http://www.vwa.nl/actueel/nieuws/nieuwsbericht/2024821

321 http://vlaanderen.mediargus.be/Frames/Article.aspx?ArticleId=714569655635725a3664376e774c7a716450585436773d3d&BasketId=7868643069614d61412f343d&CreationDate=03-08-2012&IsReview=True

322 http://www.favv.be/jaarverslagen/_documents/2011-07_AV2010_NL_S.pdf Zie p. 254.

323 http://www.fda.gov/AnimalVeterinary/NewsEvents/CVMUpdates/ucm054434.htm

324 http://www.danmap.org/Downloads/~/media/Projekt%20sites/Danmap/DANMAP%20reports/Danmap_2011.ashx

325 http://www.aftonbladet.se/nyheter/article6606969.ab

326 http://www.sciencedaily.com/releases/2012/05/120518132416.htm

327 http://registration.akm.ch/einsicht.php?XNABSTRACT_ID=141546&XNSPRACHE_ID=2&XNKONGRESS_ID=161&XNMASKEN_ID=900

328 http://registration.akm.ch/einsicht.php?XNABSTRACT_ID=143949&XNSPRACHE_ID=2&XNKONGRESS_ID=161&XNMASKEN_ID=900

329 http://wwwnc.cdc.gov/eid/article/17/7/11-0209_article.htm en http://onlinelibrary.wiley.com/doi/10.1111/j.1469-0691.2011.03497.x/abstract. Zie ook hoofdstuk 6,'Het voorportaal van het einde'.

330 http://www.efsa.europa.eu/

331 http://www.swab.nl/swab/cms3.nsf/uploads/8742BC83DED61613C125794F002E3D65/$FILE/SWAB%20DEF.pdf

332 Gegevens ontleend aan een presentatie van professor Jan Kluytmans op 29 mei 2012 voor ZLTO.

333 Gegevens ontleend aan een presentatie van professor Jan Kluytmans op 29 mei 2012 voor ZLTO.

334 http://www.gezondheidsraad.nl/nl/adviezen/antibiotica-de-veeteelt-en-resistente-bacteri-n-bij-mensen

335 http://www.brabant.nl/actueel/nieuws/2011/september/adviescommissie-van-doorn/advies-commissie-van-doorn.aspx

336 http://www.zlto.nl/blog/122/AH-vertraagt-verduurzaming
337 http://www.brabant.nl/dossiers/dossiers-op-thema/platteland/intensieve-veehouderij.aspx
338 http://www.cddep.org/
339 Zie bijvoorbeeld http://www.dnaindia.com/print710.php?cid=1594660 of http://www.nature.com/polopoly_fs/1.11392!/menu/main/topColumns/topLeftColumn/pdf/489192a.pdf
340 http://timesofindia.indiatimes.com/india/Curb-on-Over-the-counter-sale-of-92-antibiotics-soon/articleshow/16241650.cms
341 http://www.rijksoverheid.nl/documenten-en-publicaties/verslagen/2012/11/08/verslag-werkbezoek-aan-china.html
342 http://ec.europa.eu/dgs/health_consumer/docs/communication_amr_2011_748_en.pdf
343 http://soapimg.icecube.snowfall.se/strama/Kopenhamnsmotet_1998.pdf
344 http://cid.oxfordjournals.org/content/47/Supplement_3/S249.full
345 http://cid.oxfordjournals.org/content/47/Supplement_3/S105.full
346 http://www2.lse.ac.uk/LSEHealthAndSocialCare/impacts/LSEHealthNews/News%20Attachments/Policies%20and%20incentives%20report.pdf
347 http://www.who.int/dg/speeches/2012/amr_20120314/en/index.html en zie verder hoofdstuk 7
348 http://www.reactgroup.org/
349 Als millenniumdoel 6 is onder meer afgesproken dat de verspreiding van malaria en hiv in 2015 gestopt is. Tussen 2007 en 2009 heeft Nederland 80 miljoen euro ter beschikking gesteld voor de ontwikkeling van nieuwe medicijnen, vaccins en diagnostiek. Mede daardoor konden onder meer twee nieuwe middelen tegen malaria op de markt komen. Dankzij steun aan het Stop TB Partnership en de internationale tbc-bestrijding zijn wereldwijd meer dan 20 miljoen mensen genezen van tuber-

culose. Verder loopt er mede dankzij een Nederlandse financiele bijdrage een veldonderzoek naar een tbc-vaccin dat tegen zowel tuberculose als hiv beschermt. http://www.google.nl/url?sa=t&rct=j&q=in%202015%20is%20de%20verspreiding%20van%20ziektes%20als%20hiv%2Faids%2C%20tuberculose%20en%20malaria%20gestopt&source=web&cd=2&cad=rja&ved=0CCsQFjAB&url=http%3A%2F%2Fwww.rijksoverheid.nl%2Fbestanden%2Fdocumenten-en-publicaties%2Fbrochures%2F2010%2F10%2F07%2Finformatieblad-millenniumontwikkelingsdoel-6%2Fred-e-millennumdoel-6-2010.pdf&ei=NaRxUK2AHYKeoQWX4ICYAw&usg=AFQjCNHG2sHJ9orOJHi5QhHsAnrPCqdZqQ

350 http://onlinelibrary.wiley.com/doi/10.1111/j.1469-0691.2008.02067.x/full

351 http://www.aricjournal.com/content/pdf/2047-2994-1-25.pdf

352 http://www.cddep.org/publications/joint_statement_antibiotic_resistance_us_centers_disease_control_and_prevention_cdc_and

353 http://www.prezies.nl/vph/prev/Referentiecijfers_VPH.pdf

354 www.scp.nl/dsresource?objectid=29108&type=org

355 http://www.eurosurveillance.org/ViewArticle.aspx?ArticleId=20252

356 http://www.nsih.be/download/HALT/Halt%20NL%20final.pdf

357 http://www.ecdc.europa.eu/en/eaad/Documents/EARS-Net-summary-antibiotic-resistance.pdf

358 http://dspace.ubvu.vu.nl/bitstream/handle/1871/16085/dissertation.pdf?sequence=1

359 http://ecdc.europa.eu/en/activities/diseaseprogrammes/tatfar/documents/210911_tatfar_report.pdf

360 http://www.efpia.eu/blogs/event-efpia-director-generals-lecture-society-ready-new-science

361 http://us.gsk.com/html/media-news/pressreleases/2010/2010_pressrelease_10080.htm

362 http://www.nature.com/nature/journal/v466/n7309/full/nature09197.html

363 http://ec.europa.eu/health/documents/community-register/html/h785.htm

364 http://www.ema.europa.eu/docs/nl_NL/document_library/EPAR_-_Summary_for_the_public/human/002252/WC500132588.pdf

365 http://ecdc.europa.eu/en/publications/Publications/1011_SUR_Annual_Epidemiological_Report_on_Communicable_Diseases_in_Europe.pdf#page=184

366 http://cid.oxfordjournals.org/content/52/suppl_5/S397.full

367 http://www.astrazeneca.com/Media/Press-releases/Article/20111018--astrazeneca-and-forest-laboratories

368 http://registration.akm.ch/einsicht.php?XNABSTRACT_ID=144882&XNSPRACHE_ID=2&XNKONGRESS_ID=161&XNMASKEN_ID=900

369 http://registration.akm.ch/einsicht.php?XNABSTRACT_ID=144786&XNSPRACHE_ID=2&XNKONGRESS_ID=161&XNMASKEN_ID=900

370 http://cid.oxfordjournals.org/content/54/2/268.abstract

371 http://www.congrex.ch/fileadmin/files/2012/eccmid2012/donwload-handouts/EW12_Handout_Colistin.pdf

372 http://www.aida-project.eu en meer specifiek http://www.aida-project.eu/attachments/article/45/AIDA%20Folder-8-2012.pdf

373 http://www.ecdc.europa.eu/en/eaad/Documents/ESAC-Net-summary-antibiotic-consumption.pdf

374 http://ehp.niehs.nih.gov/2012/11/1205436/

375 http://igitur-archive.library.uu.nl/dissertations/2009-0821-200107/hoogen.pdf. Zie met name hoofdstuk 7

376 http://repub.eur.nl/res/pub/32161/120425_Erasmus,%20Vicky%20-%20BEWERKT%20.pdf

377 http://nos.nl/artikel/417477-onnodige-sterfte-door-wondinfecties.html

378 http://zembla.vara.nl/Afleveringen.1973.0.html?&tx_ttnews%5Btt_news%5D=71423&tx_ttnews%5BbackPid%5D=1974&cHash=fccf1edaa5fb9ff2858c506f4192951e

379 http://www.wip.nl/free_content/Richtlijnen/Handhygiene_medewerkers_071015def.pdf